Über dieses Buch

»Wenn engagierte politische Wissenschaftler, Journalisten, Theologen, Pädagogen, Gesellschaftswissenschaftler und Philosophen ... und viele andere wendige Köpfe die verschiedensten Positionen unserer Existenz widerspiegeln, so ist das Bild ebenso vielfarbig wie einzigartig in der Konsequenz des Buches ... Dabei geht es nicht darum, das Gleichgewicht der Meinungen rasch wieder einzupendeln, sondern den Prozeß des Weiterdenkens anzustoßen.« (Kölner Stadt-Anzeiger)

Politik für Nichtpolitiker
Ein ABC zur aktuellen Diskussion

Herausgegeben von Hans Jürgen Schultz
Band 2: N–Z

Deutscher
Taschenbuch
Verlag

Diesem Buch liegt eine Sendereihe des Süddeutschen Rundfunks zugrunde.
Wo es ihnen notwendig schien, haben die Autoren ihre Beiträge für die Taschenbuchausgabe aktualisiert.

Ungekürzte Ausgabe
Dezember 1972
Deutscher Taschenbuch Verlag GmbH & Co. KG, München

Umschlaggestaltung: Celestino Piatti
Gesamtherstellung: C. H. Beck'sche Buchdruckerei, Nördlingen
Printed in Germany · ISBN 3-423-00868-7

Inhalt

Nation

Hans Rothfels

Auch wenn man von den Besonderheiten der deutschen Lage, soweit sie mit der Teilung zusammenhängt, zunächst absieht, so ist es keine leichte Aufgabe, sich zum Begriff der Nation zu äußern. Man muß sich auseinandersetzen mit seinem Inhalt, mit seiner Entleerung und Diskreditierung durch die geschehene Absolutsetzung und Überstrapazierung wie auch mit seiner trotzdem fortbestehenden Werthaftigkeit, ja seiner wiederansteigenden Bedeutung nicht nur für die Dritte Welt, sondern auch für die Auflockerung der Blöcke in Ost und West und für das »Europa der Vaterländer«.

Was zunächst das Begriffliche betrifft, so durfte über lange Zeit hin eine Auffassung als vorherrschend gelten, die Nationalität mit Staatsbürgerschaft und insofern Nation mit Staat gleichsetzte. Diese Identifizierung entspricht einem politischen Entwicklungsprozeß, der sich namentlich in Westeuropa auf dem Wege der Assimilierung auch volksfremder Elemente innerhalb gegebener Grenzen vollzogen hat und sich noch heute weithin in der Welt vollzieht. Wenn die UNO sich als »United Nations« deklariert, so verhüllt das nur schlecht die Tatsache, daß sie praktisch eine Organisation von Staaten ist. Auch auf afrikanischem und asiatischem Boden sind staatliche Abgrenzungen, wie sie oft auf sehr künstliche Weise von den Kolonialmächten bestimmt worden waren, weithin nationenbildend gewesen.

Mit diesem politisch-territorialen Nationsbegriff hat aber ein anderer geschichtlich im Gemenge gelegen, der eher von objektiven Merkmalen, von gemeinsamer Sprache, gemeinsamer Abstammung und Kultur, also von ethnischer oder stammesmäßiger Einheit ausging als von staatlicher Einheit und dem subjektiven Bewußtsein staatsbürgerlicher Gemeinschaft. Er ist auch in Westeuropa wirksam gewesen oder wieder geworden – nicht nur im United Kingdom, das ja, wie schon der Name zeigt, kein eigentlicher Nationalstaat ist, sondern auch in jenen Bereichen, die mindestens seit der Französischen Revolution vom Ideal der »nation une et indivisible« geprägt worden waren. Es haben sich demgegenüber Nationalbewegungen erhoben, unter Basken und Katalanen, unter Provençalen und Bretonen. Die Tendenz zur stammesmäßigen Separation in Afrika fällt unter die gleiche Kategorie. Nur in seltenen Fällen wie der Schweiz hat sich eine Versöhnung zwischen beiden Begriffs- und Erlebniswelten vollzogen, indem eine politische, die Schweizer Nation, drei Kulturnationen oder drei bis vier Sprachnationen umfaßte. Ansätze mindestens zu einer Entwicklung von »Sondernationen« (die Ladiner eingeschlossen) wird man auch in den USA beim Versagen des »melting pot« und der Rassen-Integration beobachten können. Und schließlich ist bei den für eine Nation bzw. die Abgrenzung von Nationen konstitutiven Faktoren die Religion nicht zu vergessen. Die Beispiele dafür reichen von Belgien und den Niederlanden (mit der Aufspaltung des Flamentums) zur Teilung Irlands und zur Auseinanderlegung von Indien und Pakistan. Nur auf dem Hintergrund konfessioneller und kultureller Gegensätze sind die blutigen Vorgänge in Ulster und der Separatismus von Bangla Desh zu begreifen.

Hauptschauplatz für die Ausbildung oder Auswirkung eines ethnischen und sprachlich-kulturellen Typus der Nation war indessen Mitteleuropa mit der deutschen und italienischen Einheitsbewegung, die beide eine partikularistische Staatenwelt überwölbten – wie namentlich das bisher in internationale Reiche eingegliederte Ostmitteleuropa. Indem hier nach 1918 Nationalstaaten entstanden, geschah ihre Gründung wohl formal im Zeichen der »nation une et indivisible«, aber praktisch vollzog sie sich auf einem Gebiet weitgehender Völkerverzahnung, und das mußte in bestimmten Fällen bei Mehrheiten wie bei Minderheiten einem emotionalen Nationalismus Vorschub leisten.

Nicht daß »Nationalismus«, wie man, wenigstens in deutscher Sprache, die hier spezifischer ist, die Extremform oder die Pervertierung nationaler Bewegungen zu nennen pflegt, der Welt des westlich-politischen Nationsbegriffes fremd gewesen wäre. Er konnte zu einer einebnenden Gleichmacherei oder einem demokratischen Missionsbewußtsein führen, wie es die Französische Revolution mit dem Bürgertum als ihrem Hauptträger im Kampf gegen feudale Ordnungen und das alte Europa beseelte und wie es in Verbindung mit demokratischen Massenbewegungen fortgewirkt hat. Aber auch mit anderen gesellschaftlichen Kräften, sowohl mit dem Expansionsdrang sozialer Eliten wie mit einer antibürgerlichen Komponente im marxistischen Zukunftsbild, konnte er zum national determinierten Instrument einer sozialen Revolution werden: ein gegen den Westen gewendeter Nationalismus, der den Rückgriff auf einen panslawischen Messianismus nicht zu scheuen brauchte. Aber die stärkste Sprengwirkung für alle historischen Strukturen ging fraglos vom biologischen Nationsbegriff der nationalsozialistischen Bewegung aus, von der ihr zugrundeliegenden Volkstumsideologie und dem Rassenfanatismus. Schon während des Dritten Reiches selber hat die Absolutsetzung der Nation und der totalitäre Charakter des Regimes mit allen Verbrechen, die daraus hervorgingen, zu einer Grenzsituation geführt, in der die Männer des deutschen Widerstands, obwohl meist Kreisen von typisch staatlicher Loyalität zugehörig, sich vom Nationalstaat als höchstem Wert bewußt lossagten und für eine universale Front des Menschlichen gegen das Unmenschliche optierten.

Erst recht sank 1945 die so vielfach und schmählich mißbrauchte Idee der Nation in der Wertskala tief herab. Nicht nur in der deutschen, sondern auch in den anderen Widerstandsbewegungen hatte inzwischen das Bild eines föderierten Europa in der Planung für eine bessere, eine menschenwürdigere und den Frieden sichernde Zukunft eine bedeutsame Rolle angenommen. Aber begreiflicherweise war die Abkehr vom traditionellen Nationsbegriff, die Umkehr zu einer neuen und überlegen erscheinenden Idee, zu Europa als einer Art »Ersatz-Nation«, in Deutschland am entschiedensten. Vor allem in der Jugend vollzog sie sich und bestätigte sich in vielen Formen intereuropäischer Kooperation. »Ein guter Deutscher«, so hat noch jüngst Bundespräsident Heinemann den Erlebnisgehalt dieser Jahre festgehalten, »kann nur ein Europäer sein.«

Daß nicht alle Blütenträume der europäischen Bewegung gereift sind, ist bekannt genug. Von allen praktischen Hemmnissen abgesehen, konnte die Bewegung gerade als eine europäische nicht auf eine Einschmelzung oder gar Eliminierung der historisch gewordenen nationalen Individualitäten ausgerichtet sein. Das sei das »Europäische an Europa«, so hat Reinhard Wittram mit Recht einmal gesagt, daß es »aus Nationen« bestehe. Aber unzweifelhaft trugen sowohl das Steckenbleiben der integrierenden Bemühungen im wirtschaftlichen als auch ihr Scheitern oder ihre hoffnungslos scheinende Verzögerung im politischen Bereich mit zur Prägung der nach Helmut Schelskys Formulierung »Skeptischen Generation« des ersten Nachkriegsjahrzehnts bei.

Ein Jahrzehnt später, gegen Ende der sechziger Jahre, hat sich die Lage in der Bundesrepublik, was die Diskriminierung von Worten wie Nation und Vaterland betrifft, weiter verschärft. Wer sie im Verkehr mit Jugendlichen gebraucht, muß darauf gefaßt sein, nicht nur auf Skepsis, sondern auf zynische Ablehnung zu stoßen. Zum Teil hängt das mit einer Spätzündung zusammen, mit einer Art Zeitbombe mit Verzögerung: der furchtbare Mißbrauch patriotischer Begriffe und all das, was unter ihrem Vorzeichen getan oder erlitten worden ist, wirkt sich erst jetzt voll aus – in einer Generation, die selbst nicht durch den Feuerofen gegangen ist und nicht zwischen Echtem und Unechtem zu unterscheiden gelernt hat. Mit dieser Spätzündung aber verbindet sich eine entschiedene Ablehnung alles historisch Gewordenen und institutionell Etablierten, ein Wille zur Umschöpfung der Gesellschaft, der von bestimmten theoretischen, meist neo-marxistischen, Voraussetzungen aus im Spätkapitalismus faschistoide Züge, den Ansatz zu einem neuen totalitären System, zu erkennen glaubt.

Diese Situation ist nicht ohne Paradoxie. Zunächst muß man feststellen, daß hier ein Extrem das andere treibt. Wenn es in der Bundesrepublik überhaupt eine Chance zu einem ressentimentgeladenen Renationalisierungsprozeß, ja zu einem exzessiven Nationalismus gibt, so hat dieser Möglichkeit neben der schwierigen Lage der »Vertriebenen« die erklärte Mißachtung aller nationalen Empfindungen, zum Beispiel so obsolet erscheinender Dinge wie Vaterlandsliebe, sehr wesentlich auf den Weg geholfen. Wie berechtigt und notwendig auch immer es für Deutsche war, vor der eigenen Tür zu kehren und aus eigener Erkenntnis sich von der unseligsten Phase deutscher Geschichte in scharfer Wendung abzusetzen, so hat doch nicht nur die Kollektivschuldthese von außen, sondern erst recht von innen her ein Flagellantentum, das gegen jeden Ansatz ruhiger Selbstachtung und gegen jede Berufung auf historisch gegründete Werte der Vergangenheit anging, Gegenkräfte geweckt, die aus neonazistischen Restbeständen allein nicht zu erklären sind, und die für eine gewisse Zeitspanne als eine sehr ernste Bedrohung der freiheitlich-demokratischen wie auch der internationalen Ordnung erscheinen mochten.

Die andere Seite der erwähnten Paradoxie ist, daß die Verfemung des Nationalen als eines reaktionären Begriffs und die Herabwürdigung alles nationalen Ehrgefühls als einer Spießergesinnung, wie sie von einem radikalen Flügel der deutschen Jugend und den mit ihr – aus was für Gründen auch immer – Sympathisierenden betrieben wird, zeitlich zusammenfiel mit einem maßvoll wiederansteigenden Kurswert der »Nationen«, nicht als autonomer, wohl aber als schätzbarer Einheiten im geschichtlichen Prozeß, deren Vielzahl im europäischen wie im Weltstaatensystem dem innerstaatlichen Pluralismus der demokratischen Gesellschaft entspricht und hier wie dort auf Interessenausgleich drängt.

Dem Historiker sei hier ein kurzer geschichtlicher Rückblick gestattet. Im ersten Jahrzehnt nach 1815 schien die damalige Welt in ideologische Fronten, eine revolutionäre und eine antirevolutionäre, aufgeteilt; nach 1830 hat dann Leopold von Ranke nicht ohne Grund (mit Hinweis sowohl auf die Entwicklung, die auf das konfessionelle Zeitalter mit seinen religiösen Weltparteien gefolgt war, wie auf die reale zeitgeschichtliche Lage) die These vertreten: die Horizontalen, also internationale Bewegungen religiöser oder ideologischer Natur, seien eine Ausnahmeerscheinung, die Vertikalen, das heißt staatliche und nationale Einheiten, würden sich aus der Überflutung immer wieder erfrischt erheben. Nach 1945 konnte man die Richtigkeit dieser These bezweifeln, angesichts der so weitgehend vollzogenen bipolaren Zweiteilung der Welt, das heißt einer über nationale Grenzen hinweggehenden gesellschaftlichen Frontbildung, und zugleich eines Mächtedualismus, bei dem die zwei übriggebliebenen Großen und die von ihnen geführten Blöcke diese gesellschaftspolitische Polarität vertraten. Das war eine horizontale Frontbildung über jede geschichtliche Analogie hinaus. Sie wird kaum als Ausnahmeerscheinung zu charakterisieren sein. Aber unzweifelhaft haben sich auch die Vertikalen wiederbelebt, und die Tendenz zu einem Pluralismus oder Polyzentrismus ist unverkennbar. Dabei sei nicht in erster Linie an die sowjetisch-chinesische Rivalität oder das neue weltpolitische »Dreieck«, wie man diese Konstellation wohl nennen kann, oder die Entwicklung im Bereich der Dritten Welt gedacht, sondern an den europäischen Pluralismus, an dem neben den beiden Großmächten die europäische Staatenwelt selbst teilnimmt: »Im Schatten der Bipolarität«, so hat der kürzlich verstorbene W. Besson formuliert, geschieht »eine Wiederaufnahme der eigenen Geschichte«.

Der schärfste Anstoß dazu ging bekanntlich vom Frankreich de Gaulles aus. Hier konnte man versucht sein, nicht nur von einem Zurück zum neunzehnten Jahrhundert, sondern mit der Wiederbelebung des französischen Hegemonialgedankens fast von einem Zurück zum siebzehnten Jahrhundert zu sprechen. Aber bei allen Schwierigkeiten und Ärgernissen im einzelnen fügt sich doch, wie zunehmend deutlich geworden ist, das gegenüber der Idee eines »europäischen Bundesstaats« abgeschwächte Ziel einer politischen »Union der Vaterländer«, die als Gegengewicht zu den beiden Supermächten dienen soll, – es fügt sich dieses Ziel unter Aufrechterhaltung der Identität der historischen Staaten letzten Endes in eine Gesamtsituation, die auch im Westen zu einer Auflösung der Blöcke einen Beitrag leisten kann.

Daß die Auflockerung, wie sie im Osten seit Titos eigenem Weg sich angedeutet hat, wie sie in der Tschechoslowakei nur durch »Intervention« zum Stillstand gebracht wurde und gleichwohl noch um sich greift und wie sie im Fall Rumäniens durch Beziehungen zu China und neuerdings zu Israel zu einer Brückenstellung zu führen scheint, von symptomatischer Bedeutung für diese Gesamtsituation ist, darf wohl als erwiesen gelten. Was in unserem Zusammenhang aber vor allem interessiert, ist die Neubewertung des Nationalen, nicht nur als Durchbruch durch die kommunistische Gemeinsamkeit, sondern auch als Bekenntnis zu einer eigengeprägten, historisch erwachsenen Art, die sich der Einebnung widersetzt. Man wird das gewiß nicht mit allzu großen Hoffnungen in der Richtung verknüpfen dürfen, als ob eine polyzentrische Tendenz an sich schon friedensbewahrend oder ausgleichsfördernd sei. Ein Blick auf den Nahen Osten genügt, oder gar auf Zypern, wo im kleinsten Raum die Nationalitäten-Kämpfe nach Art der zwanziger Jahre sich wiederholen. Auf alle Fälle aber wird man als positiv den Versuch charakterisieren dürfen, dem Nationalen als einer sozusagen unabdingbaren Kategorie europäischen Lebens Genüge zu tun, ohne es zum zerstörerischen Sprengmittel, zum Völkerdynamit, werden zu lassen.

Von der Anerkenntnis einer »unabdingbaren Kategorie« mag schließlich – wenn auch mit einigem Zögern angesichts so vieler umstrittener Fragen – der Blick auf die spezielle deutsche Situation zurückgelenkt werden, die, soweit sie mit der Teilung zusammenhängt, bisher ausgeklammert wurde. Auch wenn man von der Gefahr eines verhängnisvollen Pendelschlags von einem Extrem zum anderen, von einem nationalistischen Anspruch etwa zur Abschreibung selbst des Wortes »deutsch« unter sozialistischer Perspektive, oder der Möglichkeit einer Verbindung zwischen beiden in einer Art »Nationalbolschewismus« absieht und ebenso den weltweiten Zusammenhang in der Renaissance des Nationalen vernachlässigt, so wird man um eine grundsätzliche Feststellung nicht herumkommen: Die Absage an das Nationsbewußtsein und an so viele Werte der Vergangenheit gehen gegen die Geschichtlichkeit wie gegen die Würde des Menschen, ja drohen ihn erst recht anonymen Mächten zu unterwerfen, fördern also jene Tendenz zur Funktionalisierung und zur Manipulierbarkeit innerhalb der Konsumgesellschaft, gegen welche sich die Diskriminierung des Nationalen ja im Grunde wenden möchte.

Aber gilt die »Unabdingbarkeit« auch angesichts einer geteilten Nation, eines geteilten Vaterlandes, und wenn ja, in welchem Sinn und mit welchen Konsequenzen? Hier wird zunächst einzuräumen sein, daß die bisherige Vergeblichkeit aller bundesrepublikanischen Bemühungen um eine »Wiedervereinigung in Frieden und Freiheit«, daß die vielen Deklamationen, die sich dieser Vergeblichkeit bewußt sind und deshalb mehr oder weniger den Charakter routinemäßiger Pflichtübungen angenommen haben, daß ferner die Tatsache auf lange Zeit hin ungelöster oder nur im Sinn des »modus vivendi« sanktionierter Vorfragen wie die der Grenze zwischen Mitteldeutschland und Polen oder die des staatsrechtlichen bzw. völkerrechtlichen Status der DDR zu dem beigetragen haben, was man »nationalen Nihilismus« nennen kann. Es hilft nicht viel, demgegenüber auf Analogien zu verweisen, etwa die der polnischen Teilungen, bei denen die Nation selbst verschwand und gleichwohl ihre führenden Schichten, aber dann auch eine in die Breite gehende Bewegung die Hoffnung und den Willen zur nationalen Einheit nie aufgegeben haben – durch mehr als ein Jahrhundert und bis zum endlichen Erfolg hin. Man wird nicht übersehen dürfen, daß – ganz abgesehen von vielen anderen Unvergleichbarkeiten – dieser Erfolg das Ergebnis eines ganz Europa umpflügenden Krieges war, auf den die polnische Nationaldemokratie gehofft und den sie in einigen seiner psychologischen Voraussetzungen mit herbeigeführt hat. Wir alle wissen, daß das unser Weg nicht sein kann, daß nur verantwortungsloses Desperadotum um der deutschen Frage willen die Welt in einen Krieg stürzen könnte, der allerdings das Problem der Wiedervereinigung radikal lösen, das heißt ausradieren würde. Und auch der Hinweis auf andere spektakuläre Erfolge nationaler Einheitsbewegungen hilft nicht viel. Gewiß, sie traten einen Siegeszug an im neunzehnten und frühen zwanzigsten Jahrhundert; aber es gibt kein »in den Sternen geschriebenes Naturrecht auf die Einheit der Nation«! So sah das alte Reich, das sich ja eines »deutscher Nation« nannte, zahlreiche Fälle von Absplitterungen. Neue Grenzen, wie künstlich auch immer sie oft erscheinen mochten, haben sich durch Dauer verfestigt und je nachdem denationalisierend oder nationsbildend gewirkt. Aus neuester Geschichte braucht nur an die Sonderentwicklung des deutschen Österreich erinnert zu werden. Mit anderen Worten: Wir kommen um die nüchterne Anerkenntnis der Tatsache nicht herum, daß Teilungen innerhalb desselben Volkstums möglich sind und zur Bildung von »Sondernationen« führen können.

Gerade wenn man sich diese Möglichkeit klarmacht: die Gefahr der Entfremdung, die so stark mit der unterschiedlichen gesellschaftspolitischen Struktur der beiden Teile Deutschlands zusammenhängt, gerade dann erhebt sich erst recht die Frage, ob der Begriff der »deutschen Nation« als einer durch Generationen erwachsenen, auf gemeinsame Erlebnisse zurückblickenden und in schärfster Erprobung bestätigten Schicksalsgemeinschaft damit des Fordernden und Verpflichtenden, ja aller Werthaftigkeit beraubt wird.

Oder ist es nicht vielmehr so, daß bei nüchterner Einschätzung erst recht ein Element des »Unabdingbaren« sich aufdrängt? Es ergibt sich einmal aus der weltpolitischen Situation, für die ein hartes Nebeneinander in der Mitte des Kontinents ein Gefahrenpunkt ist und bleibt. Es hat seine Konsequenzen für die Bundesrepublik, indem über die Versuche ausgleichender Diplomatie und die Bereitschaft zur Abwehr jeder Subversion oder Penetration hinaus ein besonderer Akzent auf ihre Gesellschaftspolitik fällt, auf eine Verfassung, die es mit Freiheit, Gerechtigkeit und Menschenwürde sehr ernst nimmt, ohne bestehende Institutionen zu verabsolutieren. Und es wird diese Unabdingbarkeit nicht widerlegt durch die offenbare Tatsache, daß insbesondere in der Jugend der DDR, trotz mangelnder Freiheit und nicht nur als Folge der Indoktrinierung, ein Staatsbewußtsein entsteht, verbunden mit dem Stolz auf unter schwierigen Umständen vollbrachte Leistungen. Man sollte daher ruhig von der Möglichkeit zweier Vaterländer sprechen, wobei Vaterland mehr oder weniger mit dem Begriff »Heimat« verschmilzt, der durch die Mobilität der modernen Gesellschaft wie durch die Entwicklung des Problems der Vertriebenen, durch ihre weitgehende Integration, durch die Überkreuzung alter und neuer »Heimatrechte«, etwas von seiner Bindung an den Boden verloren hat.

Bei alledem aber bleibt die »Nation unter Nationen«, wie sich das seit 1945 trotz aller Polaritäten eindringlich erwiesen hat, ein Faktum. Im deutschen Fall liegt dabei der Schwerpunkt zunächst im Menschlichen, in der Beziehung zwischen einzelnen und Familien, zwischen Berufsgruppen und Verbänden hüben und drüben, wie in der Gemeinsamkeit eines kulturellen Erbes, das sich etwa in Weimar bekunden mag. Diese Verbindungen und die Gemeinsamkeit nicht abreißen zu lassen, ist – man wird um das Wort nicht herumkommen – eine »nationale« Pflicht. Daß von da nicht unmittelbar ein Weg zur Wiedergewinnung der Einheit führt, ist deutlich genug; höchstens Voraussetzungen werden damit erhalten. Zu ihnen gehört auch die freie Verfassung der Bundesrepublik und der Appell an das Selbstbestimmungsrecht; keinesfalls kann Einheit um den Preis der Freiheit erkauft werden. Wohl aber ist ihre Möglichkeit eingeordnet in den Abbau ideologischer Kriegsführung, in eine Auflockerung dogmatischer Fronten, eine Entspannung zwischen Osten und Westen, wobei die deutsche Teilung nicht Voraussetzung für den Status quo einer ebenfalls geteilten Welt, sondern gerade mit der offen gehaltenen Möglichkeit ihrer Überwindung ein wichtiger Schritt auf dem Weg zum Frieden zwischen den Völkern wäre oder sein könnte.

Notstand

Karl-Dietrich Bracher

Nach langen Auseinandersetzungen hat die Große Koalition im Mai 1968 durch einschneidende Änderungen des Grundgesetzes eine sogenannte Notstandsverfassung eingeführt, die auf entschiedene Kritik gestoßen ist und nicht wenig zur Verschärfung des politischen Klimas in der Bundesrepublik beigetragen hat. Dieser nach der Wehrgesetzgebung von 1954 tiefste Eingriff in unsere Verfassung wurde nicht zuletzt mit der Behauptung gerechtfertigt, kein souveräner Staat könne auf eine Regelung des »Notstands« verzichten (den man früher ehrlicher und treffender als Ausnahmezustand bezeichnet hat). Wie ist diese Auffassung im Licht der politischen Theorie und der historischen Erfahrung zu beurteilen?

Den allgemeinen Hintergrund bildet die weitverbreitete Meinung, Krisensituationen machten es notwendig, das konstitutionell-demokratische Prinzip einer Begrenzung und Teilung der Macht durch eine Machtkonzentration vorwiegend zugunsten der Exekutive oder sogar der Militärgewalt zu ersetzen. In Wahrheit gibt es freilich kaum einen Gegenstand der politischen Theorie und der Verfassungspraxis, der bis heute mehr umstritten wäre als die Frage der Begründung und Ausdehnung, der Interpretation und politischen Rechtfertigung eines Notstandsregimes und seines Verhältnisses zu Demokratie und Verfassung. Es bedeutet nichts weniger als eine Irreführung, wenn der Eindruck erweckt wird, als seien Notstandsverfassung und Notstandsgesetzgebung selbstverständliche und unbestrittene Bestandteile und Postulate jeder Demokratie. In Wahrheit liegt hier ein schwieriges und ungelöstes Problem. Viele Beispiele der Geschichte vermitteln uns die Erfahrung, daß jede Ausnahmegesetzgebung die konkrete Gefahr enthält, ja dahin tendiert, gerade jene Krise zu verschärfen oder erst recht hervorzurufen, die sie zu verhindern bestimmt war. Vorschnell angewandt, beeinträchtigt sie weitere Anstrengungen zur regulären parlamentarischen Bewältigung der Probleme Über längere Zeit praktiziert, werden Ausnahmebestimmungen zum Schutz der Verfassungsordnung allzuleicht ein Hebel für pseudolegalen Staatsstreich und diktatorische Herrschaft.

Aus diesem Grund hat die Notstandsfrage schon in der Antike eine wichtige Rolle gespielt. Als gleichsam klassisches historisches Beispiel gilt die Ausnahmeverfassung der römischen Republik mit der Institution des Diktators auf Zeit: es war die vielgerühmte »verfassungsmäßige Diktatur« im Unterschied zur verfassungswidrigen unumschränkten Tyrannis. Aber schon hier war die immanente Gefahr der Entwicklung, des Umschlags zur permanenten Diktatur nicht zu bannen; die Generale der Revolutionszeit im 1. Jahrhundert vor Christus haben sie zur Überwältigung der römischen Republik benutzt. Nicht weniger zwiespältig ist der Befund in der modernen Geschichte der Verfassungsstaaten seit der Französischen Revolution und Napoleon. Besonders zwischen den beiden Weltkriegen fielen die meisten neuen Demokratien der gefährlichen, fast unwiderstehlichen Tendenz zum Opfer, Notstandsbestimmungen zu schaffen und auszunützen, um pseudolegale Diktaturregime zu errichten. In Krisensituationen ökonomischer und innenpolitischer Art, oft genug unter dem Vorwand des Schutzes von Demokratie und Verfassung, sind allenthalben jene euphemistisch so genannten »Schutzdiktaturen« entstanden, die auch Hitlers Zerstörungsweg so sehr erleichtert haben: in Italien und Polen, im Balkan, in Spanien und Portugal, schließlich in Deutschland und auch im Österreich von Dollfuß und Schuschnigg, nicht zu sprechen von außereuropäischen, insbesondere südamerikanischen Erscheinungsformen.

Deutschland bietet in diesem Zusammenhang die eindringlichste Erfahrung. Hitlers Machtergreifung wurde nicht zuletzt möglich durch den Gebrauch und Mißbrauch der Ausnahmegewalt nach Artikel 48 der Weimarer Verfassung, die dem Reichspräsidenten das Recht gab, im Interesse der »öffentlichen Sicherheit und Ordnung« die parlamentarische Gesetzgebung durch Notverordnungen zu ersetzen, in den Ländern einzuschreiten, »erforderlichenfalls mit Hilfe der bewaffneten Macht«, und auch die Grundrechte »vorübergehend« außer Kraft zu setzen. Zwar knüpften diese Befugnisse ganz offensichtlich an preußische und kaiserzeitliche Traditionen der Belagerungs- und Kriegszustandsgesetzgebung an. Aber die Kontinuität monarchisch-obrigkeitsstaatlicher Elemente auch über die demokratische Revolution hinweg kennzeichnete die Struktur der Weimarer Republik überhaupt, die Altes und Neues in nicht immer glücklicher Synthese verband. Auch die Stellung des Reichspräsidenten selbst war durch die Funktion bestimmt, die er als »Ersatzkaiser« in einer vom Sturz der Monarchie überraschten Gesellschaft ausübte. Die einzige Einschränkung lag in dem Recht des Reichstags, mit einfacher Mehrheit die Aufhebung der auf Grund Artikel 48 getroffenen »Maßnahmen« zu verlangen. Das setzte jedoch die ungestörte Arbeitsfähigkeit des Parlaments voraus. Da aber der Reichspräsident neben dem weit gefaßten Notstandsrecht auch über das praktisch unbeschränkte Recht zur immer erneuten Auflösung des Reichstags verfügte, sofern er nur einen willigen Reichskanzler zur Gegenzeichnung besaß, und da er auch in der Ernennung der Kanzler freie Hand hatte, konnte er praktisch ohne parlamentarische Kontrolle durch Notverordnungen regieren und eine Gegenwirkung der Länder durch Androhung der Reichsexekution blockieren, also die parlamentarische und die föderalistische Struktur der Republik, ja das Gewaltenteilungsprinzip überhaupt außer Kraft setzen.

Es ist bezeichnend für die situationsgebundene Entstehung und die demokratische Absicht der Notstandsregelung von Weimar, daß sie ganz auf die Rolle Friedrich Eberts zugeschnitten war. In diesem Sinne schien sie auch im Sturmjahr 1923 zu funktionieren. Zur Abwehr innenpolitischer Krisen und Putschversuche hat der erste Reichspräsident in zahlreichen Fällen auf seine Diktatur-Befugnisse zurückgegriffen: ganz im Sinne einer »konstitutionellen Diktatur«, die, auf zeitliche Begrenzung der Maßnahmen und volle Erhaltung der rechtsstaatlichen Sicherungen gegründet, zugleich stets auf Bewahrung und Wiederherstellung der parlamentarischen Demokratie gerichtet war. Die fragwürdigen Aspekte einer Machtfülle, die auch ohne qualifizierte Mehrheitsentscheidung des Parlaments das parlamentarische Regierungssystem praktisch beseitigen konnte, traten aber ohne weiteres hervor, als sich diese Macht in den Händen eines Hindenburg und seiner nicht- und antidemokratischen Umgebung befand. Erst jetzt wurde offenbar, daß die Ausnahme- und Notverordnungsgewalt und ihre mögliche Koppelung mit dem präsidialen Auflösungs- und Ernennungsrecht einen Hebel zur pseudokonstitutionellen Aufhebung der Verfassung selbst, zur Zerstörung der Demokratie auf pseudodemokratischem Wege bot. Die in jeder Ausnahmegesetzgebung liegende Potentialität konnte nun zur Aktualität werden.

Wohl haben verschiedene andere Umstände eine wichtige

Rolle im Prozeß der Aushöhlung und Auflösung der Weimarer Demokratie gespielt. Sie konnten es aber nur, weil die Verfassung nicht nur keine wirksamen Hindernisse, sondern vielmehr bequeme Einbruchs- und Auswegmöglichkeiten bot. Eine ungebrochene Tradition obrigkeitsstaatlichen Denkens in der »öffentlichen Meinung«, in Publizistik und Staatsrechtslehre bemächtigte sich der weiten Möglichkeiten, die ein Notstandsregime in der Hand demokratiefeindlicher Personen und Gruppen eröffnete. So begrenzt deren Chancen unter Ebert gewesen waren, so bewußt ergriffen sie jetzt den Gedanken, die Reform und Überwindung der parlamentarischen Republik über ein autoritäres Präsidial- und Notstandsregime durchzusetzen. Über die Ausschaltung des Reichstags und die Gleichschaltung der republikanischen Bastion Preußen führte die Praxis dieses Notverordnungsregimes direkt in den terroristischen Machtergreifungskurs einer präsidialen Minderheitsregierung unter Hitler.

Den Einsatzpunkt bildete der Sturz der letzten großen Koalition inmitten der sich verschärfenden Wirtschaftskrise im Frühjahr 1930. Über die Schuld der Parteien und die Schwierigkeit parlamentarischer Regierungsbildung besteht kein Zweifel. Aber man kann dies Ereignis und seine Folgen nicht (wie die damaligen autoritären Kritiker der parlamentarischen Demokratie) allein aus einer angeblichen »Krise des Parteienstaates« erklären, wie dies noch immer geschieht. Entscheidend war vielmehr die Tatsache, daß die Pläne zu einem nichtparlamentarischen Regime »über den Parteien« und unter Ausschaltung des Reichstags schon längst vorbereitet waren. Brünings Berufung zum Reichskanzler von Hindenburgs Gnaden ist ohne den Versuch regulärer Regierungsverhandlungen mit verblüffender Schnelligkeit und unter betontem Hinweis auf die Möglichkeiten des Artikels 48 erfolgt. Damit war dem Reichstag wie den Parteien die Verpflichtung zur verantwortlichen politischen Regierungsbildung und zur konstruktiven Zusammenarbeit abgenommen, und damit war die vielberufene Krise des Parteienstaats erst eigentlich besiegelt.

Das präsidiale Notverordnungsrecht wurde in der Folge unter dem Vorwand einer Sicherung der »öffentlichen Sicherheit und Ordnung« mehr und mehr zur Umformung des Regierungssystems selbst eingesetzt. Es zeigte sich dabei rasch, daß die Überwindung einer Krise durch diktaturförmige Mittel problematischer ist als ihre Bekämpfung durch echte politische

Willensbildung und Erweiterung der Regierungsbasis im Raum und auf der Basis des parlamentarischen Kompromisses. Sowohl die verhängnisvolle vorzeitige Reichstagsauflösung vom Sommer 1930, die den Aufstieg des Nationalsozialismus zur Massenbewegung und die Lähmung des Parlaments besiegelte, wie auch die rasche Radikalisierung der Bevölkerung hängen unmittelbar mit dem kontrollentzogenen Charakter eines Notverordnungsregimes zusammen, das nicht mehr politisch, sondern bürokratisch allein mit Hilfe des Diktaturartikels regierte, während der Reichstag in die Rolle bloßer Tolerierung zurücksank. Die brüske Entlassung Brünings und die Einsetzung des Papenkabinetts haben diese Entwicklung dann gegen die Republik selbst gerichtet. Das Parlament wurde nun völlig ausgeschaltet; der Mißbrauch des Artikels 48 führte zum Staatsstreich Papens in Preußen; auch der Staatsgerichtshof nahm trotz Kritik an dieser Aktion die inzwischen vollzogenen Tatsachen hin, und Papens weitergehende Pläne zum autoritären Umbau von Staat und Verfassung waren gänzlich auf die präsidiale Diktaturgewalt gegründet.

Auch die nationalsozialistische Machtergreifung selbst ist entgegen einer weitverbreiteten Meinung nicht auf dem legalen Wege der Wahlentscheidungen und Parlamentsmehrheit, sondern über das Notstandsregime nach Artikel 48 erfolgt. Da Hitler eine nationalsozialistische Mehrheit im Reichstag bis 1933 auch nicht annähernd erreichen konnte, hatte er bei allen Regierungsverhandlungen stets die Verfügung über die Notstandsgewalt unter seiner Führung gefordert. Die Entscheidung war gefallen, als sich Hindenburg im Januar 1933 durch die Intrigen und den Druck seiner nächsten Umgebung, insbesondere Papens, dazu überreden ließ. Ohne den massierten Einsatz des Notstandsartikels wäre die so verwirrend pseudolegale Form der nationalsozialistischen Machtergreifung, die so zynisch gerühmte »legale Revolution« nicht möglich gewesen. Die Auflösung des Reichstags und die endgültige Gleichschaltung Preußens, die Terrorisierung der öffentlichen Meinung und die Beseitigung der Grundrechte, schließlich die Gleichschaltung aller nichtnationalsozialistisch regierten Länder samt dem Reichsrat waren nicht auf parlamentarische Mehrheiten, sondern allein auf die Manipulierung der Ausnahmegewalt gegründet. Auch die Verabschiedung des Ermächtigungsgesetzes, das einen weiteren Einsatz des Artikels 48 überflüssig machte, kam unter dem Druck des permanenten Ausnahmezustands zustande, den besonders die »Reichstagsbrandverordnung« vom 28. Februar 1933 unter Mißbrauch der präsidialen Diktaturgewalt faktisch für die gesamte Dauer des Dritten Reiches verhängt hat.

Das Fazit in Deutschland scheint also eindeutig. Die Übersteigerung der verfassungsmäßigen Diktatur zur totalitären Diktatur in Permanenz erscheint als Extremfall der Gefahren, die in den Notstandsbestimmungen demokratischer Verfassungen zwangsläufig enthalten sind. Wo immer zur Überbrückung einer Krise der verfassungsmäßige Zustand unterbrochen wird, ist die Gefahr des scheinlegalen Umschlags von der eingeschränkten zur uneingeschränkten Diktatur gegeben. Die unglaublich weitmaschige Form der Notstandsverfassung und ihre Verankerung im präsidialen Machtbereich hat die Konsequenzen von 1933 gezeitigt. Es fehlte die genaue Umgrenzung der Ausnahmegewalt, die statt zum Schutz zur Umgehung und Veränderung des Verfassungssystems eingesetzt werden konnte. Das hätte die Einfügung möglichst umfassender Kontrollinstanzen parlamentarischer, gerichtlicher und föderalistischer Art bedingt. Die Erfahrung von Weimar zeigt aber zugleich die Grenzen, die der Wirksamkeit institutioneller Sicherungen überhaupt gesetzt sind.

Für alle weiteren Diskussionen ergibt sich daraus der Schluß, daß strikt unterschieden werden muß zwischen dem äußeren Notstand einer Kriegssituation und inneren Krisen oder vermeintlichen Krisenlagen. Schwierigkeiten in der Praxis der parlamentarischen Regierung werden durch die Anwendung von Notstandsartikeln noch gesteigert, besonders wenn die Ausnahmegewalt stets verfügbar, weil in der Verfassung verführerisch einladend verankert ist. So ist es auch kein Zufall, daß klassisch bewährte Demokratien wie die USA, England oder die Schweiz gerade keine ausdrückliche Notstandsverfassung kennen, sondern erst im akuten Fall alle Kräfte in eine demokratische Lösung, ohne Verfassungsänderung, einbezogen werden. Dort wird der Notstand entweder parlamentarisch bewältigt, indem das Parlament wie im letzten Krieg die Übertragung von Vollmachten jeweils förmlich beschließt, oder durch inhärente Befugnisse des Präsidenten wie in den USA, wo aber stets Kongreß und Gerichte volle Kontrollgewalt behalten.

Das Gegenbeispiel ist bezeichnenderweise die V. Republik Frankreichs, die schon in ihrer dualistischen Präsidialstruktur an die Weimarer Republik erinnert; ihre Verfassung enthält

(Artikel 16) ähnlich umfassende und unbestimmte Notstandsbefugnisse für den Präsidenten (wobei de Gaulle freilich nicht mit Hindenburg zu vergleichen war). Darin kann so wenig ein Vorbild liegen wie in den Notstandsverfassungen von Staaten wie Griechenland oder der Türkei, während doch auch in Italien, Norwegen, Luxemburg, Dänemark, Belgien, Kanada Notstandsverfassungen durchaus fehlen; eine gewisse Ausnahme bilden nur die freilich stark abgestuften Regelungen der niederländischen Verfassung.

So steht hinter allen Versuchen zur Institutionalisierung von Notstandsregelungen ein großes Fragezeichen. Weder auf die Geschichte noch auf bewährte Demokratien können sie sich dabei einfach berufen. Man hat im Gegenteil geltend gemacht, daß eine Notstandsverfassung den Intentionen des Grundgesetzes widerspreche, die Fehler von Weimar wiederhole und einer gefährlichen Nebenverfassung Raum gebe, die von den Grundrechten bis zur Regierungs- und Bundesstruktur auch die Verfassung der zweiten deutschen Republik bedrohen und aushöhlen könnte. Statt Notstands- und Ausnahmebestimmungen hatte eben deshalb das Grundgesetz ungleich strengere Bestimmungen gegen antidemokratische Bestrebungen aufgenommen und zugleich Vorkehrungen zur Stabilisierung der Regierungs- und Parlamentsstruktur getroffen. Damit sollte ein Ausweichen auf Ausnahmepolitik entbehrlich und unmöglich gemacht werden. Und damit waren geradezu im Gegenteil alle Instanzen auf den Schutz der Grundrechte und der demokratisch-föderalistischen Struktur des Staates verpflichtet.

Bejaht man jedoch die Notwendigkeit von Notstandsgesetzen, so bleiben vor allem vier Grundfragen umstritten. Erstens: Wer stellt den Notstandsfall fest und verkündet ihn? Auf keinen Fall die Exekutive, die ihm ja dann eine vielfach gesteigerte Macht verdankt. Die Gefahr bleibt auch groß, wenn ein Parlamentsausschuß dazwischengeschaltet wird, wie dies nun in der Bundesrepublik geschehen ist. Denn Regierung und Exekutive werden sich hier immer auf ihre bessere Information und ihre technische Effizienz berufen, und dies trifft ja mit der allgemeinen Tendenz zum bürokratisch-technologischen Verwaltungsstaat zusammen. Zugleich ist deshalb aber auch festzuhalten an der Billigung durch eine qualifizierte Parlamentsmehrheit, die beträchtlich über einer bloßen Regierungsmehrheit liegen muß: korrekterweise einer Zweidrittelmehrheit, da doch die Verfassung selbst in ihrer Substanz betroffen ist.

Die zweite Frage: Wann besteht ein Notstand? ist zugleich eine Frage der Definition. Die Beschränkung auf den Kriegsfall gilt als das geringste Übel, und so verfahren denn auch die erprobten Demokratien. Alle Versuche, sie mit Begriffen wie »drohende Gefahr«, »Spannungszeit« oder »Erhöhung der Verteidigungsbereitschaft« zu begründen, wie das auch in der Bundesrepublik geschieht, oder sie gar auf innenpolitische Probleme anzuwenden, wie es jetzt mit dem innenpolitischen Einsatz der Bundeswehr möglich ist – all dies führt in einen Dschungel von divergierenden Interpretationen, aus dem Machtmißbrauch und Staatsstreich hervorgehen können.

Auch die dritte Frage, was Notstandsregierung bedeuten darf und was nicht, ist bis heute weithin umstritten und unklar geblieben. Nach demokratischer Auffassung kann es nur um eine Konzentration und Vereinfachung des Regierungsprozesses gehen, aber strikt im Rahmen der parlamentarischen Verantwortlichkeit; dem steht die Konzeption einer Diktatur auf Zeit gegenüber, nach der die Demokratie selbst weitgehend suspendiert wird. Damit hängt auch die umstrittene Frage zusammen, welche Kontrollen beibehalten bzw. neu eingeführt werden sollen, um den Gefahren jeder Notstandslösung zu steuern: besonders eben der Gefahr, daß die verantwortliche Regierung über ein bürokratisch-diktatorisches Interregnum beseitigt wird. Wenn das Notstandsregime wirklich die Rettung der Demokratie will, dann kann es nur eine möglichst breit fundierte Mehrparteien-Regierung im Sinne etwa der englischen und amerikanischen Kriegsregierungen wollen, und dann müssen auch die rechtsstaatlich-demokratischen Kontrollen weiterfunktionieren. Wenn aber eine wesentliche Verschiebung zwischen Legislative und Exekutive stattfindet, dann werden zusätzliche Kontrollen notwendig, um die Neigung zur Verlängerung und Ausdehnung, zur Verfestigung der anormalen Machtverteilung zu verhindern. Volle Kontinuität der parlamentarischen und verfassungsgerichtlichen Einrichtungen, Presse- und Meinungsfreiheit sind die Grundvoraussetzungen. Immer aber bleibt die Frage, ob nicht doch das Prinzip freiwilliger Kooperation und Selbstbeschränkung, auf das sich die Demokratien ohne fixierte Notstandsverfassungen stützen, weit besser und effektiver sei als ein System elaborierter Ausnahmebestimmungen, das doch nie die wirklich notwendigen Maßnahmen in einer künftigen Krise antizipieren kann.

Schließlich (viertens) aber bleibt das Zentralproblem, wie ein

Notstandsregime beendet werden kann, wie also die Tendenz zur Perpetuierung oder gar zur Verwandlung in permanente Diktatur gestoppt werden kann. Auch diese Gefahr ist für alle Demokratien gegeben, in denen die Regierung nicht dem Parlament voll verantwortlich bleibt. Machthaber und Exekutive werden sich nur ungern von ihren Ausnahmebefugnissen trennen, wenn das Parlament nicht effektiv imstande bleibt, dies zu verlangen, und das setzt die möglichst volle Kontinuität parlamentarischer Politik auch in der Periode der Einschränkungen voraus. Es ist fraglich, ob dazu ein kleiner, exklusiver Parlamentsausschuß (wie in Bonn) ausreicht, dessen Existenz zudem immer die fatale Wirkung haben kann, daß das Parlament schon vor dem Krisenfall zugunsten einiger »Notstandsexperten« auf seine Beteiligung faktisch verzichtet.

So bleiben die Zweifel, wie weit Notstandsverfassungen überhaupt mit einer Demokratie vereinbar sind. Ihre Vorkämpfer haben sich oft genug in Wahrheit als Liebhaber autoritärer Regime erwiesen. Man denke an die verhängnisvolle Rolle des Star-Staatsrechtlers Carl Schmitt, der noch heute mit Festschriften gefeiert wird – eines Mannes, der mit perfektionistischen Forderungen an die Weimarer Demokratie begann, dann in seiner dezisionistischen Lehre die politische Entscheidung über die Verfassung stellte und den Ausnahmezustand zum Zentrum des Staates erklärte, um schließlich ganz konsequent zum Verfechter der totalitären Führerdiktatur von 1933 zu werden. Nicht viel anders ist heute die Argumentation rechtsstehender Publizisten, wie etwa eines Winfried Martini, der an der Weimarer Republik das Zuwenig an Ausnahmegewalt beklagt und dagegen das autoritäre Regime Portugals preist – nicht zu sprechen von Neofaschisten und Militärdiktatoren oder auch Lobrednern linker Revolutionsregime und stalinistischer Staatsräson. Aber auch der Antiparteienaffekt eines großen Mannes wie de Gaulle oder der Perfektionismus einer Bürokratie, die von obrigkeitsstaatlichen und militärisch-technologischen Überzeugungen beherrscht ist, verschaffen solchen Bestrebungen zur Institutionalisierung von Ausnahmeregimen ihre ungebrochene Wirkung und Stoßkraft, mag nun die ideologische Rechtfertigung in der Furcht vor militärischer Bedrohung oder in undifferenziertem Antikommunismus, in sozialökonomischer Krisenangst oder im Verdruß über die Komplikationen und Unvollkommenheiten parlamentarischer Demokratie liegen.

Die historisch-politische Erfahrung lehrt, daß die Bewältigung einer Krise gerade die Einbeziehung aller Kräfte vom Parlament bis hin zu den Gewerkschaften und zu einer freien Presse, nicht aber deren Ausschaltung vom politischen Prozeß fordert. Demokratie wird in ihrem Wesen verkannt, wenn sie nur als eine Spielform für gute Zeiten betrachtet wird und wenn jene ebenso populären wie primitiven und gefährlichen Meinungen propagiert werden: je stärker der Staat sein müsse, desto weniger demokratisch könne er sein, und je weniger parlamentarische Störung die Regierung zu befürchten habe, desto besser werde sie mit dem Notstand fertig. Den Perfektionisten einer Notstandsregelung ist zu sagen: Wenn einmal die verfassungstechnischen Möglichkeiten zur Verfassungsdurchbrechung vorhanden sind, dann wächst auch der Appetit, sie zu benützen: ein vielfach belegbares psychologisches Phänomen. Es mag die verantwortlichen Instanzen – Parteien, Parlamente, Gewerkschaften, Gerichte, auch die Presse – dazu verführen, schwierigen und unpopulären Situationen auszuweichen und das Feld Ausnahmeregelungen zu überlassen, in denen sie der unbequemen Verantwortung weitgehend ledig sind: so wie es 1930–1933 in Deutschland geschah.

Auch in ein Notstandsregime müssen alle Elemente des demokratischen Staates und der demokratischen Gesellschaft voll inkorporiert sein. Die Bewältigung einer Krise hängt von der demokratischen Kooperation, von Kontrolle und Verantwortung ab, sie hängt ab von dem Bewußtsein einer letzten Überlegenheit freier Gesellschaften mit verantwortlichen Regierungen und nicht von ständigen Verfassungsänderungen und von der Aufhebung grundlegender Regeln der Demokratie. Die Absichten der Perfektionisten mögen noch so gut sein, aber der Weg vom elaborierten Ausnahme Regime zurück zur vollen Demokratie ist höchst schwierig, wenn einmal die Weichen für nicht-parlamentarische Regierungsweisen gestellt und die Wege zur Diktatur geöffnet sind.

Auch auf die Bonner Notstandsverfassung von 1968 treffen diese Bedenken durchaus zu. Gewiß ist es gelungen, die viel weitergehenden Vorentwürfe zu modifizieren und eine Wiederkehr des Artikels 48 zu verhindern. Aber die Grundfragen jeder Notstandsregelung bleiben auch hier offen und ungelöst. Es bleiben Ansatzpunkte für autoritäre, bürokratische, auch militärische Eingriffe in das demokratische Gefüge der Bundesrepublik. Sie fordern gerade in einer Zeit, in der sich radikale

Bewegungen und zugleich der Ruf nach Ordnung verschärft geltend machen, die kritische Wachsamkeit des Bürgers gegenüber wachsender staatlicher Macht – Voraussetzung jeder krisenfesten freiheitlichen Demokratie.

Öffentlichkeit

Hans-Eckehard Bahr

In einer Hamburger Rede erklärte der damalige stellvertretende Regierungssprecher der Bundesregierung, der Staat müsse »in nicht allzu ferner Zukunft... gegen antidemokratische Bewegungen... das Mittel der Propaganda als Mittel der Selbstverteidigung« anwenden, und die Gesellschaft möge ihm das auch zubilligen. Staat und Gesellschaft – das sind für diesen Regierungssprecher offenbar zwei getrennte Bereiche, ganz so, wie die obrigkeitliche Tradition der deutschen Verfassungsgeschichte es seit Jahrhunderten sah.

Nichts markiert deutlicher das bei uns in Deutschland immer noch gestörte Verhältnis zum Phänomen der Öffentlichkeit als jene Gegenüberstellung von Staat und Gesellschaft. Die Störung ist alt. Schon im germanischen Mittelalter begegnet die folgenreiche Gleichsetzung von »öffentlich« (publicus) mit der Herrengewalt des Königs (regnum). Öffentliche Angelegenheiten sind Herrenangelegenheiten, bezeichnen Herrschaft über Land und Leute. Die Kluft zwischen »oben« und »unten« wird in diesem Begriff von Öffentlichkeit juristisch-politisch befestigt, eine Bestimmung, die bis heute aus dem Bewußtsein manches Regierungsrepräsentanten kaum gewichen ist. Nach diesem Ordnungsbild ist nicht die für die angelsächsische Entwicklung so maßgebliche Gesellschaft aller Bürger, die civil society, sondern der oberhalb dieser Gesellschaft gedachte Staat »die Totalität der menschlichen Angelegenheiten« (Adam Müller). Seit dieser Definition der politischen Romantik wird der Staat bei uns als Kosmos begriffen, der die Elemente staatlicher Machtausübung (Exekutive, Legislative, Justiz) in sich begreift. Demgegenüber gilt dann die Gesellschaft mit ihren partikularen Assoziationen (Verbände, Parteien) und ihrer Meinungsbildung (Presse) als außerstaatlich und voröffentlich. Ausgehend von dieser klassischen deutschen Antithese von Staat und Gesellschaft, sieht schon Schelling in der Demokratie eine Bedrohung, »bei welcher, wie man sagen kann, der Staat völlig von der Gesellschaft überwältigt, die Gesellschaft sich zum Träger (Grundlage) des Staates macht«. Aus dieser Sorge erhebt sich dann die bekannte Forderung, alle Macht im »Staat« zusammenzuballen, ihn zur »Institution der Institutionen« (Carl Schmitt), also autoritär und total zu machen.

Nichts Geringeres als dieses Öffentlichkeitsgefüge, mit dem in Deutschland auch die kirchliche Entwicklung zumindest verfassungsrechtlich bis ins zwanzigste Jahrhundert aufs engste verbunden war, findet gegenwärtig sein Ende. In Bewußtsein und Sprachgebrauch vieler Regierungsvertreter und Abgeordneter der Bundesrepublik Deutschland aber scheint dieses Ende noch keineswegs zur Kenntnis genommen zu sein, wie beispielsweise die Bundestagsdebatten angesichts der studentischen Reformbewegung nach dem 2. Juni 1967 erkennen lassen. Aber – »politische Macht gründet in öffentlicher Meinung« – dieser Grundsatz angelsächsischer Demokratie ist definitiv auch seit der Errichtung einer rechtsstaatlichen Demokratie in der Bundesrepublik Deutschland in die Verfassung als Fundamentalsatz eingegangen, und kein Bürger, mag er Kanzler sein oder schlichter Wähler, kann daran legitim rütteln.

Das westeuropäisch-angelsächsische Verständnis von Öffentlichkeit ist charakteristisch anders geartet. Während die deutsche Verfassungsgeschichte rechtstechnisch bis zum Ersten Weltkrieg, atmosphärisch aber bis heute in der germanisch-mittelalterlichen Tradition verläuft, nach der die öffentlichen Dinge eben obrigkeitliche Obliegenheiten sind, folgte man in Westeuropa der römischen Antike. Die öffentlichen Entscheidungen, die res publica, werden nach diesem römischen Modell eben nicht nur vom Herrscher wahrgenommen, sondern auch vom Volk (populus) verantwortet.

Das Volk als neuer Souverän, diese Ablösung vom absolutistischen Obrigkeitsstaat, beginnt aber, strenggenommen, erst im England des siebzehnten Jahrhunderts (1689), als das kritische Bürgertum die Wahl-, Vereins- und Versammlungsfreiheit erkämpft, die aufs engste zusammenhängt mit der Gewissens- und Pressefreiheit. Treibende Kraft ist dabei das Bedürfnis, alle Herrschaft unter die Kontrolle der mündigen Bürger zu bringen.

Die Formel dieser neuen demokratischen Öffentlichkeit prägt Kant gut hundert Jahre darauf so: »Alle auf das Recht anderer Menschen bezogenen Handlungen, deren Maxime sich nicht mit der Publizität verträgt, sind unrecht.« Die öffentliche Meinung ist von nun an, wie Châteaubriand und vor allem

Tocqueville erkennen, der neue Souverän, der an die Stelle des Monarchen selbst tritt. Es leuchtet ein, daß ein absolutistischer Obrigkeitsstaat von dieser neuen Strömung unterspült wird und in sich zusammensinken muß. Verfassungstheoretisch ist damit der alte Begriff des Staates überhaupt hinfällig geworden. Denn Öffentlichkeit, aus der autoritären Gleichsetzung mit obrigkeitlicher Staatsgewalt befreit, ist jetzt Medium und Prinzip der Gesellschaft aller verantwortlichen Bürger (res publica). Auf eine Formel gebracht: In der alten, vor-demokratischen Gesellschaft bestimmte der Herrscher die öffentliche Meinung absolut. In der Demokratie jedoch wird das Volk der neue Souverän, der fortan auch Träger der öffentlichen Meinung ist.

Herrscht nun nicht aber das bloße »Gerede«? Allerdings hat man sich zeitweilig (Rousseau) allzu optimistisch auf die Vertrauenswürdigkeit des Volkes (vox populi) verlassen. Nach angelsächsischer Tradition bildet sich öffentliche Meinung jedoch erst in der öffentlichen Diskussion der Kritikfähigen: Die jeweils anstehende Entscheidung muß in Form der öffentlichen Konkurrenz von Einzelargumenten immer wieder erst ermittelt werden. Argumente aber beruhen auf Sachkenntnis, und Sachkenntnis über die öffentlichen Angelegenheiten muß ständig neu vermittelt werden durch die Schule und durch die publizistischen Medien. Hängt also die öffentliche Meinung in der Demokratie im Unterschied zu bloßem Gerede und Vorurteil an der Vollständigkeit der Unterrichtung, dann ist entscheidend, daß die Informationsmedien auch wirklich alles berichten. Erst eine politisch verantwortliche Publizistik versetzt ja durch ihre schonungslose, fortgesetzte Unterrichtung den Bürger in die Lage, sich eine Meinung zu bilden, die auch öffentlich belangvoll ist. Das Mitspracherecht in öffentlichen Angelegenheiten hängt also mit Sachkenntnis zusammen, nicht nur mit dem formalen Wahlrecht. Nicht zuletzt gewinnt öffentliche Meinung nach diesem angelsächsischen Demokratiemodell dadurch auch ihr besonderes Ethos: Seine Meinung nach bestem Wissen und Gewissen gegen das Vorurteil der anderen öffentlich zu vertreten, setzt die Verantwortungsbereitschaft eines auch innerlich freien Bürgers voraus, verlangt Bekennermut.

Heute sind die institutionellen Voraussetzungen dieses klassisch-liberalistischen Verständnisses von öffentlicher Meinung aber erschüttert. Kann man denn noch davon ausgehen, daß heute ein freier Markt der Meinungen funktioniert, der aus der Einflußzone der herrschenden Staatsrepräsentanten ausgegrenzt ist, wie das klassisch-angelsächsische Modell es vorsieht? Die Vorstellung, der sich selbst überlassene Meinungsmarkt werde jedem Bürger, der etwas zur Selbstaufklärung der Gesellschaft beizutragen hat, auch die Chance angemessener Veröffentlichung gewähren, hat sich als Fiktion erwiesen. Längst wird ja das Bewußtsein des Publikums umstellt vom Meinungszwang derer, die die wirtschaftliche Verfügungsgewalt über die Publikationsmittel haben. Wenige Verleger und wenige Publizisten üben infolgedessen einen sublimen Meinungszwang auf die vielen aus, auf welchen der Staat und die Kirche seit dem achtzehnten Jahrhundert gerade verzichteten. Diese Machtballung bedroht mehr und mehr die Konkurrenz der Meinungen und damit die konstitutionelle Offenheit der demokratischen Gesellschaft.

Folgende Charakteristika dieser letzten, bedrohlichen Konfiguration von Öffentlichkeit lassen sich bezeichnen:

1. Diejenigen Massenkommunikationsmittel, die nicht öffentlich-rechtlich kontrolliert, sondern kapitalistisch-kommerziell nur vom Prinzip der Gewinnmaximierung bestimmt werden, haben mehr als die öffentlich-rechtlich konstituierten Medien die innere Unfreiheit des Bürgers gefährlich gesteigert. Diese primär am Profit orientierten Meinungsmedien präsentieren nicht das Spektrum aller täglich verfügbaren Informationen. Sie zeigen nicht die Realitäten unserer Welt in ihrer blanken Tatsächlichkeit, sondern stellen vielmehr eine Pseudo-Öffentlichkeit her, die sich nach den geheimen Wünschen der Abonnenten richtet, ganz den Gesetzen des modernen Waren-Tausch-Verkehrs analog. Das Eigentümliche dieser publizistischen Produktion liegt darin, daß das Mittel, mit dem sie die ihr entsprechenden Wünsche eines wachsenden Publikums erzeugt, eben das gleiche ist, wodurch diese Wünsche befriedigt werden – nämlich das Mittel der Pseudo-Information. Wir haben es also im Fall einer kapitalistisch-kommerziellen Medien-Struktur zunehmend weniger mit einer Öffentlichkeit zu tun, die sich aus dem Dialog in einer bestimmten Gesellschaft oder in der Gesamtheit ihrer Gruppen ergibt, sondern mit einem in allen Stadien kalkulierbaren, künstlich verformten Produkt, das gleichwohl konkret auf das Geschehen einwirkt.

2. Ein Ergebnis dieser Kommerzialisierung von Nachrichten ist die Herstellung einer Überfülle von Informationen, deren

Informationswert jedoch gänzlich fragwürdig ist. Unter dem Ansturm dieser Informationen schwindet bei den Betroffenen die Kraft zur Kommunikation und damit auch das demokratische Potential an Verantwortungsbereitschaft. Nicht die Freiheit der Meinungsäußerung also, sondern die Freiheit der Meinungsbildung ist heute gefährdet. Artikel 5 des Grundgesetzes garantiert jedoch nicht nur das Recht des einzelnen auf freie Meinungsäußerung, sondern ebenso auch die ungehinderte Bildung der auf bester Information beruhenden öffentlichen Meinung. Hier aber entstehen heute neue Probleme. Denn Einzelinformation, eine Nachricht etwa vom Kriegsschauplatz Vietnam, besagt nur demjenigen etwas, der sie wirklich in einen Gesamthintergrund von Kenntnissen über diesen Krieg einordnen kann. Erst dann also, wenn jede Nachricht in ihrem jeweiligen Gesamtkontext belassen wird, wird auch der Zuschauer am Fernsehschirm in den Stand gesetzt, ein Zeitgenosse in qualitativem Sinn zu werden, nicht nur quantitativ wie sonst bei vielen Nachrichtensendungen. Denn erst die Mitteilung des erfahrbaren Gesamtkontextes einer Nachricht macht diese Nachricht ja zu einer Information, die einem die heutige Welt erschließt und damit auch das Ausmaß der Aufgaben. Nicht die Fülle der »Nachrichten«, sondern deren durchsichtig gemachter Zusammenhang trägt dazu bei, daß wir zu einer wirklichen Grundorientierung gelangen, also nicht länger emotional-subjektiv auf die »Nachrichten« nur reagieren müssen.

Die Bedeutung des Informationsproblems ergibt sich in der Tat heute schon aus dem Umstand, daß wir angesichts der globalen Interdependenz aller Gesellschaftsprozesse im gleichen Maße angewiesen sind auf die sekundär publizistisch vermittelten Informationen, wie der Mensch früherer Epochen angewiesen war auf seinen Instinkt und die unmittelbaren Sinneserfahrungen. Für den Journalisten stellt sich die Frage nach dem sachlichen Kriterium bei der Nachrichten-Auswahl und für den Zuschauer die Frage nach dem richtigen Erkennen der heutigen Welt, beiden Seiten die tiefe gegenseitige Abhängigkeit demonstrierend. Es zeigt sich dabei: »Wir sind nicht erst im Handeln an der Welt einer des anderen Schuldner, wir sind es bereits im Erkennen der Welt« (Hans Bolewski).

Angesichts der Reizüberflutung mit beziehungslos aneinandergereihten »Nachrichten« wäre darüber hinaus der Anspruch der üblichen Nachrichtensendungen zurückzunehmen, authentisch im Sinne des Objektiven berichten zu können. Der Bürger sollte ja zu der Einsicht gebracht werden, daß alle Nachrichten perspektivisch bleiben, immer also nur einseitige Gesichtspunkte sind.

3. Im Blick auf diese zusehends undurchschaubarer werdenden publizistischen Vorgänge gerät das demokratische Gefälle vom »Staat« zur öffentlichen Meinung in die Krise: Lautete im achtzehnten Jahrhundert die Forderung, eine herrschaftsfreie Öffentlichkeit herzustellen, das heißt alles ins Licht der Öffentlichkeit zu rücken, indem man die arcana imperii bricht, so ergibt sich heute die Notwendigkeit, die neuentstandenen Herrschaftsmonopole als arcana zu erkennen und sich ihrer zu erwehren. Denn längst erleidet der Bürger objektiv, infolge struktureller Unaufgeklärtheit unter den neuen Bedingungen, das Mißverhältnis zwischen dem, was ihm an Informationen zuteil wird, und dem Entscheidenden, das er zwar nicht erfährt, aber dennoch beurteilen muß. Diese Irreführung als systembedingt zu erkennen, wäre um der Freiheit ihrer Bürger willen die erste Aufgabe, die völlig neu auf die demokratische Gesellschaft zukommt.

Zusammenfassend gesagt: Das Verschwimmen der alten Herrschaftszentren und das Aufkommen der maschinellen Informations- und Kommunikationstechniken läßt den kommerziellen publizistischen Zentren, namentlich den Fernsehstationen der USA und in einigen Ländern den Pressekonzernen, ein außerordentliches Herrschaftspotential zufallen. Sie haben das Ziel der demokratischen Revolution, von der Herrschaft über Menschen zur Verwaltung der Dinge zu kommen, de facto wieder ausgeschlagen und sind erneut zur Herrschaft über Menschen gekommen. Ihre Monopolisierung wirtschaftlicher und publizistischer Macht bedroht mehr und mehr die freie Auseinandersetzung der Meinungen und damit die konstitutionelle Offenheit der demokratischen Gesellschaft. Die Freiheit der Bewußtseinsbildung wird durch die Praktizierung primär ökonomischer Interessen heute jedenfalls schon stärker gefährdet, als Freiheit durch kirchliches Meinungsmonopol im Mittelalter beengt war.

Fixiert ans Immergleiche, wollen Konsumenten der kommerziellen Presse womöglich nur noch mehr das, was ihnen ohnehin aufgezwungen wird. Diese stillschweigende Identifikation mit dem übermächtig Angebotenen zu unterbrechen, das wird zur Herausforderung und Aufgabe einer Gesellschaft, die sich die methodische Entpolitisierung der Massen langfristig nicht leisten kann. An welcher Stelle aber ist der fatale Kreislauf zu unterbrechen? Man kann sich nicht länger nur an den einzelnen wenden und ihn in Form des abstrakten kategorischen Imperativs ansprechen. Denn jenes Versagen des einzelnen ist nicht in erster Linie moralisch bedingt, kann auch nicht primär psychologisch, im Individuum selbst, korrigiert werden. Jenes Versagen wird vielmehr von einem System hervorgebracht und täglich vervielfacht, das dem Bürger nicht nur alternative Meinungen, sondern mehr noch einfache nachrichtentechnische Information vorenthält. Das »Grundgefühl, nicht genügend über das Wesentliche informiert zu sein, wird man nicht mehr los« (Karl Jaspers). Beschränkung und Standardisierung von Information, das »news management«, führen zu jenem Gefühl der Wehrlosigkeit und des Verkauftwerdens, das immer schon die Disposition für Radikalismen erzeugte. Die strukturelle Revision einer Gesellschaftsverfassung, welche das Maß an Weltkenntnis der Bürger abhängig sein läßt vom privatwirtschaftlichen Profitstreben, ist daher nicht länger aufzuschieben. Drei Wege lassen sich zunächst dafür angeben.

Alternative 1: Der Weg kritischer Bewußtseinsbildung, wie Theodor W. Adorno ihn vorschlägt: »Die Millionen Menschen, die auf sie zugeschnittene Massenkultur konsumieren, die sie eigentlich erst zu Massen macht, haben kein in sich einheitliches Bewußtsein. Sie ahnen, vorbewußt, unterhalb einer dünnen ideologischen Schicht, daß sie vom Titelblatt jeder illustrierten Zeitung, von jedem zellophanverpackten Schlager betrogen werden. Wahrscheinlich bejahen sie, womit man sie füttert, so krampfhaft nur, weil sie das Bewußtsein davon abwehren müssen, solange sie nichts anderes haben. Dies Bewußtsein wäre zu erwecken und dadurch dieselben menschlichen Kräfte gegen das herrschende Unwesen zu erwecken, die heute noch fehlgeleitet und ans Unwesen gebunden sind.« Ein Lösungsvorschlag, der jedoch in der Gefahr steht, die Beschädigung zu unterschätzen, die dem einzelnen schon widerfuhr. Der lange Verformte kann kaum zum einzigen Ansatzpunkt der fälligen Reform genommen werden, geht es doch um die strukturelle

Änderung der kommerziellen Medienverfassung selbst, deren Opfer er mehr und mehr geworden ist. Denn wenn der Bereich der öffentlichen Meinung, der ursprünglich einmal zur Befreiung des einzelnen von absolutistischer Herrschaft ausgegrenzt wurde, wenn die öffentliche Kommunikation insgesamt sich zunehmend verwandelt zu einem Instrument in der Hand von ökonomisch und folglich auch politisch Mächtigen, dann wird eine öffentlich-rechtliche Konzentrationskontrolle jener Kommunikations-Monopole nötig, also die Eindämmung kapitalistischer Praxis, wo diese die fundamentalen Freiheitsrechte des einzelnen verletzt.

Alternative 2: Mit Eugen Kogon wäre daher zweitens zu folgern: »Man könnte ... sehr wohl prüfen (man wird es nicht tun), ob die Redaktionen der Presse, nach dem Muster des Hörfunks und des Fernsehens (in Westdeutschland wie bei der BBC in Groß-Britannien, d. V.), öffentlich-rechtliche Struktur erhalten sollten, um die Informationsaufgabe aus dem Bestimmungsbereich des verlagsgeschäftlichen Interesses einigermaßen zu ›entflechten‹.« Schon nach 1945 sprach man von der »revolutionären Chance« für die deutsche Presse, die hier nur exemplarisch steht für die ökonomische Organisation der Publizistik überhaupt. Nicht gerne wollte man beim Wiederaufbau nach dem Zweiten Weltkrieg den Zeitungen den Charakter eines kapitalistischen Erwerbsbetriebes wieder zugestehen. Das Interesse war jedoch zunächst in vielen Ländern auf Wiederherstellung der Rechtsstaatlichkeit konzentriert. Heute jedoch ist die Erfüllung des Verfassungsauftrags, auch den Sozialstaat zu realisieren, im Feld öffentlicher Kommunikation eine Frage erster Ordnung geworden. Die öffentliche Kontrolle der technischen Medien ist die Kardinalaufgabe.

Alternative 3: Wo jedoch kraft der wirtschaftlichen und politischen Macht eines publizistischen Meinungsblocks die Rechte einer Minorität, wenn überhaupt, nur entstellt veröffentlicht werden, wenn also die öffentlichen Kanäle der Kommunikation von einem Zeitungskonzern bewußt verstopft werden, dann ist drittens der Weg eines radikalen Protestes die demokratisch legitime Form, die Öffentlichkeit wiederherzustellen. Es ist dies jener Weg, den niemand Geringerer als der Friedensnobelpreisträger Martin Luther King selbst beschritten und als Methode des – wörtlich King – »militanten, aber nicht-brutalen« Widerstands bezeichnet hat. Dieser Weg wurde im Sommer 1966 von der »Church Federation of Greater Chicago«, der interdenominationellen Zentralkörperschaft der christlichen Kirchen Chicagos, erstmals methodisch auf zwei verschiedene Weisen eingeschlagen.

Die erste Methode: Weil viele kommerziell organisierte Fernsehstationen der Stadt und die marktbeherrschende Presse seit Februar 1966 systematisch die Ziele der Bürgerrechtskämpfer der »Southern Christian Leadership Conference« um Martin Luther King verzeichneten – wie 1967 die Berliner Presse die Urteilsbildung über die studentische Minorität verhinderte –, deshalb gingen Pfarrer und Laien der Bürgerrechtsbewegung auf die Kanzeln ihrer Kirchen. Dort allein war es angesichts der dezidierten Blockierung öffentlicher Kommunikation noch möglich, sich über den wahren Sachverhalt Aufschluß zu geben. Auf den Kanzeln wurden Statistiken und die Ergebnisse soziologischer Recherchen über das tatsächliche Ausmaß der Unterprivilegierung und die Verschleppungstaktik der Kommunalpolitiker bei der Slumsanierung verlesen, Aktionsgruppen instruiert und Fragen beantwortet. Hier wurde Öffentlichkeit in einem sehr elementaren Sinn hergestellt: Nachdem die öffentlichen Kommunikationsmedien nicht mehr die simpelsten Fakten über die Stadt vermittelten, wurde diese Aufgabe spontan von anderen Gruppen, in diesem Fall von den Kirchengemeinden, übernommen.

Die zweite Weise, die versagte Kommunikation zu erzwingen, waren und sind in den USA und in den westeuropäischen Metropolen öffentliche Demonstrationen der ins Vor-Öffentliche verdrängten Minoritäten. Hier wie dort ist das Ziel, das Licht der Öffentlichkeit auf politisch und publizistisch verschleierte Ungerechtigkeit zu lenken, um so einzelnen und entrechteten Gruppen wieder Zugang und Mitbestimmungsrecht in den öffentlichen Entscheidungsprozessen zu verschaffen. Nicht Provokation als solche ist intendiert, sondern Protest mit dem Ziel, die bisher publizistisch verschleierten Verhältnisse in ihrer Inhumanität und Revisionsbedürftigkeit allen Bürgern ins Bewußtsein zu rücken. Diesen Versuch, öffentliche Kommunikation zu erzwingen, a limine Terror zu nennen, heißt den Notwehrcharakter solcher Aktionen verkennen. Denn, wie Kurt Sontheimer formuliert, eine »radikale Ouvertüre« ist offenbar nötig, wenn das Stück »Reform« gespielt werden soll. Die Bürgerrechtsbewegung Martin Luther Kings hatte sich auf diese Art Öffentlichkeit erzwungen; die Studenten in Westeuropas Städten sind ihrem Beispiel nur gefolgt.

Hier erst zeigt sich die Dialektik heutiger Öffentlichkeit. Denn erst die heftige Form des Protestes brachte den Erfolg, der auf andere Weise in den vorhergegangenen Jahren nicht zu erzielen gewesen war: In den Monaten seit dem Juni 1967 ist mehr zugunsten einer deutschen Universitätsreform geschehen als in vielen Jahren zuvor, analog dazu in den USA im Blick auf die Bürgerrechtsbewegung. »Der größte Fortschritt ist doch«, erklärte Dr. King am 2. April 1967 in einem Interview, »daß die ganze Angelegenheit jetzt öffentlich diskutiert wird. Jetzt kann eben keiner mehr sagen, es gebe kein Rassenproblem ... Jetzt weiß aber jeder, daß die Verhältnisse ganz und gar nicht in Ordnung sind ... Wir haben die Ungerechtigkeiten aufgezeigt und das Übel ans Licht gebracht ...!«

Opposition

Eberhard Stammler

»Eine Opposition ist nötig, aber sie soll die Regierung stützen.« In dieser eigenartigen Sentenz drückte gegen Ende der sechziger Jahre, wenn man den demoskopischen Erhebungen trauen darf, eine Mehrheit der deutschen Wähler ihr politisches Wunschbild aus. Deutlicher läßt sich das Mißverständnis parlamentarischer Demokratie und damit die Malaise der westdeutschen Bürgermentalität wohl kaum artikulieren. Man empfindet es zwar als ein notwendiges Zugeständnis an die Demokratie, daß zu ihren Spielregeln auch die Oppositionsrolle gehört; aber das eigentliche Interesse gilt der Obrigkeit, die sich in einer starken Regierung darzustellen hat und der letztlich alle politischen Kräfte dienstbar sein sollten. Läßt eine Regierung gelegentlich diese autoritative Sicherheit vermissen und wird sie dem Wunsch nach einer omnipotenten Obrigkeit nur ungenügend gerecht, dann kann ihr allein dies schon als entscheidendes Versagen angerechnet werden.

So ganz überraschend können diese Beobachtungen nicht sein, wenn man bedenkt, aus welcher Tradition die zweite deutsche Republik hervorging. Die mißglückte Weimarer Republik hat ja noch so stark unter dem Schatten des Wilhelminischen Obrigkeitsstaates gestanden, daß sie noch nicht jenen Stil des »fair play« durchsetzen konnte, der vor allem dem angelsächsischen Demokratietyp zugrunde liegt. Statt dessen läßt sich in der deutschen Mentalität die Vorstellung beobachten, daß ein Regierungswechsel einem nationalen Unglück gleichkomme. So sah sich die Sozialdemokratie fast zwei Jahrzehnte zu einer mit Obstruktion gleichgesetzten Oppositionsrolle verurteilt, und daß sie vom Wähler schließlich doch als regierungsfähig akzeptiert wurde, ist wohl wesentlich auf die vorübergehende Mitwirkung in der Großen Koalition zurückzuführen. In dem geläufigen Bild vom »Vater Staat« hat sich jene tief eingewurzelte Tradition lebendig erhalten, die im Landesvater die politische Herrschaft verkörpert sah und die den Bürger als Untertan verstand. Da sich dieses Herrschaftssystem durch seine Ableitung »von Gottes Gnaden« einmal metaphysisch zu begründen wußte und da auch der Säkularisierungsprozeß jenen Autoritätsbegriff offensichtlich nicht auszuräumen vermochte, blieb bis heute das Bedürfnis vorherrschend, sich unter einer starken Hand geborgen wissen zu können und an einer einmal legitimierten Herrschaft festzuhalten.

Gewiß treten dazu noch weitere Motive, die der glücklosen politischen Geschichte Deutschlands entspringen, so etwa die schwerwiegende Erfahrung einer mangelnden Kontinuität der Staatsgewalt oder die permanente Anfechtung eines zentralen politischen Willens durch die Vorherrschaft partikularer Interessen. Ein Staat, dessen geschichtliche Gestalt nicht nur in der Neuzeit, sondern schon in früheren Epochen immer in Frage gestellt erschien und der sowohl nach innen als nach außen mühsam um sein Selbstbewußtsein zu kämpfen hatte, ist naturgemäß für Appelle zu Einheit und Geschlossenheit anfälliger als andere Staatsgebilde mit festfundierter politischer Tradition.

Angesichts alles dessen legt sich in unseren Landstrichen verständlicherweise rasch die Verdächtigung nahe, daß eine Entfaltung politischer Opposition den Grundbestand des Staates gefährden könne. In der Tat ist damit eine der wichtigsten Voraussetzungen berührt, die in anderen funktionsfähigen Demokratien als Selbstverständlichkeit erlebt wird: Dort gilt in der Regel ein von allen anerkanntes Gemeininteresse als vorgegeben, und durch Tradition und Konstitution erscheint es als ausreichend sichergestellt.

Die Geschichte der deutschen Demokratie aber hatte mit der gegenteiligen Erfahrung zu kämpfen. Im Weimarer Staat gaben die radikalen Oppositionsparteien auf der Rechten und auf der Linken unverhüllt zu erkennen, daß sie nicht nur die jeweilige Regierung, sondern das ganze System abzulösen gedächten, und Ähnliches galt auch für eine Partei, die sich gelegentlich an den Regierungsgeschäften beteiligt hatte, wie die Deutschnationalen. Als nicht minder bedrohlich konnte schon das Kaiserreich die Opposition des sozialistischen Flügels empfinden, denn auch von dort her war der Angriff gegen das damalige Staatsgefüge erklärtermaßen im Gange. Diese Erfahrungen wirkten bei den Vätern der westdeutschen Republik als ein schweres Trauma weiter, und darum sahen sie sich veranlaßt, im Grundgesetz eine Sicherung einzubauen, die eine verfassungswidrige Opposition aus der Volksvertretung ausschaltet.

Eine derartige Opposition kann sich natürlich auch außerhalb der Parlamente etablieren; aber auch in diesem Fall steht unserem demokratischen Staat das Recht zu, sie zu verbieten, wenn sie das Fundament der Verfassung torpedieren wollte. So bleibt für eine Opposition, die eine Änderung des ganzen Systems anstreben wollte, keine legale Basis, sondern nur der Weg einer Revolution, die mit Mitteln der Gewalt eine neue Herrschaftsstruktur durchzusetzen hätte. Allerdings kann sich ein System im Blick auf mögliche oder gar nötige Wandlungsprozesse durch solche Bremsen erheblich blockieren; aber auf der anderen Seite garantiert es sich dadurch ein hohes Maß an Stabilität.

Wenn wir nun auf diesem Hintergrund für das Recht und die Pflicht zur Opposition plädieren, gehen wir davon aus, daß ihr im klassischen Demokratiemodell eine unaufgebbare Funktion zugewiesen ist. Letztlich ist gerade daran der Grad demokratischer Wirklichkeit zu messen, ob und in welchem Maß ein politisches System Opposition kennt, ja sogar fördert und forciert. Es wird zwar niemand bestreiten, daß dem, der jeweils an der Macht ist, der Widerpart als eine höchst unbequeme Belastung erscheinen mag und daß die permanente Auseinandersetzung mit diesem Gegenüber eine zügige und konsequente Form der Staatsführung erschwert, und doch hat die Demokratie in ihr Prinzip diesen Konflikt als ein notwendiges Wesenselement aufgenommen.

Ihre Motivationsgeschichte macht dieses spezielle Interesse verständlich. Die demokratische Bewegung der Neuzeit entzündete sich im Kampf gegen die »Herrschaft von Menschen über Menschen«. Wo auch immer sie sich mobilisierte, jedes Mal richtete sie sich gegen ein politisches System, in dem nur einem oder einigen wenigen die Macht vorbehalten war – ob es sich dabei um das absolute Fürstentum oder die Diktatur einer Führungsschicht handelte. Demgegenüber proklamierte sie das Recht des Menschen auf Selbstbestimmung und verlagerte darum die Macht von oben nach unten. In unserem Verfassungstext schlägt sich diese Tendenz in der These nieder: »Alle Staatsgewalt geht vom Volke aus.«

So ist das Mißtrauen gegen die Macht ein Grundelement demokratischer Mentalität, und dieses Mißtrauen wird nun durch entsprechende Sicherungen institutionalisiert. Dazu gehört das von Montesquieu abgeleitete Prinzip der Gewaltenteilung, das dafür Sorge tragen soll, daß sich keine Machtinstanz verselbständigen kann, sondern durch ein kontrollierendes Gegenüber ausbalanciert wird. Diese Sicherung im horizontalen Sinne wird aber nun durch eine vertikale Komponente ergänzt, und zwar durch das Prinzip der Ablösbarkeit der Machthabenden.

Die demokratisch verfaßten Großstaaten sehen sich ja genötigt, die Macht wieder von unten nach oben zu delegieren – aus der pragmatischen Einsicht heraus, daß ein ausgedehnter Flächenstaat nur noch durch ein repräsentatives Herrschaftssystem verwaltet werden kann. So ist es der Sinn jeder Parlamentswahl, daß der Bürger sein Souveränitätsrecht an die »Volksvertreter« abtritt und sich damit für eine bestimmte Frist seiner eigenen Machtmöglichkeiten begibt. Auf der einen Seite beruht also das parlamentarische System auf Vertrauensakten der Bürger, aber dieses Vertrauen wird dadurch eingeschränkt, daß der Wähler keine unbeschränkte Vollmacht erteilt. Er spricht seinen Vertrauensvorschuß nur für einen begrenzten Zeitraum und insofern auf Abruf aus. In einer glaubwürdigen Demokratie schließt darum das Volk keine »Ehe« mit einer Regierungsmannschaft, sondern höchstens ein befristetes Vertragsverhältnis.

Daß allerdings eine einmal etablierte Regierung alles daran setzt, um die ihr zugesprochene Position festzuhalten, ist verständlich. Sie wird versuchen, den ihr gewährten Vertrauensvorschuß durch den Aufweis ihrer Leistungen zu rechtfertigen und ihn auf möglichst unabsehbare Zeit zu verlängern. Denn wer an der Macht ist, möchte an der Macht bleiben. Aber gerade diese Versuchlichkeit der Macht ist es, gegen die das demokratische Prinzip so allergisch ist. Selbst wenn sich eine Regierung durch ihre politische Leistung als vertrauenswürdig ausweisen mag, tritt ihr der Verdacht entgegen, daß sie die ihr übertragenen Herrschaftsbefugnisse monopolisiert, daß sie sich im staatlichen Gefüge politische Erbhöfe schafft und letztlich die von ihr in Anspruch genommenen Privilegien als bleibende Machtmittel mißbraucht. Daraus aber könnte eine repressive Herrschaftsstruktur erwachsen, die den jeweils etablierten Machteliten ein gefährliches Übergewicht verleihen und andere Bevölkerungsgruppen in die Untertanensituation abschieben würde. Angesichts dieser Versuchung, die heute in allen Gesellschaften zu beobachten ist und die darum nicht von ungefähr zum Protestaufbruch der jungen Generation beigetragen hat, drängt das klassische Demokratieprinzip auf eine ständige Fluktuation der Eliten und damit auf eine immer wieder zu erzwingende Ablösung der Machthabenden.

Damit kommt nun die Aufgabe einer parlamentarischen Opposition ins Spiel. Ihre wichtigste Funktion ist es, die Alternative zur herrschenden Macht zu repräsentieren. Sie hat sich im Grunde als die kommende Regierung zu verstehen, und die englische Konvention, aus ihren Reihen ein »Schattenkabinett« aufzubauen, entspricht sehr genau dieser Absicht. Daraus leiten sich für die parlamentarische Praxis eine Reihe gewichtiger Konsequenzen ab: So muß es sich verbieten, daß die jeweiligen Regierungsparteien ihre Opposition verketzern oder diffamieren. Gewiß gehört es zum legitimen Kampf um die Macht, daß der politische Gegner energisch angegriffen, in seinen Schwächen entlarvt und in seinen Fragwürdigkeiten bloßgestellt wird. Aber in dieser permanenten Auseinandersetzung muß doch der untergründige Respekt vor dem Partner erhalten bleiben, dem die Qualifikation einer Regierung von morgen nicht generell abgestritten wird. Auf der andern Seite erweist sich eine Opposition nur dann als glaubwürdig, wenn sie sich nicht nur auf die Negation zurückzieht und nicht ausschließlich Obstruktion betreibt. Wenn sie ihre Strategie ausschließlich darauf konzentriert, um jeden Preis die Regierung zu stürzen, kann sie der Versuchung verfallen, diesem machtpolitischen Interesse sachliche Argumentationen zu opfern und in die Wählerschaft eine emotional motivierte Polarisierung hineinzutragen. Auch sie muß ihre Fähigkeit, für das Gesamtwohl des Staates zu denken, durch ihren Beitrag erweisen und durch eigene Konzeptionen die Regierungspolitik zu widerlegen versuchen.

Damit ist eine zweite Funktion schon angedeutet, die auf die parlamentarische Opposition zukommt: Ihr obliegt an vorderster Stelle die permanente Kontrolle der Macht. Zwar entspricht es dem klassischen Entwurf einer parlamentarischen Demokratie, daß die Volksvertretung als gesamte Körperschaft der Exekutive und damit auch der Regierung als Kontrollorgan gegenübersteht; aber da sich die Regierungsparteien mit dem Regierungsapparat meist in undurchsichtiger Weise verfilzen und oft selbst zum Vollzugsorgan des Regierungswillen wurden, fällt diese Aufgabe um so entschiedener den Oppositionsparteien zu. Wenn das englische System sogar von »Ihrer Majestät loyaler Opposition« spricht und der Oppositionsführer dort ein staatliches Salär erhält, dann drückt sich darin auch die offizielle Würdigung einer derartigen Gegenposition aus.

Diese kritische Aktivität ist durchaus nicht nur durch ein etwa vorgegebenes Freund-Feind-Verhältnis bedingt, sondern letztlich wieder durch das Mißtrauen gegen die Macht, durch das Bedürfnis, möglichen Mißbrauch einzuschränken. Weil es sich dabei um eine legitime Aufgabe handelt, ist sie nicht nur widerwillig hinzunehmen, sondern durch institutionelle Sicherungen zu unterstützen. Dazu gehört vor allem ein geeigneter Apparat, der den Zugang zu jeder sachdienlichen Information ermöglicht. Da die Exekutive mit einem erdrückenden Übergewicht an Informationswissen ausgestattet ist und dadurch in jeder Situation ihre Überlegenheit ausspielen kann, kommt es für eine Opposition darauf an, daß auch ihr geeignete Informationskanäle zur Verfügung stehen. Im Parlament benötigt sie außerdem ein Instrumentarium, das ihr neben der kritischen Reaktion auf Regierungsvorlagen auch eigene Initiativen ermöglicht. In diesem Sinn ist die Einrichtung der »großen Anfrage« von wesentlicher Bedeutung, weil durch sie die Regierung zu Stellungnahmen herausgefordert werden kann; vor allem ist der Opposition auch das Recht sicherzustellen, daß sie die Einberufung von Untersuchungsausschüssen durchsetzen kann, um etwaige Korruptions- oder Skandalfälle zu prüfen.

Natürlich sitzt die Opposition als Minorität von vornherein am kürzeren Hebel, und eine rigorose Parlamentsmehrheit kann sie aufs empfindlichste blockieren. Aber da ja der Stil der Fairneß ein entscheidendes Element der demokratischen Konzeption ist, wird es zum Prüfstein für die Loyalität einer Regierungsmehrheit, wie sie mit ihrer Opposition umgeht. Andererseits verlangt eine solche Situation von den Oppositionsparteien, daß sie ihren Widerspruch nicht nur als Selbstzweck verstehen und daß sie sich nicht ausschließlich von dem Bedürfnis nach Affekthascherei leiten lassen. Insofern hat das vom Bonner Grundgesetz eingeführte »konstruktive Mißtrauen« eine beispielhafte Bedeutung, als es die Opposition bei dem Versuch, einen Regierungswechsel zu erzwingen, zu einer positiven Gegenlösung nötigt und darüber hinaus auch im übrigen parlamentarischen Verfahren diese Regel ins Bewußtsein ruft.

Wir haben nun noch ein drittes Argument zu bedenken, das die demokratische Funktion einer Opposition begründet und das vielleicht das interessanteste sein dürfte. Es betrifft den Entscheidungsprozeß, der dem demokratischen Modell eigentümlich ist und der es in besonderer Weise von anderen politischen Systemen unterscheidet. Alle Politik zielt ja darauf hin, das jeweils Richtige oder Beste zu bewirken, und daraus ergibt sich die Frage, wie denn dieses »jeweils Richtige« festgestellt wird. Dem Wesen der Diktatur entspricht es, daß sie sowohl die Ziele als auch die Methoden ihrer Politik von oben dekretiert, und sie setzt dabei voraus, daß sie das unbedingt Gute zu erkennen und durchzusetzen vermag. Deshalb verlangt sie auch von ihrem Staatsvolk, daß es sich dieser angeblich »höheren Weisheit« unterwirft, und weil sie keine Alternativen erlaubt, muß sie von vornherein jeden Widerspruch unterbinden. Schon das Modell von Platos ›Staat‹ legt eine solche aristokratische Konzeption zugrunde, und sie hat seither durch die ganze Geschichte hindurch immer wieder eine gewaltige Faszination auf die Herrschenden und mitunter auch auf die Untertanen ausgeübt.

Die Demokratie liberaler Prägung dagegen geht von einer anderen Voraussetzung aus. Sie kennt im politischen Handeln kein absolut Gutes, sondern nur das relativ Beste. Darum schreckt sie auch davor zurück, politische Akte mit dem Charakter des Unbedingten oder Endgültigen zu belegen, sondern neigt dazu, sie immer wieder als vorläufig und darum auch revisionsbedürftig zu verstehen. Die Wahrheit findet sie in permanenten Prozessen und in der fortwährenden Auseinandersetzung. Was heute als gut erscheint, kann morgen durch das Bessere überholt werden, und was der eine als richtig befindet, muß sich eventuell vom anderen durch Richtigeres widerlegen lassen.

Dieser Prozeßcharakter drückt sich im Dialog aus, in einer vielstimmigen »konzertierten Aktion«. Was an höchst unterschiedlichen Interessen oder Motivationen, an gegensätzlichen Meinungen und Konzeptionen in der Gesellschaft lebendig ist, soll sich in diesem Prozeß umsetzen und schließlich zu Lösungen und Entscheidungen führen, die allerdings immer nur den Charakter des Kompromisses haben können. Der legitime Ort, in dem dieser Prozeß zum Austrag kommt und zu politischer Entscheidung führen soll, ist das Parlament; da es stellvertretend für das Volk zu handeln hat, wäre es von entscheidender Bedeutung, daß es ein in jeder Hinsicht offenes Forum ist, daß es also Argument und Gegenargument in öffentlicher Rede zum Austrag bringt.

Damit ist nun nochmals in besonderer Weise die Aufgabe der Opposition beschrieben. Sie vor allem ist es, die gegen die These die Antithese zu setzen hat, die der einen Konzeption die andere entgegenstellen muß. Ihre Existenz und ihre Aktivität weist darauf hin, daß es für das demokratische Verständnis keine eindeutige, sondern immer eine zumindest zweideutige Situation gibt und daß jeder Sachverhalt unterschiedliche und widersprüchliche Deutungen erlaubt. So ist die Spannung zwischen Regierung und Opposition nicht nur auf dem Konflikt der Macht, sondern auch auf dem der Wahrheit begründet, wobei sich dann allerdings die jeweilige »Wahrheit« in Machtverhältnissen zur Geltung bringt.

Hier liegt natürlich eine gewisse Problematik des parlamentarischen Prinzips, sofern es der jeweiligen Mehrheit die Entscheidungsbefugnis zuspricht. In der demokratischen Tradition wurde die Qualifikation des Parlaments gerne mit dem Phänomen des gesunden Menschenverstands begründet, und schon in der frühen katholischen Naturrechtslehre war die These vertreten worden, hinter der größeren Zahl stehe die größere Vernunft, also der »gesündere« Menschenverstand. Aber derartige Deutungsversuche decken sich nach aller Erfahrung nur wenig mit der Wirklichkeit. Statt dessen ist wohl davon auszugehen, daß das Mehrheitsprinzip letztlich eben das praktikabelste Verfahren ist, mit dem man auf der einen Seite dem Bedürfnis nach Mitbestimmung Rechnung tragen und auf der anderen Seite zu verbindlichen Entscheidungen kommen kann. Aber gerade wenn man das Mehrheitsvotum in diesem Sinn entideologisiert, muß man der Minderheit zubilligen, daß sie unter Umständen die sachgemäßeren Einsichten vertritt und vernünftigere Vorschläge anzubieten hätte.

Jedenfalls bringt es die dialogische Situation zwischen Regierungsmehrheit und Opposition mit sich, daß eine Majorität schlecht beraten wäre, wenn sie auf Grund ihrer Machtposition die Minorität einfach ignorieren oder überrollen wollte. Weil sie in ihr ja ebenfalls respektable Interessen und gewichtige Meinungen der Bevölkerung repräsentiert sehen muß, ist sie gehalten, auch bei ihren Mehrheitsentscheidungen die Argumente der Opposition einzukalkulieren. Sie sollte ihnen immerhin insoweit Rechnung tragen, als sie gegen den Willen der Minorität keine unzumutbaren Entscheidungen erzwingt, weil sie andernfalls gefährliche Explosionsherde mobilisieren könnte. Auch oppositionelle Tendenzen müssen sich in der für die Gesamtheit verbindlichen Politik respektiert sehen, weil jedenfalls ein stabiles Gemeinwesen darauf angewiesen ist, daß Regierungsmehrheit und Opposition sich gemeinsam dem Staatswohl unterworfen wissen.

An diese Deutungsversuche sollen sich nun noch einige kritische Erwägungen anschließen:

Zum ersten muß eine oppositionelle Minorität, vor allem in deutschen Verhältnissen, damit rechnen, daß eine mit dem Nimbus, dem Leistungserweis und auch dem Apparat einer Regierungsfunktion ausgestattete Majorität im Bewußtsein der Bevölkerung über einen erheblichen Sympathievorsprung verfügt. Deshalb kommt es für die Minderheit darauf an, daß sie im Prozeß der öffentlichen Meinungsbildung eine angemessene Resonanz findet. Allerdings bringt die zunehmende Konzentrationsbewegung der Massenmedien die Gefahr mit sich, daß die Pluralität des Meinungsfeldes eingeebnet werden könnte und daß vor allem bei starken Monopolbildungen konformistische Tendenzen den Vorrang gewinnen. Dabei ist zu bedenken, daß die der Presse zugesprochene »öffentliche Aufgabe« von ihr bisher vornehmlich als die Pflicht zur kritischen Begleitung der etablierten Macht verstanden wurde und daß darum gerade auch sie eine oppositionelle Funktion wahrzunehmen hätte. Deshalb liegt es im Lebensinteresse der Demokratie, daß die Publizistik ihre Unabhängigkeit vom Staat und von marktbedingten Mehrheitsmeinungen wahren kann und ein kritischer Faktor der öffentlichen Meinung zu bleiben vermag.

Zum zweiten ist an die bekannte Beobachtung zu erinnern, daß das politische Panorama und damit auch das Parteiengefüge seine frühere weltanschauliche und ideologische Profilierung teilweise verloren hat. Dadurch wurden zwar mitunter die Kompromißchancen verbessert, aber auf der anderen Seite haben dadurch auch die möglichen Alternativen ihre Überzeugungskraft eingebüßt. Wenn nun der Wähler zwischen mehreren Möglichkeiten entscheiden soll, braucht er immerhin kontrastierende Argumente, an denen er sich orientieren kann. Nun zeigt allerdings die Psychologie der Wahlkämpfe, daß dieser Kontrast durchaus nicht in erster Linie in der sachlichen Argumentation gesucht wird, sondern sich vielfach auf den Appell an Stimmungen und Mißstimmungen zurückzieht. Angesichts dessen wird offenkundig, in welchem Maß die Idealforderung eines Wechselspiels zwischen Regierung und Opposition davon abhängt, ob das Staatsvolk die sachlichen Elemente des politischen Prozesses mitverfolgen und die oft nur noch in Nuancen sichtbar werdenden Differenzen beurteilen kann. Für die Parteien ergibt sich daraus allerdings die Verpflichtung, in möglichst anschaulicher und glaubwürdiger Weise ihre Alternativen erkennbar und verständlich zu machen und über die vordergründige Polemik hinaus begründete Perspektiven gegeneinander zu setzen.

Als drittes muß darauf aufmerksam gemacht werden, daß sich der Begriff der Opposition ja nicht in den parlamentarisch repräsentierten Oppositionsparteien erschöpft. So haben die weltweiten Protestbewegungen der jungen Generation ans Tageslicht gebracht, daß es noch die verschiedensten Formen von Widerspruch gibt, die im etablierten System zunächst nur als unerhebliche Randerscheinungen gelten. Indessen könnten gerade in solchen Randgruppen Einsichten zum Vorschein kommen, die der übrigen Gesellschaft als Ferment von Nutzen sind. Da ja eine Massendemokratie dazu neigt, einem konservativen und konformistischen Gefälle zu verfallen, da sie einschneidenden Veränderungen abhold ist und mehr auf Sicherheit und Stabilität drängt, wäre sie einer gefährlichen Stagnation preisgegeben, wenn sie nicht mit einer kräftigen Opposition von engagierten Minderheiten rechnen könnte. Die größere Vernunft kann durchaus auf seiten der kleineren Zahl sein, und darum muß jede Großgesellschaft für jenen oppositionellen Protest offen bleiben, der ihre verkrusteten Denkkonventionen aufzubrechen vermag.

Zuletzt legt sich noch der Hinweis nahe, daß Opposition dann unfruchtbar bleibt, wenn sie nur selbstbezogen ist. Die politische Geschichte Deutschlands ist ja prall gefüllt mit Zeugnissen solcher Gegnerschaften. Aber was als »deutsche Zwietracht« bezeichnet und beklagt wird, deckt sich durchaus nicht mit den Oppositionsbegriff der Demokratie. Sie entspringt vielmehr weithin einer Eigenwilligkeit, die sich selbst absolut setzt und die dadurch entweder sprengend wirkt oder aber zur Diktatur drängt. Opposition dagegen bezieht sich auf eine Position und ist durch ihr Gegenüber auf eine gemeinsame Verantwortung hin orientiert. Sie beharrt nicht auf dem Entweder-Oder, sondern zielt auf den kämpferischen Kompromiß, auf die Synthese, die dann wieder neue Antithesen auslöst. Insofern ist sie nicht das destruktive, sondern das dynamische Element jeder Gesellschaft. Sie ist das »Salz der Demokratie« – ein gewiß unbequemer, aber doch lebensnotwendiger Faktor.

Ost-West-Konflikt

Waldemar Besson

Es gibt Schlüsselworte des politischen Vokabulars, die gleichsam zeitlos sind und dennoch in immer neuer Bedeutung von jeder Generation erfahren werden. Andere brennen auf und verlöschen nach einiger Zeit wieder, nachdem sie vielleicht einen historischen Augenblick hell illuminierten. Was mit Ost-West-Gegensatz gemeint sei, hätte noch vor fünfundzwanzig Jahren niemand zu sagen gewußt. Aber schon fünf Jahre später sprach die ganze Welt davon. Der Ost-West-Konflikt als Wort und Sache hat uns seitdem ständig begleitet. Wir könnten sogar sagen, er sei zum Signum unserer Epoche geworden, die sich gerade durch ihn von der vorausgegangenen unterscheide. Es könnte aber auch sein, daß nach zwanzig Jahren Geschichte des Ost-West-Konflikts seine Bedeutung nachläßt und neue weltgeschichtliche Entwicklungen die alten Begriffe abzustoßen beginnen.

Wenn aber die Vokabel Ost-West-Konflikt so sehr in der Mitte unseres politischen Alltags steht, bedarf sie um so mehr der Konkretisierung. Welches Wortfeld, welche Assoziationen verbinden sich mit ihr? Halten wir zunächst fest, daß mit dem Ost-West-Konflikt der Gegensatz jener beiden Großmächte gemeint ist, deren Heraufkommen das Ende des europäischen Staatensystems besiegelte. Ein Synonym spricht von sowjetisch-amerikanischem Dualismus. Immer wenn wir auf der internationalen Bühne eine gewisse Stabilität der staatlichen Beziehungen beobachten, dann sind offenbar die Interessen der Großmächte kalkulierbar geworden, die die jeweilige Konstellation dominieren. Es gab eine Zeit nach 1945, da wurde tatsächlich nur noch in Washington und Moskau Weltpolitik gemacht. Die Macht dieser neuen Großmächte wuchs durch die atomaren Zerstörungsmittel in ihren Händen in eine Größenordnung hinein, die ihresgleichen in der Erfahrung der Menschheit sucht. Schon deswegen hat das Wort Ost-West-Konflikt die Menschheit auch das Fürchten gelehrt.

Schon wegen seiner atomaren Perspektive hat der russisch-amerikanische Gegensatz etwas erschreckend Neuartiges an sich. Das gilt auch, wenn man die Unterschiedlichkeit der staatlichen und gesellschaftlichen Ordnungen auf beiden Seiten bedenkt. Ost-West-Konflikt ist eben mehr als ein beliebiges Beispiel der Rivalität zweier Großmächte. Hinter der Sowjetunion und den USA steht jeweils ein elementarer politischer Glaube, der in radikal verschiedenen politischen Institutionen und Mentalitäten Gestalt angenommen hat. Beide sind Träger universaler Heilslehren. Die liberale Demokratie Washingtons und Jeffersons sieht sich von einer Philosophie und Praxis herausgefordert, deren Ziel nicht der pursuit of happiness, die Gewährleistung des individuellen Glücks ist, sondern die eine menschliche Gesellschaft begehrt, die man gerade gegen den Individualismus die sozialistische nennt und in der der einzelne aufhören soll, der Wolf des anderen sein zu können. Beispiele der Unterschiedlichkeit der Regierungssysteme sind: Gewaltenteilung, Pluralismus und Parlamentarismus hier, zentralistische Führung durch eine Kaderpartei, die totalitäre Ausrichtung von Staat und Gesellschaft dort. Auf dem Höhepunkt des Kalten Krieges, der ersten voll ausgeformten Phase des Ost-West-Konflikts, hat man ihn geradezu verabsolutiert. Wie schwarz und weiß schieden sich da die beiden Seiten. Gutes stand Bösem gegenüber, so, als sei die Welt halb von Engeln und halb von Teufeln bewohnt.

Solches Moralisieren enthält unsere Vokabel gewiß auch. Aber präziser umschrieben ist der Ost-West-Konflikt ein Zentralbegriff der gegenwärtigen internationalen Politik, der, wenn man ihn nicht dogmatisch preßt, besagt, daß es zwei einander feindliche und doch auch auf Zusammenarbeit im Interesse des Weltfriedens angewiesene Großmächte gebe, deren Wirtschafts- und Gesellschaftssysteme unterschiedlich motiviert und aufgebaut seien. Das weist auf ein dualistisches Grundmuster der Epoche seit 1945 hin. In ihm hat die Weltpolitik der Gegenwart ein sie gleichsam konstituierendes Prinzip, dessen Geschichte man verfolgen muß, will man erklären, was in zwanzig Jahren internationaler Politik geschehen ist. Dabei gilt unser Augenmerk vor allem auch den Herausforderungen, die jenes dualistische Element im Lauf der Jahre erfahren hat. Die geschichtliche Betrachtung soll uns also Aufschluß über die Natur der Sache geben, die sich hinter dem Begriff Ost-West-Konflikt verbirgt. Es ist eine bewährte Methode menschlicher Erkenntnis, einen Sachverhalt zu erkennen, indem man fragt, wie er entstanden ist.

Die neuen Partner und Gegenspieler begegneten sich zum erstenmal auf der internationalen Bühne im gemeinsamen Widerstand gegen Hitlers völkischen Imperialismus. Der Zweite Weltkrieg eröffnete Washington und Moskau neue weltpolitische Möglichkeiten, nachdem der letzte und brutalste Hegemonialkrieg der europäischen Staatengesellschaft der bisherigen Weltgeschichte Europas ein Ende gesetzt hatte. Im Versuch, die improvisierte Anti-Hitler-Koalition zur dauerhafteren Gestalt einer neuen Weltorganisation fortzuentwickeln, in die ein Duumvirat der neuen Großmächte eingebettet war, erkennen wir die früheste Tendenz der Nachkriegszeit. Die mit dem Namen Franklin D. Rossevelts verbundene Absicht einer Kooperation mit der Sowjetunion auch über das Kriegsende hinaus führt in die unmittelbare Vorgeschichte des Ost-West-Konflikts. Die Vereinigten Staaten hatten sich noch nicht als der neue Gegenspieler der Sowjetunion begriffen; sie glaubten deshalb eine Zeitlang, auf alle klassischen Attribute der Großmachtpolitik verzichten zu können, Einflußsphären, Allianzen, das ganze Arsenal der traditionellen Diplomatie werde nicht mehr benötigt, wenn aus dem Inferno des Krieges die bessere Zukunft hervorgegangen sei.

Dieser euphorischen Stimmung in den Vereinigten Staaten entsprangen nicht zuletzt Idee und Gestalt der Vereinten Nationen. Aber die Weltpolitik nach 1945 wurde nicht zu jener Idylle, die man sich in den Stürmen des Krieges erträumt hatte. Als die Hoffnungen auf gemeinsame kooperative Regelungen der Nachkriegsprobleme durch die Großmächte dahinschwanden und im Gegenteil sogar ein tiefer Graben zwischen ihnen sich ausbildete, der nach allen Voraussetzungen ebenso machtpolitisch wie ideologisch und gesellschaftlich bedingt war, erhielt die weltpolitische Situation nach 1945 ihre erste scharfe Kontur. Ein neuer Status quo begann sich auszuprägen.

Es ist gerade für einen deutschen Betrachter dieser Entwicklung von eigenartigem Reiz, festzustellen, daß über die Zukunft der großen Koalition des Krieges und damit die Aussichten des Weltfriedens gerade in Mitteleuropa entschieden wurde. Hier standen sich die neuen Großmächte an der Elbe direkt gegenüber, und hier ergaben sich die schwierigsten Probleme der Neuordnung. Der Zusammenbruch des deutschen Reiches hatte ein Vakuum hinterlassen, das auszufüllen gleichsam der erste

Test der neuen Weltpolitik war. Aber als sich die Staatschefs der Siegermächte im Juli 1945 zur Liquidation des Krieges in Potsdam zusammenfanden, hatte sich das Klima unter ihnen bereits wesentlich verschlechtert. Die rigorosen Methoden, mit denen die Sowjets ihre Vorteile in Europa wahrten, hatten die amerikanische Führung ernüchtert. Stalin suchte mit allen Mitteln die 1945 erreichten Positionen für die Sowjetunion zu sichern und wenn möglich weitere Teile des mitteleuropäischen Vakuums mit sowjetischem Einfluß zu erfüllen. Die Amerikaner standen solcher Skrupellosigkeit zunächst hilflos gegenüber. Die Möglichkeit des Einsatzes ihrer gewaltigen Macht für die eigenen nationalen Interessen oder gar für eine von Washington geführte westliche Welt deuteten sie nicht einmal an. Denn immerhin besaß ja Washington den Vorsprung der Atombombe, auch wenn dieser für einige Zeit noch durch die konventionelle Stärke der Sowjets balancierbar war.

Die Jahre zwischen 1945 und 1949 dürfen wir mit Recht die Inkubationszeit des Ost-West-Konflikts nennen. Es wird sich wahrscheinlich nie genau feststellen lassen, wann die Führungsgruppen auf beiden Seiten endgültig begriffen hatten, was ihnen von nun an gegenseitig abverlangt wurde. Wer die internationale Politik nicht isoliert betrachtet, sie also aus ihrer Geschichtlichkeit nicht heraushebt, wer sich stets gegenwärtig hält, daß politische Systeme immer nur in der Perspektive der beteiligten Staatsmänner existieren und also außer ihnen keine eigene Realität haben, wird eher einsehen, daß es lange dauern mußte, bis das politische Denken auf beiden Seiten bipolar eingestellt war. Erst die Verkündung der Truman-Doktrin und des Marshall-Plans im Frühjahr 1947 zeigte an, daß die USA eine eigene weltpolitische Strategie zu entwickeln begonnen hatten. Die Politik der Eindämmung war die amerikanische Antwort auf die Sowjetisierung Osteuropas und damit auch das bewußte Ergreifen des amerikanisch-sowjetischen Gegensatzes. Die Inkubationszeit war zu Ende, als die Bewegungen der Großmächte in ihrer neuen weltpolitischen Umgebung kalkulierbar geworden waren. Rasch ergriff die Bipolarität alle internationalen Verhältnisse, auch alle anderen Staaten, die sich dem Prinzip der Entzweiung immer weniger entziehen konnten. Immer klarer trennten Washington und Moskau Freund und Feind voneinander. Wer wie Tito in Jugoslawien sich diesem Dualismus zu entziehen suchte, der war auf beiden Seiten verdächtig. Die Großmächte führten einen Kalten Krieg miteinander, und jeder Neutralismus schien ihnen amoralisch. In diesem Urteil waren Stalin und Dulles, aber auch Adenauer völlig einig.

Es ist wichtig, auch daran zu erinnern, daß die beiden deutschen Staaten ihren Gegensatz dieser ersten Phase des Ost-West-Konflikts verdanken. Die Bundesrepublik wurde in den Stäben Washingtons geplant. Sie sollte an der strategisch entscheidenden Stelle den Damm gegen die kommunistische Flut bilden. Der Antikommunismus war der Bundesrepublik in die Wiege gelegt, und deshalb hatte sie es auch so schwer, der späteren Verwandlung des Ost-West-Konflikts rechtzeitig zu folgen. Auch war wohl in der Zeit der Berliner Blockade und angesichts eines harten Stalinismus ein entschlossener Abwehrwille in Mitteleuropa eine der Voraussetzungen des Überlebens. Die amerikanische Absicht, die drei westlichen Besatzungszonen Deutschlands in eine antikommunistische Blockbildung einzubeziehen, hat den schnellen Wiederaufstieg der Bundesrepublik entscheidend gefördert. Konrad Adenauer hat diese Chance früh gesehen und in der westlichen Integration das Fundament für eine selbständige westdeutsche Außenpolitik konsequent geschaffen.

Aber auch die Kehrseiten solcher Blockbildung wurden früh offenbar. Am Beginn der fünfziger Jahre schien eine Art Gleichgewicht des Schreckens erreicht. Die Hektik der Blockbildung zerstörte alle Übergänge und Schattierungen. Es schien, als ob man nur noch Kapitalist oder Sozialist sein könnte mit der arroganten Unterstellung, das eine sei so eindeutig definiert wie das andere. Immer stärker überwog das militärische Sicherungsdenken, das Stalin und Dulles so charakteristisch gemeinsam war. Man vergegenwärtige sich nur einen Moment, welch globales System von Stützpunkten die Amerikaner aufgebaut hatten, die 1954 mit 42 Staaten der Welt Militärallianzen abgeschlossen hatten und dabei in bezug auf ihre Partner nicht wählerisch waren, sofern sie sich nur gut antikommunistisch gaben. Aus solchem Sicherungskomplex kam es zum Beispiel 1954 zum Eingreifen der Amerikaner in Vietnam, um den kolonialen Rückzug der Franzosen zu decken, weil die westliche Position an der die ganze Welt umspannenden Grenze zwischen dem einen und dem anderen System unbedingt gehalten werden sollte. Die Vereinten Nationen waren dieser Art Ost-West-Konflikt zum Opfer gefallen. Weltsicherheitsrat und Vollversammlung waren funktionsunfähig geworden. Aus der einen Welt Roosevelts waren definitiv deren zwei geworden.

Die Mitte der fünfziger Jahre brachte dann jedoch Gegenkräfte ins Spiel, die der fast tödlichen Starre in der Beziehung der beiden Blöcke ein Ende setzte. Neue weltgeschichtliche Kräfte verlangten kategorisch, diesen alles seiner Perspektive unterordnenden Ost-West-Konflikt zumindest zu relativieren, noch besser aber ihn zu überwinden. Die Weltgeschichte trat in eine neue dynamische Phase. Der Bann des Kalten Krieges, der fast gänzliche Mangel an Kommunikation zwischen Ost und West, begann zu weichen. In Chruschtschow und Kennedy erschienen in Ost und West auch neue Führer, die zu Repräsentanten einer neuen Gestalt des Ost-West-Konflikts wurden, der sich in seinen Formen und Thesen grundlegend zu wandeln begonnen hatte.

Die stärkste Herausforderung kam für beide Großmächte zunächst von dem, was man seither die Dritte Welt zu nennen gelernt hat. Eine neue weltgeschichtliche Tendenz brach sich Bahn, die nicht ursächlich mit dem Ost-West-Konflikt verbunden war. Auch sie setzte, wie der amerikanisch-russische Dualismus, den Niedergang der alten europäischen Großmächte voraus. Was einmal europäisches Kolonialgebiet gewesen war, drängte nun zur vollen Selbständigkeit. Die Südhälfte des Globus trat in gewaltiger innerer Gärung neu in die Weltpolitik ein. Das kündigte sich zum erstenmal auf der Konferenz von Bandung im Jahre 1955 an. Charakteristisch war, daß im Zuge dieses universalen Emanzipationsprozesses der ehemaligen Kolonien der weltpolitische Neutralismus stark aufgewertet wurde. Die neuen, nach Selbstbestimmung verlangenden Staaten wehrten sich gegen jede Fremdherrschaft, gleichgültig, ob sie westlichen oder östlichen Ursprungs war. In den Vereinten Nationen fanden sie ihr bevorzugtes Forum; die Weltorganisation trat aus dem Schatten des Ost-West-Konflikts heraus und gewann ein neues Ansehen. Die neuen Staaten wollten in der Tat eine dritte Kraft sein. Ihr nationaler und zugleich sozialrevolutionärer Impuls war vor allem gegen den die Weltpolitik dominierenden Ost-West-Konflikt gerichtet.

Als erste der Großmächte reagierte die Sowjetunion auf diese Provokation. Stalins Tod im März 1953 hatte den Weg zu einer Umbildung der sowjetischen Führungsspitze und ihrer stärkeren Kollegialisierung frei gemacht. Nikita Chruschtschow setzte sich schließlich als der erste Mann der sowjetischen Machtelite durch. Stalins Herrschaft hatte den Weltkommunismus in Stagnation gestürzt; die internationale Isolierung des Sowjetblocks war die Folge gewesen. Nun sollte ein moderner, humaner und zugleich dynamischer Kommunismus Stalins Methoden endgültig verdrängen. Das Dogma, daß die Sowjetunion das einzig gültige Modell einer kommunistischen Entwicklung sei, hörte auf zu gelten. Chruschtschow ließ viele Wege zum Sozialismus zu, und er ermutigte damit die so lange unterdrückten nationalkommunistischen Bestrebungen in aller Welt. Das Tauwetter in Osteuropa konnte beginnen und setzte sich auch fort, als die Ungarnkrise den Sowjetblock fast gesprengt hätte. Die UdSSR wurde zum begehrten Freund der antikolonialen Revolutionen. In Chruschtschows neuer Perspektive des Weltkommunismus hatten jedenfalls die Entwicklungsländer einen bevorzugten Platz. Der Ost-West-Konflikt erschien jetzt vor allem als harter, aber friedlicher Wettbewerb der Großmächte und ihrer Ideologien um die Zukunft der Staaten der Dritten Welt.

Die USA haben erst einige Jahre später nachgezogen, als John F. Kennedy Anfang 1961 die amerikanische Präsidentschaft übernahm. Die Ära Dulles hatte alle Entwicklungshilfe dem Ost-West-Konflikt unterstellt. Unterstützung erhielt nur der, der sich in den antikommunistischen Block einfügen ließ. Gerade dagegen hatte ein Mann wie Nasser revoltiert und so den Suez-Konflikt ausgelöst. Kennedy nahm nun Abschied von der Vorstellung einer zweigeteilten Welt. Amerika dürfe es nicht zulassen, daß es als Reaktionär vor denen erscheine, die doch nichts anderes fortsetzten, als was die eigene, die amerikanische Revolution angefangen habe. Kennedy forderte vor allem ein neues Verhältnis zu Lateinamerika. Die Amerikaner müßten aufhören, dort die Kolonialherren zu spielen. Kennedy verlangte nach einer neuen Vitalität für die eigene Gesellschaftsordnung und ihre Wertmaßstäbe. Sein Begriff der neuen Grenze wurde so zum Symbol einer westlichen Erneuerungsbewegung.

Aber die beiden Großmächte hatten nicht nur ihr Verhältnis zur Dritten Welt neu zu interpretieren gelernt. Auch in ihren Beziehungen zueinander waren neue Bedingungen entstanden. Sie lagen vornehmlich im militärischen Bereich. Seit dem Ende der fünfziger Jahre verfügte die Sowjetunion über interkontinentale Raketen, mit denen sie die Vorteile zunichte machte, die die Amerikaner bislang aus der Existenz von Stützpunkten rund um den Sowjetblock gezogen hatten. Es trat ein, was die

Fachleute das »atomare Patt« nennen. Keine der beiden Großmächte konnte jetzt die andere mehr direkt angreifen, ohne praktisch Selbstmord zu begehen. Wenn aber keine Macht die andere mehr aus ihrer Position zu verdrängen in der Lage war, dann war der Status quo der Machtverteilung zwischen ihnen fixiert. Jeder mußte die Einflußsphäre des anderen endgültig respektieren. Ein Zurückrollen des Kommunismus in Europa, von dem man am Beginn der fünfziger Jahre noch gesprochen hatte, war unmöglich geworden. Der 13. August 1961, der Bau der Berliner Mauer, macht ebenso wie Chruschtschows Rückzug von Kuba im Oktober 1962 deutlich, welche Grenzen die Supermächte sich nun gegenseitig gezogen hatten.

Es ist nicht verwunderlich, wenn Moskau und Washington im atomaren Patt daran gingen, die wichtigsten Streitgegenstände zwischen sich zu entschärfen und in jedem Fall eine direkte atomare Konfrontation zu vermeiden. Über den fortwirkenden Ost-West-Gegensatz lagerte sich ein Bilateralismus der Weltmächte, von manchen Kritikern boshaft »atomare Komplicenschaft« genannt. Die amerikanische wie die sowjetische Diplomatie verfolgten immer eindeutiger die Linie des Ausgleichs. Das Zeitalter der friedlichen Koexistenz schien, zumindest was Washington und Moskau anging, Wirklichkeit zu werden. Der tiefere Grund dieser offenkundigen Annäherung der beiden Großmächte, ohne daß sie aufgehört hätten, Gegenspieler zu sein, war freilich, daß das Gleichgewicht ihrer übergroßen Macht sie weltpolitisch fast bewegungslos machte. Das aber versetzte Staaten mit geringerer Macht in die Lage, in den sechziger Jahren sehr viel aktiver und selbständiger am internationalen Geschehen teilzunehmen, als sie dies in den fünfziger Jahren gekonnt hätten. Die Supermächte sahen sich überdies im eigenen Lager einem Herausforderer gegenüber, der ihre bisherige Hegemonie in Frage stellte: Frankreich im Westen, China im Osten.

War schon im Aufstieg der Entwicklungsländer die neue polyzentrische Tendenz der Weltpolitik spürbar geworden, so wurde diese durch die französischen und chinesischen Ambitionen noch erheblich verstärkt. Die Allianzen in Ost und West kamen in eine schwere Krise, weil der Führungsanspruch der Weltmächte nicht mehr unwidersprochen blieb. Potentielle Großmächte mit eigenen Atomwaffen kündigten sich an. China vor allem suchte sich als Führer der antikolonialen Emanzipationsbewegung ideologisch und weltpolitisch zu legitimieren. Überall dort, wo die ihrer Selbständigkeit wieder bewußter werdenden Völker sich nicht mehr der Kuratel der Großmächte beugen wollten, regte sich ein neuer Nationalismus, der in Europa auf eine Renaissance historischer Staaten drängte. Das brachte eine neue Bewegung in die europäischen Verhältnisse, die man nach ihrem Begründer »Gaullismus« nennen kann. Die Parole »Los von Moskau« wurde im Ostblock zu einer noch stärkeren Kraft als der Wille zur Unabhängigkeit von Washington im Westen, da die Amerikaner, im Gegensatz zu den Russen, in ihrem Einflußbereich ein mildes und Wohlstand verbreitendes Regime geführt hatten.

Die Weltpolitik hat mit alledem die Phase des reinen Ost-West-Konflikts hinter sich gelassen. Unsere Vokabel beginnt, ein historischer Begriff zu werden. Diese Meinung wird nachdrücklich auch von der sogenannten Konvergenz-Theorie gestützt, die unter dem Gesichtspunkt des Sachzwangs technologischer und wirtschaftlicher Prozesse in der Gegenwart postuliert, die inneren Gegensätze der beiden Großmächte würden allmählich von selbst verschwinden. Amerika und die Sowjetunion würden einander trotz unterschiedlicher Regierungssysteme immer ähnlicher. Damit kann sich die Hoffnung auf eine weltweite Abrüstung verbinden, die für viele im Atomwaffensperrvertrag erste greifbare Formen angenommen hat. So mag man den Glauben für begründet halten, das Zeitalter des Friedens werde nun tatsächlich beginnen. Ich kann einen so weitgehenden Schluß aus der Relativierung des ursprünglichen Ost-West-Gegensatzes jedoch nicht ziehen. Denn wenn auch in Wirtschaft und Technik die Prozesse in Ost und West sich immer mehr angleichen, die unterschiedlichen politischen Philosophien bleiben eben doch erhalten und haben in unterschiedlichen politischen Institutionen noch immer eine höchst reale Bedeutung. Wenn auch ein Weltstaatensystem im Entstehen ist, dem gewiß mehr als zwei Mitspieler angehören werden, so bleiben die USA und die UdSSR doch Großmächte ersten Ranges und schon damit auch Rivalen in der gefährlichen Aufgabe, ein höchst labiles Gleichgewicht der Weltpolitik aufrechtzuerhalten. Dabei wartet der eine nur auf eine Schwäche des anderen, um des eigenen Vorteils willen.

So wird also die Sache, die wir mit Ost-West-Konflikt bezeichnen, uns auch noch in die Zukunft hinein begleiten. Wir brauchen unseren Blick nur auf die Tschechoslowakei zu werfen oder über den Vietnam-Krieg nachzudenken, um zu erkennen, wie sehr der amerikanisch-sowjetische Dualismus noch immer den Alltag der Weltpolitik bestimmt. Das gilt natürlich auch für die Lage der Deutschen, auch wenn wir es im Westen oft gerne vergäßen. Denn die Zweiteilung unseres Landes ist noch immer die greifbarste, offenkundigste Folgewirkung des Gegensatzes der beiden Großmächte in Mitteleuropa. Ich kann nicht finden, daß auf der Basis des Status quo in Deutschland eine langfristige Normalisierung möglich wäre. Die Mauer in Berlin ist eine zu künstliche Form, um ein Volk zu trennen. Sicher geht gerade nach dem tschechoslowakischen Experiment alle Hoffnung dahin, die innere Liberalisierung des Sowjetblocks möge fortschreiten, trotz der kommunistischen Orthodoxie in Moskau und anderswo. Man möchte sich wünschen, daß es eines Tages auch einen Dubcek in Moskau oder noch lieber in Ostberlin gäbe. Aber ob ein geregeltes Nebeneinander zweier deutscher Staaten tatsächlich möglich ist, bleibt nach wie vor im ungewissen. Denn das neue Weltstaatensystem baut auf dem Fundament des Ost-West-Gegensatzes auf. Hinter den lokalen Gegensätzen drohen immer wieder die atomaren Konfrontationen der Großen. So bleibt der Ost-West-Konflikt ein Begriff unserer politischen Gegenwart. Aber er hat bereits seine Geschichte hinter sich, weil die gegenwärtige Weltpolitik schon einige Jahrzehnte und einige Erfahrungen alt ist. Eine neue Konstellation aber ist nirgends in Sicht. Wir leben noch immer im amerikanisch-sowjetischen Zeitalter. Es wird ihm ein anderes nachfolgen. Erst dann wird der Ost-West-Konflikt in das historische Museum wandern.

Parlament(arismus)

Martin Greiffenhagen

Unser Thema wird heutzutage meist unter dem Gesichtspunkt der Krise des parlamentarischen Regierungssystems behandelt. Glauben die einen, das Parlament durch eine Reihe von Reformen vor weiteren Funktionsverlusten bewahren zu können, so meinen andere, das parlamentarische Regierungssystem gehöre überhaupt der Vergangenheit an. Diese Kritik ist nicht so neu, wie es den Anschein hat. Schon im Jahre 1926 schrieb der bedeutende Demokratietheoretiker Hans Kelsen in einer Schrift mit dem Titel ›Das Problem des Parlamentarismus‹ wörtlich: »Täuschen wir uns nicht darüber, man ist heute ein wenig parlamentsmüde geworden; wenn es vielleicht auch lange noch nicht so weit ist, daß man – wie manche Autoren – schon von einer Krise, von einem Bankerott oder gar von einer Agonie des Parlamentarismus sprechen darf.«

Das Parlament ist als Kontrollorgan des Bürgertums gegenüber der Krone entstanden. Gegenüber den politischen Ansprüchen einer starken Monarchie machte das Bürgertum die Rechte des Volkes geltend. Das Steuerbewilligungsrecht mit seinem liberalen Grundsatz »Keine Abgaben ohne Vertretung« war der deutlichste Ausdruck für die Machtverteilung zwischen der staatlichen Exekutive und einer gesellschaftlichen Repräsentation und Kontrolle, wie sie in Deutschland nicht nur während des Bismarckreiches, sondern (was das Selbstverständnis des Parlamentes anging) auch noch in der Weimarer Republik die Politik bestimmte. Im Unterschied zu dieser bürgerlich-liberalen Auffassung des Parlaments als eines Kontrollorgans der Exekutive versteht man unter Parlamentarismus »die Bildung des maßgeblichen staatlichen Willens durch ein vom Volk aufgrund des allgemeinen und gleichen Wahlrechtes gewähltes Kollegialorgan«, wie es Hans Kelsen formuliert. Im Begriff des Parlamentarismus liegt also die Idee demokratischer Selbstbestimmung unabdingbar beschlossen, so daß das Wort auf alle jene Regierungsformen nicht anwendbar ist, welche der Exekutive eine dem Parlament überlegene Macht einräumen. Die bloße Tatsache, daß es in einem Staat ein Parlament gibt, sagt über seine Regierungsform so gut wie gar nichts aus. Das zeigen nicht nur die sozialistischen Parteiregime, sondern auch eine Reihe der neuen Staaten in Afrika und Asien. Aber auch in volldemokratischen Staaten, das heißt in Regimen, in denen freie Wahlen, freie Parteibildung und freie öffentliche Meinung herrschen, kann man nicht ohne weiteres von Parlamentarismus sprechen, zum Beispiel in den Vereinigten Staaten, wo der Präsident eine dem Parlament gegenüber eigenständige Macht besitzt und vom Parlament nicht aus seinem Amt entfernt werden kann. Dasselbe gilt für die V. Republik in Frankreich, wo zwar die vom Präsidenten eingesetzte Regierung durch ein Mißtrauensvotum gestürzt werden kann, in der Praxis der Staatschef aber selber über alle Machtmittel gebietet. Eine echte parlamentarische Regierung finden wir dagegen in England. Die sogenannte Kabinettsregierung gibt dem Premierminister das Monopol der politischen Führung, welches durch eine Partei garantiert wird, die als Mehrheitspartei im Parlament den Sturz des Kabinetts unmöglich macht. Hier hat der Ausdruck parlamentarische Regierung seinen vollen Sinn: Parlament und Regierung sind so verklammert, daß der maßgebliche staatliche Wille durch das Parlament gebildet wird.

Auch die Bundesrepublik Deutschland hat eine in diesem Sinne parlamentarische Regierungsform, wenn schon sie als sogenannte Kanzlerdemokratie und durch die Vorschrift des konstruktiven Mißtrauensvotums nach Artikel 67 des Grundgesetzes der Exekutive sehr viel Macht läßt. Aber diese Exekutive bildet sich nach den Gesetzen der parlamentarischen Mehrheit und ist auf die Dauer von dieser Mehrheit abhängig. Im Unterschied zur Weimarer Reichsverfassung hat weder der Bundespräsident noch der Bundeskanzler Machtbefugnisse, welche die Rechte des Parlamentes für längere Zeit außer Kraft setzen können. Die Exekutive kann auch nicht, wie es nach der Weimarer Verfassung zulässig war, gegen Beschlüsse des Parlaments das Volk anrufen. Im Weimarer Regime verstand man im Sinne der Gewaltenteilungslehre des neunzehnten Jahrhunderts unter Parlamentarismus immer noch parlamentarische Kontrolle, nicht parlamentarische Regierung. Die Väter des Bonner Grundgesetzes haben dagegen mit dem Artikel 63, der als Bundeskanzler denjenigen bestimmt, welcher die Stimmen der Mehrheit der Mitglieder des Bundestages auf sich vereinigt, die klassische Gewaltenteilung verlassen.

Die traditionelle Unterscheidung zwischen Regierung und Parlament, wie sie der Artikel 20 Absatz 3 des Grundgesetzes trifft, ist in der Praxis verwischt: die Ressortminister nehmen an den Sitzungen der Fraktionen teil, Gesetzesvorlagen der Regierung werden von der Regierungspartei angeregt und vorberaten, und informelle Gespräche in Zirkeln und Gruppen, die aus Kabinetts- wie Fraktionsmitgliedern bestehen, führen zu politischen Entscheidungen. Wenn schon die Minister während der Parlamentsdebatten in der Regel auf der Regierungsbank sitzen, stimmen sie doch meist gleichzeitig als Abgeordnete innerhalb der Fraktion ab.

Versteht man unter Parlamentarismus also eine bis zur Verwischung enge Verbindung von Regierung und Regierungspartei, so ergibt sich daraus eine notwendige Schwierigkeit in bezug auf die Funktion, die herkömmlicherweise zu den Aufgaben des Parlamentes gerechnet wird, nämlich die Kontrolle der Exekutive. Das zeigt sich zum Beispiel darin, daß die großen und kleinen Anfragen der Regierungspartei in der Regel nur dazu dienen, der Exekutive die Möglichkeit zu geben, ihre Politik ausführlich zu erläutern und werbewirksam darzustellen. Auch die parlamentarischen Untersuchungsausschüsse leiden, da sie nach Fraktionsstärke besetzt sind, unter der engen Verflechtung von Regierung und Parlamentsmehrheit. Der Abgeordnete Dr. Hoogen hat einmal als Vorsitzender eines Untersuchungsausschusses auf den Vorwurf, er gehe den in Rede stehenden Versäumnissen nicht intensiv genug nach, in fast zynischer Deutlichkeit gesagt: »Wir werden doch kein Eigentor schießen.«

In dem Maße, in dem das Parlament als Ganzes für eine wirksame Kontrolle der Regierung ausfällt, wird die kontrollierende Funktion der Opposition wichtiger. Die Oppositionspartei hat in modernen Parlamenten nicht nur die Aufgabe, ihr oppositionelles Programm innerhalb des Parlaments zu vertreten und nach Möglichkeit durchzusetzen, sondern vor allem die Aufgabe der Kontrolle von Regierung und Verwaltung. Dies ist jedoch leichter gesagt als getan, und zwar aus verschiedenen Gründen. Selbst wenn die Opposition stark ist und über ein reiches Reservoir an Stimmen und Köpfen verfügt, ist es für sie ungeheuer schwer, das Maß an Arbeit zu leisten, das eine wirksame Kontrolle gewährleistet. Als eine der wichtigsten Reformen wird deshalb zu Recht der Ausbau des wissenschaftlichen Hilfsdienstes gefordert. Die Opposition muß alle Informationsquellen in demselben Maße nutzen können wie Regierung und Parlamentsmehrheit. Die einzurichtende Datenbank darf deshalb nicht allein der Regierung, sondern muß ebenso dem Parlament zur Benutzung freistehen. Ein heikler Punkt ist die Auskunfts- und Kooperationsbereitschaft der Ministerialbürokratie, soweit sie in den Parlamentsausschüssen mitarbeitet oder von ihnen zur Hilfestellung herangezogen wird. Leider kommt es häufig vor, daß ein Beamter aus Loyalitätserwägungen der Regierung gegenüber in seiner Kooperationsbereitschaft gegenüber der Opposition versagt.

Aber es gibt noch andere Gründe für die Schwierigkeit einer wirksamen Kontrolle der Regierung. In allen modernen Staaten zeigt sich eine wachsende Abhängigkeit der Parlamente von der sich Jahr für Jahr ausweitenden Bürokratie. Diese Stärkung der Exekutive verdankt sich dem sogenannten Gesetz der wachsenden Staatsausgaben, wie es in allen modernen Wohlfahrtsstaaten zu beobachten ist. Der Anteil der Staatsausgaben am Sozialprodukt ist in der Bundesrepublik auf etwa 40 Prozent angewachsen. 1913 betrug der Anteil der Staatsausgaben in Deutschland noch etwa 15 Prozent. Aber auch in aktuellen Entscheidungen beweist sich der Vorrang der Exekutive, zum Beispiel in der Wirtschafts- und Finanzkrise gegen Ende der Regierung Erhard. Hier zeigte sich, daß die Finanzpolitik eine Angelegenheit der Regierung war, die vom Parlament nachträglich nur noch bestätigt wurde. Zynisch schreibt Walter Euchner über diese große Stunde der Exekutive: »Mit tiefem Respekt verfolgten die Abgeordneten, wie ihre Minister zusammen mit der Ministerialbürokratie den Bundeshaushalt sanierten, der nicht zuletzt durch die chaotische Ausgabenpolitik des Parlaments in Unordnung geraten war.«

An dieser Stelle muß ein Wort über die Situation von Oppositionsparteien in modernen Parlamenten gesagt werden. In entwickelten Industriegesellschaften mit einer hochempfindlichen Interdependenz aller Bereiche wird es für die politische Opposition immer schwieriger, ein durchgängiges Alternativprogramm zu entwerfen und in der Praxis durchzuführen. Jede Regierung ist in wachsendem Maße abhängig von Entscheidungen, die von vorhergehenden Regierungen getroffen worden sind. Oppositionsparteien entwickeln sich daher immer mehr zu Konkurrenzparteien, die sich nicht so sehr in der politischen Zielsetzung als vielmehr in den Mitteln zur Erreichung solcher Ziele von dem politischen Gegner unterscheiden. Auch wirkt die Entwicklung zur Volks- und Massenpartei, welche alle Schichten und Konfessionen des Volkes anspricht, in dieselbe Richtung. Ein Resultat dieses Trends ist unter anderem, daß Oppositionsparteien nach verlorenen Wahlen die Distanz zur Regierungspartei nicht zu vergrößern, sondern zu verringern bestrebt sind.

Eine Möglichkeit zur Stärkung oppositioneller Kontrolle ist die Intensivierung der großen Anfrage, der Fragestunde und der aktuellen Stunde. Die Zahl der großen Anfragen hat ständig abgenommen. Im zweiten Bundestag wurden noch 97 Anfragen vorgelegt, im dritten Bundestag nur 49, im vierten waren es bloß 34. Seit 1960 wird fast jede Bundestagssitzung mit einer Fragestunde eröffnet, einer Einrichtung, die 1951 in die Geschäftsordnung aufgenommen wurde, in der Hoffnung, daß dadurch, wie es heißt, »das Verhältnis zwischen Legislative und Exekutive belebt wird«. Das Frage- und Antwortverfahren wurde inzwischen lebendiger gestaltet. Zusatzfragen können über Mikrophon vom Saal aus gestellt, Fragen, die vom Präsidenten als dringend zugelassen werden, noch am Tage vor ihrer Beantwortung bis 12 Uhr mittags eingereicht werden. Die Zahl der in der Fragestunde vorgetragenen Fragen hat sich denn auch von anfangs nur 200 jährlich auf bis über 1200 jährlich erhöht. Die aktuelle Stunde ist eine Einrichtung, die erst seit 1965 besteht. Auf Antrag von 15 Abgeordneten kann eine Debatte über ein bestimmtes Thema von allgemeinem aktuellem Interesse anberaumt werden. Da die Verfahrensregeln die Diskussion auf eine Stunde und die Sprechzeit pro Redner auf fünf Minuten freie Rede beschränken (die Bedingung der freien Rede wurde 1968 aufgegeben), sind die Abgeordneten bisher mit dieser Debattenart wenig vertraut. Die aktuelle Stunde wird deshalb vornehmlich von den Fraktionsführern und den Kabinettsmitgliedern genutzt.

Haben wir bisher vom Parlament im Sinne einer einheitlichen politischen Institution und zugleich einer geschlossenen sozialen Korporation gesprochen, so muß diese Vorstellung nun korrigiert oder doch differenziert werden. Man unterscheidet verschiedene Typen von Abgeordneten. Zunächst die Berufspolitiker. Diese Abgeordneten widmen sich hauptberuflich der Politik, sei es, daß sie sich ausschließlich der Bundestagsarbeit widmen und als Parteifunktionäre besoldet sind, sei es, daß sie nur einen Teil ihrer Zeit im Bundestag arbeiten, weil sie noch andere politische Mandate wahrnehmen, zum Beispiel ein

Landtagsmandat oder eine Vertretung in einer Selbstverwaltungs-Körperschaft. Die Berufspolitiker stellen die Hälfte der Ausschußvorsitzenden und mehr als die Hälfte der Mitglieder des Ältestenrates, obwohl sie als Gruppe weniger als ein Viertel des Parlaments ausmachen. Sie beteiligen sich an den Debatten und gehören zur engeren Fraktionsführung. Aus ihrer Gruppe rekrutieren sich die Spezialisten und Experten. Da sie in der Regel mehrere Legislaturperioden im Bundestag sitzen, erwerben sie im Laufe der Zeit eine unumgängliche Autorität. Zweitens gibt es die Gruppe der Interessenvertreter, die sich am stärksten bei den Parteien der Mitte und der Rechten befinden. Sie kommen meist aus Wirtschaft, Landwirtschaft und Gewerbe, haben in der Regel eine geringe parlamentarische Erfahrung und sind deshalb in den parlamentarischen Führungspositionen weniger anzutreffen, beteiligen sich auch weniger an Debatten. Ihr Mandat verdanken sie ihren verbandlichen Verbindungen, und man erwartet, daß sie diese Interessen über Partei, Fraktion und Ausschüsse vertreten. Drittens gibt es den Kreis derjenigen Abgeordneten, die einer Teilbeschäftigung nachgehen und ihr Mandat nebenher ausüben. Der hervorstechende Typ dieser Gruppe ist der Anwalt, dessen Praxis weiterlaufen muß, da seine wirtschaftliche Sicherung nach Verlust des Bundestagsmandates sonst nicht gegeben wäre. Diese Sorge entfällt bei der vierten Gruppe, der im öffentlichen Dienst Beschäftigten, für welche die Wiedereinstellung nach Verlust des Mandates sowie die Garantie aller beamtenrechtlichen Versorgungsbezüge gesetzlich geregelt ist. – Schon diese berufliche Gliederung des Parlaments zeigt die stark unterschiedliche Stellung der Parlamentarier, so daß man (wie Hans Apel) von einer parlamentarischen Dreiklassengesellschaft gesprochen hat: den Verbandsvertretern, der engeren Fraktionsführung und dem Fußvolk, den Hinterbänklern, wie sie in England genannt werden. In der Regel hat nur derjenige Abgeordnete eine Chance, im Parlament seine Wirkung zu tun, der sich zum Spezialisten auf einem der politischen Felder entwickelt. Das aber braucht Zeit und finanzielle Unabhängigkeit. Daraus rechtfertigen sich die Diäten und auch eine gewisse Altersversicherung der Abgeordneten.

Eine andere Differenzierung des Ausdrucks Parlament verlangt ein Blick auf die Parlamentsausschüsse. Die eigentliche parlamentarische Arbeit geschieht in den Ausschüssen. Das zeigt sich schon im Zahlenverhältnis der Ausschuß- und der

Parlamentssitzungen. In der vierten Wahlperiode gab es fast 200 Plenarsitzungen, dagegen fast 3000 Sitzungen von Ausschüssen und Unterausschüssen. Die Aufgaben der ständigen und der besonderen Ausschüsse sind nach der Geschäftsordnung festgelegt, welche die Ausschüsse als vorbereitende Beschlußorgane des Bundestags definiert. Die Ausschüsse sollen dem Bundestag bestimmte Beschlüsse empfehlen. Diese Empfehlungen haben jedoch meist den Charakter von Vorentscheidungen, da das Plenum weder den Sachverstand noch die Zeit hat, die in den Ausschüssen beratenen Gegenstände zu bedenken. So liegt etwa das Schwergewicht der parlamentarischen Haushaltsberatung, eines der wichtigsten parlamentarischen Gegenstände, beim zuständigen Haushaltsausschuß. Angesichts dieser Verschiebung der parlamentarischen Arbeit aus dem Plenum in die Ausschüsse fordert man Reformen, welche dieser neuen Struktur Rechnung tragen. Ich nenne kurz die wichtigsten:

1. Damit das parlamentarische Plenum seine ursprüngliche Funktion wieder zurückerhält, erscheint es notwendig, im Gesetzgebungsverfahren eine Stufung einzuführen, so daß nicht alle Gesetze formell in gleicher Weise behandelt werden, sondern das parlamentarische Plenum allein über politisch relevante Gesetze befindet. Rahmengesetze könnten sowohl die Parlamentsausschüsse wie auch die Verwaltung an allgemeine Prinzipien binden, so daß die einzelnen Ausgestaltungen nicht noch einmal oder nur in sehr summarischer Weise vom parlamentarischen Plenum zur Kenntnis genommen werden müßten. Thomas Ellwein schlägt sogar einen eigenen Gesetzgebungsausschuß vor, der darüber entscheidet, ob ein Entwurf ein vereinfachtes oder ein vollständiges Gesetzgebungsverfahren durchlaufen soll. Das vereinfachte Gesetzgebungsverfahren würde von einem Hauptausschuß des Parlaments vorgenommen, der eine Art verkleinertes Parlament darstellt, in welchem die gesetzestechnischen Details erörtert werden können.

2. Dadurch würde das Parlament frei für eine stärkere öffentliche Diskussion großer politischer Probleme der Nation. Wir haben zwar ein fleißiges Parlament, wenn man auf die Zahl der verabschiedeten Gesetze sieht. Im Vergleich zu anderen europäischen Nationen erscheint der deutsche Bundestag aber langweilig und inaktiv, wenn man auf die Diskussion politischer Fragen blickt. Hierzu einige Zahlen. Im Jahre 1961 wurde die Regierungserklärung im deutschen Bundestag zwei Tage lang

von elf Rednern mit einer durchschnittlichen Redezeit von 60 Minuten behandelt, im englischen Unterhaus dagegen sechs Tage lang von 97 Rednern mit einer durchschnittlichen Redezeit von 24 Minuten. Rundfunk und Fernsehen sollten in noch stärkerem Maße eingeschaltet werden, wie überhaupt das Parlament in der Öffentlichkeit stärkere Beachtung finden muß. Der Kontakt zwischen Parlament und Öffentlichkeit ist in kaum einem Land so schwach wie in der Bundesrepublik.

3. In dem Maße, in dem die parlamentarische Arbeit in die Ausschüsse abgewandert ist, sollte das Prinzip der Öffentlichkeit parlamentarischer Verhandlungen auch für die Ausschüsse gelten. Dasselbe gilt für Anhörungen von Fachleuten und Regierungsmitgliedern.

4. Wichtig ist eine scharfe Kontrolle des Einflusses von Interessenverbänden auf Regierung und Parlament. Hier gibt es verschiedene Wege, von denen ich nur einige nenne. So sollen Ausschußmitglieder, die persönlich oder beruflich an einem Beratungsgegenstand interessiert sind, eine entsprechende Erklärung zu Protokoll geben. Bei Zuleitung von Gesetzentwürfen der Bundesregierung an den Bundestag sollte eine Erklärung beigefügt werden, welche Fachkreise oder Verbände im Vorbereitungsverfahren beteiligt worden sind. Ferner sollte die Eintragung von Interessenverbänden in eine beim Bundestagspräsidenten geführte öffentliche Liste als Voraussetzung für die Anhörung von Verbänden zur Pflicht gemacht werden. Bei der Beschaffung von Unterlagen für die Vorbereitung von Gesetzen sollten nur solche Verbände herangezogen werden, die sich in eine öffentliche Liste eingetragen haben. Auch sollte der Begründung der Gesetzentwürfe eine kurze Darlegung der Stellungnahmen der herangezogenen Verbände beigefügt sein.

5. Schließlich gibt es noch eine Reihe von Vorschlägen, die sich auf den Stil der parlamentarischen Debatte beziehen, vor allem die Forderung nach freier Rede und nach einer stärkeren Beteiligung auch der weniger prominenten Mitglieder des Bundestages. Der Plenarsaal des Bundestages wirkt einer lebendigen Debatte stark entgegen. Er ist anderthalbmal so groß wie der des amerikanischen Repräsentantenhauses, über zweimal so groß wie der der französischen Nationalversammlung und viermal so groß wie das britische Unterhaus, obwohl dem britischen Parlament mehr Mitglieder angehören als dem deutschen Bundestag. Das Halbrund der Bankanordnung richtet

die Blicke der Parlamentarier auf die Regierung statt auf die parlamentarische Versammlung, und die Reden werden lehrhaft und trocken.

Keine Betrachtung des Parlamentarismus kann heutzutage davon absehen, daß es eine Kritik gibt, die radikaler ansetzt als die genannten Reformvorschläge. Die außerparlamentarische Opposition wertet die schwachen Punkte des gegenwärtigen Systems lediglich als Symptome eines tieferliegenden Übels. Im Zeitalter des Spätkapitalismus greift der Staat nach dem Gesetz der wachsenden Staatsaufgaben unmittelbar in den gesellschaftlichen Zusammenhang ein: mit Forschungsprojekten, Krediten, seiner Steuerpolitik und Steuerungsmaßnahmen aller Art. Leitvorstellung dieser Eingriffe aber sei die Erhaltung des gegenwärtigen Systems, das heißt eine prinzipiell formierte Gesellschaft, welche durch konzertierte Aktionen, Lohnleitlinien und andere Formen der Synchronisation die Machtpositionen derer verewigen, als deren Agent der Staat funktioniert. Das Parlament sei nichts anderes als der Transmissionsriemen ökonomischer Interessen und könne deshalb das System, dessen institutionelle Spiegelung es sei, nicht reformieren. Die kritische Öffentlichkeit sei aus dem politischen Willensbildungsprozeß ausgeschlossen, da die Massenkommunikationsmedien ebenfalls in das große Kartell des Status quo einbezogen seien. Das private Kapital bestimme in Wahrheit alle Politik, nicht aber Regierung und Parlament als unabhängige politische Faktoren. Eine wirksame Parlamentsreform setze daher eine Reform der gesellschaftlichen Grundlagen unseres Staates voraus und verlange vor allem die Beseitigung privater Verfügung über Großindustrien und Finanzmonopole.

Nun läßt sich in der Tat nicht leugnen, daß das gängige Pluralismus-Modell mit seiner optimistischen Vorstellung, die ökonomischen, politischen und sozialen Kräfte hielten sich durch ihre gegeneinander strebenden Kräfte gegenseitig in Schach, in keiner Weise der Wirklichkeit entspricht. Auch kennen wir alle die ungeheuren Versäumnisse auf Gebieten, die nicht als private Interessen vertretbar sind, etwa die Gesundheitsvorsorge, Erziehung und Wissenschaft, die Pflege der Alten und bestimmter Kranker. Wo immer es das Parlament wegen seiner vielfältigen Interessenverflochtenheit an der Sorge für die sozial Schwachen oder das, was man das Allgemeinwohl nennt, fehlen läßt, hat die außerparlamentarische Opposition recht mit ihrer Kritik und wir allen Grund, auf ihre Argumente zu hören. Das Grundgesetz gibt die Möglichkeit weitreichender Reformen und ruft mit dem Artikel 38 jeden Abgeordneten auf, sich als Vertreter des ganzen Volkes zu fühlen, sich durch Aufträge und Weisungen nicht binden zu lassen und nur seinem Gewissen zu folgen. Hier zeigt sich, daß das Parlament von der Verfassung als eine Gesellschaft von Menschen verstanden wird, die fähig sind, ihr Interesse auszudehnen auf das, was das Wort Republik meint: die öffentliche Sache.

Parteien

Wilhelm Hennis

Die politischen Parteien waren bis zur Mitte des vergangenen Jahrhunderts noch eine Randerscheinung des politischen Lebens. Heute bestimmen sie in fast allen Staaten der Welt die Formen und Inhalte der politischen Willensbildung. Daß Menschen sich zusammentun, um durch gemeinsames Handeln politisch etwas zu erreichen, das ist so alt wie die Geschichte menschlichen Zusammenlebens. Aber daß auf der Basis des organisierten Zusammenschlusses von Menschen gleicher politischer Überzeugungen, die unter dem Namen einer Partei ihre Mitbürger um die Zustimmung bitten, die großen politischen Ämter des Staates zu übernehmen, die Geschicke der Völker entschieden werden, das hat eine Geschichte, die nicht sehr viel mehr als ein Jahrhundert zurückreicht. Die Parteien sind die eigentliche organisatorische Konsequenz der Ablösung der alten monarchischen Souveränität durch das, was seit der Französischen Revolution als »Volkssouveränität« Grundlage aller modernen Staaten ist. In diesem Umwandlungsprozeß waren die Parteien die großen Vehikel der Massenmobilisierung. Nur über sie war es möglich, den durch das allgemeine und gleiche Wahlrecht in den politischen Prozeß einbezogenen Menschen eine sinnvolle Möglichkeit politischer Mitwirkung zu eröffnen. So bunt und komplex das Bild der Parteien und das Bild der jeweiligen Parteikonstellationen in den verschiedenen Staaten und Gesellschaften auch sein mag, auf der Grundlage von Parteien bildet sich der politische Wille in allen modernen Staaten von China bis Kuba, von Australien bis Alaska. Ihr Aufstieg begann, ja fiel zusammen mit jener wirklichen »Demokratisierung« der Politik im neunzehnten Jahrhundert, das heißt mit der Ausdehnung des Wahlrechts über einen kleinen Kreis von Privilegierten hinaus bis zur schließlich erreichten Durchsetzung der Allgemeinheit und Gleichheit des Wahlrechts. Wo immer die Herrschenden dem Volke ein sei es wirkliches, sei es bloß dekoratives Stück politischer Mitbestimmung einräumen, überall bietet sich die Partei als einfachste institutionelle Form zur Umsetzung an. Sie läßt sich vor jedes Ziel spannen, jeden Inhalt kann man in sie hineintun. Parteien können ein kostbares Besitztum der politischen Freiheit sein, sie können genauso das Werkzeug erbarmungsloser Tyrannei abgeben.

Wollen wir ihr Erscheinungsbild und die Probleme, die sie in unserem Lande aufwerfen, näher ins Auge fassen, so müssen wir uns auf den besonderen Typ von Parteien konzentrieren, wie er sich in Europa zunächst im Rahmen der konstitutionellen Monarchie, dann im Rahmen der parlamentarischen Demokratie durchgesetzt hat. Es empfiehlt sich, von den Aufgaben auszugehen, die ihnen im Rahmen einer modernen Demokratie zufallen. Das Grundgesetz formuliert diese Aufgabe mit dem lakonischen Satz, wonach die Parteien an der »politischen Willensbildung« »mitwirken« (Art. 21 GG). Das ist nun gewiß eine arge Untertreibung. Zwar gibt es so etwas wie eine Regierung in jedem Staatswesen, durch sie wird ein politisches Gemeinwesen überhaupt erst zu einem handlungsfähigen Staat, aber die Demokratie setzt für die legitime Entstehung aller politischen Organe, sei es des Parlaments oder der Regierung, eine vorhergehende Willensbildung innerhalb des Volkes, konkret der Wählerschaft, voraus, die nicht anders als durch Parteien organisiert werden kann. Die wichtigste Aufgabe der Parteien besteht mithin darin, das, was man mit dem fast metaphysischen Begriff des »Willens« eines Volkes bezeichnet, vorzuformulieren, ihm Ziele zu stecken, die Aufgaben, vor denen ein Gemeinwesen steht, programmatisch zu umreißen, vor allem aber: Führungspersonal für die großen politischen Ämter zur Auswahl anzubieten. Dieses, daß sie ihre Kandidaten über die Parlamentswahlen für die großen politischen Ämter zur Auswahl anbieten, ist es, was Parteien recht eigentlich definiert. Hierin unterscheiden sie sich von den gesellschaftlichen Verbänden, die zwar auch Einfluß auf die politische Willensbildung ausüben wollen, aber nicht den Schritt tun, sich direkt um die politischen Ämter zu bewerben.

Der Aufstieg der Parteien zu den bestimmenden Erscheinungen der modernen Demokratie fällt weithin zusammen mit der Parlamentarisierung der Regierungsweise. Was heißt das? In der konstitutionellen Monarchie war der Einfluß der Parteien begrenzt auf jene Funktionen, die im Rahmen des politischen Systems dem Parlament eröffnet wurden. Diese waren im wesentlichen durch Gesetzgebung und die Mitwirkung am Haushalt. Nur in engem Rahmen war den Parlamenten der konstitutionellen Monarchie auch eine Kritik der Regierung gestattet. Erst die Parlamentarisierung, und das heißt nicht nur das Abhängigwerden der Kabinette vom Vertrauen des Parlaments, sondern viel wichtiger: die Rekrutierung aller Ministeriablen aus dem Kreis der Parlamentarier, in letzter Konsequenz, wie sie das Grundgesetz auch gezogen hat, die Wahl des Regierungschefs durch das Parlament, erst durch sie ist den Parteien der Zugriff auf das eigentliche Zentrum jeder staatlichen Willensbildung, auf die Regierung eröffnet worden. Haben wir es mit einem Parteiensystem zu tun, bei dem zwei große, annähernd gleichstarke Parteien miteinander rivalisieren, so entscheidet der Wähler mit seiner Stimmabgabe nicht nur über die parteimäßige Zusammensetzung des Parlaments, sondern zugleich über den Parteiführer, der für die nächste Legislaturperiode den Kurs der Regierung bestimmen wird. Das System der Parteien – ihre Zahl, ihre Relation zueinander, ob eine für sich allein oder nur in Koalition mit anderen regieren kann – all das ist für die Funktionsmöglichkeiten der Parteien innerhalb einer modernen Demokratie fast genauso wichtig wie ihre Mitwirkung an der politischen Willensbildung als solcher.

Die Freiheit modernen Parteiwesens innerhalb eines politischen Systems erweist sich heute ganz wesentlich darin – hier liegt der große Unterschied zwischen den diktatorischen und den wahrhaft demokratischen Systemen –, ob in ihnen die Freiheit der Parteigründung gegeben ist oder nicht. Die totalitären Herrschaften unserer Zeit definieren sich geradezu dadurch, daß sie Einparteienstaaten sind, obwohl dieser Begriff ja eigentlich ein Widerspruch in sich ist. Daß auch die totalitären Staaten unserer Epoche sich der Organisationsform der Partei bedienen, um ihre Zwecke durchzusetzen, zeigt, daß Parteien auch in ganz unfreiheitlichen Systemen zum Zweck der Legitimierung unentbehrlich geworden sind. Die Organisation und Gleichschaltung des Volkes wird das Hauptziel, das der Partei im Rahmen solcher Systeme gestellt ist. In freiheitlichen Systemen legitimiert sich der politische Wille demgegenüber gerade dadurch, daß er frei entstehen kann, daß Konkurrenz geduldet wird, daß Menschen gleicher Interessen und gleicher Meinungen sich frei und ungehindert zusammentun können, um für ihre Ziele zu agitieren, nicht zuletzt auch mit Hilfe des Kampfmittels der politischen Partei. Die Pluralität von Parteien ist so eine unabdingbare Voraussetzung des freiheitlichen Charakters der modernen Demokratie, wahrscheinlich ihre wichtigste Grundlage.

Aber wenn man den modernen Staat, so wie man von Wohlfahrtsstaat oder Sozialstaat spricht, auch als Parteienstaat charakterisieren kann, so muß es in ihm nicht nur Parteien geben, damit er überhaupt funktioniert. Er kann auch nicht besser funktionieren, als die Qualität der Parteien es ihm erlaubt. Man kann sagen, der historische Horizont einer Gesellschaft ist heute faktisch so weit wie der der Parteien, die seine Willensbildung bestimmen. Ein Land kann die größten Gelehrten und Dichter haben, die kühnsten Planer der gesellschaftlichen Zukunft – wenn sich die Parteien gegenüber dem Geist einer Gesellschaft abschließen oder nur bestimmte Elemente dieses Geistes in sich aufnehmen, so geht die Qualität der Politik des Staates nicht weiter, als es der Gesichtskreis der Parteien erlaubt. Hier tut sich das große, nicht wegzudisputierende Dilemma des modernen Parteienstaates auf. In ihm können nur jene Ideen und Meinungen zur Durchsetzung kommen, die die – wie auch immer vermittelte – Billigung der großen Masse seiner Mitmenschen gefunden haben. Nicht nur seiner Mitmenschen schlechthin, sondern eben, das macht gerade die Rolle der Parteien so zentral, die Billigung jener Menschen, die in der inneren Willensbildung der Parteien den Ton angeben. Wenn Männer schon nicht mehr Geschichte machen sollen, so machen sie doch noch immer die Politik. Und da der Weg über die Parteien die Einbahnstraße, die einzige Straße ist, die hinführt zu den entscheidenden Positionen im modernen Staat, so entscheidet sich in ihnen, von wem die Politik eines Gemeinwesens verantwortlich bestimmt wird. Selbstgenügsamkeit ist eine Eigenschaft fast aller menschlichen Gruppierungen, und es scheint, daß sich die Parteien davon nicht ausnehmen. Es sind besondere Qualitäten, die in ihnen den Weg nach oben eröffnen; durchaus nicht immer die, die ein Gemeinwesen von seinen führenden Repräsentanten glaubt erwarten zu können. Daß ein so großes, kluges, bedeutendes Land wie die Vereinigten Staaten in den letzten Präsidentschaftswahlen nur wählen konnte zwischen einem Nixon und einem Humphrey, ist ein Armutszeugnis nicht für die Vereinigten Staaten, aber für die beiden Parteien, die die Willensbildung Amerikas unter sich aufteilen. Wenn Legitimität immer dadurch entsteht, daß man sich mit etwas identifizieren kann, daß man es aus Einsicht und Überzeugung billigt, so ist die Identifikation mit dem politischen Personal der modernen Demokratie für einen Bürger, der sich gerne seines eigenen Urteils versichert, oft nicht sehr viel leichter als in den Zeiten der Monarchie, wo die Herrschaft durch den Zufall der Erbfolge bestimmt wurde. Die bloße Formalität der Konkurrenz um die Führung langt zur inhaltlichen Legitimierung eben doch nicht immer zu. Die Fähigkeit der Parteien, Menschen für sich zu überzeugen, sie zu bewegen, ihnen bzw. ihren Repräsentanten das Schicksal der Nation anzuvertrauen, ist im Zuge der Entwicklung der letzten Jahrzehnte auch bei uns in der Bundesrepublik noch dadurch kompliziert worden, daß die weltanschauliche Substanz der Parteien, durch die sie im vergangenen Jahrhundert so tief geprägt wurden, sich immer mehr verflüchtigt hat.

Die modernen Parteien entstanden im vergangenen Jahrhundert als Folge des Strebens des sein Selbstbewußtsein findenden Bürgertums, das um Befreiung aus den Bindungen des Feudalismus und um politische Repräsentation gegen den monarchischen Absolutismus kämpfte. In der liberalen Gesellschaftsordnung des vergangenen Jahrhunderts beanspruchte das politische Leben aber nur einen relativ begrenzten Raum innerhalb der gesamten gesellschaftlichen Ordnung. Typisch für die Parteien des vergangenen Jahrhunderts war denn auch, daß sich die Aktivität ihrer Mitglieder im allgemeinen darauf beschränkte, zur Wahl zu gehen und Kandidaten auszuwählen, die, nach ihrer Wahl im Besitz eines freien Mandats, von Weisungen der Partei fast völlig unabhängig, in allen wesentlichen Entscheidungen nur ihrem eigenen Gewissen verantwortlich waren. Die Parteien waren mithin nicht mehr als ein Wahlmännerkollegium, zusammengesetzt aus Honoratioren, die wiederum Honoratioren für die Wahl nominierten. Mit der Ausweitung des Raums des Politischen, der Zunahme der staatlichen Aufgaben, der immer größeren Abhängigkeit der Menschen von der staatlich-politischen Tätigkeit, nicht zuletzt als Folge der Konsequenzen der ersten industriellen Revolution, wuchs auch das Pensum der politischen Parteien. Die großen Umwalzungen und die damit verbundenen Interessengegensätze des neunzehnten Jahrhunderts, die in die Parteien eingingen, zwangen zugleich zu einer ideologisch-programmatischen Fixierung der Parteiziele. Die Parteien, insbesondere die deutschen, wurden Weltanschauungsparteien. Der Inbegriff einer solchen, auf die modernen Anforderungen reagierenden Partei war die deutsche Sozialdemokratie, die man auch im internationalen Maßstab als das Muster einer großen, sowohl durch Interessen wie Weltanschauungen bestimmten, über eine hervorragende Organisation verfügenden Partei neuen Stils bezeichnen kann. Die alte Sozialdemokratie und in etwas geringerer Weise auch die alte Zentrumspartei ergriff nicht nur einzelne Interessen von Menschen, die unter anderem auch Wähler waren, sondern sie bot den Menschen eine Sinnorientierung für das Ganze ihres Lebens. Man hat diesen Parteityp recht treffend Integrationsparteien genannt: von der Wiege bis zur Bahre, von der sozialistischen Kinderkrippe bis zum Feuerbestattungsverein war sie für viele Menschen das Zentrum all ihrer Lebensführung. Der Funktionär dieser Partei war getragen von vielen Tausenden freiwilliger Mitarbeiter, denen die Mitgliedschaft in der Partei in den beengten Verhältnissen des kapitalistischen Systems Sinn und Erfüllung bot.

Es ist offensichtlich, daß unsere Parteien von heute, auch wenn Restbestände dieses Typs in der einen mehr, in der anderen weniger immer noch vorhanden sind, diesem Bild kaum mehr entsprechen. Auch in den Parteien, die für sich in Anspruch nehmen, daß sie über eine programmatische Grundlage verfügen, das heißt imstande sind, in einer weiten Perspektive die gesellschaftliche Entwicklung und ihre Notwendigkeiten geistig vorwegzunehmen, dominiert immer mehr die Pragmatik des täglichen Regierungshandelns, die schlichte Orientierung am Machterwerb, die Orientierung an den täglichen Agenden der Politik, was immer an perspektivischer Begleitmusik dazu auch gespielt werden mag. Die großen Parteien sind Volksparteien geworden, was nichts anderes heißt, als daß ihre engen gesellschaftlichen Fixierungen durchlässig geworden sind; sie stehen jedermann offen, sie sind, wie man es einmal genannt hat, Allerweltsparteien geworden. Es ist nicht zu übersehen, daß sie damit für den Wähler, der nicht bereit ist, den Schritt in eine Partei selbst zu tun, verständlicher, leichter akzeptabel, unanstößiger geworden sind. Wer heute in eine Partei hineingeht, muß kein politisches Gelübde ablegen. Andererseits liegt es damit auf der Hand, daß sie für die Parteibürger immer weniger das Zentrum ihres Lebens darstellen können. Die Motivationen, die einen bewegen können, Mitglied einer Partei zu werden, werden, wie die Politik der Parteien selbst, immer pragmatischer, vordergründiger, alltäglicher. Gerade diejenigen, die in einer Partei etwas werden, gehen in sie mit einem immer schwächeren Prinzipienbewußtsein, aber mit einem immer stärkeren Willen zur Karriere hinein. Und da die Mitgliedschaft in einer Partei nicht nur für die politische Karriere in engerem Sinne unerläßlich, sondern für alle anderen Karrieren, auch in der Wirtschaft, Kultur, Wissenschaft, Publizistik usw. zumindest nicht schädlich, zumeist aber förderlich ist, verliert die Bindung an eine Partei mehr und mehr ihren ideellen, in einem tieferen Sinne legitimierenden Charakter, sie wird zu einer nützlichen Erwerbschaft, an die man aber auch nur gerade soviel wendet, wie sie eben Nutzen abwirft.

Im Gegensatz zu den ideologisch fundierten Integrationsparteien der Weimarer Jahre ist es für die Volksparteien im dritten Jahrzehnt der Bundesrepublik kennzeichnend, daß sie den Versuch aufgegeben haben, sich die Massen geistig und moralisch einzugliedern, nicht zuletzt deshalb, weil dies ihrer Attraktivität beim Wähler eher schaden könnte. Sie opfern so eine tiefere ideologische Durchdringung für eine weitere Ausstrahlung und für einen rascheren Wahlerfolg. Man hat zu Recht die Feststellung getroffen, daß die Umwandlung der alten Weltanschauungsparteien zu Allerweltsparteien ein Phänomen des Wettbewerbs gewesen ist. Eine Partei neigt dazu, sich dem erfolgreichen Stil ihres Kontrahenten anzupassen, weil sie hofft, am Tag der Wahl gut abzuschneiden, oder weil sie befürchtet, Wähler zu verlieren. Die Umwandlung der SPD zu einer Volkspartei im beschriebenen Sinn ist wesentlich erfolgt vis-à-vis der erfolgreichen CDU, die mit diesem Rezept schon 1949 antrat.

Sind die Parteien so auch, wie es im Jargon heißt, »offen für alle Anregungen«, sperren sie kein Interesse und keine gesellschaftliche Schicht mehr von sich aus, so müssen sie um so mehr um Geschlossenheit und Handlungsfähigkeit besorgt sein. Der wirkliche Erfolg einer demokratischen Volkspartei zeigt sich darin, ob sie beides kann: eine große Schar von Wähleren anziehen, sehr verschiedene Interessen in sich vereinigen und doch die nötige Geschlossenheit für tatkräftiges Handeln aufbringen.

Ob einer Partei dies gelingt, ist nicht zuletzt eine Folge des Parteiensystems, in dem sie operiert. Die CDU/CSU hat ihre großen Erfolge in der Ära Adenauer nicht zuletzt dem Tatbestand zu verdanken, daß ihr gegenüber Parteien standen, die entweder nur begrenzte Interessen in sich vereinigten oder aber, wie die SPD, die weltanschaulichen Scheuklappen der alten Integrationspartei noch nicht abgeworfen hatten. Es ist nicht zu bestreiten, daß bei der Osmose zwischen gesellschaftlichen Kräften und Parteien, die sich in der Bundesrepublik besonders in der starken Verbandsorientierung bei der Kandidatenaufstellung manifestiert, eine Gefahr für den eigentlich politischen Charakter der Parteien liegt. Ist es doch nicht Sache einer Partei, Interessen bloß einfach zu bündeln, sich als Dienstleistungsbetrieb vor den Karren aller Meinungen und Wünsche zu spannen, wo sie in Wahrheit die Aufgabe hätte, dem Bürger zu verdeutlichen, wohin sinnvollerweise die politische Reise gehen sollte. Da große ideelle Maximen und Prinzipien den Parteien kaum noch vorgegeben sind, laufen sie Gefahr, zu bloßen Syndikaten einer kleinlich pragmatischen Interessenvertretung zu werden. Dieses könnte noch angehen, wenn es sich auf den engeren Bereich der staatlichen Herrschaftsorganisation beschränken würde. Für die Volksparteien unserer Zeit ist aber kennzeichnend, daß sich ihr Einfluß in immer weitere Bereiche der Gesellschaft hinein erstreckt. Wenn das Grundgesetz sagt, daß die Parteien an der politischen Willensbildung mitwirken, so ist dies ein untertreibender Euphemismus. In Wahrheit bestimmen sie diese Willensbildung, nicht zuletzt durch ihre Personalpolitik, bis in die letzten Ecken und Winkel. Dieser Einfluß der Parteien über die Ämter hinaus, für die sie sich in den Wahlen unmittelbar bewerben, das heißt also: über die Parlamentsmandate und die Regierungsämter hinaus, begann mit der Parteienpatronage in den Reihen der Beamtenschaft. Man wird kaum übertreiben, wenn man sagt, daß in der Bundesrepublik eine bis in die Spitzenpositionen führende Karriere als Beamter kaum noch denkbar ist, ohne daß man sich dieser oder jener Partei zumindest als Nahestehender zurechnen läßt. Da die Bürokratie längst aufgehört hat, so etwas wie ein eigener Stand im Staate, der das Allgemeine vertritt, zu sein – und es ist gut, daß dies so ist –, ist kaum einzusehen, warum die Bürokratie, die dem gesamten Staat dienen soll und nicht einer bestimmten Partei, in einer so weitgehenden Weise proportionalisiert werden muß, wie das in der Bundesrepublik heute der Fall ist. Daß dies nicht notwendig so sein muß, zeigen die Beispiele Frankreichs, Englands und Amerikas. Unerträglicher finde ich, daß der parteipolitische Einfluß weit über die Beamtenschaft hinaus sich auch in den ganzen institutionalisierten Bereich der Bildung, der Kunst, der Massenmedien hinein erstreckt. Obwohl die öffentlich-rechtliche Struktur des Rundfunks eine der erfreulichsten Sicherungen der geistigen Freiheit in unserem Lande ist, scheint es unabweisbar zu sein, daß die höheren Posten in den Rundfunkanstalten – und das fängt ziemlich weit unten an – nur mit einem Blick auf das Parteibuch besetzbar sind. Selbst die wissenschaftlichen Beiräte der Bundesministerien werden unter Berücksichtigung parteipolitischen Proporzes zusammengesetzt. Direktor eines Gymnasiums zu werden ist je nach der im Land herrschenden Partei jedenfalls erheblich leichter, wenn man die richtige Parteinähe nachweisen kann. Selbst Galeriedirektoren, Theaterintendanten und schließlich auch Universitätsprofessoren werden nach ihrer parteipolitischen Einstellung taxiert und hofiert. Wenn man in der deutschen Staatsrechtslehre und politischen Wissenschaft nach 1945 noch glaubte, so etwas wie eine Apologie für das Daseinsrecht der Parteien vorbringen zu sollen, so wird man heute wohl sagen dürfen, daß die Parteien so fest im Sattel sitzen, daß sie im Gegenteil zur Zielscheibe einer modernen freiheitlich-demokratischen Herrschaftskritik werden müßten. Daß politische Herrschaft, wenn sie eine demokratische sein will, unter modernen Bedingungen Herrschaft durch Parteien sein muß und soll, das versteht sich von selbst. Die Frage ist nur, ob nicht, wie es die Prinzipien eines freiheitlichen Staates verlangen, auch die Herrschaft der Parteien umgrenzt, geteilt, eingezäunt werden sollte. Daß sie im Parlament und in der Regierung das letzte Wort haben, daß sie bzw. ihre Vertreter darüber entscheiden, was mit unseren Steuergeldern geschieht, das ist nur recht und billig. Die Frage ist nur, ob es nicht im modernen Parteienstaat auch wieder zu einer neuen Form der Gewaltenteilung kommen muß, bei der vor allem gewährleistet sein sollte, daß die großen geistigen Organisationen, der Rundfunk, die Universitäten, Kunst, Theater, Wissenschaft, Schule sich nach Prinzipien entfalten dürfen, die nicht unbedingt identisch sein müssen mit denen der Parteien. Ich fürchte, eine solche Forderung wird kaum auf Resonanz stoßen. Zu eng sind bereits die Verflechtungen der Parteien in alle Ebenen des gesellschaftlichen Lebens hinein. Wenn man den Weg in eine Partei heute nicht zuletzt geht, weil dies die Karriere fördert, so zeigt ein Blick in alle gesellschaftlichen Institutionen, daß sie bereits heute so stark parteipolitisiert sind, daß sie das Gefühl ihrer eigenen Rolle, ihrer eigenen völlig parteiunabhängigen Aufgabenstellung kaum noch richtig personell repräsentieren können. Man wird kaum sagen dürfen, daß diese von und durch Parteien ausgeübte Herrschaft eine besonders drückende ist. Davon kann keine Rede sein. Aber sie fördert auch nicht gerade den Geist der Freiheit und das Gefühl für Qualität. Opportunität, Anpassung, Sicheinrichten, den einen gegen den anderen ausspielen, das sind Taktiken, die heute auch in den Berufen und Institutionen beherrscht werden müssen, die von solchem Betrieb in früheren Zeiten frei gehalten wurden. Man kann sagen, das sei eben die unvermeidliche Politisierung, die mit der Demokratisierung mitgeliefert würde. Trotzdem braucht das nicht so zu sein. In den Jahren nach 1945 haben die Engländer und Amerikaner auf vielen Gebieten, nicht zuletzt dem der Presse, aber auch auf dem Gebiet des Beamtenrechts versucht, den Sinn für Unvereinbarkeiten zu stärken. Daß ein Beamter nicht zugleich Parlamentarier sein kann, ist für Engländer und Amerikaner selbstverständlich. Wir Deutsche haben uns demgegenüber längst daran gewöhnt, daß der größte Teil aller Abgeordneten von Länder- und Bundesparlament Angehörige des öffentlichen Dienstes sind. Daß man als qualifizierter Pädagoge sein Avancement zum Schuldirektor fördert, wenn man ein Parteibuch in der Tasche hat, finde ich eigentlich nicht viel würdiger als die Qualifikation durch Reserveoffizierswürden und Mensurschläge. Eine freie Gesellschaft beruht nicht zuletzt auf ihren Trennungen, Abzäunungen, Unterscheidungen. Der demokratische Parteienstaat läuft Gefahr, daß er als Allianz und System von Karrieren sich in das Bewußtsein seiner Bürger einprägt. Die demokratischen Parteien werden davon selbst auf die Dauer den geringsten Nutzen haben.

Planung

Nicolaus Sombart

Planung ist ein Schlüsselbegriff unserer Zeit, dessen Bedeutung immer stärker ins allgemeine Bewußtsein dringt. Wenige Begriffe führen so direkt ins Zentrum des Welt- und Selbstverständnisses des modernen Menschen. Es gibt Planungsideologien und Anti-Planungsideologien. Welches auch immer der konkrete Anlaß oder die polemische Absicht einer Auseinandersetzung um den Begriff der Planung sein mag, immer geht es um die Frage nach der Zukunft des Menschen. Unser Anliegen ist die Exposition der Grundzüge einer zeitgenössischen Planungstheorie, wie sie heute zu einer Überlebensbedingung der Menschheit geworden ist.

In seinen weltgeschichtlichen Zusammenhang gestellt, führt der Begriff der Planung zu der Frage nach dem Sinn des großen sozialen Wandlungsprozesses, in den wir verstrickt sind, zu der Frage also, welcher Zukunft der Mensch als Gattungswesen entgegengeht, oder radikaler: ob der Mensch überhaupt noch eine Zukunft hat. Zukunft und Planung stehen in einem unauflöslichen Zusammenhang. Als subjektives Vermögen des Menschen, angelegt in der ihm eigenen Dimension der »Zukünftigkeit«, ist Planung heute der ausgezeichnete gesellschaftliche Aktionsmodus der ihre Zukunft autonom produzierenden Menschheit. Die Welt von morgen ist eine geplante, oder sie ist nicht. Im folgenden soll der Begriff der Planung unter drei Aspekten untersucht werden: dem fundamental-anthropologischen, dem – sit venia verbo – geschichtsphilosophischen und dem technologischen.

Wir können dabei von der These unseren Ausgang nehmen: »Der Mensch ist das Wesen, das plant.« Es ist das die zeitgemäße Übersetzung jener klassischen Bestimmung des Menschen, derzufolge der Mensch das »vernünftige« Tier sei, ein animal rationale.

So alt diese Definition des Menschen auch ist, so hat sich die Menschheit in der Gegenwart – und nicht von ungefähr – in ihrer Explikation doch etwas Neues einfallen lassen müssen, und zwar die Theorie von der »exzentrischen Positionalität« des Menschen, die besagt, daß der Mensch ein organisches System sei, das durch seine mangelnde biologische Eingepaßtheit dazu gezwungen wird, die notwendigen Anpassungs- und Selbstbehauptungsleistungen über aufgeschobene Spannungsabfuhren zu erringen. Das Hochtrainieren der Fähigkeit, Spannungsabfuhren, also unmittelbare Befriedigung, aufzuschieben – und das ist der Ansatz einer experimentalen Haltung zur Umwelt – ist ebenso der biologische Grund des Bewußtseins wie der Fähigkeit, sich zu sich selbst zu verhalten, wie es der Grund zu der »Zukünftigkeit« ist, der Fähigkeit nämlich, sich selbst in einem späteren Zustand vorwegzunehmen, durch die das »Später« dem Bewußtsein des »Jetzt« integriert wird. Diese Vorwegnahme dessen, was noch nicht ist, aber sein könnte, in das gegenwärtige Bewußtsein steigert einerseits die ursprüngliche Verunsicherung; andererseits zwingt sie aber den menschlichen Organismus, sich den späteren Zustand bewußt zu halten und so die Zukunft zum Anlaß planender Veranstaltung zu machen. Auf diese Weise – darüber sind sich heute die philosophische und die biologische Anthropologie einig – wird ein Wesen zum homo sapiens, zum »animal rationale«, oder eben: zum »planenden Wesen«.

Die Planungsfähigkeit des Menschen wurzelt in der anthropologischen Kategorie der »Zukünftigkeit« – dem Vermögen, das, was kommen könnte, zu imaginieren und es zum Faktor seines Handelns zu machen.

»Exzentrische Positionalität« bezeichnet die für den Menschen konstitutive Distanz zur Umwelt. Insofern als der Mensch in seine Umwelt nicht eingepaßt ist, paßt er sich seine Umwelt in aktiv veränderndem – zukünftige Möglichkeiten immer berücksichtigendem – Zugriff an; »Umwelt« des Menschen im eigentlichen Sinne ist darum nicht, wie für alle anderen bekannten Lebewesen, die um den Erdball gelagerte Biosphäre, sondern das von ihm geschaffene Habitat: eine künstliche, ihm eigene Welt, die sich über die Biosphäre und Geosphäre als ein ökologisches Novum aufbaut. Die progressive Ausbildung dieser dem Menschen eigentümlichen Lebenssphäre – diese »zweite Natur«, die auch eine Anti-Natur ist – in einem immer intensiver werdenden Prozeß der Besitzergreifung und Transformation der Welt ist das große art- und erdgeschichtliche Ereignis, als dessen vorläufiger Höhepunkt die den Planeten umspannende wissenschaftlich-technische Weltzivilisation erscheint.

Dieser Prozeß, der immer identisch war mit einer zunehmenden Durchdringung aller Lebensbereiche mit empirisch-rationalen, das heißt logisch-experimentalen Methoden und Techniken, hat in dem Maße an Dynamik gewonnen, in dem die Zukünftigkeit in der Immanenz erfahren wurde. Wir können in der Tat feststellen, daß die Neuzeit gekennzeichnet ist durch die Demontage sogenannter transzendenter Bezüge. Man spricht von Demythologisierung, Desakralisierung, Säkularisation. In unserem Zusammenhang bedeutet das ein Schwinden der Möglichkeit, die »Zukünftigkeit« in einer wie auch immer gedachten Transzendenz aufgehoben zu glauben.

Der Zerfall einer Idee des Kosmos, der Rekurs also auf eine Menschen und Wirklichkeit umgreifende Ordnung und Aufgehobenheit, verschärft die Dichotomisierung der Wirklichkeit in Subjekte einerseits und Objekte als Material andererseits. »Der transzendenten Überhöhung der Wirklichkeit entspricht in der Neuzeit die immanente Überhöhung dieser Wirklichkeit« (Bernard Willms).

Die »Zukünftigkeit« wird zum rastlosen Motor, der die Immanenz permanent dynamisiert. Mit anderen Worten: die Reaktivität der subjektiven Zukünftigkeit richtet sich in ständig steigendem Maße auf alle Daseinsbereiche unter dem Aspekt der Veränderbarkeit. Dieses Verhalten, das, in der Konfrontation mit der Außenwelt, deren Aneignung und Transformation im wissenschaftlich-technischen Fortschritt zur Folge hat, bedeutet für das Problem der Beziehung der Subjekte aufeinander die permanente Veränderung der gesellschaftlichen Verhältnisse. In der permanenten Veränderung der gesellschaftlichen Verhältnisse – eingebettet in eine selbstgeschaffene Umwelt – entfaltet sich die Menschheit. Sie produziert damit die Bedingungen ihrer eigenen Verwandlung, das heißt ihre Zukunft.

Dieser Wandlungsprozeß darf nicht gedacht werden als ein beliebiger. Er wird bestimmt durch die in der Subjektivität angelegte Tendenz zu einer progressiven Erweiterung und Entfaltung der Daseinsmöglichkeiten, also einer ständigen Verbesserung und Optimierung der allgemeinen Lebensverhältnisse (fulfillment), oder: durch die Tendenz zur vollen Entfaltung des Subjektes als Selbstzweck.

Der auf die Ebene gesellschaftlicher Leitbilder erhobene antizipatorische Vorgriff auf eine optimale, gedachte Zukunft wird thematisch als Utopie. Die Utopie ist nicht das Traumbild einer unwirklichen Welt. »Utopie ist der Entwurf von Bildern jener Zustände, die durch zielbewußtes, planendes Handeln herbeigeführt werden können« (Georg Picht). Die Infragestellung des Bestehenden und Erreichten vollzieht sich in der Dialektik von Realitätsgebundenheit und Utopie. Der Plan erscheint somit als die gesellschaftliche Vermittlung einer Aktivität, in der die subjektive Zukünftigkeit aufgehoben wird in die Allgemeingültigkeit eines Handelns, dessen objektive Finalität die Organisation einer Gesellschaftsordnung ist, die eine optimale Erweiterung des Lebensprozesses aller gestattet.

Mit diesen vielleicht etwas abstrakt erscheinenden, wiewohl unerläßlichen Ausführungen haben wir die Grundlage zum Verständnis dessen geschaffen, was Planung in der modernen Welt bedeutet.

Diese Welt ist eine von Menschen gemachte. Welchen Namen wir ihr auch geben – ich übernehme gerne die Formel: technisch-wissenschaftliche Zivilisation – sie ist konstitutionell eine »Welt im Wandel«. Ihre permanente Veränderung gehorcht den ihr inhärenten, in der Natur des Menschen, wenn man will: in der Gattung angelegten Entwicklungstendenzen und -gesetzen. Sie ist mit dem Übergang zur effektiven Globalität in ein Stadium getreten, in dem sie nur durch Planung, und zwar nur durch eine globale Planung, weiter bestehen kann. Warum?

Die »ökologische« Revolution kulminiert in der totalen Abhängigkeit des Menschen von seiner eigenen Praxis, von seiner Kenntnis und Selbsterkenntnis. Damit eröffnet sich unwiderruflich eine breite Skala von Möglichkeiten und Varianten der Weiterentwicklung, die zwischen den Extremen der gelungenen Selbstentfaltung auf der einen Seite und der effektiven, durchaus möglichen Selbstvernichtung der Gattung auf der anderen Seite oszillieren. Denn, wie bekannt, ist das bisher Erreichte, wenn es auch einen absoluten Höhepunkt der Menschheit darstellte, keinesfalls frei von gefährlichen Widersprüchen! Im Gegenteil. Als Folgen desselben Entwicklungsgeschehens stellen sie eine neue Klasse von Problemen dar, mit denen die Menschheit konfrontiert ist und die sie bewältigen muß, will sie die Chance zur Weiterentwicklung behalten.

Diese Widersprüche sind gewissermaßen die negative Kehrseite des positiv Erreichten, ob es sich nun um die Folgen der Bevölkerungsvermehrung, die Welternährungskrise, das Elend der unterentwickelten Völker, die Verunreinigung von Wasser und Luft oder aber um die repressiven Elemente der Konsumgesellschaft, die Freiheitsbeschränkungen in den sozialistischen Gesellschaften oder schließlich um die Entwicklung nuklearer Vernichtungswaffen handelt. Immer beruhen die Mißstände auf einer »Dephasierung«, einer Verselbständigung des wissenschaftlich-technischen Fortschrittes gegenüber dem Prozeß der menschlichen Selbstentfaltung, der Ausbildung von sozialen Strukturen und Produktionsverhältnissen, die wohl einerseits den Erfordernissen höherer Rationalität und Effizienz gehorchen, andererseits aber doch, in paradoxer Verkehrung des eigentlich Intendierten, in der Folge einer nicht mehr oder noch nicht mit dem Ganzen vermittelten Automatik in weiten Bereichen Zustände geschaffen haben, die nicht nur jede Entfaltung des Subjektes vereiteln, sondern die physische Fortexistenz der Gattung als Ganzes in Frage stellen.

Der Grund dafür liegt natürlich darin, daß der Entwicklungsvorgang sich nicht als einheitlicher, sondern als das Produkt zahlloser, partieller, differierender und konkurrierender Einzelprozesse vollzogen hat, die, obwohl sie in ihrer Struktur ähnlich angelegt waren und irgendwie konvergierten, nicht aufeinander abgestimmt waren oder auch nur aufeinander abgestimmt sein konnten.

Erst jetzt, in der planetarischen Situation, sind mit der rasanten Entfaltung der Produktivkräfte, dem technologisch-wissenschaftlichen Niveau der vollentwickelten Industriegesellschaften und einem globalen Kommunikationssystem, das eine immer differenzierter werdende Einsicht in die Interdependenz der Probleme ermöglicht, die objektiven Voraussetzungen, aber auch das Bewußtsein für die Notwendigkeit gegeben, daß die Weiterentwicklung der Menschheit als Ganzes zum Gegenstand gesellschaftlicher Organisation, das heißt globaler Planung gemacht werden muß.

Die Weiterentwicklung kann nunmehr nicht mehr anders denn als Weltprozeß gedacht und somit sinnvoll vollzogen werden. Planung ist das systemkonforme Verhalten im »sekundären« System des Planeten. Sinnvoll: das soll heißen, daß der Prozeß der Dialektik des Menschen und seines Schaffens – der Umgestaltung der Welt und der Selbstgestaltung des Menschen – voll Rechnung trägt; mit anderen Worten: daß der Prozeß, in dem das Subjekt produziert, mit demjenigen verbunden wird, in dem das Subjekt selbst produziert wird; genauer gesagt: in dem es sich als ein sich neu und voll entfaltendes Subjekt produziert.

Der Schritt, den es zu vollziehen gilt, ist der Schritt von der bürgerlichen Gesellschaft zur globalen Planungsgesellschaft.

Die aufregende Frage ist nun: Haben wir die Möglichkeit dazu? Oder stellt sich bei näherem Zusehen heraus, daß zwischen den heutigen Möglichkeiten der Planung und den unaufschiebbaren Aufgaben der Planung ein riesiger Abstand besteht? »Nicht nur die Prognosen, auch die Planung, die wir brauchen«, meint ein so guter Kenner der Problematik wie Georg Picht, »ist heute eine Utopie.«

Das ist kein Einwand. Die Utopie der Planung gehört zur Planung der Utopie. Pichts Feststellung will auch nicht als eine Anweisung zur Resignation verstanden werden. Sie enthält vielmehr die konkrete Anweisung, die Möglichkeiten künftiger Planung zu durchdenken und mit der Planung des Planens zu beginnen. Ist Skepsis erlaubt, so müssen wir nichts mehr vermeiden als das Aufkommen eines neuen anti-zivilisatorischen Irrationalismus, der den Durchbruch zu der geforderten höheren Rationalität der globalen Planungsgesellschaft inhibiert. Regression in den Irrationalismus ist der Kern jeder Anti-Planungsideologie, so gescheit sie sich auch geben mag, und kennzeichnet die Bewußtseinslage derer, die sich dem Wandlungsprozeß entgegenstemmen. Zu diesen Irrationalismen gehört auch jene Mystifikation der »Technik« als etwas anderem, dem Menschen Fremdem und Entgegengesetztem, die zur Tradition der deutschen Kulturkritik gehört.

Trotz aller Mißstände ist die technisch-wissenschaftliche Zivilisation doch die einzige, die die Basis für eine wesentliche Erweiterung der Lebensbedingungen aller geschaffen hat. Sie hat auch die Möglichkeiten zur globalen Planung bereitgestellt.

Die Wissenschaft der kybernetischen Systeme einerseits, die Entwicklung der großen Rechenmaschinen andererseits versetzen die Menschheit in die Lage, auch die komplexeste Zukunft in planerischem Zugriff einzuholen. Der Erdball und die ihn bewohnende planetarische Menschheit als Ganzes kann als System erfaßt werden. Der Rationalität und schöpferischen Anpassungsfähigkeit der Großrechenmaschinen ist praktisch keine Grenze gesetzt. Unter Ausnutzung des Prinzips der Rückkoppelung kann eine Planung in Gang gebracht werden, in der der Plan für Alternativen und Wahlmöglichkeiten offen bleibt.

Gleichzeitig sind auch in den höher entwickelten Industriegesellschaften die Voraussetzungen dafür gegeben, jene demokratischen Kontroll-, Stimulations- und Widerspruchsmechanismen zu institutionalisieren, die das notwendige Komplement einer Planung sind, die den Menschen nicht zum Objekt planerischen Handelns machen, sondern als Subjekt in den Planungsprozeß, der immer auch ein Entwicklungsprozeß sein muß, integrieren will.

Auf der Ebene globaler Planungserfordernisse verändert sich nun auch das Verhältnis zur Zukunft. Die Zukunft hört auf, wie noch für die Geschichtsphilosophie des neunzehnten Jahrhunderts, das letzte Glied einer Entwicklungsreihe zu sein, deren Fundament sich in der Vergangenheit befindet und irgendwie aus ihr abgeleitet werden kann. Sie wird in die Gegenwart hineingenommen. In einer Situation, in der jede neu herbeigeführte Änderung zum Ausgangspunkt neuer Dimensionen der Entwicklung werden kann, figuriert die Erkenntnis der Zukunft selbst als Komponente der Gegenwart, und ihr Alternativfaktor – das heißt die gegenwärtige Realität selbst – kann nicht begriffen werden, ohne daß man Modelle der Zukunft ausarbeitet, die als Möglichkeiten in der Gegenwart enthalten sind.

Damit ist die bedeutende Rolle angezeigt, die der Zukunftsforschung als systematischer Bemühung um die Erarbeitung von Zukunftsmodellen – von Zukünften, wie es schon heißt: futures – als unerläßliches Instrument globalen Planens nicht nur, sondern eines adäquaten Gegenwartverständnisses zufällt.

Die Elemente einer zeitgemäßen Planungstheorie werden heute im Dreieck Wissenschaft – nationale Verwaltung – internationale Organisation erarbeitet. Von der internationalen Organisation kann man sagen, daß sie die ersten Ansätze für jene Instanzen sind, in denen globale Planung zu konkreter Praxis wird. Im Rahmen der OECD wurde vor einigen Jahren eine Planungscharta verabschiedet: die sogenannte Bellagio-Deklaration, die den gegenwärtigen Stand einer globalen Planungstheorie ausgezeichnet widerspiegelt und die jeder kennen sollte, der sich mit dem Thema beschäftigt.

Brechen wir hier ab. Jedes Durchdenken der Problematik, die mit dem Begriff der Planung verbunden ist, macht die große Bewußtseinsveränderung sichtbar, die mehr als alles andere unserer Zeit den Charakter einer absoluten Kulturschwelle verleiht.

Heinz Theo Risse

Die menschliche Gesellschaft sei eine Art Handelskompanie, in der jeder sozusagen ein Händler ist – mit dieser These wurde im achtzehnten Jahrhundert die alte liberale Wirtschaftslehre begründet, die sich bis in die ersten Jahrzehnte unseres Jahrhunderts als Glaubensbekenntnis des Kapitalismus gehalten hat. Der einzelne sollte nur kräftig seinen Interessen nachgehen; auf dem freien Markt würde er auf die Interessen der anderen Individuen treffen, und aus dem Spiel von Angebot und Nachfrage würde sich ganz von selbst nicht nur der Preis von Ware oder Leistung, sondern auch gesellschaftliche Ordnung und Harmonie, ja das Glück aller ergeben. Dem Staat war lediglich die Aufgabe zugedacht, einen Rechtsrahmen zu schaffen, damit der Geschäftsverkehr der vielen einzelnen geregelt vonstatten ginge.

Diese Vision wurde nie Wirklichkeit. Ihre Voraussetzung war falsch. Die Partner des Spiels waren weder so frei noch so gleich, wie das Gesellschaftsmodell annahm. Gewiß war der Kampf um die bürgerlichen Freiheiten, um die Gleichheit vor dem Gesetz, der im achtzehnten und neunzehnten Jahrhundert das brüchig gewordene Gebäude der alten Feudal- und Ständegesellschaft einstürzen ließ, eine historische Leistung ersten Ranges. Aber nur wenige hatten anfangs etwas davon. Die Industrialisierung auf der Grundlage der neuen Freiheiten brachte vielmehr schnell neue Herrschaftsformen und Abhängigkeiten. Vor allem erwuchs aus dem freien, fast unbeschränkten Verfügungsrecht des privaten Eigentümers über seine Produktionsmittel, also über Sachen, eine zunächst ebenso unbeschränkte Verfügungsgewalt des Unternehmers über Menschen. Die Massen, die nun in den Fabriken ihre Arbeitskraft anboten, um leben zu können, waren als einzelne machtlos der Willkür des stärkeren Partners ausgesetzt.

Aber die Arbeiter fanden den Ausweg: in der gemeinschaftlichen Arbeitsverweigerung, im Zusammenschluß zu Gewerkschaften, welche die Ungleichheit der Ausgangspositionen am

Arbeitsmarkt überwinden sollten. Dieser Vorgang, daß die Schwächeren sich organisieren, um ihre Forderungen bekanntzumachen und politisch durchzusetzen, wird symptomatisch für die sich entwickelnde Industriegesellschaft westlicher Prägung. Von den dreißiger Jahren des vorigen Jahrhunderts an führen die unterschiedlichen, ja vielfach gegensätzlichen Interessen von Arbeitern und Unternehmern zur Bildung immer neuer Verbände, und zwar auf beiden Seiten. Aber auch die Katholiken und die Bauern, um nur zwei weitere Beispiele zu nennen, fangen um die Mitte des Jahrhunderts an, Vereine und Verbände zu gründen. Insofern wird die Geburtsstunde der organisierten Klassengesellschaft in der Frühphase der Industrialisierung auch zur Geburtsstunde der pluralistisch – das heißt: in einer Vielzahl von Interessenverbänden – organisierten Gesellschaft.

Als erste, unmittelbare Folge dieses Prozesses füllt sich gewissermaßen der leere Raum auf, der zwischen dem Staat und den einzelnen entstanden war. »Gesellschaft« – das Wort bezeichnet nun immer weniger die vornehme Gesellschaft weniger Privilegierter und auch nicht die amorphe Menge der vielen. Es steht vielmehr in zunehmendem Maß für ein ziemlich unübersichtliches Konglomerat von Gruppen, Verbänden, Organisationen und Institutionen, die zudem in ständiger Auseinandersetzung begriffen sind. Die Hauptanstöße zu ihrer Bildung kommen bald nicht mehr so sehr von der fortschreitenden Industrialisierung im allgemeinen, sondern von der freigesetzten Dynamik des technischen und wirtschaftlichen Fortschritts, welche die einzelnen Wirtschaftszweige und Sozialgruppen dauernd in ihrem gesellschaftlichen Stellenwert verändert.

So geht etwa der Anteil der Erwerbstätigen in der Landwirtschaft immer mehr zurück. In der gewerblichen Wirtschaft sind Großkonzerne und Großunternehmen entstanden, welche die Geschäftspolitik in den betreffenden Branchen wesentlich bestimmen. Zugleich nimmt die früher überragende Bedeutung der Schwerindustrie – also Kohle und Stahl – von einem bestimmten Zeitpunkt an schnell ab. Der Anteil der in der gewerblichen Produktion beschäftigten Arbeitnehmer ist zunächst jahrzehntelang gestiegen; er fällt jedoch wieder, wenn eine gewisse Stufe der Automatisierung erreicht ist. Dagegen erhöht sich stetig und langfristig die Zahl der in Handel, Verkehr, Verwaltung und im gesamten Bildungssystem Tätigen, und entsprechend steigt auch die Quote der Angestellten, der Beamten und vor allem des wissenschaftlichen und technischen Personals. Ein Pluralismus unterschiedlicher Erwartungen, Interessen, Forderungen ist also mit der Entwicklung der industriellen Gesellschaft selbst gegeben, und zwar zunächst sogar unabhängig vom jeweiligen Wirtschafts- und Gesellschaftssystem. Dieser Pluralismus, dessen Erscheinungsformen wechseln können, macht es schwierig, wenn nicht unmöglich, die gesamte Gesellschaft bis in ihre letzten Teilbereiche hinein von einem einzigen Punkt aus und von einem einzigen Prinzip her zu dirigieren. Wo das versucht worden ist, wie in den anfangs übermäßig starren Plansystemen der kommunistisch regierten Staaten, kam es fortgesetzt zu Anpassungsschwierigkeiten, welche den technischen und wirtschaftlichen Fortschritt selbst hemmten. In dieser Hinsicht hatte ein renommierter französischer Sozialökonom zweifellos recht, als er jenen kommunistischen Parteien, die den Pluralismus der Interessen total unterdrückten, prophezeite, sie stünden vor der Wahl, Henker oder Opfer der industriellen Gesellschaft zu sein: Henker, wenn sie in der wirtschaftlichen Praxis am absoluten Führungsanspruch der Partei und deren Ideologie festhielten; Opfer, wenn sie der wirtschaftlichen und gesellschaftlichen Dynamik die Zügel schießen ließen. Inzwischen hat es den Anschein, als suche man in manchen Ländern des Ostblocks mit einigem Erfolg einen mittleren Weg, der zugleich die Partei selbst mehr als früher dem Pluralismus der Sozialgruppen und ihrer Interessen öffnet.

In den westlich-kapitalistischen Wirtschaftsgesellschaften dagegen hat sich dieser Pluralismus der Gruppeninteressen von Anfang an sozusagen freihändig organisiert. In ständiger Auseinandersetzung entwickelte er sich immer mehr zum wichtigen Verteilersystem, das den einzelnen Sozialgruppen, je nachdem wie stark sie repräsentiert waren, ihren Anteil am Sozialprodukt und ihr gesellschaftliches Prestige zuwies. Allerdings sind dabei Machtverteilung und Interessenunterschiede zwischen Unternehmern und Arbeitnehmern bestimmend geblieben, auch wenn der Staat mehr und mehr in diese Verteilungsprozesse regulierend eingreifen mußte. Immerhin beruhte die Anpassungsfähigkeit des kapitalistischen Systems während der letzten Jahrzehnte nicht zuletzt auf dem Zwang zum ständigen Interessenausgleich, der hier gewissermaßen institutionalisiert war. Insofern schien das Bild von der Gesellschaft als Handelskompanie, das ursprünglich für die wirtschaftlichen Beziehungen der einzelnen Bürger gedacht war, nun auch und erst recht für das freie Spiel der organisierten gesellschaftlichen Kräfte zu gelten.

Seinen Höhepunkt erlebte dieser freihändig praktizierte Pluralismus während der fünfziger Jahre und anfangs der sechziger Jahre in der Bundesrepublik. Das System der freien Marktwirtschaft, das in der Wiederaufbauphase der Nachkriegszeit so ungewöhnlich erfolgreich war, wurde kurzerhand auf die ganze Gesellschaft übertragen. Staatliche Eingriffe waren nicht nur im Wirtschaftsprozeß, sondern auch in anderen gesellschaftlichen Bereichen suspekt. Dabei spielte, als Reaktion auf die Diktatur der Nazizeit, gewiß ein berechtigtes Mißtrauen gegen zuviel staatliche Macht eine Rolle; vor allem aber orientierten sich die bürgerlichen Parteien und nicht zuletzt auch der Katholizismus an einem Bild von Staat und Gesellschaft, das im wesentlichen ideologisch begründet war: Es zog die falsche Konsequenz aus der richtigen Einsicht, daß eine weltanschaulich gespaltene Gesellschaft den weltanschaulich neutralen Staat fordere. So sollten die sogenannten freien gesellschaftlichen Kräfte, wenn möglich mit staatlicher Hilfe, weite Bereiche des gesellschaftlichen Lebens in eigener Verantwortung gestalten und ordnen, etwa die Erwachsenenbildung, die Sozialhilfe, Teile des Schulwesens. Man stellte sich die Gesellschaft aus weltanschaulich gebundenen Großgruppen bestehend vor, die wie Säulen das gemeinsame Staatsdach trügen. Dem vorwiegend wirtschaftlich und sozial motivierten Pluralismus gesellte sich ein vorwiegend weltanschaulich motivierter Pluralismus hinzu, und beide stützten einander.

Das Vorbild dieser Säulen-Gesellschaft sahen manche ihrer Verfechter in den Niederlanden verwirklicht, wo sich tatsächlich im letzten Drittel des neunzehnten Jahrhunderts unter dem Einfluß protestantischer Gruppen eine gewisse Dreiteilung in protestantische, katholische und sozialistische Parteien, Gewerkschaften und Massenmedien vollzogen hatte. Calvinistisches Denken sah im Staat eine Ordnungsmacht, die um der Sünde willen eingerichtet ist und deren Gesetze immer nur Rahmenordnungen für die Entfaltung gesinnungsgebundenen Lebens der einzelnen und der Gruppen herstellen sollen. Die Nähe zur liberalen Gesellschafts- und Staatstheorie liegt auf der Hand. Das Neue aber war, daß sie nun auch in abgewandelter Form auf katholischer Seite vertreten wurde. Die weltanschaulich geordnete Säulen-Gesellschaft war gleichsam eine späte Neuauflage des alten Grundsatzes »Cuius regio, eius religio«, der nach der Reformation das Glaubensbekenntnis der Untertanen von dem des Landesherrn abhängig gemacht hatte – nur sollten jetzt keine weltanschaulich einheitlichen Territorien, sondern einheitlich orientierte Lebensbereiche quer durch die ganze Gesellschaft geschaffen werden. Konnte nicht mehr vom christlichen Staat oder von der christlichen Gesellschaft die Rede sein, so sollten doch die noch zugänglichen gesellschaftlichen Räume für die Katholiken, die Protestanten, die anderen Weltanschauungsgruppen nach jeweils vertrauten Mustern ausgestaltet werden.

Ohne Zweifel verrät dieser Entwurf, der im übrigen über Anfänge hinaus nicht zu verwirklichen war, eine realistische Einschätzung der prägenden Kraft des sozialen Milieus. Aber er war, als er in den fünfziger Jahren in der Bundesrepublik diskutiert wurde, von zwei Seiten her bereits überholt. Die wechselseitige Abhängigkeit aller Lebensbereiche ist inzwischen so groß, die Einflüsse, die auf den einzelnen einwirken, sind so mannigfaltig und widersprüchlich geworden, daß allein von daher kein anderer Weg bleibt, als die Selbstverantwortlichkeit und Selbstbestimmung des einzelnen, auch des einzelnen Christen, zu stärken; Schutzzonen versehen diesen Dienst nicht. Darüber hinaus ist gerade in den christlichen Kirchen mittlerweile die Einsicht gewachsen, daß die Christen dazu beitragen sollten, »die Erde für alle überall menschlicher zu gestalten«, wie das Zweite Vatikanische Konzil fordert; eine weltanschaulich bestimmte Organisation ganzer Gesellschaftsbereiche vertrüge sich mit dieser sehr weltlichen Dienstleistung nicht.

Tatsächlich ist heute von der weltanschaulich geprägten Säulentheorie der Gesellschaft kaum mehr die Rede. Sie löst das Problem des weltanschaulichen Pluralismus, der ein für allemal vorgegebenen Verschiedenheit weltanschaulicher Positionen in dieser Gesellschaft, nicht – genausowenig wie andererseits das freie Spiel der wirtschaftlich und sozial bestimmten organisierten Interessen, von dem vorher die Rede war, das Problem des sozialökonomischen Pluralismus, der ein für allemal vorgegebenen Verschiedenheit solcher Interessen, zu lösen vermag. Das heißt aber: Die traditionellen Organisationsformen sowohl der wirtschaftlich-sozialen Interessen als auch der weltanschaulichen Positionen haben den Höhepunkt ihrer

Wirksamkeit inzwischen überschritten; der organisierte Pluralismus selbst, den man die zweite Phase des Liberalismus genannt hat, ist in eine Krise geraten.

Zwei Beispiele mögen dies verdeutlichen. Im Rahmen der gesetzlich geregelten Tarifautonomie, welche den Abschluß von Abkommen über Arbeitsbedingungen sowie über Lohn- und Gehaltstarife im wesentlichen den Arbeitgeberverbänden und Gewerkschaften überläßt, handeln diese solche Abkommen frei aus oder kämpfen notfalls darum. Natürlich mußten sie dabei bisher nicht nur die eigene Stärke und die Stärke des Partners berücksichtigen, sondern immer mehr auch die Lage des Wirtschaftszweiges und der gesamten Volkswirtschaft. Seitdem sich aber die Erkenntnis Bahn gebrochen hat, daß die Wirtschaft auch bei uns einer wenigstens globalen Steuerung bedarf, setzen sich Regierungsvertreter und Tarifpartner in der sogenannten »konzertierten Aktion« an einen Tisch und versuchen dort, sich über gemeinsame Ausgangsdaten klarzuwerden, die den Rahmen künftiger Abkommen praktisch weitgehend festlegen. Die Tarifpartner bleiben frei, aber sie sind doch in ihrer Politik in die Politik der Regierung einbezogen.

Im Schulwesen hat sich in den letzten Jahren eine ähnliche Entwicklung vollzogen. Anderthalb Jahrzehnte der Nachkriegszeit wurden von der – in den einzelnen Ländern mehr oder weniger heftig geführten – Auseinandersetzung über die Konfessionsschule beherrscht, die zwar staatlich organisiert war, für die sich jedoch besonders die Kirchen unter Berufung auf das Elternrecht mit allen Kräften einsetzten. Plötzlich zeigte sich indessen, daß die großen Aufgaben der Schul- und Bildungsreform nicht nur den Stellenwert des Bekenntnischarakters verändern, sondern eine gemeinsame, gesamtgesellschaftliche Anstrengung nötig machen. Heute wird kaum mehr bestritten, daß Eltern, Lehrer und Kirchen überfordert wären, wollte man ihnen allein, sozusagen im freien gesellschaftlichen Raum, die Reform der Schule aufbürden.

Ist also der Staat dabei, immer mehr Kompetenzen anzusaugen, so daß der Pluralismus der freien, demokratischen Gesellschaft funktionslos wird und die gesellschaftlichen Verbände zwar weiterhin ihr rituelles Kampfgeschrei ausstoßen, aber eigentlich nichts mehr zu tun und zu sagen hätten? Die Wirklichkeit bestätigt dieses verbreitete Vorurteil nicht.

Einmal gibt es »den Staat« als über der pluralistischen Gesellschaft angesiedelten, womöglich neutralen Hoheitsträger nicht einmal mehr als verfassungsrechtliche Größe, geschweige denn in der Entscheidungspraxis von Politik und Verwaltung. Was wir im allgemeinen Sprachgebrauch unter diesem Begriff zusammenfassen – vor allem die gesetzgebenden Körperschaften, Regierung und öffentliche Verwaltung –, ist zwar nicht rechtlich, aber realsoziologisch mit der Gesellschaft, ihren Gruppen, Organisationen und Institutionen aufs engste verflochten. Der Staat ist selber pluralistisch organisiert, und dies um so mehr, als auch die großen Parteien als Träger der politischen Willensbildung im Grunde heute ebenfalls Koalitionen aus verschiedenen Gruppen geworden sind.

In dem Maße nämlich, in dem etwa seit Mitte des neunzehnten Jahrhunderts der Staat sich um die Lösung der aufkommenden sozialen Fragen kümmern mußte, weil die gesellschaftlichen Gruppen und Kräfte dazu außerstande waren, hat er sich selbst grundlegend verändert. Der liberale Rechtsstaat sollte ursprünglich nur einen allgemeinen Rechtsrahmen für den freien Verkehr der einzelnen Bürger schaffen. Der soziale Rechtsstaat als moderner Sozialstaat aber muß die Entfaltungschance der einzelnen direkt und indirekt nach Kräften sichern, weil es dazu gesellschaftlicher Voraussetzungen bedarf, die nur in gemeinsamer Anstrengung zu schaffen sind. Die Verteilung der notwendigen Gelder erfolgt deshalb weitgehend in einem ständigen Prozeß des Interessenausgleichs, bei dem die Verbände beratend, fordernd, mitwirkend beteiligt sind. Zugleich hat sich eine hochspezialisierte Experten-Bürokratie für die entsprechenden Lebensbereiche und Fragenkomplexe entwickelt.

Auf der anderen Seite haben sich dadurch im Lauf der letzten Jahrzehnte auch die Verbände verändert. Hinter ihnen wird das einzelne Mitglied als Ausgangspunkt der Meinungs- und Willensbildung kaum mehr sichtbar. Der spontane Zusammenschluß, der Selbsthilfecharakter einer Organisation tritt an Bedeutung zurück gegenüber einer ebenfalls hochspezialisierten Verbandsbürokratie, die sich ihrerseits, ob sie will oder nicht, von der konkreten Erfahrung und vielfach auch von den eigentlichen Sorgen und Nöten der Mitglieder entfernt. Dafür arbeiten die Verbandsvertreter um so enger mit den Vertretern von Regierung, Verwaltung, Parteien und anderen Verbänden zusammen, hier kritisch und distanziert, dort in augenzwinkerndem Einvernehmen.

Das Ergebnis liegt auf der Hand. Der organisierte Pluralismus ist keine rein gesellschaftliche Größe mehr. Er ist eher eine komplexe Symbiose aus staatlichen und gesellschaftlichen Organisationsformen geworden, welche die alte, strenge Unterscheidung von Staat und Gesellschaft weitgehend zur abstrakten Fiktion werden läßt. Vor allem aber hat diese Symbiose die Gesellschaft unbeweglicher und unpolitischer gemacht: unbeweglicher, weil sich die Partner wie in einem permanenten Clinch befinden, der die bestehenden gesellschaftlichen Zustände und Machtverhältnisse konserviert, unpolitischer, weil zu viele wesentliche Entscheidungen hinter verschlossenen Türen fallen. So stauen sich die ungelösten Probleme, längst überfällige Reformen kommen nur schwer voran, und zugleich sieht der einzelne Bürger geringe Chancen, am demokratischen Prozeß der Meinungs- und Willensbildung wirksam teilzunehmen. Ist die hochorganisierte pluralistische Gesellschaft zum riesigen Dinosaurier geworden, der an seiner eigenen Schwerfälligkeit zugrunde geht?

Noch vor wenigen Jahren konnte die Prognose so pessimistisch lauten. Inzwischen wird jedoch, wie sich immer deutlicher zeigt, der organisierte Pluralismus herkömmlicher Art gleich auf dreifache Weise allmählich überholt oder in seiner Bedeutung gemindert: 1. durch die Dynamik eines sich weiter beschleunigenden wissenschaftlichen und technischen Fortschritts, der neue Formen der individuellen Lebensgestaltung eröffnet, die zum Teil schon Züge einer nachindustriellen Freizeitgesellschaft tragen; 2. durch die Anwendung wissenschaftlicher Planungstechniken auch in der Politik, die den wahren Spielraum politischer Entscheidungen aufdecken, aber auch zu einer Herrschaft von Technokraten führen können; 3. durch spontane Gruppenbildungen und neue Formen unmittelbarer demokratischer Öffentlichkeit, die an den konkreten Erfahrungen und Interessen der Bürger anknüpfen und so die Gesellschaft von ihrer Basis her wieder politisieren.

Diese Tendenzen, die vielfach erst im Ansatz sichtbar werden, sind nun keineswegs pluralismusfeindlich. Gewiß kann sich die konsumfreudige Freizeitgesellschaft jederzeit mit einer politischen Diktatur verbinden, technokratische Herrschaft kann jede politische Meinungspluralität ersticken, und totalitäre Gruppen von rechts oder links können eine ganze Gesellschaft terrorisieren. Aus sich selbst heraus aber decken jene Entwicklungen zunächst einmal die ganze mögliche Vielfalt der Lebensformen, das ganze Spektrum der Meinungen auf, so befremdend sich manches davon ansehen mag, wenn die spätbürgerliche Fassade niedergelegt wird. Insofern kommt hier ein neuer, ursprünglicher und unbekümmerter Pluralismus zum Vorschein, der denn auch die etablierten gesellschaftlichen Organisationen und ihr pluralistisches System erschreckt; die Protestbewegung in der Jugend, wilde Streiks, die Unruhe in den Kirchen sind Beispiele dafür.

Hält man sich nicht an die Symptome, sondern an den zugrunde liegenden Vorgang, dann sieht es tatsächlich so aus, als werde erst jetzt das eigentliche Pluralismus-Problem sichtbar: wie nämlich bei einer äußersten Vielfalt konkreter Interessen und Meinungen, die frei zur Geltung kommen können, friedliches Zusammenleben und politisch geordnete – das heißt aber heute und morgen: ständig zu verändernde – Gesellschaft überhaupt möglich seien. Bisher war dieses Problem durch Herrschaftsformen verdeckt, die jeweils nur einen Teil der Interessen und Meinungen durchließen oder sie so filterten, daß sie der bestehenden Ordnung nicht gefährlich werden konnten. Jetzt erst enthüllt sich der ursprüngliche Pluralismus in seiner ganzen Ambivalenz: Er kann, weil er offen zutage tritt, um so ungehemmter manipuliert werden; er kann aber auch in seinen konkreten Äußerungen anerkannt, offen und rational diskutiert und in demokratische Mitbestimmung in den einzelnen Gesellschaftsbereichen umgemünzt werden. Werden wir uns in Zukunft daran gewöhnen können, eine hochentwickelte und demokratisch legitimierte politische Planung für die gesamte Gesellschaft mit solcher fundamentalen Demokratisierung der gesellschaftlichen Einzelbereiche zu kombinieren?

Abgesehen davon, daß sich ohnehin die einzelnen Organisationsformen des Pluralismus überlagern, werden durch diese Kombination organisierte Interessenvertretung und politischer Interessenausgleich nicht überflüssig. Aber ihr Stellenwert wird entscheidend verändert. Die politische Diskussion und Entscheidung über die gesellschaftlichen Voraussetzungen für die persönliche Entfaltung der Bürger erfolgt nicht mehr ohne weiteres über deren Köpfe hinweg. Eine Utopie? Wir sollten uns nicht täuschen lassen: Die Lösung des Pluralismus-Problems ist im Kern identisch mit der doppelten Aufgabe, die Umwelt menschlich zu machen und die Gesellschaft human zu organisieren.

Diese Aufgabe erfordert von den einzelnen wie von den Gruppen die Bereitschaft, das eigene Interesse und die eigene

Meinung zur öffentlichen Diskussion zu stellen. Sie erfordert die Anerkennung der Lebens- und Entfaltungsrechte der andern, ja der grundsätzlich pluralen Struktur des Menschen und der Gesellschaft schlechthin. Keiner kann total über sich selbst verfügen. Keiner und keine soziale Gruppe hat die gesamte Realität der Gesellschaft oder eines ihrer Bereiche im Griff, so daß daraus eine Legitimation zur Herrschaft über andere abgeleitet werden könnte. So verweist der Pluralismus des Menschen und der Gesellschaft notwendig auf Diskussion, Auseinandersetzung, Konflikt. Sie allein sind, human ausgetragen, die Alternative zu Formen der Herrschaft, unter denen die einen die andern, verdeckt oder offen, im Namen ihrer Meinungen und Interessen unterdrücken oder manipulieren. Ein bekannter Theologe hat eine christliche Begründung dafür gegeben: »Gott hat in der Welt keinen Stellvertreter.«

Harry Pross

Im Zuge der Aufklärung wurde im achtzehnten Jahrhundert für »die Welt«, »die bunte Menge«, »die Leute« der Begriff »das Publikum« ins Deutsche übernommen. Publikum entstammt dem »publicum vulgus«, was soviel heißt wie »das gemeine Volk«. Publicus aber hieß ursprünglich nichts anderes als populicus, dem Volke gehörig.

Dem Volke gehörig heißt allen gehörig. Was heißt gehörig? Im Deutschen hat es etwas mit hören und horchen zu tun, also damit, eine Verbindung durch das Ohr herzustellen. »Horch doch!« mahnt die Mutter das Kind, das »nicht folgt«, und »Hör zu« suggeriert eine Programmzeitschrift, ganz mit dem gleichen Unterton, daß »es sich gehört« zu hören. Abzustellen ist »ungehörig«.

Der kleine Ausflug in die Wortvergangenheit bringt uns also rasch wieder in die Gegenwart zurück. Die Begriffe ändern sich, der Wortgebrauch ändert sich ebenfalls; aber die Notwendigkeit, sich vermittels Symbolen und Begriffen zu verständigen, bleibt. Sie ist das erste Problem des zwischenmenschlichen Verkehrs überhaupt, ja sie macht ihn erst möglich.

Daß der Mensch sich von den Tieren unterscheide, weil er die Sprache habe, galt unseren Vorfahren lange als sicher, obwohl schon der Heilige Franziskus daran hätte Zweifel aufkommen lassen können. Neuerdings betonen wir, daß auch die anderen Lebewesen ihre Sprachen haben und daß die Sprache nicht das einzige Mittel zwischenmenschlichen Verkehrs ist: Gestik, Mimik, Gebärden, Bild und Abbild, Musik, Kunst, kurz alles, was die Sinne anspricht, wird unter dem Gesichtspunkt der Kommunikation, das heißt der Vereinigung, der Vermittlung, Verbindung, der Mitteilung und Verständigung betrachtet. Es wäre jedoch falsch, diese Betrachtung auf den Zweck der Mitteilung zu beschränken. Unsere Sinne nehmen unterschiedliche Abstraktionen vor und bedingen andere Formen des Begreifens. Neben dem sprachlichen Ausdruck hat das Unsagbare seinen Platz in unserem Verhalten, neben der

Sprache fungiert das Bild als ein ganz anderer Typus symbolischer Vermittlung. Zwar ist Rationalität das Wesen des menschlichen Geistes; aber es geht nicht an, sie nur in der Sprache zu suchen; sie ist auch in den unbegrifflichen Symbolismen von Licht, Farbe und Ton, weil sie, wie Susanne Langer ausgeführt hat, die periphere Tätigkeit des menschlichen Nervensystems ebenso durchdringt wie die Rindenfunktionen.

Die Kommunikation hat zwei äußerste Punkte: Auf der einen Seite die völlige Übereinstimmung ihrer Teilnehmer in ihren Handlungen, ihrem Wollen und Trachten. Sie heißt Identifikation. Auf der anderen Seite die gänzliche Absonderung, das Ausgeschaltetsein oder sich Ausschalten, das aus der Hörweite Heraustreten und Verstummen: die Privation. Vom Sterben heißt es, den letzten Gang tut jeder allein. Das Hin und Her zwischen äußerster Privation und innigster Identifikation kann physisch und psychisch stattfinden. Die Vermittlung zwischen den beiden Polen hat stets physische Träger nötig, die sichtbar sein können wie Menschen und Papier, oder unsichtbar wie Radiowellen, und die vermittelt einen psychischen Tatbestand, eine Botschaft für die Sinne der Menschen. Die Information, die biologisch stattfindet oder sonst in der Natur, lassen wir außer acht.

Publicus, dem Volke gehörig, ist also eine Art von Kommunikation, die ausschließt, was nicht dem Volke gehört, sondern jedem allein. Sich aus dem Publikum heraushalten, hieß schon für die alten Römer: daheim sein. Im Deutschen fällt die Verwandtschaft von daheim mit geheim und heimelig auf.

Was als dem Volke gehörig betrachtet wird, ist eine Definitionsfrage. Das steht nicht ein für allemal fest, schon weil der Begriff des Volkes nicht standhält, sondern stetig wechselt. Daß es so etwas gibt wie einen allen gehörigen Bereich, ist eine Tatsache, die verschiedener Auslegungen fähig ist. Niemand kann mit wissenschaftlicher Exaktheit sagen, wie groß dieser Bereich ist, weil dazu Werturteile nötig sind, die weder beweisbar noch widerlegbar sind.

Man muß sich also entscheiden und sagen, was dazu gehören soll. Wenn man diese Setzung gemacht hat, kommt die nächste Frage, wer sich daran hält. Sie wird in der Praxis durch den entschieden, der seine Setzung durchsetzen kann, das heißt, die anderen dazu bringt, sie als gehörig zu betrachten und sich danach zu verhalten. Das ist die sogenannte Machtfrage.

Die Definitionsfrage geht also in die Machtfrage über. Wenn

ich sage, meine Photographie gehört nicht dem Volk, aber ein Gesetzgeber kommt, der ein Gesetz macht, daß sich jeder zu jeder Zeit und wann immer es einen Kamerabesitzer danach gelüstet, photographieren lassen muß, dann hilft mir meine Definition überhaupt nichts mehr; eine Gruppe, die ihre Auffassung im Parlament durchsetzen konnte und die ferner die Garantie hat, daß die Polizei und die Gerichte über das Gesetz wachen, hat damit entschieden, daß es anders sein soll, als ich mir das gedacht habe.

Das Beispiel des Photographiertwerdens läuft in der juristischen Diskussion unter dem Titel »Recht am eigenen Bild«. Diese Diskussion ist außerordentlich wichtig und muß zu einer neuen gesetzlichen Regelung führen, weil es jetzt nicht klar ist, wer wann wo und wer wann wo nicht photographiert werden darf. Gehört ein Angeklagter vor Gericht so dem Volk, daß sein Gesicht in die Zeitung oder in die Tagesschau gehört? Oder hat er das persönliche Recht, unvorgezeigt zu bleiben? Gibt es Unterschiede zwischen den Angeklagten, um bei dieser Gruppe zu bleiben, und dieser Gruppe und anderen Gruppen? Wo fängt das eine Recht an und wo hört das andere auf? Die Rechtsgelehrten werden es schwer haben, darüber zu einer halbwegs einverständlichen Lösung zu kommen, weil sie auf ihren juristischen Begriff von Person festgelegt sind, der die Mannigfaltigkeit der Individuen mit Organisationen und Verbänden zusammenbringt. Gleichwohl muß hier eine Entscheidung getroffen werden, wie weit Publizität gehen soll und wo sie aufhören muß. Diese Entscheidung ist keine Entscheidung darüber, ob sie »richtig« ist. Sie bestimmt bloß, was sein soll, weil sie durchsetzbar ist. So verhält es sich mit jeder Machtentscheidung.

Die Regelungen des zwischenmenschlichen Verkehrs, die man Politik nennt und die ihren Niederschlag im Recht finden, bleiben immer dem Zweifel an ihrer Richtigkeit ausgesetzt. Der Austausch darüber geht weiter, es gibt eine Kommunikation über die Richtigkeit dieser Verkehrsformen, die nicht endet; denn wenn etwas allen gehört, dann sind es die Regelungen des Zusammenlebens.

Die Art und Weise, wie der Austausch über das, was allen gehören soll, und das, was allen gehört, geführt wird, nennen wir Publizistik. Der Publizist war ursprünglich der Kenner des öffentlichen Rechts. Er ist, indem er anfing, über die Richtigkeit des ihm Vorgesetzten nachzugrübeln, darüber hinausgewachsen.

Der Beruf des Nachrichtenvermittlers ist wahrscheinlich ebenso alt wie der älteste Beruf der Menschheit, der ja auch ein Verkehrsberuf ist, nur nicht des Gedankenverkehrs speziell.

Wenn die Notwendigkeit, sich vermittels Wörtern und Begriffen, Zeichen und Symbolen zu verständigen, das erste Problem des zwischenmenschlichen Verkehrs ist, dann ist die Notwendigkeit, nach dem Richtigen in diesem Verkehr fragend sich auszutauschen, also die rechten Zeichen und das richtige Wort zu finden und an den Mann zu bringen, das zweite. Insofern geht das Publizieren dem Politisieren voraus und hinterher: es ist da, ehe Macht sich konkretisiert, es bleibt da, nachdem Macht und Recht festgestellt haben, was sein soll.

Das heißt, daß die Verkehrsregelungen, die von den Politikern durchgesetzt werden, samt Staatengründung und -verfall publizistisch vorbereitet und wieder in Frage gestellt werden von der Publizistik. Es bedeutet, daß die Kräfte derjenigen, die eine bestimmte Absicht verfolgen, dauernd gemessen werden im Hin und Her der Zweifelnden. Es ist Kampf zwischen Politikern und Publizisten von Anbeginn an, weil die Frage nach der Richtigkeit beantwortet werden muß und weil jede Antwort neue Fragen auslöst.

Wenn Politiker von verantwortlicher Publizistik sprechen, wie es im Wahlkampf besonders häufig geschieht, dann meinen sie eine Publizistik, die sich mit den logischen und kausalen Notwendigkeiten verantworten läßt, die der jeweiligen politischen Absicht entsprechen. Selbstverständlich soll gefragt werden, soll geprüft werden, soll Kritik sein; aber eine »konstruktive Kritik«. Das kann nichts anderes heißen als eine Kritik, die an den politischen Konstruktionen weiterbaut, die sich aus der politischen Absicht logisch und kausal ergeben, im Wahlkampf also aus der Absicht, wieder in die Gesetzgeberfunktion einzurücken oder neu hineinzukommen. Publizistik, die solcher Absicht widerspricht, ist nicht konstruktiv, sondern destruktiv zu nennen. Als Bundeskanzler Kiesinger sich zierte, eine Fernsehdiskussion mit seinen Kontrahenten zu führen, sagte er, sie stehe dem Bundeskanzler nicht an. Das Nichtanstehen ist schon aufs Moralische, auf Anstand und Anständigkeit hinweisende Absonderung, Abstandnehmen, weil Diskussion destruktiv für die eigenen Absichten wirken kann.

Es wäre aber ungerecht, die Sache auf die zugespitzte Situation des Wahlkampfes zu reduzieren, in der Leute, die die Welt nach ihrem Bild formen wollen, ins Bild kommen, also geprüft werden, ob sie dem Bild entsprechen, das die Wähler sich von ihren Vertretern machen, machen sollen oder nicht machen sollen. Der Konflikt, der zwischen Publizistik und Politik im Wahlkampf allen sichtbar wird, reicht tiefer. Das wird deutlich, wenn der Begriff der Verantwortung wörtlich genommen wird.

Der Verantwortung geht die Frage voraus. Ohne Frage gibt es keine Verantwortung. Die Frage erhebt sich. Sie ergibt sich aus den Zusammenhängen des menschlichen Daseins, sie drängt sich auf, sie stellt sich. Der, dem sie sich stellt, dem sie sich aufdrängt, vor dem sie sich erhebt, muß sie verantworten, das heißt, er muß eine Beziehung herstellen zwischen der Frage und dem Wort, das er seinem Verständnis und seiner Individualität nach auf die Frage findet. In unserem Kulturkreis bestehen wir darauf, daß die Antwort den Gesetzen der Logik genüge. Ich sage Gesetze, weil es sich um Regeln handelt, die sagen, wie gedacht werden soll, die aber auf unbeweisbaren und unwiderlegbaren Voraussetzungen beruhen, auf einer Vereinbarung also.

Wer diese Beziehung zwischen der Frage und dem, was er darauf zu sagen hat, klären will, muß die Fragen hinter den Fragen zu ergründen suchen, er muß die Frage schon als Antwort betrachten und ihren Zusammenhang festzustellen suchen. Dieser Frageprozeß führte ins Aschgraue, wenn nicht irgendwo ein Punkt gesetzt würde. Dieser Punkt der Verantwortlichkeit, wo das Fragen aufhören darf, ist nicht ins Belieben des einzelnen gestellt. Er ist vorbestimmt durch kulturelle Überlieferung und den sozialen Hintergrund des »individuellen Gemeinwesens«, als das der junge Marx den Menschen bezeichnet hat, ferner durch Veranlagung, Fähigkeit, Freiheit und die Natur der jeweiligen Sache. Diese Natur »der Sache« ist ein dehnbarer Begriff; aber er besagt immerhin, daß sich aus unterschiedlichen Verhältnissen unterschiedliche Fragen und daher auch unterschiedliche Verantwortlichkeiten ergeben.

Im Falle Politik und Publizistik liegt es in der Natur seiner Sache, daß der Politiker von der Publizistik verlangt, daß sie seine Fragen verantwortet, während der Publizist von seiner Verantwortlichkeit eine andere Auffassung haben muß, weil die politische Frage nur *eines* der dem Volke gehörigen Gebiete beantwortet. Vereinfacht gesagt: Der Publizist betrachtet Politik von außen, der Politiker von innen. Ohne auf die damit zusammenhängende Ideologie-Thematik einzugehen, kann man doch sagen: Die Verantwortlichkeit des Publizisten verlangt von ihm, daß er das Treiben der Politiker als ein hypothetisches Treiben betrachtet. Der Publizist hat es mit Hypothesen über öffentliche Angelegenheiten zu tun. Er ist nicht diesen Hypothesen gegenüber verantwortlich. Seine Verantwortung liegt im Gegenteil darin, diese Hypothesen in Frage zu stellen. Unverantwortlich ist er zu nennen, wenn er zu früh aufhört zu fragen.

Nun haben wir schon zwei Elemente in unserem Gedankengang, die allein nicht stehenbleiben können: 1. die Frage nach der Richtigkeit. 2. »zu früh« mit Fragen aufzuhören. Wer nach dem Richtigen strebt, muß selber ein Maß für Richtigkeit haben. Wo liegt dieses Maß in der Publizistik?

Wiederum gibt es keine beweisbare und unwiderlegbare letzte Antwort. Es ist ein Bekenntnis, keine Erkenntnis, wenn ich sage, daß der Publizist seine Maßstäbe für Richtigkeit dann gewinnt, wenn er Inkonsequenzen, die in den Hypothesen über öffentliche Angelegenheiten enthalten sind, aus seinem Denken verweist und sie dort bloßlegt, wo er sie entdeckt. Dieser Satz ist ein Bekenntnis zur Erkenntnis, wie es Goethe viel schöner abgelegt hat:

»Wenn ich kennte den Weg des Herrn,
ich ging ihn wahrhaftig gar zu gern;
führte man mich in der Wahrheit Haus,
bei Gott! ich ging nicht wieder hinaus.«

Die Frage nach der Richtigkeit liegt bei diesem Ansatz nicht außerhalb der Publizistik, sondern in ihr: Sie erhebt sich aus dem Publizieren, das mit der Wortwahl beginnt. Die Wahl der Worte ist ein Fragen danach, ob sie der Sache entsprechen, die sie begreiflich machen sollen, ob sie ihr gemäß sind. Der Widerspruch zwischen Einzelding und seiner begrifflichen Abstraktion kann auf verschiedene Weise sich bemerkbar machen: Man kann das richtige Wort nicht finden, man sucht den treffenden Ausdruck, findet ihn nicht. Das Wort, das es dafür gibt, kann abgegriffen sein, leer, oder man muß sich sagen, daß das Gefundene dem Publikum, an das es gerichtet werden soll, unverständlich sein würde. Damit beginnt die Kritik als Selbstkritik des Publizisten; aber selbst wenn er diese Selbstkritik nicht aufbrächte, so macht Publizistik doch immer den Widerspruch zwischen den Dingen und ihren Benennungen erkennbar, weil kein Begriff und kein Wort das ganz umfassen kann, was er begreift und was es besagt. Vermittelt werden allemal Abzüge von einer Wirklichkeit, die im Fluß ist. Sie einholen zu wollen, ist vergeblich. Der Aktualitätsdrang des Journalismus ist durch diesen Fluß der Dinge bedingt; aber je mehr er sich ihm nähert, desto größer wird auch die Gefahr, daß er darin versinkt.

Ein für lange Zeit klassisches Beispiel bot die Übertragung der Mondlandung 1969. Millionen verfolgten das Unternehmen auf dem Bildschirm und an den Lautsprechern, die Zeitungen waren voll davon; aber es fehlten die rechten Begriffe für den Vorgang. Was an technischen Details berichtet wurde, zeigte einen gewaltigen Abstand zwischen den Begriffsapparaten der Experten und der Millionen, vermittelt wurde im Endeffekt wenig mehr als das Gefühl, dabeigewesen zu sein. Die spätere Rundreise der wiedergekehrten Astronauten nutzte dieses Gefühl, um politische Sympathien zu werben und zu vertiefen. Ein ungeheures public relations-Unternehmen, »Öffentlichkeitsarbeit« wurde geleistet, ohne daß ihre politische Bedeutung oder gar die militärische Funktion der Reise recht ins Bewußtsein der mittelbar beteiligten Zuschauer gekommen wäre.

Der Widerspruch zwischen den Dingen und den Ausdrücken, die von ihnen vermittelt werden, erscheint nicht nur in Meinungsäußerungen, etwa dort, wo direkt darauf hingewiesen wird, daß dies und jenes nicht mit dem und jenem übereinstimme. Er findet sich in jedem Bericht. Die meisten Nachrichten sind falsch schon deshalb, weil sie Nachrichten sind, also etwas vermitteln, was geschehen ist, was seitdem sich verändert hat oder unter veränderten Umständen zur Kenntnis kommt. Daran läßt sich nichts ändern. Es gibt keine »objektive« Berichterstattung, sondern nur eine gewissenhafte, die sich bemüht, der Wahrheit nahezukommen und nichts auszulassen, was zum Verständnis einer Sache, eines Vorgangs, eines Menschen beitragen kann, zum Beispiel nicht die Bedeutung der Mondlandung für die weltpolitische Strategie der Vereinigten Staaten! Das heißt aber wiederum nicht, daß irgendeine Publizistik in der Lage wäre, das Spektrum *aller* verfügbaren Nachrichten zu präsentieren. Keine Presse, keine Television, kein Radio kann alles vermitteln, was zwischen den Polen der Identifikation und der Privation vorgeht. Die Forderung, die zu stellen ist, kann nicht lauten, eine Zeitung oder eine Rundfunkstation solle alles berichten, sondern nur, daß sie das, was sie bringt, verantwortlich bringt. Der gegenwärtige Zustand ist nicht durch zu wenig Information gekennzeichnet, sondern durch Schludrigkeit und Gewissenlosigkeit in der Auswahl. Publizistik zielt auf Erkenntnis der »öffentlichen Angelegenheiten«, also der Vorgänge, Sachen und Personen, die – nach dem alten Ausdruck – dem Volk gehören. Sie kann diesem Ziel nicht näher kommen, wenn die Publizisten selber keinen Begriff von dem haben, was sie vermitteln. (Das ist näher ausgeführt in: ›Publizistik‹, Neuwied 1970, und ›Die meisten Nachrichten sind falsch. Für eine neue Kommunikationspolitik‹, Stuttgart 1971.)

Wiederum muß zur noch ausstehenden Antwort auf die Frage, wonach das zu frühe Aufhören sich bestimme, auf die Sache, um die es geht, auf das soziale Wesen des Publizisten und des Publikums hingewiesen werden, lauter relative Faktoren, von denen die Individualität des Publizisten der unsicherste ist. In jedem Falle aber hört das Fragen zu früh auf, wo der Sachverstand fehlt, wo keine Kenntnis des Gebietes vorhanden ist, in dem publiziert wird. Publizistik macht darin keine Ausnahme von anderen Erscheinungen mit großer Allgemeinheit, daß sie sich nur im Besonderen konkretisiert. Es gibt nicht Publizistik schlechthin, sondern Veröffentlichungen auf unterschiedlichen Gebieten, die so weit auseinanderliegen wie Las Vegas und das alte Babylon. Leute, die über Las Vegas und Babylon zugleich so viel wissen, daß sie, sich erschöpfend, eine erschöpfende Auskunft geben können, sind selten. Leute, die es dennoch tun, sind zahlreich. Deshalb erfährt das Publikum weder über das eine noch über das andere genügend. Zu früh hört das Fragen auf, wo die Umstände stärker sind als der Publizist. Das geschieht zum Beispiel, wenn eine Behörde oder eine Person oder ein Unternehmen unzugänglich macht, was zugänglich sein müßte, um weiterfragen zu können. Hier scheitert der Publizist an der Gewalt der anderen. Zu früh hört das Fragen auf, wo die Formen des Ausdrucks, in denen der Publizist sich äußert, beschnitten werden, sei es durch die Hierarchie im publizistischen Apparat, durch Zensur oder sonstwie, denn dadurch wird von dem, was der Autor für unerläßlich hielt, um seine Sache plausibel zu machen, etwas weggenommen. Die oft gehörte Redewendung, man dürfe dies und jenes schon sagen oder schreiben oder bilden, aber dürfe es *nicht so* bilden, schreiben oder sagen, schneidet dem Fragenden »das Wort ab«. Die Wendung müßte richtig lauten: Ich kann dies und jenes schon hören, aber ich kann es nicht so hören, sehen oder lesen.

Mit anderen Worten: das Zu-früh-Aufhören kann in allen

Fällen als das Zu-spät-Aufhören aufgefaßt werden. Auch dafür gibt es keinen objektiven Maßstab. Sitte und Brauch wechseln; und die jeweilige Macht entscheiden zu lassen, wäre den Politikern schon recht, nicht aber den Publizisten. Wo Gesetze erlassen werden, haben beide einen Halt; aber die Frage nach der Richtigkeit bleibt offen – die Verantwortung auch.

Auf diese Weise auf den Menschen zurückgeführt, erscheint Publizistik als eine unsichere und von vielerlei Willkür geplagte Angelegenheit. Das ist immer so gewesen und wird es bei wachsendem Umfang mehr und mehr: Je größere Gebiete die modernen technischen Mittel miteinander verbinden, desto mehr Irrtümer, Mißverständnisse und Unzulänglichkeiten der Berichterstattung müssen sich bemerkbar machen. Der Mensch ist mit seinen fünf Sinnen auf einen kleinen Raum beschränkt, die technischen Verlängerungen der Wahrnehmung sind nicht ohne weiteres auch Verbesserungen der menschlichen Fähigkeiten. Das heißt, er kann, was ihm durch Radio und Fernsehen übermittelt wird, nicht ohne weiteres einordnen und verkraften. Die Lücke zwischen den ankommenden Abstraktionen und dem, was sie bezeichnen, schließt sich nicht von selbst. Sie weitet sich zunächst, je größer der in Augenschein genommene Umkreis wird.

Was für den Bereich der allgemeinen Wahrnehmungen gilt, gilt auch für die nähere Umgebung. In den industriellen Kerngebieten wachsen Dörfer zu Städten zusammen, Städte zu Regionen, Nationen zu übernationalen Einheiten. Die damit entstehenden Verkehrsprobleme beschränken sich nicht nur auf die Straßen und den Luftverkehr. Sie betreffen in erster Linie den Nachrichtenaustausch. Die Mittel ändern sich technisch, sie erfordern große Investitionen. Die Konzentrationsbewegung der Presse ist ein Symptom dieser Entwicklung. Die Rundfunkanstalten versuchen, den ökonomischen und technischen Anforderungen durch Rationalisierung gerecht zu werden. In beiden Medien führt die technisch-ökonomische Tendenz zu Betriebsgrößen, die bisher nur hierarchisch in Gang gehalten werden konnten. Hierarchie bedeutet aber, daß in den publizistischen Apparaten selbst Geheimwissen verwendet wird, um zu regieren. Die »innere Pressefreiheit« steht unter diesem Druck.

Der idealistische Jubellaut, »die Gedanken sind frei . . .«, ist längst verklungen. Heute weiß man, daß der Gedanke Folgen hat und daß er durch tausend Fäden angebunden ist. Wie ist unter diesen Bedingungen der hypothetische Umgang mit öffentlichen Angelegenheiten noch möglich?

Er ist möglich, weil er immer wieder möglich gemacht werden muß aus tausenderlei Ursachen, die außerhalb der Publizistik liegen. Die historische Entwicklung, die durch Publizistik vermittelt wird, vermittelt selbst immer neue Formen von Publizistik. Ob sie Fortschritte sind oder nicht, entscheidet sich durch die Prüfung, ob schon gewonnene Errungenschaften durch die Neuheiten verlorengehen oder nicht. Das wiederum hängt davon ab, ob der richtige Gebrauch von den Neuerungen gemacht wird.

Eine Weile hat man sich die Publizistik als einen großen Dialog zwischen den Autoren und den Lesern, Hörern und Sehern vorgestellt. Es kann diesen Dialog geben; aber er ist nicht die Regel, weil die Apparaturen der Vermittlung nicht allseitig zugänglich sein können. Die Kritik, die auf der Voraussetzung aufbaute, es müsse diesen Dialog geben, hat dann prompt »die Medien« verteufelt und ihre Arbeiter dämonisiert. Es ist nichts dabei herausgekommen.

Allmählich nimmt man zur Kenntnis, daß der unmittelbare Austausch unmittelbare Nähe voraussetzt, das Gespräch von Mann zu Mann, die Gruppe, die Runde, eben jenen kleinen, überschaubaren Kreis, in dem wir zuerst leben. Damit werden Rede und Gegenrede sinnvoll. Die Nachrichtentransportmittel treten in eine andere Beziehung: sie werden Stofflieferanten, etwas, worüber man spricht, herablassend oder weniger herablassend, teilhaftig einer Anregung, die man ohne sie nicht hätte; aber keine Übermacht.

Von der Publizistik wird verlangt, daß sie ständig ihre Voraussetzungen überprüft und sich mit hineinnimmt in das kritische Dreieck, das Produktion, Transport und Konsum von Nachrichten ausmacht.

Glauben Sie, daß wir in absehbarer Zeit soweit kommen, daß auch die Leser, Seher und Hörer ihre Rolle in der Publizistik überprüfen als eine Rolle, die man spielen muß, wie es »sich gehört«, aber eben als Rolle?

Max Horkheimer antwortet Hans Jürgen Schultz

S.: Herr Horkheimer, Sie haben immer, auch als Universitätslehrer, das mündliche dem papierenen Wort vorgezogen. Deswegen haben wir schon manch einen Beitrag von Ihnen nicht als Referat, sondern als Gespräch aufgenommen. Ein Gespräch ist improvisatorischer als ein Vortrag. Das hat Nachteile. Aber es mag bei einem so komplexen Thema, wie wir es jetzt besprechen wollen, auch seine Vorzüge haben. Radikalismus ist ein ambivalenter Begriff. Einerseits ist seine gute Abstammung nicht zu verkennen; er weist auf die unbequeme Notwendigkeit hin, den Dingen auf den Grund zu gehen, sie an der Wurzel zu packen, sie kritisch zu durchschauen, Verlogenheiten zu enthüllen und – wie Karl Marx formuliert hat – »Wahrheit im Diesseits zu etablieren«. Andererseits hat er eine bedenkliche Affinität zu Begriffen wie Fanatismus, Aggression, Totalitarismus, Terror usw. Um diese seine Zwielichtigkeit richtig einzuschätzen und mit Antworten nicht allzu rasch bei der Hand zu sein, muß man den Radikalismus unter vielfältigen Aspekten betrachten. Fangen wir einmal an, uns ein wenig in der Geschichte umzusehen. Wo sehen Sie Vorläufer für jene Tendenzen, die wir heute unter uns als radikal oder genauer: als radikalistisch bezeichnen? Für jene Tendenzen also, die dadurch charakterisiert sind, daß sie ein bestimmtes, meistens aus ideologischen Prinzipien abgeleitetes Programm bis in die letzte Konsequenz und ohne Kompromiß durchführen wollen?

H.: Der Ausdruck »radikal« ist, wenn ich den Quellen nachgehe, in der Politik allgemein geworden, und zwar vor allem zunächst in England nach der Zeit der Französischen Revolution. Dort hat man gewisse Bestrebungen, die auch nur von ferne den Tendenzen in der Französischen Revolution glichen, radikal genannt. Das Wort wurde dann nach dem Ende der Napoleonischen Ära in England ziemlich häufig gebraucht und ist gewissermaßen zur Selbstverständlichkeit geworden. Es bedeutete nicht ohne weiteres »revolutionär«; aber es hatte schon die Nuance des Radikalistischen. Zwischen »radikal« und »radikalistisch« muß man jedoch unterscheiden: »radikal« bedeutet, ein Ziel verwirklichen zu wollen mit allen möglichen Mitteln, um der Sache willen; »Radikalismus« jedoch hat die Tendenz einer Gesinnung, der es nicht sosehr auf die Sache ankommt als vielmehr darauf, eine unerbittliche Haltung einzunehmen und unter keinen Umständen zu Konzessionen bereit zu sein. Das scheint mir der Unterschied zwischen »radikal« und »radikalistisch« zu sein. Aber dieser Unterschied wird an vielen Stellen nicht beachtet, so daß das Wort »radikal« wie das Wort »radikalistisch« benutzt wird. Der Ausdruck »radikal« ist dann wieder sehr aktuell geworden nach dem Ersten Weltkrieg, als die Sozialdemokraten in Deutschland dabei waren, die Macht zu ergreifen, und die Kommunisten es der Russischen Revolution nachtun wollten. Sie haben beide den Namen »Radikale« erhalten. Aber man muß damit sehr vorsichtig sein; denn zum Beispiel die damals ermordete Rosa Luxemburg war alles andere als radikalistisch. Sie war es, die sagte, die Diktatur des Proletariats dürfe nicht anders aufgefaßt werden als die Herrschaft der in den eigenen Reihen demokratisch organisierten Arbeiter; die untereinander demokratisch sich verhaltenden Proletarier, nicht etwa eine kleine Gruppe von Führern, hätten während der Zeit des Übergangs zur richtigen Gesellschaft die Herrschaft auszuüben. Rosa Luxemburg ist – wie ich glaube – eine der bedeutendsten politischen Erscheinungen im gegenwärtigen Jahrhundert. Sie ist viel zu wenig bekannt. Ihre Haltung war nicht radikalistisch, sondern sie dachte, die soziale Herrschaft der proletarischen Demokratie sei das zunächst zu erreichende Ziel, das in der gegenwärtigen Gesellschaft durch adäquate, radikale Methoden erreicht werden müsse. Es wäre hinzuzufügen, daß selbst Lenin den Radikalismus ablehnte. Eines seiner Werke, das allzu wenig bekannt ist, heißt: ›Der Radikalismus, die Kinderkrankheit des Kommunismus‹. Darin hat er sich gegen alle Versuche gewehrt, eine Politik zu betreiben, die keine Kompromisse zuläßt. Er sagt, der Bolschewismus habe den Kampf gegen die Partei der Sozialrevolutionäre aufgenommen, die am meisten die Tendenzen des kleinbürgerlichen Radikalismus verkörperten. Diese Partei hielt sich »für besonders revolutionär oder radikal, weil sie für individuellen Terror und Attentate war, was wir Marxisten entschieden ablehnten«. So schrieb zu Beginn der Herrschaft des Bolschewismus noch Lenin. Inzwischen hat sich freilich gezeigt, daß der

Terrorismus zu der gebräuchlichsten Herrschaftsweise in den meisten sogenannten kommunistischen Staaten wurde.

S.: Im achtzehnten und neunzehnten Jahrhundert ist der Name »Radikale« – wie Sie sie eben skizziert haben – nur den Linken zugeschrieben worden. Seit dem Ende des Ersten Weltkrieges gibt es nun aber auch rechtsextreme Tendenzen und Parteien, auf die man den Begriff des Radikalismus anwendet. Links- und Rechtsradikalismus haben gemein, daß sie auf Beseitigung des parlamentarisch-demokratischen Regierungssystems abzielen. Aber verrät es nicht, bei genauerem Zusehen, eine ungenaue Sprache, wenn Links- und Rechtsradikale immer wieder in einem Atemzuge genannt werden? Bleiben nicht grundlegende Unterschiede bestehen? Ist es möglich, Linke und Rechte kurzerhand gleichzusetzen, wie es Vertreter der wohltemperierten Mitte zu tun pflegen?

H.: Ich glaube, das gilt nur für Menschen, die sich nicht gut auskennen. Ich würde das Wort »radikal« immer nur für die Linken benutzen; denn das, was da »rechtsradikal« heißt, will im Grunde die Herrschaft, die schon existiert, aufrechterhalten und nur terroristische Methoden anwenden, um bereits Vorhandenes zu stärken und die Macht der Herrschenden zu verabsolutieren. Die Linksradikalen dagegen meinen – ob zu Recht oder Unrecht –, daß mit demokratischen Methoden eine gerechtere Gesellschaft nicht herbeigeführt werden könne und daß daher zunächst eine revolutionäre Bewegung notwendig sei. Daß ihnen vielfach die Demokratie als das eigentliche Ziel vorschwebt, ist schon gesagt.

S.: Linksradikalismus wird heute vorwiegend, ja fast ausschließlich von Jugend repräsentiert. Das ist ein weltweiter, sehr bedeutungsvoller, aber noch nicht hinreichend untersuchter Sachverhalt. Was für Ursachen dieser Unruhe sehen Sie?

H.: Wenn Sie mich jetzt nach der akademischen Jugend fragen, dann möchte ich sagen, daß die meisten der Studenten, die ich kenne, zunächst einmal auf Grund der unhaltbar gewordenen Verhältnisse in der Universität rebellieren, sodann aber auch auf Grund bestimmter sozialer Verfestigungen, die, wie sie glauben, nicht zu korrigieren sind, sondern die gestürzt werden müssen, um die wahren Ziele, die richtige Gesellschaft zu verwirklichen. Aber hinter den Auseinandersetzungen, die wir vor Augen haben, spielt sich ein tiefgründiger Kampf ab. Es ist – das sage ich ohne Wertung – etwas verlorengegangen: nämlich die Autorität des Vaters in der Familie wie auch die Autorität in Schule und Hochschule. Damit fehlt etwas, für das es womöglich keinen Ersatz gibt, aber ohne das wir gefährlichen Strömungen ausgeliefert sind. Und wenn die Studenten nun radikale Mittel ergreifen, so ist, wenn sie die nächsten konkreten Ziele nicht kennen und aussprechen, zu befürchten, daß der bedenkliche Fortschritt zur völlig verwalteten Welt noch rascher vonstatten geht als ohnehin. Es entsteht eine Situation, in der der einzelne immer weniger bedeuten wird, weil alles geregelt ist, und zwar nach sogenannten organisatorisch-rationalen Gesichtspunkten. Um solcher Entwicklung kritisch zu begegnen, bedürfen die rebellischen Studenten der Besinnung. Sie forcieren sonst eine soziale und politische Entwicklung, die sie selber nicht wollen.

S.: Mir scheint, die linksradikale Jugend muß erst noch ein Verhältnis zu ihren eigenen Wirkungen gewinnen. Dabei gehe ich davon aus, daß ihr Protest gegen den Mangel an Radikalität berechtigt, ja notwendig ist. Aber man kann an vielen Studenten einen fast selbstzerstörerischen Zug wahrnehmen, einen heimlichen Masochismus, als wollten sie die Ziele, die sie proklamieren, gar nicht wirklich erreichen. Sie haben ihre Radikalität zum Selbstzweck, sogar zur Selbstbefriedigung depraviert, statt ihre Aktionen von plausiblen Aufgaben her zu konzipieren. Müßte man sich nicht wünschen, daß an den Universitäten viel intensiver und viel fundierter daran gearbeitet wird, daß, exakt und phantasievoll zugleich, jene Ziele formuliert werden, die wir meinen, wenn wir – reichlich vage – von Frieden und von Gerechtigkeit sprechen? Dispensieren sich nicht oft gerade die engagiertesten Studenten von Politik, indem sie aus den Bedingungen der Geschichte emigrieren und abstrakte, und das könnte doch auch heißen: inhumane Positionen einnehmen?

H.: Das ist gewiß in mancher Hinsicht der Fall. Aber wenn ich recht sehe – und ich möchte hier mein Urteil einschränken, weil ich leider zu selten in unmittelbarer Berührung mit ihnen bin –, wird dieses Problem ernsthaft diskutiert. Manche Studenten wollen die Ziele entschieden formulieren, andere glauben, es genüge, sich zum radikalen Umsturz zu bekennen. Ich halte kritisches Bedenken für unerläßlich.

Da wir von den Studenten reden, denke ich noch an ein weiteres Thema, das für den heutigen Radikalen kennzeichnend ist. Indem die Studenten alle auf Autorität beruhenden Gebote der bestehenden Gesellschaft negieren, verlassen sie sich einzig noch auf das, was wissenschaftlich zu beweisen ist, das heißt, sie haben eine gewisse Nähe zum Positivismus. Das gilt nicht allein für die Studenten, sondern im Grunde für die ganze heutige Welt. Wer noch an einem anderen festhält als an wissenschaftlich Fixierbarem, ist bereits zurückgeblieben. Der Trost, den die Religion ausübt, die Ideale, die Ideen, alles Metaphysische ist für die meisten Menschen, vor allen Dingen für diejenigen, die sozusagen auf der Höhe der Zeit sind, verschwunden. Und hier scheint mir das eigentliche Problem zu liegen. Etwas zu verkünden, was wissenschaftlich nicht begründbar ist, gilt als Romantik. Und ich habe Angst, daß dieser meiner Ansicht nach unrichtige Glaube mehr und mehr dominieren wird. Ich betone, auch der Positivismus ist ein Glaube, denn er behauptet: Wissenschaft allein ist die Wahrheit; er mißachtet den Unterschied zwischen Richtigkeit und Wahrheit. Ich meine, Immanuel Kant und seine Schule hatten recht: Die Welt, wie wir sie kennen, verdankt sich unseren subjektiven intellektuellen Funktionen, sie ist nicht identisch mit der absoluten Welt, mit dem Absoluten, mit dem Letzten und Endgültigen. Was die Wissenschaft verkündet und der Praxis dient, steht in einer Klammer, ist nicht bereits die Wahrheit schlechthin. Nicht bloß Studenten, sondern viele andere Menschen haben ein grundlegend Gemeinsames, eine tiefe Solidarität, weil sie wissen, daß sie nur im Relativen leben und nicht selbst bestimmen können, was die Bedeutung von allem ist. Solche Philosophie sollte in den Universitäten und auch in den Schulen viel eingehender gelehrt werden. Es wäre sehr wichtig, daß jetzt, da ernsthaft Denkende in so vielen Ländern um eine Annäherung von Wissenschaft und Religion sich bemühen, eben diese Einsicht Allgemeingut würde: absolute Wahrheit ist kein Besitz des Menschen. Solcher Religion und Wissenschaft verbindende Gedanke könnte eine neue, der historischen Situation adäquate Gemeinschaft produzieren. Sie wäre eine bessere Annäherung als die bloße Liberalisierung der Religion, wie wir sie überall finden; denn die Liberalisierung bedeutet für die meisten Menschen nichts weiter, als daß man Konzessionen macht, weil das Ganze nicht mehr glaubwürdig ist.

S.: Sie haben jetzt die Radikalisierung als die Unfähigkeit zur Relativierung beschrieben. Wo Endliches verabsolutiert wird, wo man nicht einverstanden ist mit Geschichte, mit Vorläufigkeit, wo man nur anderes, aber nicht sich selbst in Frage stellt, wo der Dialog unversehens in Diktat umschlägt, wo der Humor aufhört – da verkehrt sich Radikalität in Radikalismus. Damit wären wir also an eine sehr wesentliche Begründung jener Erscheinungen gelangt, die wir radikalistisch nennen?

H.: Ganz gewiß, und hier stoßen wir auf eine psychologische Frage: Woher kommt die Neigung zur Verabsolutierung? Ich meine, daß es sich insbesondere beim Radikalismus weitgehend um Aggression handelt, die eine Rationalisierung sucht und sie dann etwa darin findet, daß die eigene Nation das Höchste auf Erden sei. Das ist ein Beispiel von schlechtem Radikalismus, besonders vertreten in totalitären Ländern, wo ein Terror herrscht, der in demokratischen Ländern trotz aller Kommunikationsmittel zu wenig bekannt ist. Ich habe die Vorstellung, daß die terroristischen Regierungen in der Welt, in der wir leben, allzu unbedacht behandelt werden, das heißt, daß etwa die große Politik keinen deutlichen Unterschied macht zwischen demokratischen Ländern und solchen, in denen – man denke vor allen Dingen an die faschistischen Länder, etwa an Griechenland – Menschen zu Tode gefoltert werden und auf grauenvolle Weise ihren Tag verbringen. Man nennt diese Nichtachtung von Unterschieden ironischerweise »Diplomatie«. Es ist eine verhängnisvolle Sprachverwirrung.

S.: Das Problem der »menschlichen Aggressivität« muß ja trotz aller wissenschaftlichen Anstrengungen noch als dunkel, als ungeklärt bezeichnet werden. Viele meinen, man müsse dem Aggressionstrieb einfach eine Spielwiese, einen Tummelplatz besorgen, etwa die Raumfahrt. Aber sind solche Rezepte nicht recht dubios? Ist nicht gerade hier eine viel radikalere Vorstellung am Platze? Ich meine: drängt sich nicht angesichts der gegenwärtigen Weltlage die fast aussichtslose Notwendigkeit auf, daß der Mensch selber anders, erwachsener, reifer, ja »besser« werde? Genügt es also, der menschlichen Aggressivität einen gewissermaßen ungefährlichen Stoff zu geben, oder muß sie nicht, gerade in ihren kollektiven Äußerungsformen, wirklich zu Sinn gebracht werden?

H.: Da darf ich an Sigmund Freud erinnern, der bereits gesagt hat, daß der Aggressionstrieb sich entweder unsublimiert, unverblümt betätigt in Haß, in Verfolgung, in Vernichtung, oder aber sich in wirkliche Arbeit verwandelt, also produktiv wird und den Menschen menschlich macht. Viel hängt davon ab, die Aktivität des Menschen so zu gestalten, daß der in rechter Weise sublimierte Aggressionstrieb auf seine Kosten kommt.

S.: Geben wir in Schulen und Hochschulen solche Gelegenheiten zu sinnvoller Aktivität? Wissen diejenigen, die den Schul- und Hochschulbetrieb zu verantworten haben, überhaupt etwas über den komplizierten Zusammenhang von Befriedigung und Befriedung? Berücksichtigen die emsigen Reformbemühungen, daß es unerläßlich wäre, die lebensgefährliche Diskrepanz zwischen technisch-wissenschaftlicher Intelligenz und psychologischem Verhalten zu verringern oder gar zu überbrücken? Bleibt nicht alles viel zu kurzsichtig? Was müßte dringend anders werden?

H.: Ich zweifle nicht daran, daß viele Menschen sich sehr ernsthaft um eine Reorganisation von Schulen und Hochschulen kümmern, fürchte natürlich auch, daß die allgemeinen Fächer, zum Beispiel Philosophie, dabei zurückgehen, weil sie für die Laufbahn der meisten Studenten nicht viel zu bedeuten haben. Wenn in der Schule von Wissenschaft gesprochen wird, sollte dazugesagt und klargemacht werden, warum die betreffende Wissenschaft diesen und keinen anderen Weg genommen hat. Ja ich gehe noch weiter. Auch in der Schule müßte eine Reihe von heute obligatorischen Kenntnissen gleichgültiger behandelt werden; dafür sollten Erfahrungen, die sich auf den Stand der Wissenschaft und ihre Bedingtheit beziehen, deutlicher ausgesprochen werden. Ich erinnere etwa daran, daß ein Gymnasiast in den höheren Klassen sehr viel über die Antike und das Mittelalter historisch und philologisch wissen muß, und ich bin der letzte, der sagen würde, daß diese Kenntnisse erlöschen sollen; aber ich meine auf der anderen Seite auch, es sollte ein Gymnasiast die Schule nicht verlassen, ohne zum Beispiel etwas über den Stand der Medizin zu wissen, über den heutigen Stand der Chirurgie, die Krebsforschung, ferner, warum man bestimmte Spezialisierungen in Medizin und anderen Fächern nicht genügend durch einen Überblick über das ganze Fach kompensiert. All diese Fragen wären mit den organisatorischen

Neuerungen zusammen zu erörtern. Die Lehrer, deren Ausbildung verbessert werden soll, wären nicht allein nach ihren Kenntnissen, sondern auch nach ihrer menschlichen Verfassung auszuwählen. Es kann nicht genug betont werden, daß insbesondere der junge Mensch nicht allein durch das lernt, was man ihm mitteilt, sondern wie man es ihm mitteilt. Er nimmt nicht bloß Informationen zur Kenntnis, sondern lernt vor allem auch durch Mimesis, dadurch, daß etwas von der Art des Lehrers in ihn übergeht, so, wie die Art seiner Mutter und seines Vaters in ihn übergegangen ist. Er vermag ähnlich zu reagieren wie die Eltern, weil er mit ihnen in naher Verbindung stand und positiv auffaßte, was er von ihnen wahrnahm. All dies sollte bei der Erneuerung der Schule berücksichtigt werden. Dazu gehört natürlich auch, daß bei der Ausbildung des Lehrers an den Hochschulen und erst recht an Universitäten Psychologie nicht weiterhin vernachlässigt wird. Wenn ich recht unterrichtet bin, dann kann man heute ein Lehrer werden, ohne auch nur eine Ahnung von Psychologie zu haben.

S.: Das sind Wünsche, die hören sich nahezu selbstverständlich an und setzen doch Umstellungen voraus, von denen wir weit entfernt sind. Da es offensichtlich nicht genügt, Erneuerungen eindringlich zu postulieren, werden die Studenten ungeduldig. Sie gehen auf die Straße. Sie sagen: Revolution statt Reform! Sie haben, wie ich finde, gute Gründe auf ihrer Seite. Trotzdem möchte ich fragen, ob wir nicht so etwas wie eine Theorie der Korrelation von Ziel und Methode brauchen. Steine sind nur selten Argumente. Alle Gewalttaten, auch kleine, berufen sich gern auf einen Satz mit fataler Tradition, der neuerdings wieder aktuell geworden ist – auf den Satz, daß der Zweck die Mittel heiligt . . .

H.: Ich meine, daß kein Zweck alle Mittel heiligt. Selbst wenn ich einen Menschen retten will, soll ich nicht zahllose andere Menschen quälen. Es bedarf jeweils der Besinnung, welche Mittel die richtigen sind. In Beziehung auf die Erneuerung der Lehranstalten geht es ja nicht bloß darum, daß die Menschen tüchtig werden, sondern daß die Schule sich anstrengt, den richtigen Menschen zu bilden, einen Menschen, der die rechten Ziele hat und der auch, wie Sie sagten, die rechten Mittel verwendet, um sie durchzusetzen. Das geht nur, wenn das Beste getan wird, um gute, menschlich und intellektuell geeignete

Lehrer an die Schulen zu schicken. Zu wenig Aufmerksamkeit wird auf diese Frage gerichtet. Zu alledem sind die Lehrer heute so überlastet wie etwa die Ärzte. Sie können dem einzelnen jungen Menschen nicht die notwendige Zeit widmen, sowenig wie in vielen Fällen der Arzt die Sorgfalt, die zur Heilung notwendig wäre. Wenn nun konkrete Vorschläge zur Änderung der Mißstände nur geringe Ergebnisse haben, wird es verständlich, daß die interessierte Jugend zu radikaleren Mitteln greift, nämlich zu solchen, die öffentliche Aufmerksamkeit erregen und zur ernsthaften Diskussion der Probleme veranlassen. Nachdem die Familie sich in einer Krise befindet, sollte wenigstens die Schule die neuen Aufgaben, die ihr durch die sozialen Prozesse zufallen, zu bewältigen vermögen. Die Mittel also dürften radikaler werden, aber nicht so radikalistisch, daß sie selber den Zweck widerlegen, den zu verwirklichen sie bestimmt sind. Wenn der richtige Mensch als Bildungsziel gefordert wird, dann sollen die Fordernden zumindest auch in ihren Aktionen etwas von dem bekunden, was den richtigen Menschen ausmacht.

S.: Dieser letzte Hinweis kommt mir besonders wichtig vor. Die Dualisierung von Mittel und Zweck erkennen Sie nicht an, sondern wollen, daß das Ziel bereits in der Methode überzeugend präsent sei. Martin Luther King hat auch nachdrücklich von der Übereinstimmung beider gesprochen; was wir morgen erreichen wollen, müssen wir heute schon sein. Deswegen hat er den Begriff der »inneren Revolution« geprägt, welche der äußeren vorangehen müsse. Kings Bedeutung lag – wenn ich's richtig zu beurteilen vermag – in dieser Integrität, die ich »radikal« nennen würde und die viele »radikalistische« Anhänger der Black-Power-Bewegung prompt veranlaßt hat, sich von ihm abzukehren. – Doch wir haben das Thema »Radikalismus« nun vorwiegend unter gesellschaftlich-politischen Gesichtspunkten erörtert. Darf ich mich zum Abschluß erkundigen, ob man noch wichtige andere Bereiche ins Auge fassen müßte, wenn man ergründen möchte, was Radikalismus ist?

H.: Sehr viele, nicht bloß den einen oder anderen. Ich erwähne zunächst die Kunst. Der Naturalismus, der Realismus waren Jahrzehnte vor dem Ersten Weltkrieg die gegebene Art zu malen. Dann ist die Kunst vom Realismus zum Impressionismus, später zum Expressionismus übergegangen. Bereits den

Expressionismus empfanden viele brave Bürger als Attacke; sie waren gegen ihn voreingenommen, weil er sich nicht mehr einfach als Reflex des Wirklichen, als bloßes Abbild verstand, sondern weil der »Ausdruck« mit einem Male die entscheidende Rolle spielte. Dann begann die Entwicklung, die rasch zur abstrakten Kunst führte: Kandinski, Klee, Chagall, Picasso, der Surrealismus. Die bildende Kunst verließ die Widerspiegelung des Gegenständlichen und ist revolutionär geworden. Man merkte den neuen Richtungen an, daß sie mit der Welt nicht einig waren; sonst hätten sie bloß wiedergegeben, was in der Wahrnehmung erschien. Sie wollten die Welt verändern und haben es, bewußt oder unbewußt, in ihren Bildern und Kunstwerken ausgedrückt. Niemals hätte zur Zeit vor dem Ersten Weltkrieg ein Fabrikdirektor ein surrealistisches Bild in seinem Büro aufgehängt; er wäre nicht einig gewesen mit dem Revolutionären, das in dem Bilde steckte und zeigen wollte, daß die Welt nicht organisch, ja daß sie überhaupt nicht in Ordnung ist. Am Ende hat sich abstrakte Kunst – und das ist für Radikalismus bedeutsam – in einer Weise entwickelt, durch die das Revolutionäre verlorenging. Es existieren bereits Großbanken und Luxus-Hotels, in denen rein abstrakte Bilder hängen, und ich kann mir kaum vorstellen, daß ein Generaldirektor in seinem Büro ein gegenständliches, etwa naturalistisches Gemälde aufhängen würde; er hätte Angst, nicht zeitgemäß zu sein. So ist die ursprünglich oppositionelle Kunst ins Konformistische, Nichtssagende umgeschlagen. Ein letztes Urteil wage ich nicht zu fällen; ich will nur sagen, daß hier der Radikalismus zu einer Art Selbstverständlichkeit geworden ist und sich damit als Radikales selbst negiert. Was wir am Beispiel der Kunst erörtert haben, zeigt sich auch in der Philosophie, etwa am Umschlag der im achtzehnten Jahrhundert noch revolutionären Aufklärung, die, ganz konsequent geworden, in ihr Gegenteil umschlug, in den Positivismus, der nichts Revolutionäres mehr an sich trägt, sondern nur noch gelten läßt, was nachweisbar ist. So gibt es noch andere Bereiche, in denen der Übergang vom Revolutionären zum Konformismus sich feststellen läßt.

Dem ernsthaft Radikalen geht es um die Sache, nicht um Betätigung von Aggression. Indem Opposition zu einer Art Gewohnheit wird, beginnt der Umschlag ins Gegenteil.

RASSEN

Albert van den Heuvel

In Rassenproblemen kämpfen wir nicht gegen Fleisch und Blut, sondern gegen fremde Mächte, Geister und dämonische Kräfte. Allein eine kurze Begegnung mit einem Rassenfanatiker, ein einziger Blick in die Geschichte der rassistischen Beziehungen lehrt, daß hier all die dunklen Mächte des Menschen, die wir bereits besiegt glaubten, wieder an die Oberfläche kommen. Rassenbeziehungen sind oft launenhaft und unlogisch. Der Ton der Gespräche ändert sich, gute Manieren verschwinden, Emotionen ergreifen Besitz von der Vernunft. Die Triebe in unserem Unterbewußtsein – Schuldgefühl und Furcht – zeigen ihre fremdartige Macht. Der Zusammenhang zerfällt.

Der ganze Begriff der Rasse ist ein Mythos. Reine Rassen existieren nicht. Alles, was wir haben, sind gemischte ethnische Gruppen, die zusammengehalten werden und die zusammenhalten, weil sie überwiegend die gleiche Hautfarbe haben – sie sind mehr oder weniger schwarz, braun oder gelb, rosig oder rot –, weil sie der gleichen sozialen Klasse angehören, weil sie in einer Gesellschaft geboren wurden, die getrennte Kulturen, Religionen oder Geschichte hat. Der Rassenmythos ist so stark, daß er sowohl von seinen Fürsprechern als leider auch von seinen Gegnern gestärkt wird. Der Rassenkampf in den USA ist nie so stark gewesen wie seit dem Zeitpunkt, da viele Menschen begannen, ernstlich gegen die Trennung zu opponieren.

Die Basis aller Rassenprobleme bildet die Angst vor den anderen. Die Notwendigkeit, aus seinem eigenen, vertrauten Nest herauszukommen und auszuziehen, den anderen zu finden, mit ihm zu leben, sich mit ihm zu verständigen und mit ihm zu arbeiten, ja ihn sogar zu lieben, ist einerseits das Notwendigste, andererseits jedoch das Angsteinflößendste, was uns bevorsteht. Die meisten Menschen erreichen nie die Fähigkeit, sich über die Gruppe hinaus zusammenzuschließen, der sie gerade angehören, über die Familie, die Sippe sowie über jene hinaus, die in der bürgerlichen Gesellschaft gleich denken. Die anderen sind tatsächlich »die anderen«. Sie müssen beobachtet werden, man muß ihnen mißtrauen, muß sie beherrschen. Und wenn »die anderen« den Unterschied dadurch zeigen, daß sie eine andere Hautfarbe haben oder in einer engverknüpften Religions- oder Sittengemeinschaft zusammenkleben, ist der Schritt zur Feindschaft sehr klein.

Die Furcht zeigt sich oft in Gefühlen der Überlegenheit. Obwohl Anthropologen und Soziologen seit langem die menschliche Intelligenz gemessen und herausgefunden haben, daß die Fähigkeit zu denken in keiner Weise an rassische Zugehörigkeit gebunden ist, glauben die meisten Weißen, daß Schwarze intellektuell minderwertig sind. Obwohl die Japaner eine wirtschaftliche Energie gezeigt haben, die kaum mit der irgendeines westlichen Staates zu vergleichen ist, bleiben sie »die anderen« und werden somit leicht als den Weißen gegenüber minderwertig betrachtet. Ich werde nie vergessen, daß eine ganze Anzahl durchaus freidenkender Freunde während der Zeit, in der ich mit einem sehr intelligenten Afrikaner zusammenarbeitete, nicht davon abzubringen waren, ihn entweder als eine Ausnahme oder in einigen Fällen sogar als eine Drohung zu betrachten.

In unserer Welt hat eine Anzahl historischer Zufälle der weißen Rasse – vermischt und unrein, wie sie ist – ermöglicht, den größten Teil des Reichtums, den unsere Erde hervorbringt, für sich zu beanspruchen, und sie besitzt auf der Welt die meisten Möglichkeiten, diesen Reichtum zu vergrößern und zu verteidigen. Der Rassentheoretiker wird den zufälligen Charakter der Situation bestreiten, indem er auf das Naturgesetz hinweist, nachdem der Tauglichste überlebt, und auf die angeborene Überlegenheit der meisten Weißen. Aber welche Erklärung man auch immer sucht, es ist Tatsache, daß die weiße Rasse regiert. In ihren Verbindungen zu anderen Rassen hat sie ihre vorherrschende Stellung verstärkt, und zwar durch Sklaverei, durch Kolonialismus und wirtschaftliche Protektion. Kleine Gruppen, die versuchten, mit anderen Rassen zusammenzuleben, wurden toleriert, solange sie, wenn möglich arm, in ihren eigenen Gettos blieben. Wurden sie aber zu mächtig, so wurden sie bekämpft, unterdrückt und in gewissen Fällen ausgerottet – besonders dann, wenn sie begannen, nach Partnerschaft in der ganzen Struktur des Landes zu streben, das heißt, wenn sie auf dem Recht bestanden, gleichzeitig zu ihrer eigenen rassischen Gruppe zu gehören und andererseits in der Machtpolitik der Bevölkerungsmehrheit mitzubestimmen. Es ermutigt unser angstvolles Ich, wenn »der andere« unser Sklave, wenn er arm und machtlos ist. Solch eine Situation erhöht unsere Sicherheit und unser Vertrauen. Ist der andere gleichgestellt, obwohl er sich noch von uns unterscheidet, ist seine Gegenwart untragbar.

Man findet kein Land in der Welt, in dem das Rassenproblem keine Rolle spielt. Da gibt es den Fall im Süden Afrikas mit seiner offenen und andauernden Verleugnung menschlicher Gleichheit und nationaler Selbstbestimmung: in Mozambique, Angola, Rhodesien, Südwestafrika und Südafrika. Die fünfte Gipfelkonferenz von Ost- und Zentralafrika, die 1969 in Lusaka zusammentrat, stellte das Problem sehr klar heraus. In bezug auf die Grundsätze der menschlichen Gleichheit und nationaler Selbstbestimmung sagten sie: »Es geht nicht um ein Versagen bei der Erfüllung anerkannter menschlicher Grundsätze. Die Verwaltungen all dieser Territorien haben gar nicht die Absicht, auf diese schwierigen Ziele hinzuarbeiten. Sie bekämpfen die Grundrechte; sie organisieren ihre Gesellschaft systematisch so, daß es den Anschein hat, sie versuchten den Einfluß dieser Grundrechte auf die Gedanken der Menschen zu zerstören. Aus diesem Grunde glauben wir, daß der übrige Teil der Welt sich auch dafür interessieren muß. Denn das Prinzip menschlicher Gleichheit, mit dem ja alles zusammenhängt, ist entweder weltumfassend oder es existiert nicht. Die Würde aller Menschen wird zerstört, wenn die Menschlichkeit irgendeines menschlichen Wesens verleugnet wird . . . Wir glauben, daß alle Leute, die in den Ländern Südafrikas leben, Afrikaner sind, ungeachtet dessen, welche Farbe ihre Haut hat; und wir würden uns der Regierung einer rassischen Mehrheit entgegenstellen, die eine Philosophie anerkennt, deren Folge systematische und permanente Diskriminierung unter ihren Einwohnern auf Grund rassischer Abstammung wäre. Wir erklären kein Rassenbewußtsein, wenn wir den Kolonialismus und die Politik der Apartheid, die zur Zeit in jenen Gebieten praktiziert werden, ablehnen; wir verlangen für alle Leute in diesen Staaten die Möglichkeit, als gleiche, individuelle Bürger zusammenzuarbeiten, für sich selbst die Gesetze und das Regierungssystem auszuarbeiten, unter denen sie, bei allgemeiner Zustimmung, zusammen leben und arbeiten wollen, um eine harmonische Gesellschaft aufzubauen.«

Diese Lusaka-Erklärung, die klar herausstellt, daß Rassendiskriminierung ein weltumfassendes Problem ist, welches alle Menschen angeht, klingt wie ein ruhiges und vernünftiges

Wort. Der Europäer jedoch, der sie hört, benötigt vielleicht einen mehr emotionellen Ausbruch, um den Geschmack von Bitterkeit und Gewaltsamkeit zu empfinden, den die Autoren der Erklärung so meisterhaft in die Sprache der Vernunft übersetzten. Hören wir zum Beispiel den verbannten Führer des gemäßigten Bantu-Afrikanischen Nationalkongresses: »Ich bin ein Teil dieser Revolution, denn es sind gerade diese Zeiten in der zweiten Hälfte des zwanzigsten Jahrhunderts, die in den südlichen Gebieten des afrikanischen Kontinents Zeugnis für den Rassismus ablegen, in seiner ganzen nackten Realität, der sich knurrend erhebt, wie ein verwundetes Ungeheuer, bereit, die revolutionären Horden zum Kampf zu bringen, die ihn in einem titanischen und verzweifelten Überlebenskampf umgeben. Ich bin ein Teil dieser Horden. Sie nennen sie Terroristen. Ich nenne sie Fahnenträger der freiheitlichen Kräfte, die geschworenen Feinde rassischer Tyrannei und kolonialistischer Ausbeutung. Sie nennen sie Kommunisten. Ich nicht. Ich nenne sie die wahren Führer des Kreuzzuges für eine Weltgemeinschaft, die treuen Verteidiger der Doktrin menschlicher Würde in der Verteidigung und Behauptung einer Sache, für die sie bereit und willens sind zu sterben, wenn es nötig sein sollte. Niemand, der in dem Meuchelmord an Eduardo Mondlane ganz richtig den Mord und die Hinrichtung eines Kämpfers gegen den Rassismus erkennt, den Ian Smith und Vorster begangen haben; niemand, der die schwere Bürde kennt, die im Namen weißer und christlicher Zivilisation auf dem Leben im südlichen Afrika lastet; niemand, der sich darüber im klaren ist, daß unsere Leute nichts mit Abstraktionen zu tun haben, sondern mit der konkreten Tatsache, daß sie jeden Tag leiden und aushalten – einer Tatsache, deren Peitschenhieb sie auf ihrem Rücken fühlen, während sie in schrecklicher Armut arbeiten, um die unersättlichen Forderungen eines Tyrannen zu befriedigen, der danach strebt, ihren Körper, ihre Gedanken und ihre eigenen Seelen in Knechtschaft zu fesseln –, niemand, der sich über all dies klar ist, kann umhin, seinen pflichtgetreuen Platz an der Seite der Verteidiger menschlicher Freiheit einzunehmen, die im tapferen Widerstand gegen den Rassismus in den wilden Dschungeln, den offenen Plateaus und modernen Städten von Südafrika wirken.«

Dies ist also die weltweite Sprache, die von den diskriminierten Rassen- und Minoritätsgruppen gesprochen wird. Es ist die Sprache, die von den amerikanischen Schwarzen gesprochen wird, die nach Jahrzehnten stillen Leidens und einem Versuch der Integration in die amerikanische Gesellschaft sich jetzt zu Black-Power-Organisationen zusammengeschlossen haben. Sie sind bereit, für eine faire Machtverteilung in den Gremien, die in ihrem Lande Entscheidungen fällen, ihr Leben hinzugeben; und sie wollen keinen der Rassentheoretiker oder diesbezüglich gemäßigte Einstellungen, die vor dieser Konfrontation ausweichen, weiter als Macht anerkennen. Die Chinesen in Indonesien wagen es zur Zeit noch nicht, diese Sprache zu sprechen, auch nicht die Ureinwohner in Australien. Die Asiaten in Ostafrika mögen wiederum ein leicht differenzierter Fall sein, aber die gleichen Rassenkonflikte fordern in der ganzen Welt ihre Opfer. Europa, das sich noch lebhaft an eine Rassenvernichtungspolitik erinnern kann, ist ebenfalls auf viele Arten mit dem Problem verknüpft. Antisemitismus ist ein Teil der Geschichte fast aller Länder. Selbst nach 1945 hat die Furcht vor der Gleichstellung der Juden in einigen unserer Nationen in Ost und West noch nichts von ihrer Macht verloren. Fremdarbeiter, die zur Zeit zu Hunderttausenden in Westeuropa leben, können ihre eigene Geschichte erzählen. Britannien hat seinen Powell, dessen Anhängerschaft Rassentheoretiker faschistischer Denkart enthält. Fast alle westeuropäischen Länder unterstützen rassendiskriminierende Regierungen, indem sie viel bei ihnen investieren und eine Wirtschaftspolitik verfolgen, die gewöhnlich im Gegensatz zu der von ihnen proklamierten Politik steht. Das wirtschaftliche und politische Vorgehen Westeuropas unterstützt die Diskriminierung mit Hilfe finanzieller Unterstützung und seines großen Einflusses.

Der Begriff Rasse mag ein Mythos sein – Rassismus ist eine brutale Tatsache. Während der letzten Jahre hat sich die Betonung gewandelt. Der Mord an Martin Luther King, dem Heiligen des Kampfes für die Integration der Rassen, erscheint als eine Art Wasserscheide, als ein Augenblick zwischen zwei verschiedenen Zeitabschnitten. Sein Tod kennzeichnete nicht nur den Verlust eines mächtigen gewaltlosen Führers, er diente auch Millionen von Schwarzen als Beweis dafür, daß der weiße Mann eher töten würde, als daß er den schwarzen Mann an seinem Leben und seinen Entscheidungen als gleichberechtigt teilnehmen ließe. Diese Erkenntnis erwies sich als um so unausweichlicher, als sogar das Opfer Martin Luther Kings es nicht vermochte, die Umkehr des weißen Mannes herbeizuführen. Bis zum verhängnisvollen Tag, an dem King ermordet wurde, sah es noch so aus, als ob sich die langsame Entwicklung von Not und Ausbeutung hin zu vollen Rechten und voller Würde ohne eine regelrechte Revolution durchsetzen könnte. Kings Forderungen unterschieden sich nicht sehr von denen der schwarzen Führungsschicht, die ihn umgab, aber seine Methoden waren einmalig. Seine Botschaft war eine Botschaft der Hoffnung. Er sagte: Wenn die Schwarzen ihre Entschlossenheit, ihre Einigkeit und ihre Liebe für die ganze Menschheit zeigen würden, wäre der Weiße besiegt. Er würde nachgeben, die Schwarzen in das Allerheiligste seiner Gesellschaft aufnehmen und ihn als Bruder anerkennen. King erreichte viele Dinge. Unter seiner Führung entwickelte sich die Aufhebung der Rassentrennung immer schneller, Schulen und Universitäten wurden für alle zugänglich, im Kongreß wurden Gesetze verabschiedet, die vieles in den Beziehungen änderten, die Weiß und Schwarz bisher als rechtskräftig für alle Zeiten angesehen hatten. Vor allem bemühte sich Martin Luther King zu zeigen, daß es noch Hoffnung und eine Zukunft gebe. Aber Kings Weg war lang und gefährlich. Er umfaßte Jahre geduldigen Wirkens für die Registrierung der Wähler und für einen Wandel der Gewohnheiten in der weißen Gesellschaft. Der Erfolg war offensichtlich, aber er kam nur langsam vorwärts! Zu langsam in der Tat für die aufwachende schwarze Masse. Und so begann sie sich nach anderen Möglichkeiten umzusehen. Sie entdeckte, daß ein Konflikt wie der zwischen den Rassen offensichtlich zwei Partner braucht. Einer allein ist nicht in der Lage, den Konflikt zu lösen, solange beide Partner nicht gleichgestellt sind, solange sie nicht gleiche Machtstellungen haben, von denen sie ausgehen. Deshalb erklärte die neue amerikanische Führungsschicht der Schwarzen, daß gemeinsamen Gesprächen und einer Vereinigung ein neues Identitätsbewußtsein und Macht vorausgehen müßten. Seither entstanden Bewegungen, die die Identität des Negers verkünden. »Schwarz ist schön«, so sagen sie immer wieder. Vorläufiger Separatismus ist ihr Programm. Manche sind gegen die Gewalt, wie Malcolm X, einer der ebenfalls ermordeten Negerführer in den Staaten. Manche sprechen aber auch die Sprache der Gewalt, wie Stokely Carmichael, der die schöne südafrikanische Sängerin Miriam Makeba mit ihrer kämpferisch-revolutionären Einstellung geheiratet hat. Andere wiederum stehen in der Mitte zwischen den Gruppen, so wie der große schwarze Schriftsteller James Baldwin, der immer wieder über die unmöglichen Liebesaffären zwischen Weißen und Schwarzen schreibt und dessen Charaktere immer um die Feuer des Rassenhasses herumtanzen.

In dem Augenblick, da sich der Kriegswille der Schwarzen verhärtet, verhärtet sich auch der Widerstand. Das ist die Situation, in der wir uns heute befinden. Rasse steht gegen Rasse. Was das Rassenproblem war, wurde zum Rassenkrieg. Und wir Europäer müssen wissen: Es ist der Rassismus der Weißen, der die anderen Rassen mit Haß erfüllt. Natürlich gibt es nicht nur weißen Rassismus. Das Problem ist so groß wie die Welt. Die Furcht vor dem anderen durchdringt uns alle. Da gibt es den schwarzen Rassismus in Afrika und wahrscheinlich gelben Rassismus in China, aber keine andere rassische Gruppe verbindet Farbe und Macht so tief wie die Weißen. In den USA und in Südafrika ist es weißer Rassismus, der eine Kluft entstehen läßt. Es ist die weiße Rasse, die ihre Macht dazu benutzt, die anderen zu unterdrücken, indem sie in ziemlich ungeschminkter Art und Weise vorgeht. Es sind die Weißen, die in den letzten Jahrhunderten die anderen herumgestoßen haben. Es ist auch ihre Schuld, daß weißer Rassismus neu definiert werden mußte, damit er angegriffen werden kann.

Was ist weißer Rassismus?

Als sich der Ökumenische Rat der Kirchen in Uppsala versammelte, versuchte er den weißen Rassismus auf folgende Weise zu erklären: »Mit weißem Rassismus bezeichnet man den bewußten oder unbewußten Glauben an die angeborene Überlegenheit der Personen europäischer Abstammung (besonders derer aus Nordeuropa), der alle Weißen dazu ermächtigt, eine Position einzunehmen, die ihnen Herrschaft und Privilegien zusichert, verbunden mit dem Glauben an die angeborene Minderwertigkeit aller dunklen Völker, besonders der afrikanischen, der ihre Unterordnung und Ausbeutung rechtfertigt.«

Und für jene, denen die Sprache der Definition und Beschreibung nicht zusagt, möchte ich noch ein altes Memorandum eines Erzbischofs von Valencia zitieren, der einst an König Philipp III. von Spanien schrieb: »Ihre Majestät mögen ohne irgendwelche Zweifel des Gewissens aus allen Mohren Sklaven machen und sie auf Ihre Galeeren und in Ihre Bergwerke stekken, oder sie ins Ausland verkaufen. Und was ihre Kinder betrifft, können sie alle zu guten Preisen hier in Spanien verkauft werden, was keinesfalls eine Strafe für sie bedeutet, sondern eine Gnade, denn das heißt, daß sie alle zu Christen erzogen werden... Durch die heilige Durchführung dieses Vorhabens, das einen Akt der Gerechtigkeit darstellt, wird ein großer Goldstrom in die Truhen Ihrer Majestät fließen.«

Die Formen des Rassismus mögen sich ändern. Seine wichtigsten Elemente sind entweder Hautfarbe, Klasse, Kaste, Religion oder Kultur. In den meisten Fällen sind einige dieser Elemente miteinander verbunden, in anderen ist nur eines entscheidend. Der Wechsel in eine andere soziale Stufe kann zum Beispiel genügen, um eine Person aus der abgelehnten in die bevorzugte Rasse zu bringen. Man braucht nur an den erstaunlichen Fall zu denken, daß alle Japaner in Südafrika für weiß erklärt wurden, nachdem sie einen gewissen, für dessen Wirtschaft wichtigen Handel abgeschlossen hatten. Die Gruppe japanischer Geschäftsleute in Johannesburg, die kurz vorher zu der rassischen Gruppe »Asiaten« erklärt worden war, mußte wieder zurück in die Viertel ziehen, die »nur für Weiße« bestimmt sind. In der Geschichte gibt es viele Fälle, in denen Afrikaner, die sich hatten taufen lassen, zu Europäern wurden. Bei ihnen war die Religion der entscheidende Faktor ihrer rassischen Situation. Die französische, aber auch besonders die portugiesische Kolonialpolitik neigen dazu, Erziehung und Kultur als die wichtigsten Faktoren für die Beziehungen zwischen den Rassen zu betrachten. Guterzogene Afrikaner konnten Franzosen werden und können noch heute Portugiesen werden, wenn sie die Kultur der überlegenen Rasse annehmen. Sei es, wie es ist. Der Rassismus bleibt ein Schandfleck auf dem Kleid der Humanität.

Wir haben nicht nur in der Situation zwischen den Rassen eine Zeit der Konfrontation erreicht, aber hier ist sie am deutlichsten. Wir müssen damit rechnen, daß alle Gruppen, deren Hautfarbe anders als weiß ist, der militanten Leitung folgen werden, die von den schwarzen Gemeinden in Südafrika und besonders in den USA ausgeht, und sich einfach das nehmen, was ihnen nicht freiwillig gegeben wird.

Es wird oft gesagt, daß diese Situation zu Gewalttätigkeiten führen kann. Solche Bemerkungen sind Unsinn. Jede Diskriminierung und jede Ungerechtigkeit ist gewalttätig. Nur durch gewaltsame Unterdrückung kann Südafrika die schwarze Bevölkerung, die viermal so groß ist wie die regierende Minderheit, unter Kontrolle halten; nur durch Gewalt kann Ian Smith seinen schwarzen Landsleuten die Menschenrechte vorenthalten; nur durch Gewalt wird der nordamerikanische Neger »an seinem Platz« gehalten. Es geht nicht darum, ob der Rassenkonflikt gewaltsamer wird; die Frage ist, wie lange die farbigen

Gemeinschaften angesichts der gegen sie gerichteten Gewalt gewaltlos bleiben werden. Wie wir in unseren Zeitungen gelesen haben, steht die amerikanische Gesellschaft kurz vor einer Explosion, das heißt, sie ist bereits von Zeit zu Zeit explodiert. Der Ton der schwarzen Militanten wird jedes Mal schärfer, und die Kluft zwischen ihren Drohungen und ihren Taten wird von Jahr zu Jahr kleiner.

Ein gutes Beispiel für den erweiterten Kriegszustand der amerikanischen Schwarzen sind die Kirchen in den USA. Wir haben nicht genug Zeit, um hier den Verlauf der ganzen Geschichte zu erzählen. Lassen wir es mit einigen besonderen Punkten genug sein. Bis vor ziemlich kurzer Zeit taten die amerikanischen Kirchen, was die meisten religiösen Institutionen immer tun werden: sie unterstützten die bestehende Gesellschaft und deren Macht. Ebenfalls bis vor ziemlich kurzer Zeit handelten die amerikanischen Kirchen ebenso wie alle großen christlichen Institutionen: sie bildeten kleine Glaubensgemeinschaften, in denen die Botschaft der Propheten, des Messias und der Apostel in Wort und Tat lebendig erhalten wurden. Amerika hat wie alle anderen Länder seine John Browns und Nat Turners gekannt, die versuchten, einen radikalen Umschwung herbeizuführen, und die dafür ihr Leben ließen. Aber im Süden der Vereinigten Staaten, besonders in der Bibel-Bucht, wurde die Sklaverei mit der Peitsche in der einen und mit der Bibel in der anderen Hand praktiziert. Die Bewegung der rassischen Integration kam nur langsam voran. Die Kirchen brachten deren erste Führer hervor, aber als Institutionen waren sie unfähig, diese ersten Männer zu unterstützen. Nur in den fünfziger Jahren, als Martin Luther King Tausende auf einen stillen und gewaltlosen Marsch führte mit dem Ziel, die Neger in das öffentliche Leben Amerikas zu integrieren, begannen sich die Kirchen zu rühren. Einige mutige Kirchenführer wie Eugene Carson Blake, der heute Generalsekretär des Ökumenischen Rates der Kirchen ist, wurden verhaftet, als sie die Gesetze brachen, die sie als ungerecht betrachteten. In den frühen sechziger Jahren konnten die Erfolge dieser ersten Periode gewaltloser Selbstverteidigung von der schwarzen Gemeinschaft geerntet werden. Sie wurden ins öffentliche Leben mit einbezogen. Die Registrierung der Wähler im Süden begann. Häufig war sie ein langsamer und mühevoller Prozeß, in dem die Neger mehr Furcht und Resignation zeigten als ihre weißen Herren Haß und Brutalität. Auch diese Zeit sah ihre Opfer und Märtyrer. Sie diente dazu, allen die Augen zu öffnen. Das Rassenproblem jedoch wurde nicht beseitigt. Die Gettos bleiben arm, auf den entscheidenden Posten des Landes sitzt nur eine Handvoll Schwarzer. Auf der Todesliste in Vietnam jedoch sind sie in großer Anzahl zu finden. Kein Wunder, daß der amerikanische Neger rebelliert. Ihm kam der Verdacht, daß die Weißen nur redeten, denn ihre Taten straften ihre Resolutionen und Erklärungen Lügen.

In dieser Zeit taten die Kirchen vieles: Sie brachten große Geldsummen auf, um den Schwarzen zu helfen. Sie organisierten soziale Projekte, bekämpften die Trennung vor den Gerichten des Landes, fanden Arbeitsplätze und stellten Neger an. Aber sie konnten den Lauf der Dinge nicht aufhalten. Ihre gesamte Wählerschaft brachte den nationalen Programmen nur laue Unterstützung entgegen. Lokale Kirchen beteiligten sich in der Tat nur unzureichend an den Hilfsprogrammen, die die Nationalkirchen aufstellten. Außerdem muß man hinzufügen, daß die nationalen Programme nicht ausreichten. Sie waren gut und manchmal sogar ausgezeichnet, aber sie waren eben nicht gut genug.

Dieses zweifache Merkmal, nämlich: gut, aber nicht gut genug zu sein, machte die Kirchen zum günstigen Ziel für die militanten Negerführer. Bereits die meisten der integrierten Kirchen hatten einen sogenannten »schwarzen Ausschuß«, eine Interessengruppe schwarzer Mitglieder, die im Verlauf von Synoden und ökumenischen Treffen in Aktion trat. Als zum Beispiel die amerikanischen Mitglieder für das Zentralkomitee des Ökumenischen Rates der Kirchen vorgeschlagen wurden, trat der schwarze Ausschuß der Delegation ein und erklärte, welche Vorschläge er wünschte. Das Ergebnis war die Ernennung einer Anzahl ganz verschiedener Delegierter für das gegenwärtige Komitee. Dann schrieb James Forman, ein militanter schwarzer Anführer, im späten Frühjahr anläßlich einer Konferenz in Detroit sein ›Black Manifesto‹. Es wurde anfangs nur von einer kleinen Minderheit der Konferenz unterzeichnet, bekam aber mit der Zeit mehr und mehr Unterstützung von den schwarzen Ausschüssen in den integrierten Kirchen und Gruppen schwarzer Kirchenmänner. Die weiße christliche Bevölkerung lehnte es auf Grund seiner brüsken Ablehnung der Kirchen, seiner Entschuldigung der Gewaltanwendung und auf Grund der Forderungen, die es an die Kirchen richtete, fast einstimmig ab.

Lassen Sie mich ein paar Abschnitte mit Ihnen lesen, die Ihnen vielleicht helfen können, sowohl die schwarze Unterstützung als auch die weiße Ablehnung zu verstehen.

»Wir als schwarzes Volk müssen an der Stellung aller Schwarzen in der Welt interessiert sein. Aber während wir von der Revolution sprechen, die eine bewaffnete Konfrontation und einen jahrelangen Guerillakampf für dieses Land bedeuten wird, müssen wir auch erwähnen, wie die Welt aussehen soll, in der wir leben wollen. Wir müssen uns einer Gesellschaft anvertrauen, in der die gesamten Produktionsmittel den Reichen abgenommen und dem Staate zum Wohl aller Bürger übergeben werden. Das meinen wir, wenn wir von totaler Kontrolle sprechen. Und wir sind der Meinung, daß die Schwarzen, die am meisten unter Ausbeutung und Rassismus zu leiden hatten, dazu übergehen müssen, ihre eigenen Interessen zu verteidigen, indem sie die Leitung aller in den Vereinigten Staaten existierenden Einrichtungen übernehmen. Die Zeiten, in denen wir an zweiter Stelle standen und der weiße Boy an der Spitze, sind vorbei. Dies betrifft besonders die Wohlfahrtsorganisationen in diesem Lande, aber es genügt nicht, zu sagen, daß ein schwarzer Mann an der Spitze steht...

Diese Konferenz ist in erster Linie von religiösen Leuten zusammengerufen worden, von Christen, die an der Ausbeutung und dem Raub von Schwarzen teilgenommen haben, seitdem das Land gegründet wurde. Die Missionierung geht Hand in Hand mit der Macht der Staaten. Wir müssen, wo immer wir auch sein mögen, versuchen, die Macht zu ergreifen, und wir erklären den Organisatoren dieser Konferenz, daß sie nichts mehr mit ihr zu tun haben. Wir, die Leute, die sich hier versammelten, danken Ihnen für die Organisierung dieser Konferenz, aber wir sind entschlossen, über sie zu verfügen, und von jetzt an bestimmen wir über ihren weiteren Verlauf...

Wir verlangen daher von den weißen christlichen Kirchen und jüdischen Synagogen, die einen wesentlichen Teil des kapitalistischen Systems darstellen, daß sie den Schwarzen in diesem Lande Entschädigungen zahlen. Wir verlangen 500 Millionen Dollar von den christlichen weißen Kirchen und den jüdischen Synagogen. Das ergibt im ganzen 15 Dollar pro Nigger. Dies ist eine niedrige Schätzung, da wir behaupten, daß wahrscheinlich mehr als 30 Millionen Schwarze in diesem

Lande leben. 15 Dollar pro Nigger ist keine große Geldsumme, denn wir wissen, daß die Kirchen und Synagogen einen enormen Reichtum besitzen und daß ihre Mitgliedschaft, das weiße Amerika, von den Schwarzen profitiert hat und sie immer noch ausbeutet. Wir sind uns auch darüber im klaren, daß die Ausbeutung farbiger Menschen in der ganzen Welt von den weißen christlichen Kirchen und Synagogen angespornt und unterstützt wird. Diese Forderung von 500 Millionen Dollar ist keine sinnlose Resolution oder ein leeres Wort. Fünfzehn Dollar für jeden schwarzen Bruder und jede Schwester in den Vereinigten Staaten ist nur der Anfang der Entschädigungen, die uns als einem Volk, das ausgebeutet und herabgesetzt, roh behandelt, getötet und verfolgt wurde, zustehen. Durch diese Ausbeutung hat der Rassismus in den USA eine psychologische Wirkung auf uns gehabt, die wir jetzt abzuschütteln beginnen. Wir fürchten uns nicht länger, unsere vollen Rechte als Volk in dieser verfallenden Gesellschaft zu verlangen...

Wir rufen alle Delegierten und Mitglieder der Nationalen Schwarzen Wirtschaftsentwicklungs-Konferenz auf, Sit-in-Demonstrationen vor bestimmten schwarzen und weißen Kirchen zu veranstalten. Man verstehe dies nicht als eine Fortsetzung der Sit-in-Bewegung in den frühen sechziger Jahren, wir wissen vielmehr, daß aktiver Widerstand in weißen Kirchen durchführbar ist, und es wird unsere Möglichkeiten bei der Durchsetzung unserer Forderungen erweitern. Diese Konfrontation könnte in der Form durchgeführt werden, daß man das ›Black Manifesto‹ anstelle einer Predigt liest oder es an Kirchenmitglieder ausgibt. Wird man angegriffen, sollte man zum Prinzip der Selbstverteidigung übergehen...

Wir rufen alle weißen Christen und Juden auf, daß sie Geduld, Toleranz, Verständnis und Gewaltlosigkeit praktizieren. Denn während der ganzen Zeit der uns aufgezwungenen Sklaverei in den Vereinigten Staaten haben sie den Schwarzen geraten, sie aufgefordert und ermutigt, sich an gerade diese Tugenden zu halten. Der wahre Beweis ihres Glaubens und Vertrauens in das Kreuz und die Worte der Propheten wird sicherlich auf die Probe gestellt werden, da wir beabsichtigen, rechtmäßige und sehr bescheidene Entschädigungen für unsere Rolle beim Aufbau der industriellen Basis der westlichen Welt durch unsere Sklavenarbeit zu fordern. Aber wir sind keine Sklaven mehr, wir sind Männer und Frauen, stolz auf unser afrikanisches Erbe, entschieden unsere Würde zu erhalten...

Brüder und Schwestern, wir werden uns nicht länger dahinschleppen und uns den Kopf kratzen. Wir sind groß, schwarz und stolz...

Und wir sagen den weißen christlichen Kirchen und den jüdischen Synagogen, der Regierung dieses Landes und allen weißen rassistischen Imperialisten, aus denen es sich zusammensetzt, daß ihnen nur eine Möglichkeit bleibt, weiterhin Schwarze zu erniedrigen, nämlich uns zu töten. Aber wir sind zu lange für dieses Land gestorben. Wir sind in jedem Krieg gestorben. Wir sterben heute in Vietnam, wo wir gegen den falschen Feind kämpfen...

Der neue schwarze Mensch möchte leben, und leben bedeutet, daß wir nicht auf der Stelle treten oder nur an Selbstverteidigung glauben. Wir müssen kühn ausziehen und die weiße westliche Welt in ihren Machtzentren angreifen. Die weißen christlichen Kirchen sind eine weitere Regierungsform in diesem Lande, und sie werden von der Regierung dazu benutzt, die Menschen in Latein-Amerika, Asien und Afrika auszubeuten, aber dieser Tag wird bald zu Ende gehen. Darum, Brüder und Schwestern, sind die Forderungen, die wir an die weißen christlichen Kirchen und die jüdischen Synagogen richten, nur kleine Forderungen...

Wir drohen den Kirchen nicht. Wir wissen jedoch, daß die Kirchen mit der militärischen Macht der Kolonialisten ins Land kamen und von der militärischen Macht dieser Kolonialisten unterstützt wurden. Wir wissen daher tief in unseren Herzen, daß wir bei den Kirchen, die in kolonialistischen Gebieten von militärischer Macht eingerichtet wurden, darauf gefaßt sein müssen, Gewalt anzuwenden, um unsere Forderungen durchzusetzen. Wir sagen nicht, daß dies der Weg ist, den wir einschlagen wollen. Er ist es nicht, aber lassen Sie uns darüber im klaren sein, daß wir nichts gegen Stärke einzuwenden haben und daß wir nicht gegen die Gewalt sind. Wir wurden in Afrika mit Gewalt gefangen genommen. Wir wurden in Fesseln und in politischer Knechtschaft gehalten und durch die militärische Maschinerie und die christlichen Kirchen, die Hand in Hand arbeiten, zur Sklavenarbeit gezwungen...

Unsere Wahlsprüche sind:

Alle Wege müssen zur Revolution führen
Vereinige dich, mit wem du dich nur vereinigen kannst

Neutralisiere, wo immer es möglich ist
Bekämpfe unsere Feinde unbarmherzig
Sieg dem Volk
Leben und gute Gesundheit der Menschheit
Widerstand der Herrschaft der weißen christlichen Kirchen und der jüdischen Synagogen
Revolutionäre schwarze Macht
Wir sind entschlossen ohne Zweifel.«

Die Reaktionen auf dieses Dokument, das viele nur für eine neue verdrießliche Erklärung einer kleinen Gruppe gehalten hatten, waren verletzend und unerwartet. James Forman brachte sein Dokument mit politischer Geschicklichkeit direkt in die Heiligtümer der Kirchen. Er betrat selbst die Riverside Church, eine der wichtigsten und reichsten Kirchen New Yorks, zu der zum Beispiel die Familie der Rockefeller enge Beziehungen hat. Man reagierte schockiert und verwirrt. Ein großer Teil der Leute wollte die Polizei rufen und Forman entfernen lassen. Aber in den Kirchen befanden sich auch jene, die fühlten, daß eine christliche Gemeinde einem Mann, der für eine diskriminierte Gruppe sprach und der immer noch wünschte, sich mit den Kirchen zu verständigen, wenigstens zuhören müßte. Als Forman begann, kirchliche Gebäude mehr als nur symbolisch zu besetzen, wurde die Verwirrung nur noch größer. Links und Rechts in den Kirchen stritt und debattierte hitzig und mit Enthusiasmus. Die Leitung des christlichen Establishments konnte jedoch unter den gegebenen Umständen nicht eindeutig handeln. Sie wurde auf der einen Seite von ihren eigenen schwarzen Mitgliedern und vielen ihrer meist wahlberechtigten jungen Leute unter Druck gesetzt, Forman als einen echten Gesprächspartner anzuerkennen, während die Mehrheit ihrer Wählerschaft, von denen die amerikanischen Kirchen natürlich in Hinsicht auf finanzielle und moralische Unterstützung abhängig sind, mit Kirchenspaltung und Austritt drohten, falls Forman anerkannt würde. Wie auch immer der Ausgang dieses amerikanischen Kirchenstreites sein mag, es ist klar, daß Forman die Kirchen in eine Zeit der Konfrontation gebracht hat, die sich definitiv von den Integrationsversuchen von gestern und vorgestern unterscheidet. Der Ökumenische Rat der Kirchen zum Beispiel, der keine weiße Organisation ist, sondern ein Zusammenschluß von Kirchen aller existierenden Rassen, mußte sein Programm zur Bekämpfung des Rassismus in weitaus kräftigeren Ausdrücken neu formulieren, als er es im Jahre 1968 erwartet hätte.

Das Programm zur Bekämpfung des Rassismus (PCR) wurde 1969 eingerichtet und hat seitdem überall auf der Welt Schlagzeilen gemacht. Asien, Afrika und Südamerika begrüßten es mit Zustimmung, Europa und Nordamerika, die Bastionen des weißen Rassismus, mit gemischten Gefühlen. Die Kirchen führten mit diesem ökumenischen Programm ein traditionelles Programm mit neuen Partnern weiter. Sie leisteten Programmen für rassische Gerechtigkeit und Sozialarbeit für die Opfer des Rassismus weiterhin Unterstützung, nahmen aber auch die Organisationen dieser Opfer des Rassismus in die Liste der unterstützten Organisationen auf. Waren diese Organisationen dem gewaltlosen Widerstand verpflichtet, so gab es keine weiteren Schwierigkeiten: die Unterstützung der Aborigines in Australien und Neuseeland oder aber der Eskimos in Kanada riefen in den betroffenen Ländern nur Emotionen hervor. Die Unterstützung der humanitären Programme von Gruppen, die der Unterdrückung im südlichen Afrika mit Gegengewalt begegneten, löste dagegen heftige Diskussionen aus. Die Weißen reagierten sehr empfindlich auf diese Unterstützung, weil sie sich zu einer Entscheidung gezwungen fühlten, auf die sie nicht vorbereitet waren.

Jetzt, in der zweiten Phase des Programms, ruft die Entscheidung des Ökumenischen Rates, gegen die wirtschaftliche und politische Unterstützung rassistischer Regimes durch Europa und Amerika anzugehen, Widerspruch hervor. Doch wird von den Kirchen nichts radikal Neues verlangt. Aber die propagierte Solidarität mit denen, die leiden, wird auf die Probe gestellt.

Ich erzähle diese Geschichte so ausführlich, um mit einem Beispiel klarzumachen, was vor uns liegt. Die großen Worte unserer Zeit sind Identität und Teilnahme. Der politische Kampf in unseren Nationen, die unsicheren Bindungen zwischen reichen und armen Ländern, die Universitätsdebatten, die Krise in der römisch-katholischen und allen anderen Kirchen erklären sich durch die Spannung, die diese Worte hervorrufen. Identität ist das Ergebnis der Gleichberechtigung: sie führt fast automatisch zu Konflikten und Spannungen. In jedem Fall führt sie zu Konfrontationen zwischen denen, in deren Händen die Macht liegt, und denen, die an ihr teilhaben möchten. Es gibt keinen Weg zurück von dieser Entwicklung.

Es ist die Sache derer, die an der Macht sind, den unausweichlichen Konflikt auf friedliche Art und Weise zu lösen oder nur noch mehr Gewalt hervorzurufen. Eine Vereinigung zwischen den verschiedenen Rassen unserer Gesellschaft kann nur erreicht werden, wenn der Konflikt nicht bagatellisiert, sondern offen erkannt, organisiert und überwunden wird. Solange eine große Anzahl nicht-weißer Völker keine Macht ausüben kann und sogar größere Gruppen unter ihnen noch in ihren Rechten eingeschränkt werden, so daß es ihnen nicht möglich ist, unsere Gesellschaft in eine Gemeinschaft zu verwandeln, in der alle leben können, so lange müssen die diskriminierten Gruppen zu jenen Mitteln Zuflucht nehmen, mit denen sie zur Zeit unterdrückt werden. Sie werden ihre eigene Verteidigung aufbauen und sie werden es in Form eines Angriffs tun, da die Weißen sie gelehrt haben, daß der Angriff die beste Verteidigung ist. Sie werden laut protestieren. Wenn sie nicht gehört werden, werden sie in die weißen Machtburgen einmarschieren. Sie werden streiken und Hindernisse aufbauen. Wenn das nicht genügt, werden sie plündern und brennen. Und wenn solche Sabotageakte fehlschlagen, werden sie töten. Viele von ihnen sind bereit, für ihre Freiheit und Würde zu sterben. Das macht sie unbesiegbar. Sogar wenn sie jedes Unternehmen und alle Schlachten verlieren, würden ihre Niederlagen für eine gerechte Sache die Verteidigungsgemeinschaft der Weißen bedrohen und sie überwinden. Noch nie in der Geschichte haben Herrschaft und Unterdrückung einen endgültigen Sieg davongetragen. Die Geschichte läßt sich nicht aufhalten. Sie ist immer geneigt, Zuströme aus den neuesten und frischesten Quellen aufzunehmen. Deshalb wird der Rassenkampf mit einem Sieg für die farbigen Rassen enden. Und so sollte es auch sein.

Helmut Simon

Unsere verfassungsmäßige Ordnung hat den Grundsätzen des demokratischen und sozialen Rechtsstaates zu entsprechen. Das gebietet das Grundgesetz in Artikel 28 und greift damit einen Gedanken auf, der sich ähnlich wie der verwandte angelsächsische Gedanke der Rule of Law als verfassungsrechtlicher Schlüsselbegriff durchsetzte. Aber trotz größter praktischer Auswirkungen blieb der Rechtsstaatsgedanke lange Zeit recht blaß. Erst durch Spiegel- und Abhöraffären sowie die Auseinandersetzungen um Notstandsrecht, politische Justiz und Verjährung von NS-Verbrechen gewann er an Vorstellbarkeit. Was freilich das Rechtsstaatsgebot konkret fordert, ist selbst führenden Politikern nicht stets gegenwärtig. Franz Josef Strauß etwa, der schon in der Spiegel-Affäre mit rechtsstaatlichen Grundsätzen kollidiert war, zog sich erneut harten Tadel aus rechtsstaatlicher Sicht zu, als er im Wahlkampf APO-Anhänger mit Tieren gleichsetzte, auf welche die für Menschen gemachten Gesetze nicht anwendbar seien.

Gerade der Streit über die APO vermittelt eine erste grundlegende Einsicht in das, was Rechtsstaat heute meint. Man hört mitunter, die Gerichte, die doch im Namen des Volkes Recht sprächen, müßten in einer Demokratie den Willen der Bevölkerung respektieren, die mit überwältigender Mehrheit strenges Durchgreifen gegenüber den Unruhestiftern erwarte. Das scheint auf den ersten Blick einzuleuchten. Dieses Ansinnen verkennt aber gerade das, was den freiheitsverbürgenden Lebenswert der grundgesetzlichen Ordnung ausmacht, nämlich die innige Verbindung des demokratischen mit dem rechtsstaatlichen Gedanken. Bringen wir Demokratie auf die Formel: »Der Staat ist die Gesamtheit aller gleichberechtigten Staatsbürger, die als Teilhaber der öffentlichen Gewalt Herrschaft auf Zeit verleihen«, dann läßt sich der ergänzende rechtsstaatliche Gedanke umschreiben: »Der Staat, auch die frei gewählte Mehrheitsdemokratie, kann und darf nicht alles.« Schon ganz allgemein bedeutet Rechtsstaatlichkeit, daß der Staat mit seinen Organen in der Ausübung öffentlicher Gewalt an das Recht gebunden und insofern grundsätzlich begrenzt ist, oder, wie Adolf Arndt einmal eindrucksvoll formuliert hat: »Es wächst Staat aus dem Recht, durch das Recht und gemeinsam mit dem Recht; und kann es Staat weder jenseits des Rechts noch kann es mehr Staat als Recht geben.« Unsere Verfassung geht über diesen allgemeinen Grundsatz noch hinaus, indem sie bestimmte fundamentale Wertentscheidungen der Abstimmung überhaupt oder zumindest im Wesensgehalt entzieht und damit die Demokratie gegen eine Mehrheitsdiktatur rechtsstaatlich absichert. Zu diesen gleichsam »immunisierten« Grundentscheidungen gehört nicht zuletzt das Recht der Minderheit, durch demonstrative Meinungsäußerung zur staatlichen Willensbildung beizutragen.

Die Einsicht in das notwendige Zusammenspiel von Demokratie und Rechtsstaatlichkeit ist verhältnismäßig jung. Die klassische deutsche Theorie hatte anfangs gemeint, Rechtsstaatlichkeit sei mit den verschiedensten Staatsformen vereinbar, also etwa auch mit der konstitutionellen Monarchie. Man begnügte sich also mit einem »obrigkeitlich verordneten Rechtsstaat« und ließ sich dabei von einem formalen Rechtsstaatsbegriff leiten; das heißt, man hielt es für ausreichend, staatliches Handeln an förmliche Gesetze – von wem auch immer verabschiedet – zu binden. Spätestens das Dritte Reich hat aber gelehrt, daß ein formaler Rechtsstaatsbegriff gegenüber dem Unrecht in Gesetzesform versagt und daß das förmliche Gesetz zum Vehikel des Unrechts werden kann. Das Grundgesetz legt daher einen materialen Rechtsstaatsbegriff zugrunde. Das bedeutet: Verbindlich sind nur solche Gesetze, welche die frei gewählte Volksvertretung verantwortet, und diese Gesetzgebung darf selbst den Rechtsbrecher niemals als »Tier« behandeln, sondern ist auf die Achtung vor der unantastbaren Würde des Menschen und seiner personalen Freiheit verpflichtet. Gemeint ist dabei als Idealtypus der Bürger als mitverantwortliches, in freier Selbstbestimmung wirkendes Glied einer freien Gesellschaft. Gerade dieses Menschenbild zeigt, wie unlösbar der rechtsstaatliche Freiheitsgedanke und der demokratische Teilhabegedanke zusammengehören. Der Rechtsstaat soll dem Menschen einen freien Entfaltungsspielraum verbürgen, wobei nicht oft genug betont werden kann, daß Freiheit immer auch Freiheit für den Andersdenkenden ist. Diese Freiheit aber wäre als bloßes privatisierendes Freisein mißverstanden. Sie dient auch dem Andersdenkenden nicht allein zu seinem Schutz, sondern letzten Endes dem wohlverstandenen Allgemeininteresse. Denn Demokratie lebt von der mitverantwortlichen Teilnahme aller freien Staatsbürger, wobei die Mehrheitsentscheidung am Ende eines vorangegangenen dialogischen Willensbildungsprozesses steht.

Betrachten wir unmehr etwas genauer die konkreten Merkmale der demokratisch verstandenen Rechtsstaatsidee:

Zu den ältesten Merkmalen gehört, daß die Befugnisse der Staatsorgane durch eine Verfassung klar umgrenzt werden und daß diese Verfassung auf der Lehre von der Gewaltenteilung aufbaut, indem sie die gesetzgeberische, vollziehende und rechtsprechende Gewalt auf drei verschiedene Organe aufteilt, nämlich auf Parlament, Regierung mit Verwaltung und Justiz. Diese drei Gewalten sollen sich gegenseitig unterstützen, aber zugleich hemmen und kontrollieren, damit Machtkonzentration vermieden und der Bürger vor Eingriffen Unberufener einschließlich angemaßter Amtshilfe abgesichert wird. Das Bundesverfassungsgericht achtet namentlich auf eine strenge Trennung zwischen Exekutive und Justiz und hat es daher beispielsweise verboten, daß fachkundige Beamte an der richterlichen Überprüfung von Maßnahmen der eigenen Verwaltung mitwirken. Als verfassungswidrig gilt es ferner, wenn das Parlament dadurch freiwillig abdankt, daß es die Exekutive zum Erlaß von Durchführungsverordnungen ermächtigt, ohne deren Inhalt und Grenzen zu bestimmen.

Diese freiheitsverbürgende gewaltenteilende Ordnung unterscheidet sich deutlich von der gewaltenhäufenden der Volksdemokratie. Sie bedarf freilich heute der Fortbildung. Denn die Annahme, daß sich Parlament und Regierung kontrollierend gegenüberstehen, idealisiert die Verfassungswirklichkeit. Tatsächlich verläuft die Grenze eher zwischen der Parlamentsmehrheit und der von ihr gestellten Regierung nebst der höchst einflußreichen Ministerialbürokratie einerseits und der Opposition, in ihrer Kontrollfunktion ergänzt durch die öffentliche Meinung als der »vierten Gewalt« andererseits. Es ist daher nicht zufällig, daß man im Rahmen der Parlamentsreform beispielsweise erwägt, schwächere oppositionelle Minderheiten in verstärktem Maße an parlamentarischen Kontroll- und Untersuchungseinrichtungen zu beteiligen. Äußerst gefährlich erschiene jede Gleichschaltung der öffentlichen Meinung durch übermäßige Pressekonzentration und jede einseitige Beeinflussung von Rundfunk und Fernsehen. Dementsprechend hat das Bundesverfassungsgericht die sogenannte Adenauer-Fernseh-GmbH zu Recht verboten. Der Pressekonzentration ließe sich in rechtsstaatlich vertretbarer Weise zum Beispiel dadurch begegnen, daß man Marktanteile festsetzt, deren Überschreitung zwar nicht unzulässig wäre, wohl aber die Unterstellung des betreffenden Konzerns unter ein demokratisches Kuratorium auslösen würde.

Ein zweites wesentliches Merkmal der Rechtsstaatsidee besteht darin, daß sich die Rechtsordnung nicht nur allgemein zur Achtung der Menschenwürde bekennt, sondern daß dem Menschen durch die Anerkennung konkreter Grundrechte ein unantastbarer Kernbereich freier Lebensgestaltung gewährleistet wird. In unserem Zusammenhang interessieren namentlich die politischen Grundrechte, also Glaubens- und Gewissensfreiheit, Meinungs- und Pressefreiheit, Versammlungs- und Koalitionsfreiheit sowie die Garantien bei Verhaftungen. Diese Grundrechtsverbürgung haben die Väter des Grundgesetzes außerordentlich stark ausgebaut. Sie gestalteten die Grundrechte als unmittelbar geltende einklagbare Rechte, die alle drei Gewalten binden, die nur unter erschwerten Voraussetzungen geändert werden können, deren Wesensgehalt bei Änderungen nicht angetastet werden darf und deren Verletzung die Verfassungsbeschwerde an das Bundesverfassungsgericht eröffnet. Gerade dieses Gericht hat den Grundrechten in zahlreichen eindrucksvollen Urteilen immer mehr Geltung verschafft und aus ihnen eine grundsätzliche Freiheitsvermutung hergeleitet. Neben der Anerkennung eines allgemeinen Persönlichkeitsrechtes gelang es insbesondere, das Recht zur freien Meinungsäußerung mehr und mehr freizukämpfen, namentlich auf dem politischen Felde, aber auch im wirtschaftlichen Bereich, etwa bei Warentests. Die Wende brachte ein berühmtes Urteil aus dem Jahre 1958, das eine Aufforderung zum Boykott von Harlan-Filmen als rechtmäßig anerkannte und in dem es heißt: »Das Grundrecht der freien Meinungsäußerung ist als unmittelbarster Ausdruck der menschlichen Persönlichkeit in der Gesellschaft eins der vornehmsten Menschenrechte überhaupt. Für eine freiheitlich demokratische Staatsordnung ist es schlechthin konstituierend; denn es ermöglicht erst die ständige geistige Auseinandersetzung, den Kampf der Meinungen, der ihr Lebenselement ist. Es ist in gewissem Sinn die Grundlage jeder Freiheit überhaupt.« Hier klingt an, daß die politischen Grundrechte nicht nur als persönliche Freiheitsrechte zum Schutz der Minderheit zu verstehen sind, sondern als unabdingbare Elemente für das Funktionieren einer rechtsstaatlichen Demokratie, die sich selbstverständlich auch in krisenhaften Notständen bewähren müssen. Heute wird es nötig sein, das schon genannte Demonstrationsrecht vom Beigeschmack des notwendigen Übels zu befreien und als wesentlichen, gemeinschaftlich wahrgenommenen und mit Nachdruck vertretenen Beitrag im Prozeß der Meinungs- und Willensbildung einzuüben, freilich zugleich Andersdenkende gegen gewaltsame Bekehrungsversuche zu schützen.

Wenden wir uns nach diesem knappen Blick auf Gewaltenteilung und Grundrechte einem dritten, schon fast ehrwürdigen Merkmal des Rechtsstaates zu. Nach Überwindung des absolutistischen Polizeistaates konzentrierte sich die deutsche Rechtsstaatstheorie – wie erwähnt – darauf, die Staatstätigkeit an förmliche Gesetze zu binden. Wir Juristen sprechen hier vom Grundsatz der Gesetzmäßigkeit staatlichen Handelns und vom Vorbehalt und Vorrang des Gesetzes. Deren Bedeutung geht zumindest in der parlamentarischen Demokratie weit über äußerliche Legalität hinaus. Wenn nämlich jeder staatliche Eingriff in den Interessenbereich der Bürger voraussetzt, daß ein förmliches, vom Parlament verantwortetes Gesetz ihn erlaubt, und wenn Gesetze immer so lange fortgelten, bis das Parlament sie durch förmliche Gesetze ändert, dann werden damit staatliche Handlungen weitgehend durchsichtig, vorausberechenbar und kontrollierbar. Diese Vorausberechenbarkeit ist namentlich dort unverzichtbar, wo der Staat durch das Mittel der Kriminalstrafe in Ehre, Vermögen und Freiheit des Bürgers eingreift. Demgemäß bestimmt das Grundgesetz, daß eine Tat nur dann bestraft werden darf, wenn die Strafbarkeit gesetzlich feststand, bevor die Tat begangen wurde. Rückwirkende Strafgesetze sind also unzulässig; unbestimmte Begriffe sind zu vermeiden und die Tatbestände so präzise zu fassen, daß bereits aus dem Gesetzeswortlaut erkennbar ist, was bei Strafe verboten sein soll. Diese Frage spielte beispielsweise beim Streit um die Sterilisation und das politische Strafrecht mit seinen wertausfüllungsbedürftigen Tatbeständen eine Rolle. Auch auf anderen Gebieten, etwa im Steuerrecht, hat das Bundesverfassungsgericht wiederholt diese Grundsätze angewendet. So gewiß also formale Gesetzlichkeit allein nicht ausreicht, so sollte man doch das hämische Gerede vom Formaljuristischen des Rechts dem Wörterbuch des Machtmenschen überlassen.

Die rechtsstaatliche Durchformung der Staatstätigkeit wirkte sich in mancherlei weiteren Einzelmaßnahmen aus: etwa im Grundsatz des Vertrauensschutzes, der es verbietet, länger bestehende Verhältnisse ohne zwingenden Grund zu ändern; weiter in der Haftung des Staates für Fehlleistungen seiner Beamten und schließlich im Grundsatz der Verhältnismäßigkeit, auch als Übermaßverbot bezeichnet, das dazu verpflichtet, keine Spatzen mit Kanonen zu bekämpfen und beispielsweise gegenüber Rechtsbrechern keine Schußwaffen zu benutzen oder im Verteidigungsfall keine Dienstverpflichtungen anzuordnen, solange weniger belastende Maßnahmen ausreichen.

Diese Bindung staatlichen Handelns an das förmliche Gesetz wird gekrönt durch ein viertes rechtsstaatliches Merkmal, nämlich die Rechtskontrolle durch unabhängige Gerichte. Es gehört zu den Eigentümlichkeiten des Grundgesetzes, daß es die richterliche Gewalt ungewöhnlich stark betont, indem es namentlich die Verwaltungs- und Verfassungsgerichtsbarkeit gestärkt und umfassende Zuständigkeiten geschaffen hat zur Nachprüfung sowohl der Verfassungsmäßigkeit von Gesetzen als auch der Gesetzmäßigkeit von Regierungs- und Verwaltungsakten. Kritiker sprechen sogar abfällig von einem Justiz- oder Rechtswegestaat. Was aber nützen Rechte, wenn sie nicht notfalls einklagbar sind? Oft genug ist ein Rechtsfortschritt erst dadurch herausprozessiert worden, daß Bürger ihre Rechte in Anspruch nahmen und gerichtlich geltend machten. Damit die Richter sachlich und persönlich unabhängig und weisungsfrei entscheiden können, wird ihnen Unabsetzbarkeit und Unversetzbarkeit garantiert, mit der Folge, daß bei der Entfernung belasteter NS-Richter Schwierigkeiten in Kauf genommen werden mußten.

Die starke Stellung der richterlichen Gewalt erfordert umgekehrt auch Garantien gegen eine Willkür der »Unabsetzbaren«, wie Tucholsky sie im Blick auf böse Weimarer Erfahrungen spöttisch nannte. Das geschieht durch Verfahrensgesetze, zum Beispiel die Strafprozeßordnung, wobei besonders streng darauf geachtet wird, daß jeder Beteiligte rechtliches Gehör in allen entscheidungserheblichen Umständen findet.

Im Rechtsstaat geht es um rechtliche Bindung und Mäßigung der Staatsmacht und um die Achtung der personalen Freiheit als der Grundlage des Gemeinwesens. Die besten unserer Vorfahren haben schöpferische Phantasie aufgewendet und sind vor schweren Opfern nicht zurückgeschreckt, um dieses Ziel zu verwirklichen. Das Grundgesetz bietet uns nunmehr die Chance des demokratischen Rechtsstaates in hervorragender Weise an. Aber es ist eine gefährdete Chance; gefährdet durch jene, die aus Resignation gegenüber der Freiheit erneut mit autoritärer Disziplin liebäugeln, oder die den Rechtsstaat als wohlfeile Parole im Kalten Krieg oder als Alibi zur Verschleierung handfester Eigeninteressen entwerten; gefährdet aber auch durch jene, die aus Überdruß vor solchem Mißbrauch aus dem Wort Rechtsstaat nur noch »rechts« im Gegensatz zu »links« heraushören und in ihm ein Hindernis für zukunftsweisende soziale Reformen sehen. Den Skeptikern ist zuzugeben, daß es heute nicht mehr genügt, uns auf das Erbe der Väter gleichsam einen Erbschein in Gestalt des Grundgesetzes ausstellen zu lassen. Haben sich nicht inzwischen die gesellschaftlichen und wirtschaftlichen Bedingungen tiefgreifend gewandelt? Müssen wir daher nicht die überkommene Gestalt des Rechtsstaates fortentwickeln, so fortentwickeln, daß er auch unter den veränderten Bedingungen des industriellen Massenzeitalters funktionstüchtig bleibt? Von einer Fortentwicklung haben wir eingangs gesprochen, nämlich von der engen Zusammengehörigkeit der Rechtsstaatsidee mit dem demokratischen Gedanken. Darüber hinaus ist uns heute aufgegeben, den auf die autonome Einzelperson bezogenen Rechtsstaat bürgerlicher Prägung fortzubilden zu dem Dreiklang vom demokratischen und sozialen Rechtsstaat, der auf die Sozialität des Menschen bezogen ist und der sich als Glied einer untereinander verantwortlichen Weltgesellschaft versteht.

Die damit gestellten Aufgaben reichen außerordentlich weit und können hier nur beispielhaft und ungeschützt angedeutet werden. Sie beginnen bei der Ergänzung der politischen Freiheitsrechte durch wirtschaftliche Existenzsicherung und Daseinsvorsorge für die Wechselfälle des Lebens und reichen bis hin zur Verbreiterung des Bildungsniveaus, da sich erst dann menschliche Würde und personale Freiheit voll entfalten können. In Richtung auf den sozialen Rechtsstaat zielten ferner Bemühungen, die Vermögensbildung für jedermann zu fördern, das Sozialprodukt durch progressive Besteuerung umzuverteilen und das Eigentum einer stärkeren Sozialbindung zu unterwerfen. Gerade an der Eigentumsfrage wird sich erweisen müssen, was der Schritt vom bürgerlichen zum sozialen

Rechtsstaat bedeutet. Nach klassischer Lehre soll das Eigentum dazu dienen, daß der einzelne frei und selbstverantwortlich leben kann. Das ist auch heute noch nicht überholt. Aber die Masse der Staatsbürger lebt nicht vom privaten Sachvermögen, sondern von der Arbeit; ihre Freiheit und Unabhängigkeit steigen in dem Maße, wie der Arbeitsplatz gesichert ist. Demgemäß stehen wir erkennbar vor der Entwicklung von einer durch das Sacheigentum strukturierten Gesellschaft im bürgerlichen Rechtsstaat zu der durch Arbeit strukturierten Gesellschaft im sozialen Rechtsstaat. Wie weit wir heute noch von einer Gleichbehandlung der Arbeit mit dem Eigentum entfernt sind, zeigt sich allenthalben: So bezeichnet man es einerseits als unvereinbar mit der rechtsstaatlichen Eigentumsgarantie, wenn der Wertzuwachs am Boden bei städtebaulichen Maßnahmen abgeschöpft werden soll. Andererseits hielt man es für vertretbar, Studenten wegen Verstößen gegen die Hochschulordnung bis zu drei Jahren vom Studium und damit praktisch von der Wahl eines entsprechenden Arbeitsplatzes auszuschließen.

Mit der Eigentumsfrage hängt das noch heftiger umstrittene Problem der Unternehmensverfassung zusammen. Auch hier gebieten die Veränderungen des industriellen Massenzeitalters eine Fortentwicklung traditioneller Rechtsstaatsmerkmale. Denn in der modernen Dienstleistungsgesellschaft wird die Existenz des einzelnen stärker als ehedem durch seine Stellung im Betrieb bestimmt. Auch wissen wir, daß die Konzentration wirtschaftlicher Macht ähnlich bedrohlich werden kann wie staatliche Machtanhäufung. Die damit verbundenen Probleme konzentrieren sich auf die umstrittene wirtschaftliche Mitbestimmung, also die Beteiligung des Faktors Arbeit an der Unternehmensführung. Für diese erweiterte Mitbestimmung sprechen die Gleichberechtigung von Kapital und Arbeit im Betrieb, der Gedanke der demokratischen Teilhabe aller Beteiligten an der Entscheidung und die rechtsstaatliche Kontrolle angehäufter Macht. Man sollte sie im Zeitalter des Managements keinesfalls mit solchen Argumenten bekämpfen, mit denen sich die absolute Monarchie gegen eine rechtsstaatliche Demokratisierung der Staatsgewalt wehrte.

Der Weg zum demokratischen und sozialen Rechtsstaat führt zwangsläufig zu vermehrter staatlicher Aktivität. Schon länger zeichnet sich eine deutliche Entwicklung zum versorgenden, planenden, gewährenden und verteilenden Staat ab.

Läßt sich diese erweiterte sozialstaatliche Aktivität überhaupt vereinbaren mit dem Gedanken des Rechtsstaates, der doch gerade umgekehrt gegen staatliche Eingriffe schützen soll? Darüber hat man in der Weimarer Zeit und noch Anfang der fünfziger Jahre viel gestritten. Dieser Streit mutet heute etwas antiquiert an. Es bleibt aber die schwierige Aufgabe, auch diese erweiterte Staatstätigkeit an durchschaubare und kontrollierbare Gesetze zu binden, denn sie könnte in Form von Vergünstigungen oder Benachteiligungen ein wirksameres Mittel willkürlicher Machtausübung werden als etwa Zwang und Befehl in der klassischen Eingriffsverwaltung.

An diesem letzten Beispiel sehen wir erneut, daß der demokratische und soziale Rechtsstaat nicht gesicherter Besitz ist, sondern als Angebot und Aufgabe vor uns liegt, nämlich als die Aufgabe, unter den Bedingungen des industriellen Massenzeitalters eine Synthese zu finden, die einerseits die Freiheit der Person als vorrangig wahrt, andererseits aber die individuelle Freiheit in das Gebot partnerschaftlicher Solidarität einbindet.

Regierung

Kurt Sontheimer

Regierungen, das weiß jeder Laie, sind die Zentren des staatlichen Machtapparates. Suchen wir darum nach den Machthabern eines Regimes, so tun wir gut daran, die jeweiligen Regierungen und ihre Amtsträger zu untersuchen. Sie verfügen zumindest formal über die Machtbefugnis; sie bestimmen die Richtlinien und den Gang der Politik nach innen wie nach außen. Die Staatengeschichte ist zu einem wesentlichen Teil eine Geschichte von Handlungen, Erfolgen, Mißerfolgen von Regierungen.

Für den Bürger ist darum die Frage entscheidend: Wie werde ich regiert? Schützt und fördert die Regierung meine Interessen, oder tut sie das Gegenteil? Je nach dem Urteil, zu dem er kommt, wird er eine amtierende Regierung gut oder schlecht finden. Zumindest in den freien demokratischen Gesellschaften ist es möglich, solche Auffassungen auch öffentlich zu äußern und im Rahmen einer freien Wahl zwischen Regierungsalternativen zu entscheiden.

Die Frage: Was ist eine gute Regierung bzw. wofür ist eine Regierung überhaupt gut? ist eine der Grundfragen der politischen Theorie von ihrem Ursprung an. Sie bleibt immer aktuell, auch wenn wir die empirische Tatsache in Rechnung stellen, daß die Menschen sich normalerweise nicht aussuchen können, in was für einer Art Regime und unter welcher Regierung sie leben wollen.

Die im siebzehnten und achtzehnten Jahrhundert so beliebte Konstruktion des Staatsvertrages, den die in der bürgerlichen Gesellschaft lebenden Bürger mit den Regierenden abschließen, um ihre Rechte zu sichern, war eine rein theoretische Erfindung. Regierungen entstehen nicht durch Vertrag, allenfalls werden sie nach bestimmten, oft in einer Verfassung niedergelegten Verfahrensregeln gebildet. Der einzelne Mensch wird jedoch immer in bestehende Herrschaftsverhältnisse hineingeboren; es gibt für ihn nicht die Situation, daß er mit den Herrschenden verhandeln könnte, um die Bedingungen festzulegen, unter denen er bereit wäre, sich von den Machthabern regieren zu lassen.

Gleichwohl hatte die konstruierte Vertragslehre des Aufklärungszeitalters ihren guten Sinn. Sie wollte deutlich machen, daß die Art und Form einer Regierung, das heißt der Charakter von Herrschaft nicht einfach im Belieben derer stehen dürfe, die sich an der Macht befinden, sondern daß es beim Regieren um die Realisierung menschlicher Zwecksetzungen geht, über welche diejenigen, die sich der regierenden Macht beugen müssen, auch ein Wort zu sagen haben.

Alle diese Theorien gingen davon aus, daß Herrschaft von Menschen über Menschen ein konstitutives Merkmal jeder Gesellschaft sei, doch sie wollten Herrschaft nicht einfach als eine nackte Naturtatsache hinnehmen, der gegenüber für die meisten nichts als die bloße Unterwerfung übrigbleibe, vielmehr wollten sie die unumgängliche Tatsache der Herrschaft an die Erfüllung bestimmter Voraussetzungen binden. So ging es etwa dem Engländer Thomas Hobbes um die theoretische Rechtfertigung für die Errichtung einer Regierung, die dem Menschen physischen Schutz und das Recht auf Wahrung seines Besitzes gewährte. Im Rahmen dieser elementaren vertraglichen Sicherung sollte der absolute Herrscher im übrigen unbeschränkt seine Macht gebrauchen dürfen, wie er es für tunlich hielt. Sein liberaler Nachfahre John Locke hat vom gleichen Vertragsmodell aus die Bedingungen zugunsten der Beherrschten erweitert und strenger definiert. Eine Regierung, so verkündete er, habe die Grundrechte des Menschen auf Lebenserhaltung, Freiheit und Besitz zu sichern. Tue sie das nicht, so gebe es ein Recht der Herrschaftsunterworfenen, der Regierung den Gehorsam zu verweigern und sie durch eine andere Regierung zu ersetzen.

Nun ist es, wie man aus der Geschichte hinlänglich weiß, kein leichtes, Regierungen aus dem Sattel zu heben. Vielmehr muß man bei aller Herrschaft davon ausgehen, daß die Herrscher sie zu erhalten, wenn nicht gar zu mehren trachten. Dennoch war es ein wichtiger Schritt in der Entwicklung des neuzeitlichen politischen Denkens, daß die Frage der Bedingungen der Herrschaftsausübung überhaupt diskutiert wurde und schließlich jene Verfahren und Formen der Eindämmung und Einschränkung von Regierungsmacht sich herausbildeten, die man mit dem Begriff des Konstitutionalismus umschreibt.

Konstitutionalismus bedeutet: von den Herrschenden anerkannte Machtbeschränkung der Regierenden, die Bindung der Machtausübung an normierte Rechtsregeln, die Einhaltung bestimmter Verfahren bei der Bestellung der Regierenden sowie deren mögliche Ablösung unter Einschaltung der Regierten. Regieren bedeutet immer: Macht ausüben; regieren im konstitutionellen Staat bedeutet: verantwortliche Machtausübung im Rahmen bestimmter Rechtsregeln, über die man sich nicht so ohne weiteres hinwegsetzen kann, da die Macht Kontrollen unterworfen wird.

Der politische Liberalismus, der solche Verfahren und Formen der Machtbeschränkung der Regierung gegenüber dem Absolutismus durchsetzte, war der Meinung, daß der Staat, das heißt die organisierte Ausübung von Macht, grundsätzlich etwas Übles sei; ein notwendiges Übel zwar, aber eben doch ein Übel, das man im Interesse der Gesellschaft möglichst klein halten sollte. Darum wollte der frühe Liberalismus alles dem freien Verkehr der Individuen der bürgerlichen Gesellschaft überlassen und nur das Dringendste, wie Rechtsschutz und Polizei, durch den Staat geregelt wissen. Dementsprechend waren die Regierungen früherer Epochen vorwiegend mit einer im Umfang stark begrenzten inneren Verwaltung beschäftigt, Politik im eigentlichen Sinne war nur die Außenpolitik.

Die für die Entwicklung des europäischen Konstitutionalismus so einflußreiche Lehre von der Gewaltenteilung tat ein übriges, um die Regierungsmacht nicht als ein Monstrum erscheinen zu lassen. Entsprechend dieser Lehre war nämlich die Exekutive, der Bereich der Regierung, der Legislative, welche die Richtlinien der Politik nach innen durch Rechtsnormen bestimmte, nachgeordnet. Die Exekutive war, wie es auch ihrem lateinischen Wortsinn entspricht, ein ausführendes Organ, das nach den Weisungen der gesetzgebenden Versammlungen zu arbeiten hatte. Politisch wichtig war von daher gesehen nicht die ausführende, sondern die gesetzgebende Gewalt.

Betrachten wir vor diesem historischen Hintergrund das Phänomen der Regierung heute, etwa am Beispiel der Bundesrepublik, so wird jedem sofort klar, daß unsere Regierung zwar in einem durch das Grundgesetz umschriebenen konstitutionellen Rahmen arbeitet und auch entsprechend bestellt wird, daß aber Funktion und Aufgabenstellung der modernen Regierung ganz weit über das hinausgehen, was im neunzehnten

Jahrhundert an Regierungsmacht für möglich und verfassungspolitisch zulässig gehalten wurde. Der Hauptgrund dafür war, daß die Rechnung der Liberalen nicht aufging. Sie hatten geglaubt, daß durch den natürlichen Verkehr der Individuen im Rahmen der kapitalistischen Tauschgesellschaft die freie Entwicklung des Einzelnen wie des Ganzen auf das harmonischste gefördert würde. In Wirklichkeit jedoch basiert die vom Liberalismus erstrittene Gleichheit vor dem Gesetz auf ganz und gar ungleichen ökonomischen Voraussetzungen. Der liberale Verfassungsstaat entpuppte sich, wie Karl Marx bereits Mitte des vorigen Jahrhunderts erkannte, als ein Instrument in der Hand des Bürgertums. Die vom Liberalismus zeitweilig übernommene Formel des Engländers Jeremy Bentham, es gelte das größte Glück der größten Zahl zu verwirklichen, blieb eine Formel, der sich die Wirklichkeit der gesellschaftlichen Verhältnisse nicht recht beugen wollte.

Wenn aber die Gesellschaft nicht imstande war, die immer weniger abweisbaren Ansprüche der breiten Massen auf Glück, Wohlleben, Sicherheit und Besitz zu befriedigen, so konnte nur der Staat die Instanz sein, die durch einen permanenten regulierenden Eingriff in die gesellschaftlichen Verhältnisse das allgemeine Wohl stärker zugunsten der wirklichen Allgemeinheit durchsetzen konnte. So wurde der Staat im Zeitalter der Demokratisierung und des Eindringens der breiten Massen in die Politik zum mehr oder weniger gut funktionierenden Instrument für den Ausgleich verschiedenartiger sozialer Interessen und Ansprüche. Hinzu kam, daß die industrielle Gesellschaft die von Marx zur Grundlage seiner Analyse gemachte Klassenpolarität zwischen Bürgertum einerseits und Arbeiterschaft andererseits durch wachsende Differenzierung in ein pluralistisch angelegtes Modell sozialer Schichtung und sozial-ökonomischer Gruppen-Interessen verwandelte, so daß dem Staat immer ausschließlicher die Aufgabe zufiel, die sozialen Interessen zu integrieren und zu koordinieren.

Das Wachsen der staatlichen Aufgaben und Einwirkungsmöglichkeiten bedeutet eine gleichzeitige Zunahme der staatlichen Macht, das heißt des Machtapparates, der die staatlichen Aufgaben erfüllt und die vom Staat getroffenen Entscheidungen durchsetzt. Im Mittelpunkt dieses Prozesses einer Machtvergrößerung des Staates stand und steht die Regierung. Wachsende Staatsmacht ist, auch im konstitutionellen Staat, in erster Linie wachsende Regierungsmacht.

»Die erstaunliche Ausdehnung des Regierungs- und Verwaltungsapparates während der vergangenen 100 Jahre gehört sicherlich zu den Fakten, welche die Herrschaftsstruktur des modernen ›Industriestaates‹ am nachhaltigsten beeinflußt haben. Die Entwicklung läßt sich mit einigen Zahlen verdeutlichen. 1874 schloß der Etat des deutschen Reiches mit 322 Millionen Mark ab, 1967 überschritt das Budget der Bundesrepublik die 80 Milliarden DM-Grenze. Der Anteil der Staatsausgaben am Sozialprodukt belief sich 1913 noch auf etwa 15%, Ende der fünfziger Jahre war er auf über 40% angestiegen. Dieses Anschwellen der öffentlichen Haushalte offenbart eine Zunahme der Staatsaufgaben, zu deren Erfüllung ein ebenso sprunghaft anwachsender bürokratischer Apparat bereitgestellt werden mußte.

Das Anwachsen der Gesamtverwaltung war von einer entsprechenden personellen Vergrößerung der Führungsorgane, vor allem also der Ministerialbürokratie begleitet. Die heutigen Ministerien sind mit den beschaulichen Amtsstuben des neunzehnten Jahrhunderts nur noch schwer zu vergleichen. Sie sind zu bürokratischen Großorganisationen mit oft mehreren Tausend Beschäftigten geworden, die sich dem äußeren Anschein nach von den Verwaltungszentren von Großkonzernen kaum noch unterscheiden. Entsprechend kompliziert wurde das organisatorische Gefüge der Regierungsbürokratie. Zu Beginn des neunzehnten Jahrhunderts hatte sich in den europäischen Großstaaten ein relativ einheitliches Organisationsmuster für die Ministerialbürokratie entwickelt, deren Kern die fünf sogenannten ›klassischen‹ Ministerien (Äußeres, Krieg, Finanz, Justiz, Inneres) mit relativ überschaubarem Aufgabenbereich und einigermaßen klar abgegrenzten Zuständigkeiten bildeten. Die Zunahme der Staatsaufgaben im sich entfaltenden und sozialstaatlich gewendeten Kapitalismus führte zu einer immer differenzierteren Aufgliederung der Ministerien, wobei sich vor allem immer wieder Teile des ehemals geschlossenen Innenressorts verselbständigt haben: Wirtschaft, Verkehr, Ernährung und Landwirtschaft, Arbeit und Soziales, Kultus und Wissenschaft wären hier zu nennen, daneben eine Vielzahl ad hoc geschaffener Spezialressorts von manchmal nur kurzer Lebensdauer.« (J. Hirsch in Kress, Senghaas [Hrsg.], Politikwissenschaft. Frankfurt 1969.)

In dem Grade freilich, in dem der Staatsapparat durch seine vielfältigen Aufgaben vor allem im Bereich der Wirtschafts-

und Sozialpolitik ein riesenhafter bürokratischer Betrieb wurde, stellte sich die Notwendigkeit ein, deutlicher als bisher zwischen Regierung und Verwaltung zu unterscheiden. Die Exekutive im traditionellen Sinn, die Regierung und Verwaltung umfaßt hatte, erfüllt heute in Wahrheit zwei verschiedene Funktionen, zum einen die der Richtungsbestimmung, Lenkung und Koordinierung des Staatsapparates, zum andern die der Ausführung der daraus entstehenden staatlichen Gesetze und Verordnungen.

In der juristisch geprägten deutschen Staatslehre hat man allerdings erst relativ spät diesen Unterschied der Funktionen erfaßt und den Bereich der Regierung als einen selbständigen, von der bloßen Verwaltung zu sondernden zentralen Sektor staatlichen Handelns entdeckt. In den angelsächsischen Ländern, in denen sich eine Politische Wissenschaft viel früher hatte ausbilden können als auf dem europäischen Kontinent, war der Begriff des *government* nie so eindeutig nur auf die exekutive Tätigkeit bezogen worden; er umfaßte das gesamte politische System eines Landes. Bücher über *British* oder *American Government* sind Darstellungen des gesamten Regierungssystems, das heißt, sie beschreiben und analysieren den allgemeinen politischen Willensbildungsprozeß ebenso wie die Tätigkeit der Regierung, Parlamente und Gerichtshöfe, kurz alles, was von politischer Relevanz ist.

Die inzwischen anerkannte Unterscheidung von Regierung und Verwaltung orientiert sich im wesentlichen am Begriff der *Leitung* des Staatsganzen. Die Regierung hat Leitungsfunktion, die Verwaltung nicht. Empirische Untersuchungen der heutigen Regierungsstruktur haben ergeben, daß am Prozeß der Leitung nicht nur die dem Parlament verantwortlichen Minister einer Regierung beteiligt sind, sondern in einem sehr beachtlichen Grade auch die hohen Ministerialbeamten. Die gerade während des letzten Regierungswechsels vieldiskutierte Auswechselbarkeit der höchsten Beamtenchargen eines Ministeriums geht auf die Erfahrung zurück, daß die Spitzen der Ministerialbürokratie immer wieder Entscheidungen von politischem Gewicht zu fällen haben und daß es darum nicht gut sein kann, wenn ein Minister mit politischen Beamten an der Spitze seines Hauses zusammenarbeiten muß, die seine politischen Grundauffassungen nicht teilen.

Das Bild des Regierungsbeamten als eines den Willen des Gesetzgebers loyal vollziehenden Staatsfunktionärs trifft für die Spitzen der heutigen Ministerialverwaltung überhaupt nicht mehr zu. Vielmehr werden in den Ministerien politische Entscheidungen in aller Regel schon so weit vorbereitet, daß selbst der Minister als der politisch Verantwortliche nur in begrenztem Umfang wirklich der Herr der politischen Entschlüsse seines Hauses ist.

Nun ist der Begriff der Regierung als der leitenden Staatstätigkeit eine wenig präzise Umschreibung des Sachverhalts, daß jeder Staat, auch der demokratisch regierte, eine Führung braucht, von der die Impulse für die Gestaltung, Ordnung und Erneuerung des Staatslebens ausgehen sollen. Die heutigen Regierenden, hinter denen ein großer bürokratischer Machtapparat steht, sind trotz ihres weitverzweigten exekutiven Machtapparates keine pompösen Herrscher im traditionellen Sinne des Wortes. Zum Regieren gehört heute mehr als je zuvor die Kenntnis von Tatsachen, das Studium von Akten, der richtige Umgang mit den Mitarbeitern und die geschickte Zusammenarbeit mit den zahlreichen politischen Gremien, in denen über die durchzuführende Politik entschieden wird. Bei der großen Aufgabenfülle, die der moderne Staat zu bewältigen hat, bei dem immer stärker sich verzweigenden Geflecht seiner Behörden und Anstalten ist darum nichts so notwendig wie die Sicherstellung der Effizienz, der Wirksamkeit des Regierungsprozesses und die richtige Koordination der Regierungstätigkeit.

In den letzten Jahren hat sich darum das Interesse der Wissenschaft und der informierten Öffentlichkeit mit Recht auf die Frage der Effektivität der Regierungsarbeit gerichtet. Unter den vielen Reformen, die in diesem Lande anstehen, ist die Reform der Regierungs- und Verwaltungsstruktur sicherlich nicht die geringste. Die neue Bundesregierung der sozialliberalen Koalition hat es aus diesem Grunde für nötig gehalten, zunächst einmal die Zahl der Ministerien zu vermindern und eine straffere Koordination der gesamten Regierungstätigkeit anzustreben. Zentrum einer solchen Koordination kann nur das Büro des Regierungschefs sein. In allen Ländern der westlichen Welt ist die Funktion der Staatskanzleien, das heißt koordinierender Verwaltungsstäbe, die dem Regierungschef unmittelbar zuarbeiten, wichtiger geworden. Das gilt für das Sekretariat des britischen Premierministers ebenso wie für das Bundeskanzleramt, das für die Bundesregierung als Instanz zur Lenkung und Koordinierung der Regierungspolitik fungiert.

Das Bundeskanzleramt – als alle Ministerien zusammenfassende und im Auftrage des Kanzlers auf die Einhaltung der politischen Richtlinien wachende Behörde – ist sowohl das Sekretariat der gesamten Bundesregierung, also des Kabinetts, wie des Kanzlers als des Leiters der Bundesregierung. Das Grundgesetz hat eine Regierungsorganisation vorgezeichnet, die eine Mischung aus dem auf den Regierungschef zugeordneten Premierministersystem und dem kollegialen Kabinettssystem darstellt. Der Bundeskanzler bestimmt die Richtlinien der Politik, aber die Minister als Chefs der einzelnen Fachministerien leiten ihre Ressorts selbständig, wenn auch innerhalb der Richtlinien. Nur in Meinungsverschiedenheiten zwischen einzelnen Ressorts entscheidet das gesamte Kabinett.

Der Kanzler der Bundesrepublik kann demnach von den Verfassungsgrundsätzen her eine starke Position einnehmen. Wie man im Übergang von Bundeskanzler Adenauer zu seinem Nachfolger Erhard jedoch gesehen hat, ist nicht jeder amtierende Kanzler auch fähig, Chef seiner Regierung im wohlverstandenen Sinne des Wortes zu sein. Eine Regierung ist stark, wie ihr Kanzler stark ist und seine Minister zu einer wirklichen Regierungsmannschaft zu formen vermag. Bundeskanzler Kiesinger, dem oft Führungs- und Entscheidungsschwäche zum Vorwurf gemacht worden waren, scheiterte als starker Kanzler nicht zuletzt an den durch die Große Koalition geschaffenen Bedingungen der Parteirivalität, die eine einheitliche und konsequente Regierungspolitik nur beschränkt gestattete.

Die Machtfülle der modernen Regierung hat auch das Verhältnis zwischen Regierung und Parlament beeinflußt, und zwar zuungunsten der Machtstellung des Parlaments. Die parlamentarische Regierung bedarf zu ihrer Unterstützung einer Mehrheit des Parlaments. Diese Mehrheit muß nicht nur den Bundeskanzler und damit den verantwortlichen Leiter der Politik wählen, sie muß auch durch ihr Gesetzgebungsprogramm die Regierung unterstützen. Die Mehrheitsfraktion ist damit eine Art Hilfstruppe der Regierung im Gesetzgebungsprozeß.

Im heutigen Rechtsstaat werden alle wichtigen politischen Entscheidungen durch Gesetz geregelt. Die Regierung muß also, wenn sie ihr Programm verwirklichen will, die Gesetzgebung als ein Mittel der Politik bewußt einsetzen. Im britischen Regierungssystem, das noch immer als großes Beispiel für die parlamentarische Regierungsweise anerkannt wird, ist die Regierung praktisch Herr über das Parlament. Im deutschen Regierungssystem ist der Einfluß der Regierung auf die Mehrheitsfraktionen nicht in der gleichen Weise gesichert wie in England, aber im Prinzip dient auch bei uns eine Regierungsfraktion dazu, die politischen Absichten der Regierung im Parlament durchzusetzen und die entsprechenden gesetzlichen Vorkehrungen für die Durchführung des Regierungsprogramms zu schaffen. Faktisch bedeutet dies, daß im wesentlichen die Regierung der parlamentarischen Arbeit den Stempel ihres Willens aufdrückt. In der Regel wird sie darin nur durch die Opposition zu hindern gesucht, die aber als Minderheit nicht die Macht hat, die Regierungsparteien zu einem anderen Kurs zu veranlassen.

Damit stellt sich gegenüber der heutigen Gestalt der Regierung eine Reihe von berechtigten Fragen:

1. Wie kann man die Regierung, die dank der neuen Aufgabenstellungen über eine so große Macht verfügt, wirksam kontrollieren?

2. Wie kann man dafür sorgen, daß die Fülle der Regierungstätigkeit nicht zu einer Zersplitterung in der Aufgabenerledigung sowie zu ständigen Kompetenzkonflikten führt, die eine wirksame Arbeit erschweren?

3. Wie kann man die Verantwortlichkeit der Regierung gegenüber dem Parlament und gegenüber der Wählerschaft wirksam verstärken?

Forderungen in dieser Richtung werden laufend erhoben, überzeugende Alternativen sind jedoch kaum in Sicht. Im Rahmen der Politischen Wissenschaft in Deutschland hat sich in den letzten Jahren, vor allem durch die Anstöße der Professoren Ellwein und Hennis, eine *Regierungslehre* entwickelt, deren Aufgabe es ist, den Regierungsprozeß, seine Techniken und sein Instrumentarium empirisch zu untersuchen. Dabei sind auf Grund der negativen Erfahrungen der letzten Jahre insbesondere die Probleme einer sachgerechten wie demokratiegerechten Vorbereitung und Fällung von politischen Entscheidungen in den Mittelpunkt des Interesses getreten.

Jede Regierungslehre muß prüfen, welchem Gesichtspunkt sie je nach Fall den Vorrang geben will: dem der Effizienz, des reibungslosen Funktionierens eines Staatsapparates, oder dem der demokratischen Legitimation, das heißt der angemessenen demokratischen Mitwirkung des Volkes an den politischen Entscheidungen, die seine Lebensverhältnisse und seine Zukunft betreffen. Sicher ist soviel: angesichts des nicht mehr umkehrbaren Trends eines Weiterwachsens der Regierungsmacht im sozialen Leistungsstaat kommt es besonders darauf an, die Kontrollinstrumente zu verstärken und die Verantwortlichkeit der Regierenden gegenüber den Regierten zu steigern. Dazu bedarf es

1. einer intakten demokratischen Willensbildung in den Parteien,

2. einer kritischen, die Entscheidungen der Regierungen wachsam verfolgenden Opposition, die Alternativen zur Diskussion stellt,

3. einer öffentlichen Meinung, die der Regierung nicht nach dem Munde redet, sondern als aufmerksamer und kritischer Beobachter der politischen Vorgänge der Regierungsmacht enge moralische und politische Grenzen steckt, und schließlich

4. eines Staatsbürgers, der in der Lage ist, die Politik einer Regierung angemessen zu beurteilen und je nach seiner Einsicht in den allgemeinen Wahlen das Vertrauen in die bestehende Regierung zu erneuern oder es ihr zu verweigern.

Eine Regierung darf nicht allein daran gemessen werden, wie effizient sie ihren Staatsapparat organisiert und koordiniert, sondern sie sollte wie alle demokratischen Regierungen auch danach beurteilt werden, was sie für die Selbstbestimmung, die eigenverantwortliche Mitwirkung ihrer Staatsbürger zu tun und zu leisten bereit ist.

Mehr denn je, auch dies ist in den letzten Jahren in der Bundesrepublik deutlicher geworden, heißt regieren in der heutigen industriellen Gesellschaft vorausschauend planen. Die Zeit intuitiven Entscheidens, der wechselseitigen Berücksichtigung von Interessengruppen ist vorbei. Dies kann nicht mehr der Regierungsstil eines von Wissenschaft und Technik geprägten Zeitalters sein. Darum muß heute jede Regierung auch daran gemessen werden, in welchem Maße sie neben der Berücksichtigung von demokratischen Legitimitätsgesichtspunkten fähig ist, Entscheidungen wissenschaftlich vorzubereiten, die zu gestaltende Zukunft zu *planen*.

Bei aller Technik, bei allem wissenschaftlichen Sachverstand, der für diese Aufgaben nutzbar gemacht werden muß, dürfen die, denen in demokratischen Verfassungsstaaten das Amt des Regierens übertragen worden ist, eines nie vergessen: Regieren ist nicht Selbstzweck. Die Regierten sind nicht Objekte des Willens der Regierenden. Immer noch wird jede Regierung in letzter Instanz danach beurteilt werden müssen, was sie für den Menschen tut, der ihrer Herrschaft anvertraut ist und der er nicht entrinnen kann. Deshalb ist, wie am Anfang ausgeführt, die Frage »What makes good government?« die Grundfrage unserer sozialen Existenz. Sie stellt sich immer von neuem.

Revolution

Peter Brückner

Seit 1789 ließe sich Revolution definieren als eine von unten kommende Erneuerungsbewegung, als politische »Gewalt«, die sich gegen das Bestehende äußert. Von dem Staatsstreich, dem griechischen Obristenputsch als einer Gewalt von oben, wäre sie damit abgegrenzt. Sie zielt ferner auf den Abbau, nicht, wie der Putsch, auf die Maximierung überflüssiger Herrschaft. Revolution in der neueren Geschichte demokratisiert. Von Definitionen, auch mehr schulmäßigen, läßt sich überhaupt manches lernen: Revolution, so sinngemäß der Brockhaus, sei politisch ein gewaltsamer Umsturz des Bestehenden durch neue Führungsgruppen, mit dem Ziele, eine neue Ordnung zu schaffen. Dem Faktum, dem Bestehenden, wird das fieri, das Schaffen des Neuen, Künftigen entgegengesetzt; dieser Neuanfang unter entschiedenstem Bruch mit dem Bisherigen hat jedoch sein eigentümliches dialektisches Verhältnis zur Herkunft des Gegenwärtigen, zur Geschichte. »Es besteht«, so Walter Benjamin, »eine geheime Verabredung zwischen den gewesenen Geschlechtern und unserem. Wir sind auf der Erde erwartet worden. Uns ist wie jedem Geschlecht, das vor uns war, eine schwache messianische Kraft mitgegeben, an welche die Vergangenheit Anspruch hat.«

Wir dürfen, ohne Angst, Benjamin darin allzufalsch zu konkretisieren, gewiß daran denken, daß wir zugleich »Kinder« und Kindeskinder sind, denen es in der Rechtfertigung des Leidens der Vätergenerationen »dereinst« besser gehen sollte, und die Vorangeschrittenen, die auf dem Rücken gewesener Geschlechter der von diesen erträumten Bewältigung problematischen Lebens näher sein sollten. Jetzt, heute, ist, was früher »dereinst« hieß; in diesem Sinne sind wir »erwartet« worden. Die »geheime Verabredung«, von der Benjamin spricht, verknüpfte revolutionäres Denken seit jeher mit den nicht eingelösten Hoffnungen von früher: Im Tigersprung in die Vergangenheit stellt es eine historische Kontinuität her, die von der Revolution zugleich in messianischer Kraft und im Bruch mit dem Bisherigen radikal gesprengt wird. Das Bewußtsein, »das Kontinuum der Geschichte aufzusprengen«, ist jedenfalls, um noch einmal Walter Benjamin zu zitieren, »den revolutionären Klassen im Augenblick ihrer Aktion eigentümlich«. Merkwürdig, daß sie, wie wir hinzufügen müssen, ineins damit, ja gerade damit einen »Anspruch der Vergangenheit« einlösen. Im verborgenen revolutionären Hintergedanken vorangeschrittener Philosophie wurde immer impliziert, dieser Anspruch sei einer auf Emanzipation, ja auf Erlösung: nicht zwar als eine, die sich jenseits der menschlichen Geschichte vollzieht, als Erlösung ins »Jenseits«, sondern als eine durchaus praktische und irdische Einsetzung der bis dahin gefesselten Menschen in ihr Recht: als Herren erst der Natur, dann als »Herren ihres Geschicks« (Fr. Engels), schließlich: in den Zustand der Verwirklichung von größtmöglicher Freiheit und größtmöglichem Glück – für alle. Keiner soll mehr ausgenommen sein. Am Ende der proletarischen Revolution wird ein Zustand beginnen, in dem endlich nicht mehr die Rede davon sein darf, daß sich Merkmale und Glücksumstände der menschlichen Gattung, wie etwa Produktivität, Intelligenz, Glück, nur in den Individuen einer Klasse, einer privilegierten Schicht historisch realisieren. Sehr stark heißt es vor fast zweitausend Jahren in Johannes 10, 34: »Im Gesetz steht: Ich (nämlich der Herr, Ref.) habe gesagt, Götter seid ihr!«

Der Weg dahin ist weit. Das Verhältnis von Faktum und fieri, auch das von Tradition zu dem ganz Neuen wird sich auf diesem Wege spezifisch ändern. Vordem gälte es, den Anspruch der gewesenen Geschlechter zu erfüllen durch das Umwerfen aller Verhältnisse, »in denen der Mensch ein erniedrigtes, ein geknechtetes, ein verlassenes, ein verächtliches Wesen ist« (Karl Marx). Der Gedanke der Revolution hat wirklich sein eigenes dialektisches Verhältnis zur Geschichte: Sie, die Revolution, das ganz Neue, ist auf Erden schon lange erwartet worden, aber sie erfüllt Erwartungen wie ihren geschichtlichen Verlauf, der schon Gutes gebracht, wenigstens angezeigt hat, im qualitativen Bruch mit eben diesem geschichtlichen Verlauf. Die Französische Revolution führte einen neuen Kalender ein, doch die citoyens gaben ihren Kindern – römische Namen; als wäre das ganz Neue, von dem ab die veränderte Zeit und Zeitrechnung beginnen soll, die wahre Erfüllung einer geschichtlich längst ausformulierten, hier: republikanischen Hoffnung, die sehr alt ist.

Warum Hoffnung auf »Erlösung«, warum Freiheit, Glück erst spät, zögernd, bis heute längst nicht für alle wirklich geworden sind und was die Erwartung der »gewesenen Geschlechter« enttäuscht, sie zum Ortlosen in den Systemen dieser Erde: zur Utopie also, gemacht hat, ist nun genau zu erfragen. Das führt nüchtern und politisch auf die in den verschiedenen menschheitsgeschichtlichen Epochen vorherrschenden Produktions- und Austauschweisen und auf die – wie es im ›Kommunistischen Manifest‹ heißt – aus den Produktions- und Austauschverhältnissen mit Notwendigkeit folgende gesellschaftliche Gliederung; das führt auf die geschichtlich sich verändernde Gestalt, in der Menschen ihren Stoffwechsel mit der Natur regeln, ihre Nahrungsmittel erzeugen und Erzeugtes untereinander austauschen. Auch die intellektuelle, institutionelle Geschichte der Menschen entwickelt sich auf dieser ökonomischen Basis – sie ihrerseits gewiß vielfältig beeinflussend. Noch die Rechtsverhältnisse, in der archaischen griechischen Literatur durch die Göttin Athene eingeführt, ein wahrer deus oder eine dea ex machina, sind nur in Rechtsform übersetzte Machtverhältnisse und ökonomisch fundiert. Alles Ideelle, faßt Karl Marx zusammen, ist das in den Menschenköpfen umgesetzte Materielle. Aus dieser Geschichte, aus solchen Verwicklungen kann kein Menschengeschlecht einfach heraus, und sei es noch so vorangeschritten. »Die Menschen«, bemerkt Friedrich Engels daher einschränkend nach der Seite des Revolutionärs, »machen ihre Geschichte selbst, aber in einem gegebenen, sie bedingenden Milieu, auf Grundlage vorgefundener, tatsächlicher Verhältnisse, unter denen die ökonomischen, so sehr sie auch von den übrigen politischen und ideologischen (Verhältnissen) beeinflußt werden mögen, doch in letzter Instanz die entscheidenden sind...« Doch würde Engels dem Vorschlag zustimmen, auch die nicht eingelösten Hoffnungen gewesener Geschlechter den »vorgefundenen Verhältnissen« bedingungsweise zuzurechnen.

Die weitergehende Frage, warum dieses Vorgefundene in seiner Faktizität (also unter Ausschluß von Hoffnungen) die Menschen so sehr bindet, daß ihr Ausgang aus der historischen Unmündigkeit recht langsam geht und immer noch oder wieder »Verabredungen« mit gewesenen Geschlechtern als Benjaminscher »Anspruch der Vergangenheit« an uns bleiben, führt auf mehr als etwa nur auf Gewohnheiten, soziales Lernen oder gar auf sogenannte Sachzwänge der in der Neuzeit rasch technisierten und komplizierten gesellschaftlichen Welt. Die weitergehende Frage nach dem Warum führt beispielsweise gerade in der Neuzeit auf den Entwicklungs- und Lustknebel der gegebenen Eigentums- und Herrschaftsverhältnisse. Die Französische Revolution, ganz zweifellos einer der folgenreichsten qualitativen Brüche mit dem Bestehenden in der neueren Geschichte, hat den Menschen noch nicht vom Eigentum befreit, durch das er im Falle bedeutenden Eigentums die Vermögungslosen kontrolliert, durch das er im anderen Falle privaten Kleineigentums von Herrschaft kontrolliert wird, er erhielt vielmehr, so Karl Marx, die Freiheit des Eigentums; er wurde noch nicht vom Egoismus des Gewerbes befreit, er erhielt vielmehr die Gewerbefreiheit. Ein Frankreich der Besitzenden trat an die Stelle des aristokratischen Frankreich. Unter der erlösenden Formel von »Freiheit, Gleichheit, Brüderlichkeit« schuf sich der dritte Stand, die Bourgeoisie, mit Hilfe des dann schmählich enttäuschten gemeinen Volks jene politischen Bedingungen, die sie für die Lösung ihrer eigentlichen Aufgabe benötigte: die Herstellung des Weltmarktes, »wenigstens in seinen Umrissen«. Seither wurde der Kapitalismus in seinen verschiedenen Entwicklungsstadien zum Knebel menschlicher Erlösung: sehr handfeste Interessen und eindeutige Machtverhältnisse binden Menschen an das Bestehende durchaus aktiv.

Unsere weiterführende Frage: warum das je Vorgefundene in seiner Faktizität und zugleich in seiner offenen oder versteckten Brutalität die Menschen so sehr bindet, daß es mit ihrem Ausgang aus historischem Elend und Unmündigkeit recht langsam und mit empfindlichen Rückschlägen zugeht, führt mithin auf Interessenkonflikte, Macht, Unterdrückung, Haß, Gewalt und Gegengewalt. »Erlösung« ist nichts Idyllisches. Die ganze bisherige Geschichte der Menschheit, so die Autoren des ›Kommunistischen Manifests‹, ist eine Geschichte von Kämpfen, von Klassenkämpfen gewesen: zwischen Ausbeutenden und Ausgebeuteten, zwischen Herrschenden und Unterdrückten. Da bleibt keine Wahl, denn: um die Früchte der Zivilisation, aller früheren Geschlechter Arbeit nicht zu verlieren, »sind die Menschen gezwungen, von dem Augenblicke an, wo die Art und Weise ihres Verkehrs den erworbenen Produktivkräften nicht mehr entspricht, alle ihre überkommenen Gesellschaftsformen zu verändern«, so Karl Marx. Veränderung der »überkommenen Gesellschaftsform« meint aber eben Klassenkampf: In der bisherigen Geschichte erreichten die jeweils Unterdrückten das Maximum ihrer Emanzipation genau in jenem meist blutigen Punkt, in dem die früheren Unterdrücker ihr Minimum an Emanzipation fanden. Es sind allerdings nicht Revolutionen gewesen, die am meisten Blut vergossen haben, sondern Kriege und Gegenrevolution.

Obgleich Revolution als der konkrete Prozeß partieller »Erlösung« – und zwar für immer mehr Menschen – also keine Idylle war noch ist, hat selbst der sich als Wissenschaft artikulierende Sozialismus als klassische revolutionäre Theorie konkret die Sorge um den Menschen in seinem Mittelpunkt, hat die reale Aufhebung seiner Selbstentfremdung, so Ernst Bloch, »im Ziel«. In Nüchternheit, Härte und Theorie bleibt dem Marxismus diese eschatologische, auf Erlösung des Menschen gerichtete Perspektive: »Erst hier«, so Marx, und er meint damit die einstige kommunistische Gesellschaft, »erst hier ist ihm (dem Menschen) sein natürliches Dasein sein menschliches Dasein und die Natur für ihn zum Menschen geworden.« Dann wird Gesellschaft die »vollendete Wesenseinheit des Menschen mit seiner Natur« sein, fährt Marx fort, die »wahre Ressurektion der Natur«. Der Gedanke der Revolution hat mithin in der Tat sein eigentümliches dialektisches Verhältnis zur Zeit, zur Geschichte, zum »Dereinst...« und »Früher« (und damit übrigens zur Gegenwart, deren Vor- und Entwicklungsgeschichte der Revolutionär begreift, indem er sie und insoweit er sie in tätiger politischer Reflexion zu verändern trachtet).

Ich ging bei meinen Überlegungen zu »Revolution« davon aus, daß sie auf Erden schon lange erwartet werde, obgleich sie das ganz Neue will; daß sie alte Erwartungen, Erwartungen der »gewesenen Geschlechter« Walter Benjamins auf ein Mehr an Freiheit und Glück gerade im qualitativen Bruch erfüllen wird, also im radikalen Umwerfen der bis zu ihr hin reichenden historischen Zeit. Bei näherem Hinsehen war etwas Dreifältiges spürbar: Alte Hoffnungen, Menschheitsziele, rücken infolge ökonomisch-technischer Fortschritte in den Bereich des menschlich Realisierbaren, aber solange die Geschichte noch zu Recht als eine von Klassenkämpfen gilt, teilt sich die Gesellschaft gerade dann in Privilegierte, die in den Genuß bestimmter neuer Lebenschancen kommen, und in Unterdrückte, Ausgebeutete, Unterprivilegierte, die bestenfalls ihren Anspruch darauf anmelden, daran teilzuhaben, die nicht selten aber durch eine qualitativ gegenteilige Phase der Verelendung und Knechtschaft gehen müssen. Geschichtliche Entwicklungen, von avantgardistischen Köpfen und Klassen kräftig unterstützt, ja eigentlich von ihnen aus dem Reich des nur »Möglichen« in die Wirklichkeit herausgeführt, kennen den Verrat am historischen Auftrag; sie verraten den Fortschritt, der einer für alle werden muß, gerade darin, daß sie ihn für sich – und damit freilich zum ersten Male in der Geschichte – praktisch erfüllen. Rousseau erkannte in den geschichtlichen Revolutionen genau die Mittel des zivilisatorischen Fortschritts, aber er sah auch die Seite ihres Verrats an Zielen der Menschheit – das Wort »Verrat« wäre freilich in Anführungsstrichen zu denken. Die Erfindung des Hausbaus, der Werkzeuge, die Kunst der Metallverarbeitung und des Ackerbaus, schließlich die Arbeitsteilung haben den Menschen weit vorangebracht, zugleich haben sie, so Rousseau, den Menschen auch verdorben: sie brachten zwangsläufig Ungleichheit des Besitzes, der Macht und damit Gewalttat und Unrecht in die Welt. Rousseau sah eine »große Revolution« noch ausstehen: die nämlich, die sich gegen die auf Ungleichheit gegründeten Regierungen richten wird. Die Französische Revolution, die wie vorgesehen kam, brachte nun viel: die Ablösung der persönlichen Herrschaft des Monarchen durch die Herrschaft der Gesetze; hinfort sollte ein freier Mann keinem Menschen mehr untertan sein dürfen, sondern nur den Gesetzen, und zwar solchen, denen er seine Zustimmung gegeben habe; sie brachte den Grundsatz der Gleichheit aller Bürger vor ihnen, die Sicherheit der Person und ihr Recht auf Widerstand gegen Bedrückung; brachte Presse-, Meinungs- und Religionsfreiheit, aber die Ungleichheit des Besitzes beseitigte sie nicht. Im Gegenteil: sie brachte die Herrschaft der Reichen über die Majorität der Armen. Es wurde eine vielfältige Abstufung der politischen Rechte der Bürger nach Steuerklassen eingeführt, obgleich nach den Erklärungen der »Menschenrechte« der einzelne frei und gleich an Rechten geboren werde und so bleibe – damit nur ja der Reichtum sich in seine entscheidende Rolle für den aufkommenden Kapitalismus unbehindert einsetzen könne. Für den vierten Stand gab es Koalitions- und Streikverbote, aber kein Brot; eine der Töchter des egalitär-kommunistischen Baboeuf starb im Paris des Jahres 1794 an Hunger. Das Proletariat ging dem Elend des Frühkapitalismus, die Bourgeoisie in ihrer oberen Schicht der chancenreichen Herrschaft der Bankiers und Unternehmer entgegen.

»Da haben wir die Klippe der Philosophie«, schrieb Jullien 1792 über die Ansichten der Revolution, »wohl hat sie die Gleichheit der Rechte aufgestellt, aber sie will die Ungleichheit der Vermögen aufrechterhalten, die den Armen auf Gnade und Ungnade den Reichen ausliefert.«

Die im siegreichen Kriege gewonnenen geographischen Regionen, ursprünglich nach dem Geiste und feierlichen Erklärungen der Revolutionsregierung als Länder für den Export von Befreiung gedacht, galten der Wirtschaftspolitik der neuen Klasse faktisch als vereinnahmte Gebiete, aus denen sie Reichtümer aller Art zu ziehen gedachte – als Kontribution wie als Reparation. Kolonial gelang das den imperialistischen Staaten im ausgehenden neunzehnten Jahrhundert und danach fast im Weltmaßstab. Es sind mithin nunmehr die Proletarier einerseits, die Populationen der Dritten Welt andererseits, an denen es ist, das Bestehende weithin, wenn auch mit sozialistischen Ausnahmen und Einschränkungen, radikal umzuwerfen; bei ihnen wäre nach Benjamins »messianischer Kraft« zu fragen, sie sind es wohl, die »auf der Erde erwartet« worden sind.

Konjunktiv, Frageform und Einschränkung des letzten Satzes sind nicht von ungefähr. Ich will mich, den Konjunktiv betreffend, auf das Proletariat beschränken: Wird es, mit neuen Bedürfnissen, veränderte Institutionen schaffen? Während sich seine Ausbeutung auf höherem materiellen Niveau fortsetzt, sein Anteil am Volksvermögen seit längerem absinkt, hat die Bourgeoisie im Staat einen Helfer gefunden, der den sozialen Frieden durch Bündel politischer Maßnahmen zu stabilisieren trachtet. Krisen, Symptome der nach wie vor antagonistisch strukturierten ökonomischen Basis, werden dadurch streckenweise eingegrenzt, in ihren Folgen vermindert, zumindest verschleiert; so leicht denkt niemand daran, ihre Ursachen durch revolutionäre Veränderung der Gesellschaft rational zu beheben. Aber der Widerspruch des Zeitalters: zwischen gesellschaftlicher Produktion und individueller Aneignung des Produkts bleibt. Aus der Entwicklung der Produktivkräfte, der Naturwissenschaften zumal, ergeben sich neue umfassende, fast globale Bedrohungen für den Stoffwechsel der Natur selbst, die nur in neuen Formen gesamtgesellschaftlich-übernationaler Organisation zu meistern sein werden.

Die bürgerliche Gesellschaft hat außerdem den Arzt, den Juristen, den Poeten, den Mann der Wissenschaft, den kleinen Unternehmer längst in bezahlte Lohnarbeiter verwandelt. Auch die technische Intelligenz ist objektiv Teil der Arbeiterklasse geworden. Während im Zeitalter der Massenkommunikation mit ihrem dichten Netz umlaufender sozial-integrativer Nachrichten, des staatlichen Krisen-Managements und der Anhebung des privaten Niveaus an Klein-Eigentum dem produzierenden Arbeiter seine wirkliche Lage oft verstellt blieb, er seine Befreiung gegenwärtig nicht konkret organisieren kann, sind die dienstleistenden und kommerziellen Arbeiter, als proletarisierter Mittelstand, noch kein Teil der Arbeiterklasse für sich, das heißt ihrem eigenen Bewußtsein nach. Sie komplizieren deren soziale und psychische Lage eher, als daß sie Bundesgenossen wären.

Vorübergehend hatte es, in der Rekonstruktionsperiode des Spätkapitalismus nach dem letzten Kriege, den Anschein, als wäre die Dialektik historischer Entwicklung damit stillgestellt. Bis hierher sind sie gekommen, Welt und Gesellschaft verändernd, und in der neueren Geschichte für viele und in vielem zum Unguten hin – weiter soll's nicht mehr gehen. Demokratie war nur durch die Verinnerlichung der guillotinierten Monarchen möglich geworden; dort waren sie dem Zugriff der politischen Revolution entrückt. Die Existenz jedoch der Neuen Linken, Ereignisse in der Bundesrepublik, Frankreich, Italien, den USA, Spannungen zwischen »rechtem« und »linkem« Flügel in Gewerkschaft und Sozialdemokratie lassen ahnen, daß sich die Pfade zu einer Gesellschaft, die zum Herrn ihrer eigenen Geschichte, zur Emanzipationsgesellschaft für alle werden soll, nicht in Utopia verlieren. Das braucht Weile. Revolutionen, so Friedrich Engels, sind eben kein über Nacht abzumachendes Ding. Bestenfalls: ein vieljähriger Entwicklungsprozeß der Massen unter beschleunigten Bedingungen. Ein Stillstand der geschichtlichen Dialektik als solcher schien bereichsweise auch in sozialistischen Staaten zu drohen. »Stalinismus und Bürokratie machen zwar die Abschaffung der Klassen nicht wieder rückgängig, verhindern aber gerade jenen Prozeß, ohne den die Umwälzung der Basis nicht zur befreiten Gesellschaft führt: der Revolutionierung des Bewußtseins« (Nirumand, Siepmann). Das wäre nun, oder richtiger: noch einmal, zu leisten. In der UdSSR hatte die beschleunigte und unabdingbare Industrialisierung unter Stalin, die begründete Ausschaltung unproduktiver Führungskräfte in der Wirtschaft, selbst nach der geprüften Ansicht ihres Kritikers Herbert Marcuse volles Recht: und damit auch die Einschärfung von Arbeitsdisziplin, selbst die

Aufhebung staatsbürgerlicher Freiheiten, soweit sie dazu benutzt worden sind, die Ziele der von Intervention und Gegenrevolution bedrohten sozialistischen Republik zu sabotieren. Durch Opfer in der Befriedigung von Bedürfnissen und unter jahrzehntelangem unerbittlichen Arbeitsdruck hat das russische Volk mit sehenswerter Bilanz, auch unter humanem Aspekt, in Kürze rekapituliert, was im viel längeren Frühkapitalismus des westlichen Europa und der USA qualvoll, mit weniger Hoffnung auf Endziele menschlicher Entwicklung, vom Proletariat durchlitten worden ist. Anderes hat weit weniger ökonomische Notwendigkeit, geschweige denn historische Legitimation für sich und bedarf der bereits erwähnten Revolutionierung des Bewußtseins oder der Kulturrevolution. Das fortschreitende »Ändern der ökonomischen Umstände« führt nicht mechanisch schon massenhaft die Selbstveränderung der Menschen, den »Verein freier Menschen« herbei.

Gegen den Anspruch, Bewußtsein radikal umzuwerfen, wird harter Widerstand aufgeboten. Christliche Kulturen ahnen – obgleich ihrem Ursprung längst geschichtlich entfremdet –, welche modernen Tendenzen und Phänomene vielleicht Vermittlungsstufen des »ganz Neuen«, des künftigen qualitativen Bruchs mit der Zeit sein könnten. Noch bewahren ihre Texte auf, daß Jesus zu Simon Petrus und Andreas sprach: »Kommt mir nach, und ich will euch zu Menschenfischern machen« – sofort verließen sie ihre Netze. Nicht nur planende Vorsorge, institutionell geordnetes Handwerk, auch die herrschenden Typen zwischenmenschlicher Gesittung werden bis hin zu ihren heiligsten Geboten der Pietät »auf der Suche nach dem Reich und der Gerechtigkeit« umgeworfen. Dem Jüngling wird keine Zeit eingeräumt, erst seinen gestorbenen Vater zu bestatten: »Laßt die Toten ihre Toten begraben!« Familienbande, als die Träger sozialer Gesittung und Überlieferung, werden aufgelöst: »Es wird aber ein Bruder den anderen zum Tode überliefern und der Vater den Sohn, und Kinder werden gegen ihre Eltern auftreten . . .« »Ich bin gekommen, nicht Frieden zu bringen, sondern das Schwert. Denn ich bin gekommen, den Menschen zu entzweien mit seinem Vater und die Tochter mit der Mutter . . .« Er bringt das ganze Volk in Aufruhr mit seiner Lehre, sagen seine Gegner vor Pilatus (Lukas 23, 5). Umkehr, Umwerfen, Ändern von Bewußtsein ist in der Tat aufrührerisch: kein nur innerseelischer Prozeß, der aufs Denken beschränkt wäre. Immer zersetzt er, was mehrheitlich als ethisch geboten, als Sittlichkeit, ja als human gilt, was aber als institutionalisiertes, interesse- und herrschaftsgesättigtes Wertsystem und »Moral« gerade das zersetzt, was es zu erhalten vorgibt: Menschlichkeit. Das Positive, Neue wird destruktiv vermittelt; nichts wird verschont, kein Reservat geduldet. Neben dem harten »Weib, was habe ich mit dir zu schaffen?«, zur Mutter gesprochen, steht die Aufhebung systemtragender sozialer Rituale im Gleichnis, fälschlich das vom »verlorenen Sohn« genannt. So wird sich das Neue, Menschlichere zeigen mit dem Gesicht einer blutigen, alten Vettel (B. Brecht), wird, was den künftigen Frieden verbürgen soll, zunächst als kommunikative Gewalt erscheinen. Der Jesus in Lukas 12, 49 – »Ich bin gekommen, Feuer auf die Erde zu werfen, und wie wünschte ich, daß es schon entfacht wäre!« – bedient sich der Provokation als zentraler revolutionärer Methode, so lehrend, was »kommunikative Gewalt« sein kann. Der Bruch mit dem Bestehenden, in den Evangelien verdichtet auf die historischen Verkehrs-, Bewußtseinsformen, sollte gewalttätig freilegen, was Kern von Überlieferung, endzeitliche Erwartung des Volkes war: den Sprung aus der Geschichte als Wiederherstellung des alten adamitischen Zustands, als Vorbereitung des paradiesischen Zustands »vor der Erbsünde«; indessen geht es selbst in den Evangelien schon um die Herrschaft der Menschen über ihr eigenes Geschick – heute, für uns, als objektive Tendenz der Geschichte erkennbar. Wenn der neutestamentliche Jesus Regeln des heiligen Sabbats bricht: Ähren abpflückt, weil die Menschen hungern, die mit ihm sind, wenn er trotz der streng gebotenen Arbeitsruhe Kranke heilt, dann um des Sinnes willen, den die Heiligung des Sabbats menschlich hat. Der Sabbat ist für den Menschen da und nicht der Mensch für den Sabbat (Markus 2, 27): damit das Volk dies sich (wieder) aneignen kann, muß die Sabbatregel zunächst provokativ gebrochen werden. Allgemein: in der Revolution des Bewußtseins, in der »Kulturrevolution« europäischer Konzeption sollen Menschen nicht mehr länger abhängig bleiben von dem, was sie geschichtlich und kollektiv produzierten. Denn daß der Mensch vom eigenen Produkt versklavt wird, wahr bis in die Gegenwart auch sozialistischer Gesellschaften hinein, finde sein Ende: Der Menschensohn ist Herr über den Sabbat (Lukas 6, 5).

Revolution, welche die Zeitschale aufsprengt, keine bloße Bewegung des »kreisförmigen Umlaufs« mehr wie in der Spätantike; Revolution, die zugleich eine des Bewußtseins und damit des sozialen Verhaltens wäre, ist mehr als »Sturz einer rechtmäßig etablierten Regierung und Verfassung durch eine soziale Klasse . . ., deren Ziel es ist, die gesellschaftliche wie die politische Struktur zu verändern«. Dieses »Mehr«: der qualitative Bruch auf dem Wege zum »Verein freier Menschen« wird als Anarchie denunziert, als »schwarze Fahne« selbst aus dem endlich errungenen Geltungsbereich roter Fahnen ausgestoßen. Die ›Prawda‹ hat Studierende des SDS ähnlich verteufelt wie die ›Welt‹ Axel Springers sie verteufelt hat. Nach Friedrich Engels ist gegenwärtig allerdings eine historische Stufe erreicht, »wo die ausgebeutete und unterdrückte Klasse ihre Befreiung vom Joch der herrschenden Klasse nicht erreichen kann, ohne nicht zugleich die Gesellschaft ein für allemal von aller Ausbeutung und Unterdrückung, von allen Klassen und Klassenunterschieden zu befreien«. Da sich aber Verkehrsformen in hochentwickelten spätkapitalistischen Gesellschaften von der Produktionsbasis losreißen, da psychische und soziale Strukturen, Affektgewohnheiten, Handlungszwänge relativ autonom geworden sind und seither drohen, die »Veränderung der Umstände« zu überdauern, muß eben jenes radikale Umwerfen menschlichen Bewußtseins und sozialer Gesittung in »Revolution« eingebracht werden, muß »Kommunikationsstrategie« gleichberechtigt neben »Vergesellschaftungsstrategien« treten. Die frühe, christliche Ausdrucksgestalt für das »Umwerfen menschlichen Bewußtseins« hatte freilich noch erschrocken das über sich selbst verzweifelte Kehret um!, »metanoeite«, im Ohr, die »Unfähigkeit zu trauern« war noch nicht zum typischen Zeitstil geworden.

Die Ungleichzeitigkeit in der historischen Entwicklung, zugespitzt greifbar im Verhältnis aller Industrienationen zu den Ländern der Dritten Welt, das unerträgliche »Zugleich« von Überfluß an Gütern und an Hunger, wird – erst einmal aus der dialektisch-historischen Verknüpfung mit den Industrienationen und deren mehrheitlicher Verkehrsform entlassen – zum permanenten Einwand gegen jene luxurierende Veränderung menschlichen Bewußtseins. Zumindest rationalisieren solche Ungleichzeitigkeiten die Überempfindlichkeit mancher sozialistischer Mächte vor dessen Anspruch auf Abbau von Herrschaft. In den Nationen des Westens droht zur Zeit neben der Gefahr nackter Unterdrückung und forensischer Liquidierung sogenannter anarchistischer Provokationen die nicht viel geringere Gefahr der subkulturellen Erstarrung kulturrevolutionärer Bewegungen. Der Weg der »Gegengesellschaft« ins Getto nimmt die gefürchtete Zerschlagung neuer revolutionärer Impulse durch die Staatsgewalt gleichsam in eigene Regie. Daß die ›Freiheit das Volk führe‹, Titel eines berühmten Bildes von Delacroix, bleibt gegenwärtig ein Traum – ein Traum, keine Illusion. »›Die Freiheit führt das Volk‹«, so Ernst Bloch, »bezeichnet schlechthin den Weg nach vorwärts. Es bezeichnet die Freiheit, welche im gleichen progressiven Akt vom Überalterten losreißt, zu neuen Ufern hinreißt, vor sich den Tag, hinter sich die Nacht . . .« Und: »So verschieden die bisherigen Revolutionen an sozialem Auftrag waren, so sehr gerade die proletarisch-sozialistische . . . von jenen früheren sich abhebt, so geht doch durch alle Revolutionen jene einheitliche, typische, zusammenhaltende Tendenz, welche selbst noch ihre Rückerinnerung auf die Tendenz des Sprungs zum Reich der Freiheit bezieht.«

Sozialismus

Ernst Fischer

Was ist Sozialismus? Vision einer künftigen Menschenwelt ohne Herren und Knechte, ohne Habsucht und Herrschsucht, eine Gesellschaft freier Menschen auf der Basis des Gemeineigentums? Oder ein konkretes Programm sozialer Reformen zugunsten der Lohnabhängigen? Oder eine irgendwo schon vorhandene gesellschaftliche Wirklichkeit?

Um Begriffsverwischungen und -vermischungen vorzubeugen, ist es nötig, zwischen der Idee des Sozialismus, zwischen gesellschaftlichen Strukturen und zwischen aktuellen Forderungen sozialistischer oder kommunistischer Parteien zu unterscheiden. In der Vielheit der Auffassungen, was nun eigentlich Sozialismus sei, gibt es in einigen elementaren Grundsätzen Übereinstimmung. Die simplifizierende Formel könnte lauten: Sozialismus ist Gemeineigentum an allen wichtigen Produktionsmitteln plus Wirtschaftsplanung, um mit dem geringsten Kraftaufwand die größtmögliche Befriedigung der zunehmenden materiellen und geistigen Bedürfnisse aller Mitglieder der Gesellschaft zu garantieren, Demokratie in allen Bereichen der Wirtschaft, der Verwaltung, der Gesetzgebung, gleiche Chancen der Bildung und des Aufstiegs für alle.

Diese Bestimmungen des Sozialismus werden theoretisch von den meisten, die eine sozialistische Umgestaltung der Gesellschaft anstreben oder zumindest befürworten, anerkannt. Wenn man aber aus solchen gemeinsamen Ideen und Erkenntnissen ins Reich der gesellschaftlichen Wirklichkeit tritt, beginnt die Vielheit der Auffassungen. Aus dieser Divergenz haben sich im wesentlichen zwei Auffassungen herausgebildet.

Für die meisten kommunistischen Ideologen gilt als Sozialismus schon eine Gesellschaft, in der die Produktionsmittel vergesellschaftet sind (wobei Verstaatlichung überwiegt), in der es keine kapitalistische Profitwirtschaft gibt, in der eine den Staat beherrschende Partei, eine zentralisierte Bürokratie die Macht im Namen der Arbeiterklasse und des werktätigen Volkes ausübt.

Auf der anderen Seite wächst die Zahl der Marxisten, aber auch der von Marx nur zum Teil beeinflußten Sozialisten, die nicht bereit sind, sich mit einer so dürren Auffassung abzufinden. Für sie ist die Abschaffung der kapitalistischen Profitwirtschaft, die Vergesellschaftung der Produktionsmittel nur die Voraussetzung des Sozialismus, nicht er selbst. Für diese anderen, die nicht überzeugt sind, daß die ökonomische Umwälzung automatisch eine geistige und moralische zur Folge haben muß, ist Sozialismus ohne freie Entfaltung der menschlichen Persönlichkeit, ohne das Recht der arbeitenden Menschen, über alle gesellschaftlich relevanten Fragen selbst zu entscheiden, ohne Meinungsfreiheit, Pressefreiheit, Wettbewerb der Ideen, ohne die Möglichkeit, von unten her die Regierenden nicht nur zu kontrollieren, sondern auch zu stürzen, nur ein Zerrbild, eine Deformation des Sozialismus.

Das Prinzip des Kapitalismus hat Karl Marx mit den Worten formuliert: »Produktion um der Produktion willen«, also maximale Steigerung des Bruttosozialprodukts und damit des Profits und der Macht. Der amerikanische Futurologe Hermann Kahn, der konsequent den Standpunkt des Kapitals vertritt, hat in unseren Tagen dieses Prinzip betont und festgestellt, »daß das Bruttosozialprodukt ein verläßlicher Indikator für potentielle Macht, Einfluß und Leistungsfähigkeit ist«. Potentielle Macht, Einfluß, Leistungsfähigkeit gelten dem kapitalistischen Denken als das Entscheidende. Wenn der Sozialismus dieses Prinzip übernimmt, wenn er *quantitativ* den Kapitalismus an potentieller Macht, Einfluß, Leistungsfähigkeit einzuholen und zu überflügeln trachtet und nicht durch eine neue *Qualität* der Lebensweise, der Beziehungen zwischen den Menschen, der Freiheit, Freundlichkeit, schöpferischen Selbstentfaltung jedes einzelnen in der Gemeinschaft, wenn er auf diesen qualitativen Wettbewerb verzichtet, wird er aus einem Gegenspieler zum Partner des Kapitalismus.

Denn Sozialismus ist eben mehr als eine ökonomische Kategorie, mehr als Planwirtschaft im Gegensatz zur Marktwirtschaft, zur kapitalistischen Profitwirtschaft, mehr als Vergesellschaftung der Produktionsmittel, arbeitsrechtliche Regelungen und soziale Maßnahmen. Das Wort »Sozialismus« ist im Aufstieg des Kapitals mit der Entstehung des Proletariats entstanden; doch die Wurzeln des Begriffs reichen tief in die Vergangenheit, und eben daraus stammt seine Fülle, seine immer wiederkehrende Anziehungskraft. Es ist der Widerspruch gegen das Privateigentum, gegen die institutionelle Ungleichheit in der Klassengesellschaft, der Wunsch der Enteigneten, Erniedrigten und Geknechteten nach Wiederherstellung des Gemeineigentums und der Gleichheit aller, des sagenhaften Urzustands, der durch Jahrtausende weiterwirkt. Das Verlorene Paradies, das Goldene Zeitalter, die rückwärtsgewandte Utopie wird zum aufrüttelnden Zukunftstraum – die Verse des Ovid: »Ein goldnes Geschlecht, das Knechtschaft nicht kannte, freien Entscheids, ohne Zwang und Gesetz, gerecht war und redlich ... Heiter und mild war das Dasein und dienstbar dem Frieden der Völker ...«; die Worte des Horaz: »»Gegrüßt sei die Rauheit getischen Volkes, das frei dem gemeinsamen Acker die Frucht und das Korn nimmt und aufteilt«; die Prophezeiungen des Jesajas, des Amos, der Tag werde kommen, da »die Völker schmieden ihre Schwerter zu Pflugscharen und ihre Spieße zu Sicheln«. Wir danken vor allem Ernst Bloch das Verständnis für die Bedeutung der sozialistischen Utopie.

Im Wandel der sozialistischen Utopien von den jüdischen des Jesajas, Amos und des Jesus, den antiken des Platon und des Jamblichos, über Joachim di Fiore, Thomas Morus, Campanella bis zu Owen, Fourier und Saint Simon, der alles Heil von der Industrie erwartet, ist die Entwicklung der gesellschaftlichen Produktivkräfte erkennbar; das jeweils Denkbare wird vorweggenommen. Im Zeitalter der noch unentwikkelten Technik und Arbeitsmethoden sind die enteigneten und geknechteten Bauern im Bunde mit Bergarbeitern und anderem armem, gedrücktem Volk die Träger der sozialistischen Idee. Restitution ist die Forderung, Wiederherstellung eines durch Phantasie verklärten Zustands des Gemeineigentums, der Freiheit und der Gleichheit. Es gibt jedoch verschiedene Typen der erträumten sozialistischen Gesellschaft: den primitiven Traum vom Schlaraffenland, wo man nichts zu tun hat als sich sattzuessen, den autoritären Staat des Platon und des Campanella, das Reich der Freiheit des Joachim di Fiore, des Thomas Morus, des Owen und Fourier. Je entwickelter die Gesellschaft ist, desto geringer wird der Anteil traumhafter Vergangenheit, desto größer der Anteil der aus den Möglichkeiten der Gegenwart abgeleiteten Zukunft an der Utopie. Das allen Utopien Gemeinsame ist: Gemeineigentum und gleichmäßige Verteilung des Ertrags, Reduktion der Arbeitszeit, sechs Stunden täglich bei Thomas Morus, vier Stunden bei Campanella, Erziehung zur Eintracht und Brüderlichkeit, ein Reich des Friedens ohne Herren und Knechte. »Wo es noch Privatbesitz gibt«, heißt es in der Utopia des Thomas Morus, »wo Menschen alle Werte am Maßstab des Geldes messen, da wird es kaum jemals möglich sein, eine gerechte und glückliche Politik zu treiben . . .«

Mit dem Aufstieg des Bürgertums verblaßten diese Utopien des vorindustriellen Zeitalters. Die Entstehung eines industriellen Proletariats, dessen Elend im frühen Kapitalismus alle Not leibeigener Bauen übertraf, führte zu neuen sozialistischen Utopien. Robert Owen appellierte an die Herren der Welt, dem Kapitalismus abzusagen. Von kleinen Kommunen ohne Privateigentum, Ehe und Religion, ohne Arbeitsteilung und Bürokratie erwartete er das Heil, das Beispiel zur Erziehung des Menschengeschlechts. Charles Fourier sah das Elend als ein Ergebnis der bürgerlichen Gesellschaft, unüberwindbar innerhalb der kapitalistischen Zivilisation. Wie Owen entwarf er kleine sozialistische Kommunen, die er »phalanstères« nannte, ohne große Industrie, mit möglichst geringer Arbeitszeit und ständigem Wechsel der Arbeit, ohne Armut und Reichtum, ohne Herren und Knechte. Etienne Cabet war der erste, der 1839 in seiner ›Reise nach Ikarien‹ die Industrie als die revolutionäre Kraft feierte und nicht mehr kleine Kommunen forderte, sondern einen zentralistischen Arbeiterstaat mit Planwirtschaft und Siebenstundentag. Noch leidenschaftlicher als Cabet bekannte sich Saint-Simon zur Zauberkraft der Industrie, sah im feudalen Herrentum, im »Subjektivismus«, das Unheil, in einem organisierten »Sozialismus« die rettende Negation. Die Forscher und Gelehrten sollten den Industriestaat regieren als eine, wie Saint-Simon ihn nannte, »Kirche der Intelligenz«. Für Michael Bakunin schließlich, diesen späten Utopisten der Anarchie, ist nicht das Kapital, sondern der Staat Ursprung und Inbegriff alles Übels. Staat und Kirche müssen stürzen, dann werde auch das Kapital verschwinden, und die freie atheistische Internationale der Arbeiter, die freie Gemeinschaft der Brüderlichkeit werde als Wiedergeburt der ursprünglichen Menschennatur triumphieren.

Friedrich Engels sprach von der Unreife der Theorien, die dem unreifen Stand der kapitalistischen Produktion entsprach. »Die Gesellschaft bot nur Mißstände«, schrieb er; »diese zu beseitigen war Aufgabe der denkenden Vernunft. Es handelte sich darum, ein neues vollkommenes System der gesellschaftlichen Ordnung zu erfinden und dies der Gesellschaft von außen her, durch Propaganda, womöglich durch das Beispiel von Musterexperimenten aufzuoktroyieren.« Die Einzelheiten solcher Utopien mußten sich in Phantasterei verlaufen; doch Engels fügte hinzu, man könne es »literarischen Kleinkrämern« überlassen, an diesen Einzelheiten herumzuklauben. »Wir freuen uns lieber der genialen Gedankenkeime und Gedanken, die unter der phantastischen Hülle überall hervorbrechen und für die jene Philister blind sind.« In der Tat: man muß ein Philister sein, um die Bedeutung der sozialistischen Utopien nicht zu erkennen, um nicht zu begreifen, daß auch der wissenschaftliche Sozialismus aus dem Utopischen Kraft und Fülle schöpfte. Allein aus der Klassenlage des Proletariats wäre das Konzept einer sozialistischen Gesellschaft nicht spontan hervorgegangen.

Nicht nur die großen Utopisten, sondern auch konservative Denker wie Alexis de Tocqueville und Thomas Carlyle übten Kritik an der bürgerlich-kapitalistischen Gesellschaft, am verhaßten Parvenü, beklagten das Elend des Proletariats, griffen Ideen des Sozialismus auf. Die Bourgeoisie mit ihrem verlogenen Liberalismus als Todfeind, ein geheimes Bündnis von Adel und Proletariat gegen den kapitalistischen Emporkömmling – dieser Fehlgedanke wirkte noch in Ferdinand Lassalle, der mit Bismarck gegen das liberale Bürgertum konspirierte. Neben diesem feudalen Sozialismus bildete ein kleinbürgerlicher sich heraus, als dessen bedeutendste Repräsentanten Sismondi und Proudhon zu nennen sind. Auch hier entspringt der scharfsinnigen Kritik an den Widersprüchen des Kapitalismus, an der Konzentration des Kapitals, dem Untergang der kleinen Bürger und Bauern, dem Elend des Proletariats nicht eine wissenschaftlich begründete sozialistische Zielsetzung, sondern die Hoffnung auf Wiederkehr der alten patriarchalischen Verhältnisse, auf Einfügung der neuen dynamischen Produktivkräfte in die alte Sozialordnung. Mit der unaufhaltsamen Entfaltung der kapitalistischen Produktionsweise verschwand diese Hoffnung aus dem kleinbürgerlichen Sozialismus. An ihre Stelle trat die Illusion, man könne ohne politische Umwälzung durch allmähliche Veränderung der materiellen Lebensverhältnisse, durch administrative Maßnahmen den Kapitalismus reformieren, ihm löffelweise Sozialismus einflößen. Diese Vorstellung nahm mit dem Wachstum der Gewerkschaften, der sozialdemokratischen Parteien, der Sozialgesetzgebung überhand – bis zum modernen »Reformismus«, der den Kapitalismus durch

Reformen so weit zu bringen hofft, daß er unversehens in den Sozialismus hineingleitet.

Der konservative und der kleinbürgerliche Sozialismus manifestierten sich auch in den verschiedenen Formen des christlichen Sozialismus, in welchem die Rückkehr zum Geist der Evangelien auf mannigfaltige Weise mit dem Bemühen vereint war, den Kapitalismus gegen revolutionäre Bewegungen abzuschirmen, den Proletarier durch symbolische Gewinnbeteiligung, durch Eigenheim und Caritas zu »entproletarisieren«, Harmonie der Klassen vorzutäuschen. Dieser christliche Sozialismus, von Anfang an zwiespältig, hat sich unvermeidlich in eine reaktionäre und eine progressive Richtung aufgespalten. Die reaktionäre Richtung proklamierte die Rückkehr zum »Ständestaat« in einer Welt, in der es Klassen, doch keine Stände gibt, als das soziale Heilmittel. Die progressive Richtung, vor allem in Lateinamerika, in der »Dritten Welt«, aber auch in Europa, ist entschieden antikapitalistisch, antiautoritär und wird zur wirksamen Kraft der revolutionären Umwälzung, deren Ziel die sozialistische Gesellschaft ist.

Entscheidend für die Entwicklung des Sozialismus war und ist das Riesenwerk von Marx und Engels, die Synthese der großen sozialistischen Utopie mit einer bisher unübertroffenen wissenschaftlichen Methode der Gesellschafts-Analyse, der inneren Widersprüche und Tendenzen der kapitalistischen Gesellschaft, nicht als »wertfreie« Interpretation, sondern als »Philosophie der Praxis«, als »Anleitung zum Handeln«. Ein anderer Beitrag zu diesem Buch ist dem Marxismus gewidmet; dennoch ist von seinem Wesen zu sprechen auch in diesem Beitrag unabweisbar. Für die Utopisten war der Sozialismus ein moralisches Postulat, für die konservativen und kleinbürgerlichen Sozialisten ein Verweilen in früheren Zuständen oder ein durch Reformen gemilderter Kapitalismus, für Marx und Engels eine geschichtliche Notwendigkeit. Die Produktivkräfte der Gesellschaft nehmen zu. »Auf einer bestimmten Stufe ihrer Entwicklung geraten sie in Widerspruch mit den vorhandenen Produktionsverhältnissen, oder, was nur ein juristischer Ausdruck dafür ist, mit den Eigentumsverhältnissen. Aus Entwicklungsformen der Produktivkräfte schlagen diese Verhältnisse zu Fesseln derselben um. Es tritt dann eine Epoche sozialer Revolution ein.« Die alte Struktur wird gesprengt durch die neuen Produktivkräfte der Arbeiterklasse.

Je größer der Anteil der Wissenschaft an der Entwicklung

der materiellen Produktivkräfte ist, je mehr die manuelle Arbeit an Bedeutung hinter der geistigen zurücktritt, je wissenschaftlicher also der Charakter der Arbeit wird, je ungenauer die Grenze zwischen dem hochqualifizierten Arbeiter, dem Techniker, dem Ingenieur, desto bedeutsamer wird die Rolle der Intellektuellen in der gesellschaftlichen Entwicklung. Auf der anderen Seite wächst das Gewicht der Völker in den unentwickelten Ländern, der Bauernmassen in Asien, Lateinamerika und Afrika, so daß die Auflehnung der neuen Produktivkräfte gegen die alten Strukturen, die alten Produktionsverhältnisse, weit über den Kampf zwischen Proletariat und Bourgoisie hinausgeht.

In seiner Schrift ›Die Entwicklung des Sozialismus von der Utopie zur Wissenschaft‹ nennt Friedrich Engels den Sozialismus »das notwendige Ergebnis des Kampfes zweier geschichtlich entstandener Klassen, des Proletariats und der Bourgeoisie«. Der utopische Sozialismus habe »zwar die bestehende kapitalistische Produktionsweise und ihre Folgen« kritisiert, aber ohne sie erklären zu können. Erst durch die materialistische Geschichtsauffassung und durch die Enthüllung des Mehrwerts sei der Sozialismus zur Wissenschaft geworden. Die Produktivkräfte, »einmal in ihrer Natur begriffen«, heißt es bei Engels, »können in den Händen der assoziierten Produzenten aus dämonischen Herrschern in willige Diener verwandelt werden«. Es tritt dann »an die Stelle der gesellschaftlichen Produktionsanarchie eine gesellschaftlich-planmäßige Regelung der Produktion nach den Bedürfnissen der Gesellschaft und jedes einzelnen«. »An die Stelle der Regierung über Personen«, fährt Engels fort, »tritt die Verwaltung von Sachen und die Leitung von Produktionsprozessen. Der Staat wird nicht ›abgeschafft‹, er *stirbt ab.*« Stalin hat diese wesentliche Bestimmung des Sozialismus revidiert und nicht das Absterben des Staates, sondern seine Stärkung zum Postulat erhoben. Im Gegensatz zu dieser Doktrin hat Mao-Tse-Tung von der Notwendigkeit gesprochen, der Tendenz zur Bildung neuer privilegierter Schichten durch neue revolutionäre Bewegungen entgegenzuwirken. Doch vom Absterben des Staates ist in den kommunistisch regierten Ländern bisher nichts wahrzunehmen.

Marx und Engels waren im Entwurf einer sozialistischen Gesellschaft sparsamer als die Utopisten, haben jedoch von ihnen relevante Züge übernommen. Eine Gesellschaft wird angestrebt, in der die freie Entwicklung eines jeden Voraussetzung ist für die freie Entwicklung aller. Die assoziierten Produzenten, also die Arbeiter, Angestellten, Techniker, Forscher und Erfinder – nicht ein bürokratischer Apparat! –, sollen als gemeinsame Eigentümer die Leitung der Produktion übernehmen und »diesen ihren Stoffwechsel mit der Natur rationell regeln, ihn mit dem geringsten Kraftaufwand und unter den der menschlichen Natur würdigsten und adäquatesten Bedingungen vollziehen«. Der Unterschied von Stadt und Land, von Arbeitern und Intellektuellen, die den Menschen deformierende Arbeitsteilung, das Fachidiotentum sollen allmählich überwunden oder doch auf ein Minimum reduziert werden. Jedem soll es möglich sein, die Fülle seiner Fähigkeiten zu realisieren, aus einem Bestandteil der Maschinerie zum Schöpfer seiner selbst zu werden, zur freien Persönlichkeit in einer auf Freiheit beruhenden Gemeinschaft.

Karl Marx sprach von einem Entwicklungsprozeß der künftigen sozialistischen Gesellschaft. In der ersten Phase werde sie noch »die Muttermale der kapitalistischen Lebensordnung« tragen und den Konsumtionsfonds nach dem Leistungsprinzip verteilen. Erst in einer höheren Phase, »nachdem die knechtende Unterordnung der Individuen unter die Teilung der Arbeit verschwunden ist, nachdem die Arbeit nicht nur Mittel zum Leben, sondern selber zum ersten Lebensbedürfnis geworden; nachdem mit der allseitigen Entwicklung der Individuen auch die Produktionskräfte gewachsen sind und alle Springquellen des genossenschaftlichen Reichtums voller fließen – erst dann kann der enge bürgerliche Rechtshorizont ganz überschritten werden und die Gesellschaft auf ihre Fahnen schreiben: Jeder nach seinen Fähigkeiten, jedem nach seinen Bedürfnissen!«

Dieser Erwartung, daß in der sozialistischen Gesellschaft die Arbeit aus einem Mittel zum Leben zum ersten Lebensbedürfnis sich wandeln werde, stehen nicht nur Äußerungen des jungen Marx gegenüber, sondern ihr widerspricht auch die berühmte Stelle im dritten Band des ›Kapital‹: »Das Reich der Freiheit beginnt in der Tat erst da, wo das Arbeiten, das durch Not und äußere Zweckmäßigkeit bestimmt ist, aufhört; es liegt also der Natur der Sache nach jenseits der Sphäre der eigentlichen materiellen Produktion.« Das Reich der materiellen Produktion bleibt immer »ein Reich der Notwendigkeit. Jenseits desselben beginnt die menschliche Kraftentwicklung, die sich als Selbstzweck gilt, das wahre Reich der Freiheit, das aber nur auf jenem Reich der Notwendigkeit als seiner Basis aufblühn kann. Die Verkürzung der Arbeitszeit ist die Grundbedingung.«

In der für alle freigewordenen Zeit sah Marx das Reich der freien künstlerischen und wissenschaftlichen Produktion und Rezeption, das Reich des Menschen, der gelernt hat, sich zum »allsinnigen«, zum totalen Menschen zu erziehen und sich in diesem Wirken als Selbstzweck zu genießen. Von diesem Reich der Freiheit, von dieser herrschaftslosen Gesellschaft spricht in unseren Tagen am eindringlichsten Herbert Marcuse, wobei er über Marx hinausgeht und das auf der Stufe höchstentwickelter Technologie siegende Lustprinzip dem Leistungsprinzip gegenüberstellt: Orpheus gegen Prometheus. Was Marx von einer sozialistischen Gesellschaft erwartete, war nicht die Verjagung, sondern die Befreiung des Prometheus, die Lust an der Leistung einer von jedem Zwang befreiten schöpferischen Aktivität jenseits der Sphäre der mateiellen Produktion.

Das Möglich-Werden einer solchen nicht mehr phantastischen Utopie durch die rapide Entwicklung der Wissenschaft und Technik, der zunehmende Widerspruch zwischen den Möglichkeiten und Erfordernissen unseres Zeitalters und dem Zurückbleiben der Produktions- und Herrschaftsverhältnisse, der gesellschaftlichen Institutionen und Normen hat zur Folge, daß die junge Generation, allen voran die jungen Intellektuellen, eine den modernen Produktivkräften adäquate, eine sozialistische Gesellschaft anstreben. Der Sozialismus, eine Zeitlang durch den Nationalsozialismus, durch die Ideenlosigkeit der Sozialdemokratie, durch den Stalinismus in all seinen Erscheinungsformen in Verruf geraten, gewinnt eine neue Anziehungskraft. Aus dem Schutthaufen der Dogmen, Phrasen und Entartungen erhebt sich unzerstörbar die Idee des Sozialismus.

Staat

Franz Schneider

Der Staat – das sind wir alle. Dieser Satz wird oft zitiert, und wie es auf den ersten Blick scheint, nicht ohne guten Grund. Denn wenn Ludwig XIV. als Monarch eines absolutistischen Staates das Wort prägen konnte: »Der Staat bin ich!« (L'Etat c'est moi), dann liegt für einen demokratischen Staat die These nahe, daß der Staat wir alle sind. Verspricht doch auch das Grundgesetz jedem die Teilnahme an der Souveränität. Artikel 20 (2): »Alle Staatsgewalt geht vom Volke aus.« Jeder von uns ist Staatsbürger mit staatsbürgerlichen Rechten und Pflichten. Wird ein Staat in einen Krieg verwickelt, so sind alle seine Bürger Leidtragende; weitet sich eine Regierungskrise in Bonn zu einer Staatskrise aus, so ist dies eine Krise für uns alle. Siegt die Fußballnationalmannschaft, so freut sich ein jeder; gerät dagegen der Staat in finanzielle Nöte, so erhöht er die Steuern, und wir alle bekommen es zu spüren.

Spätestens dieses letzte Beispiel aber verrät die Doppelbödigkeit; denn wenn der Staat mit den Gespensterarmen des Finanzamts in unsere Tasche greift, um seine Tasche zu füllen, dann wird jedem klar: Der Geldbeutel des Bürgers und des Staates sind zweierlei. Die euphorische Identifikation schlägt beim Worte »Steuern« sofort um in Skepsis und Aversion. Das geflügelte Wort vom »Vater Staat«, der es mit uns manchmal gut und manchmal weniger gut meint, zeigt, daß der Bürger den Staat durchaus auch als ein abstraktes Gebilde sieht, mit dem er sich nicht gleichsetzt und das er halb ironisch, halb ängstlich als »Vater Staat« beschönigt.

Wird ein Orden vergeben wegen hoher Verdienste um den Staat, so ist mit Staat »Allgemeinwohl« gemeint. Kommt der Staat als Steuereintreiber, so kommt er als »Fiskus«. Schimpfen wir gegen den Staat, meinen wir die »Regierung«. Fahren wir über die Grenze eines Staates in einen anderen, dann bedeutet Staat »Völkerrechtliches Gebilde«.

Diese wenigen Beispiele machen eines sichtbar: Das Wort Staat ist ein äußerst komplexer Begriff, in seiner schillernden

Vielfalt vielleicht nur mit dem Wort »Demokratie« vergleichbar.

Welche Konturen einer Wesensbeschreibung in den Blick geraten, dies hängt ab von der Blickrichtung des Betrachters. Den primären Unterschied macht, ob man den Staat von außen oder von innen sieht, das heißt im Außenverhältnis Staat zu Staat oder im Innenverhältnis Bürger zu Staat.

Die Frage, was einen Staat im Verhältnis zu anderen Staaten charakterisiert, beantworten die Juristen, vor allem die Völkerrechtsgelehrten. Damit ein völkerrechtliches Gebilde als »Staat« angesprochen werden kann, müssen folgende Merkmale vor liegen: 1. ein Staatsgebiet, 2. ein Staatsvolk, 3. die Staatsgewalt und 4. eine Staatsidee bzw. ein Staatszweck.

Ein Staat ist ohne festumrissenes Territorium nicht denkbar. Herumziehende Nomaden, Beduinen oder auch Zigeunerstämme bieten keine Grundlage für ein Staatswesen. Neben dem Boden gehören zum Staatsgebiet gegebenenfalls die Küstenstreifen, die Hoheitsgewässer. Das Staatsgebiet ist dreidimensional; es umschließt deshalb das Erdinnere mit seinen Bodenschätzen ebenso wie den darüberliegenden Luftraum. Eine bekannte, für den deutschen Verkehr aktuelle Konsequenz hieraus ist die Tatsache, daß das Überfliegen der DDR nach Westberlin nur von Maschinen der USA, Frankreichs und Englands unternommen werden kann, nicht aber von der Deutschen Lufthansa oder von Gesellschaften anderer Staaten.

Das zweite Merkmal ist das Staatsvolk. Für die Bemessung der Staatszugehörigkeit haben sich zwei grundsätzliche Prinzipien herausgebildet: das Bodenrecht und das Abstammungsrecht, das ius soli und das ius sanguinis. Nach dem Bodenrecht erwirbt die Staatsangehörigkeit des Landes A, wer auf dem Boden des Landes A geboren wird. Die Schwäche dieses Prinzips besteht darin, daß es hier und dort zu recht zufälligen Staatszugehörigkeitserwerben führen kann. Das deutsche Recht folgt deshalb dem Abstammungsprinzip: Deutsch ist, wer von einem deutschen Vater oder – bei unehelicher Geburt – von einer deutschen Mutter abstammt. Daneben gibt es die sogenannte Einbürgerung, mittels der jeder Ausländer Bürger der Bundesrepublik werden kann; hieran sind allerdings gewisse Voraussetzungen und Bedingungen geknüpft.

Das dritte Charakteristikum des Staates ist die Staatsgewalt, Souveränität genannt. Souveränität bedeutet politische Selbständigkeit, bedeutet von Dritten unabhängige Handlungsfähigkeit. Souveränität muß vorliegen im Außenverhältnis von Staat zu Staat, wenngleich diese äußere Souveränität heute durch überstaatliche Institutionen wie NATO, EWG, Atomsperrvertrag usw. faktisch mehr und mehr durchlöchert wird. Dieser Souveränitätsverlust wird andererseits ausgeglichen durch einen Sicherheits- und Koordinationseffekt, der auf andere Weise nicht zu erreichen wäre. Im Innenverhältnis des eigenen Territoriums beinhaltet die Souveränität das Gewaltenmonopol, denn die Worte »gebieten« und »Gebiet« haben dieselbe begriffliche Wurzel: Der Staat gebietet, soweit sein Gebiet reicht. Der Staat allein, genauer: seine Exekutivorgane sind legitimiert, Forderungen und Rechte gewaltsam durchzusetzen. Jeder Staat verwirklicht in sich ein gesellschafts-, rechts-, wirtschafts- und politisches System. Wer gegen dieses System in rechtsrelevanter Weise verstößt, kann nur vom »Staat« mit legitimer Gewalt zu Verantwortung und Rechenschaft gezogen werden. Nicht nur die Rechtsetzung, auch die Rechtdurchsetzung liegt in seiner Hand.

Ein Faustrecht des Bürgers gibt es nicht. Wenn der Nachbar nachts in meine Wohnung steigt und ein Gemälde stiehlt, bin ich nicht berechtigt, mir in der folgenden Nacht auf die gleiche Weise mein Eigentum zurückzuholen; ich muß meinen Rechtsanspruch vielmehr der Durchsetzungskraft des Staates und seiner Gerichte anvertrauen. Ausnahmen vom Gewaltverzicht des Bürgers sind lediglich die gesetzlich eng begrenzten Fälle der Selbsthilfe und der Notwehr; einen eigenen Sonderfall bildet das Widerstandsrecht gegen einen Staat, der sich zum Unrechtsstaat entwickelt.

Zu den Merkmalen »Volk«, »Gebiet« und »Staatsgewalt« nimmt man meist als weitere Merkmale die Staatsidee und einen oder mehrere Staatszwecke hinzu. Einer Staatsidee können die verschiedensten und heterogensten Motive zugrunde liegen, sie müssen jedoch eines bewirken: sie müssen ein Minimum an Zusammengehörigkeitsgefühl erzeugen. Die gemeinsame Sprache ist hierfür kaum mehr ein ausreichendes Indiz. Deutsch wird nicht nur in Deutschland gesprochen, englisch nicht nur in England, französisch nicht nur in Frankreich. In aller Regel ist es der Nationalismus in irgendeiner Spielart, der die Fäden dieser Zusammengehörigkeit ineinanderflicht. Die Wurzeln des Nationalismus verlieren sich meist in einem gefühlsmäßigen, rationalem Zugriff nur schwer zugänglichen Bereich. Formulierungen wie »geschichtstiefe Völker« oder »beseelte Tradition« führen hier nicht ernsthaft weiter. Was wichtig an dieser Frage ist, hat Hans Peters in folgendem Satz zusammengefaßt: »Entscheidend ist lediglich, daß das Volk eines Staates in irgendeiner Weise zu einer Schicksals-, Kultur- und Interessengemeinschaft zusammenwächst, damit die staatliche Verbandseinheit mit innerem Leben erfüllt wird, ein Gemeinwohl erzeugt werden kann und damit der Staat nicht über kurz oder lang auseinanderbricht.« Fehlt dieser Integrationsfaktor, dann kommt es zu Schwierigkeiten wie in der Südtirolfrage oder gar zu kriegerischen Sezessionen wie im Falle Biafras.

Schließlich rechtfertigt sich der Staat durch Staatszwecke, das heißt durch die Übernahme von Aufgaben, die nur er und sonst niemand erfüllen kann. Seit Plato und Aristoteles hat die Philosophie den Staatszweck zum Gegenstand ihres Nachdenkens gemacht. Für Aristoteles ist der Mensch von Natur aus ein zoon politikon, ein Wesen, das auf ein Leben im Staat hin angelegt ist, das im Zusammenschluß mit anderen erst zu seinem wahren Menschsein findet. Anders Thomas Hobbes: Den Menschen, der ohne Staat lebt, sieht Hobbes als einen homo homini lupus, als einen Wolf, der den anderen möglichst rasch an den Kragen will. Der Zweck des Staates besteht darin, diesen Krieg aller gegen alle zu beenden, den Menschen Furcht und Angst dadurch zu nehmen, daß Recht und Gesetz die nackte Gewalt in gesellschaftliche Spielregeln überführen. Den Staat definiert Hobbes als einen neuen künstlichen Menschen, zu dem sich die einzelnen natürlichen Individuen vertraglich zusammenschließen und der »die Kräfte und Fähigkeiten der einzelnen für den gemeinsamen Frieden und Schutz verwenden kann«. Non est potestas super terram quae comparetur ei – es gibt keine Macht auf Erden, die ihm vergleichbar wäre.

Noch größere Beredsamkeit entwickelt Jean Jacques Rousseau, wenn es darum geht, den wohltätigen Zweck des Staates zu loben: »Der Übergang vom Naturzustand zum Gesellschaftszustand«, so sagt Rousseau, »brachte im Menschen eine sehr bemerkenswerte Verwandlung hervor. Sie setzte in seinem Verhalten an die Stelle des Instinkts die Gerechtigkeit und verlieh seinen Handlungen die Moralität, die ihnen zuvor fehlte. Nun erst wurde der physische Trieb durch die Stimme der Pflicht und das Begehren durch das Recht abgelöst. Der Mensch, der sich bis dahin nur um sich selbst bekümmerte, sieht sich gezwungen, nach anderen Prinzipien zu handeln und seinen Verstand zu befragen, bevor er auf seine Neigungen hört. Obwohl er sich in diesem Zustand mancher Vorzüge beraubt, die ihm die Natur mitgibt, erlangt er dafür wiederum sehr große andere. Seine Fähigkeiten bilden sich aus und entwickeln sich, seine Ideen entfalten sich, seine Gefühle läutern sich, seine Seele im ganzen erhebt sich zu ungeahnter Höhe.«

Die Überlegungen, warum Menschen ihren Naturzustand verließen und in eine staatlich formierte Gesellschaft übertraten, haben für die Gegenwart lediglich noch historischen Wert; denn neue Staaten entstehen heute nicht mehr aus weißen Flekken der Landkarte, sondern durch Umgruppierung bestehender Staatsformationen, vor allem im Zuge der Entkolonialisierung. Der »Mensch ohne Staat« lebt lediglich weiter als paradiesische Utopie, der die »Unentrinnbarkeit des Staates« als Realität gegenübersteht: Jeder von uns ist zum Staat verurteilt.

Lenken wir von den Staatstheoretikern zurück zur Frage nach den konkreten Zwecken heutiger Staaten, so lautet die nüchterne Antwort: Ein Hauptzweck des Staates ist die Sicherung der inneren Ordnung und die Verteidigung bei Angriffen von außen. Die Zahl und Art der staatlichen Aufgaben läßt sich heute relativ zuverlässig an der Zahl und der Bezeichnung der existierenden Ministerien ablesen. Über die Akzente des Gewichts informieren zudem die Etatposten des Haushaltsplans. Bei jenen Ländern, die in Krisenbereichen der Weltpolitik stehen, rangiert der Verteidigungsetat meist an der Spitze. Die Verteidigung war zu allen Zeiten als erstrangiger Staatszweck unbestritten; gewandelt hat sich jedoch die Art der Erfüllung: Bis in den Zweiten Weltkrieg hinein lag die Stärke vorwiegend in der Zahl der Soldaten, um Heere aufzustellen; heute liegt die Stärke in einer florierenden Wirtschaft, mit deren Steuergeldern der Staat jene kostspieligen Abschreckungswaffen herstellen kann, für deren Bedienung dann wenige zehntausend Mann genügen. Der Ausbau etwa eines Safeguard-Raketenabwehrsystems bildet selbst für einen Superstaat wie die USA mehr ein finanzielles denn ein technisches Problem.

Von den übrigen Zwecken des Staates sei noch die Sozialstaatlichkeit erwähnt. Im Zuge der Aufklärung hatte der Eudämonismus das Postulat aufgestellt: Das höchstmögliche Glück der größtmöglichen Zahl. Der Fürst des aufgeklärten Absolutismus machte sich diese Forderung zu eigen, doch was »Glück« war, bestimmte er, und den Weg, dieses Glück zu erreichen, bestimmte er gleichfalls. Das Glück der größtmöglichen Zahl bestand also in einer Zwangsbeglückung von oben. Der monarchische Polizei- und Verwaltungsstaat trat über die Ufer des Erträglichen. Ihm setzte das liberale Bürgertum im achtzehnten Jahrhundert den Rechtsstaat entgegen. In ihm sucht der Bürger sein Glück durch strikte Selbstbestimmung, durch Freiheit vom Staat. Die Freiheit des Laissez faire brachte neue Chancen, sie brachte aber auch jene Wirtschaftsrisiken und sozialen Gefahren, die das Arbeiterelend des neunzehnten Jahrhunderts warnend deutlich werden ließ. Das Bonner Grundgesetz sucht deshalb eine Synthese zwischen liberalem Rechtsstaatsdenken und etatistischem Wohlfahrtsdenken herbeizuführen, indem es in Artikel 28 die Bundesrepublik als einen »sozialen Rechtsstaat« deklariert. Der Bürger soll bei aller individuellen Freiheit durch den Staat verpflichtet werden, an der Herstellung eines Minimums an sozialer Gerechtigkeit mitzuwirken. Der Sozialstaat gibt dem Bürger die Minimalgarantie seiner Lebenshaltung. Die Entartungsform des Sozialstaats dagegen wäre der Versorgungsstaat. Er beseitigt jegliches Existenzrisiko, er macht einen großen Teil des Volkes zu Kostgängern des Fiskus, der sich seinerseits wieder am arbeitenden Teil der Bevölkerung schadlos hält.

Der Sozialstaat, weil er materielle Gerechtigkeit schafft, ergänzt den Rechtsstaat, der Versorgungsstaat aber zerstört ihn.

Die Frage nach den Staatszwecken hat bereits in die Betrachtung des Innenverhältnisses von Staat und Bürger hinübergeführt. Ein Blick in die Geschichte des Wortes »Staat« wird hier weitere Klarheit schaffen.

Das Wort »Staat« macht in der italienischen Formel ragione di stato = Staatsräson in der Zeit und Folgezeit Machiavellis erstmals die Runde durch Europa. In der englischen Sprache hat sich das Wort »state« nur als territorialer Begriff behauptet: United States zum Beispiel. Die Regierung dagegen, die dem Bürger gegenübersteht, wird stets als »Government« umschrieben. In Frankreich bedeutet l'Etat »Staatshaushalt« sowohl als auch der »Staat« selber. Von der Vermögensmasse intensiviert sich der Begriff zum Existenzvolumen, zum »Staatsbetrieb«, zur Regierungsapparatur. Im deutschen Kulturraum war das Wort Staat ursprünglich höchst negativ belastet; denn die profane Staatsräson galt als nachgerade teuflische Machtarithmetik gegenüber der von Gottesgnadentum beschienenen Praxis des Heiligen Römischen Reichs Deutscher Nation. Im achtzehnten und neunzehnten Jahrhundert jedoch vollzieht sich der entscheidende Wandel: »Der Staat bin ich«, hatte der Franzose

Ludwig XIV. gesagt; »Der erste Diener des Staates zu sein« dagegen war der Wille Friedrichs des Großen von Preußen – selbst der König als Diener, als erster Diener des »Staates«! Damit rückt der Staat ein in die Position eines über dem Menschen stehenden, selbständigen und selbstwertigen Gebildes. Der Staat erhält die Weihe und die Faszination eines »höheren Prinzips«. Die Überhöhung der Staatsidee gipfelt schließlich bei Georg Wilhelm Friedrich Hegel. »Der Staat ist«, so steht es in Hegels Rechtsphilosophie, »als die Wirklichkeit des substantiellen Willens ... das an und für sich Vernünftige.« Die Gesetze des Staates nennt er »die Objektivität des Geistes und den Willen in seiner Wahrheit«. Aufgabe des Bürgers sei es, den Willen des Staates zu seinem eigenen Willen zu machen, die Besonderheit des Ich in die Allgemeinheit des Staates zu integrieren.

Man hat im Zusammenhang mit Hegel von mystifizierender Staatsvergötzung gesprochen, und man kann schwer bestreiten, daß das typisch deutsche legalistische Obrigkeitsdenken in Hegel einen mächtigen Ahnherrn hat. Dabei mag offenbleiben, ob Hegel alles so meinte, wie die Mit- und Nachwelt es verstand. Jedenfalls, wenn der Staat als das schlechthin Vernünftige gilt, dann fällt naturgemäß der Glanz dieser Vollkommenheit auch auf jene, die den Willen des Staates artikulieren, also auf die staatlichen Amtsträger. Es ist eine gerade in unserem Lande bis heute nicht ausgerottete Fehlhaltung, Menschenprüfung durch Amtsgläubigkeit und Menschenachtung durch Amtsverehrung zu ersetzen. Wird ein Bürger Minister, so steigt er im Bewußtsein vieler zu einer neuen Qualität des Menschseins auf. Selbst in der Demokratie haben manche Ministerien kaum verlernt, den Nimbus ihres Staatseins zu zelebrieren. Auch institutionelle Gags unterstreichen dieselbe Linie: Im Bonner Bundeshaus etwa war die Ministerbank gegenüber den vis-à-vis liegenden Abgeordnetenbänken rund einen Meter erhöht, und erst seit September 1969 ist dieses Hoheitsgefälle auf 20 cm zusammengeschrumpft.

Wer hat den Vorrang, der Staat oder der Bürger? Die Antwort ist eindeutig: Der Staat ist um des Bürgers willen da, und nicht umgekehrt. Die Verfassung von Weimar regelte in ihrem ersten Hauptteil »den Aufbau und die Aufgaben des Reichs«, und erst im zweiten Teil folgten die Grundrechte und Grundpflichten des Bürgers. Das Grundgesetz hat dieses Verhältnis nachdrücklich und symbolhaft umgekehrt. An der Spitze steht heute die Würde des Menschen, sein Recht auf geistige und körperliche Freiheit. Das Gesetz hat damit den Auftrag gegeben, den Staat in erster Linie vom Bürger her und erst in zweiter Linie von den Regierungsinstitutionen her zu begreifen.

Noch blieb bisher eine wichtige Betrachtungsmöglichkeit des Staates außer acht: nämlich die soziologische. Den besten Einblick in die Problematik gibt die Staatssoziologie Max Webers. Max Weber definiert den Staat als ein »auf Gewaltsamkeit gestütztes Herrschaftsverhältnis von Menschen über Menschen«. Im Zentrum steht der Begriff der Herrschaft. Wie kommt ein Herrschaftsverhältnis überhaupt zustande? Befehlen und Gehorchen sind Komplementärbegriffe des Herrschens. Wie kommt es, daß gewisse Menschen herrschen und daß die anderen sich fügen und dabei Gewaltsamkeit zur Durchsetzung der Spielregeln akzeptieren? Die Soziologie läßt rechtliche und ethische Fragen oder auch die Fragen nach dem Staatszweck beiseite: Es interessieren nur die Machtkonstellationen, die Gründe der Fügsamkeit und die Gefolgschaftschance, das heißt also die Chance einiger, bei den anderen Gefolgschaft zu finden.

Max Weber hat drei Typen legitimer Herrschaft entwickelt: 1. die charismatische Herrschaft, 2. die traditionale Herrschaft und 3. die legale Herrschaft. Der spätgriechische Begriff des Charismas bedeutet soviel wie Begnadung, jene rational nicht erklärbare Eigenschaft, die den Menschen Bewunderung und Gehorsam abnötigt. Die Gefolgschaft wird hergestellt durch affektuelle Hingabe an jenes Charisma, das in magischen Fähigkeiten, in Wundertätigkeit oder Heiligkeit, in Suggestivkraft oder in Auserwähltheit durch Gottesgnade besteht. Den Begriff des Charismas meint Weber völlig wertfrei. Er nennt deshalb Kleon, Napoleon, Jesus und Perikles in einer Reihe und hätte sicher keine Bedenken gehabt, Mao-Tse-Tung, Kennedy oder de Gaulle hinzuzufügen.

Das Hauptproblem eines charismatisch strukturierten Staates liegt in der Nachfolge, wenn der Charismaträger stirbt. Die Monarchien regeln die Thronfolge durch die Primogenitur, das heißt, das Charisma geht auf den Erstgeborenen über. Dabei können Frauen ausgeschlossen sein, wie im Falle des Schahs von Persien; Gegenbeispiele sind England und Holland. Der Charismaträger kann auch durch ein gleichfalls für charismatisch gehaltenes Gremium gewählt werden, wie seinerzeit der deutsche Kaiser durch die Kurfürsten oder der Papst durch die Kardinäle der Kirche.

Der zweite Typ in Max Webers Schema ist die traditionale Herrschaft. Das Gewohnte hat hier jene Autorität, die zur Fügsamkeit führt. Etwas – zum Beispiel ein Herrschaftsverhältnis – ist so, wie es ist, weil es immer schon so war. »Gehorcht wird«, so sagt Weber, »der Person kraft ihrer durch Herkommen geheiligten Eigenwürde: aus Pietät.« Die Tradition setzt aber auch dem Herrschaftsvolumen enge Grenzen: »Der Inhalt der Befehle ist durch Tradition gebunden, deren rücksichtslose Verletzung seitens des Herrn die Legitimität seiner eigenen Herrschaft selbst gefährden würde. Neues Recht gegenüber den Traditionsnormen zu schaffen gilt als prinzipiell unmöglich.«

Die Herrschaftstypen Max Webers stehen nicht mit scharf gezogenen Grenzen nebeneinander, sondern fließen ineinander über. Gerade das eben erwähnte Gottesgnadentum der christlichen Monarchien Europas zeigt, daß traditionelle Elemente die Stützung der Herrschaft in dem Maße übernahmen, in dem das Charisma im engeren Sinn, hier die Ableitung der Macht vom Willen Gottes, verblaßte.

Der dritte Typ der Herrschaft ist die legale Herrschaft. Die Autorität und die Wege, zur Autorität zu gelangen, sind durch Gesetze festgelegt, und die Achtung vor dem Gesetz führt zum Gehorsam. Das legale Herrschaftssystem ist jenes Herrschaftssystem, in dem wir leben. Typisch für die legale Herrschaft ist die Bürokratie und das Ämtertum, in dem die Menschen, sei es durch Laufbahn, sei es durch Wahl, relativ problemlos auswechselbar sind. Ein Minister oder ein Bundeskanzler sind auf gesetzlichem Wege ins Amt gekommen, und ihr Amt gibt ihnen gesetzmäßig definierte Kompetenzen. Danken sie ab, oder müssen sie abdanken, so wandeln sie sich zurück in Privatleute, denen vielleicht noch persönliche Verehrung gilt, der Gehorsam aber gilt dem Nachfolger.

Auch im Bereich der legalen Herrschaft spielt das Charisma eine gewisse Rolle. Die fünfte Republik Frankreichs dürfte beispielshalber wohl nur durch den Charismatiker de Gaulle möglich geworden sein; da sie aber dann, in das Gefüge eines Verfassungsstaats gegossen, den Typ der legalen Herrschaft repräsentierte, verlief die Übergabe der Macht an Pompidou ohne Krise. Überall, wo die Legalität der Herrschaft durch ein Wahlverfahren getragen wird, spielen charismatische Eigenschaften eine Rolle. Max Weber spricht hier von »plebiszitär-charismatischen Herren«, im modernen Jargon der Politik spricht man von Wahllokomotiven.

Max Webers Staatsbetrachtung wertet nicht zwischen guten und schlechten Staaten. Der Soziologe fragt nur nach den Herrschaftskonstellationen und ihren Motiven. Dieser Gesichtspunkt ist wichtig, und er rundet das Bild; aber für sich allein reicht er nicht aus. Denn der Staat steht vor uns nicht als Träger eines wertefreien Machtgeflechts, sondern, wenn es der Staat ist, in dem wir leben sollen, muß dieser Staat vor uns stehen als Träger demokratischer und liberaler Qualitäten.

Systemzwang

Wolf-Dieter Narr

Angenommen, ein Auto und ein Fahrer seien gegeben, dann ist der Fahrer, will er sein Ziel erreichen, von zwei miteinander verbundenen »Systemen« abhängig: einmal von dem mechanischen System seines Fahrzeuges. Er kann nicht beliebig schalten und walten, sondern er muß, um den Wagen in Gang zu setzen und ans Ziel zu bringen, bestimmte Voraussetzungen geschaffen haben und Handgriffe leisten. Und weiter erfordert der Weg des Fahrers zum Ziel ein Zeichensystem, ja überhaupt das Bestehen einer Straße. Der Fahrer ist also abhängig von einem System sozialer Vorgaben und Regeln. Hat er sich einmal für ein Ziel entschieden, dann ist er in der Folge auf unabdingbare Voraussetzungen und Maßnahmen angewiesen, die untereinander zusammenhängen und nicht willkürlich ausgetauscht werden können. Daß der Auswahlprozeß, der zur Entscheidung führt, selbst nicht gänzlich willkürlich ist, kann in unserem Zusammenhang unbeachtet bleiben.

In dem skizzierten Beispiel taucht der Ausdruck »System« auf, den es zunächst knapp zu erläutern gilt. System meint eine Anzahl streng voneinander abhängiger Größen, Vorgänge, Handlungen, die auf einen bestimmten Zweck ausgerichtet sind. Kein einzelner Faktor kann ohne Auswirkungen auf die anderen und ohne Änderung des Zieles geändert werden. Ist man einmal in den Systemzusammenhang eingetreten, dann ist man den Bedingungen dieses Systems verhaftet; es besteht Systemzwang.

Genauso wie die nicht ohne weiteres sprengbaren Zusammenhänge und Abhängigkeiten muß man aber auch die Einschränkung solcher Systemzwänge sehen. Der Systemzusammenhang, kurz das System, gilt immer nur unter ganz bestimmten Voraussetzungen. Nur wenn ich ein ausgewähltes Ziel mit einem bestimmten Mittel erreichen will, tritt diese oder jene Folgewirkung in Kraft, der ich mich nur unter Aufgabe des Zieles entziehen kann. Der Begriff des Systems geht solchermaßen über die schlichte Beobachtung eines Ursache-Wirkungs-Zusammenhanges hinaus, indem er erlaubt, eine Fülle scheinbar unzusammenhängender Größen unter angegebenen Bedingungen in ihrem Kontext zu erfassen und daraus bestimmte Handlungsanleitungen zu entnehmen.

Als ein solches Untersuchungsinstrument hat frühzeitig etwa Karl Marx den Kapitalismusbegriff verstanden. Ihm ging es darum, zu zeigen, daß die private Entscheidung einer abnehmenden Zahl von Unternehmern über die wirtschaftliche Entwicklung und die in der Wirtschaft beschäftigten Arbeiter zu einer übermäßigen Abhängigkeit, zu einer Ausbeutung der vielen durch wenige, zu Krisen und anderem mehr führen müsse. Es kümmert hier nicht, ob seine Voraussagen der Folgen und seine Analyse des Phänomens Kapitalismus im einzelnen richtig waren. Wichtig ist nur, daß er auf den Zusammenhang aufmerksam machte, daß man politische Demokratie beispielsweise nicht haben kann, wenn man die Wirtschaft mehr oder minder sich selbst überläßt. An der Marxschen Analyse des Kapitalismus als eines Systems lassen sich aber gleichzeitig zwei weitere Erscheinungen illustrieren. Einmal die von Marx selbst festgestellte Neigung eines solchen Systems, seine eigenen Voraussetzungen nicht mehr in Frage zu stellen und sich als die Wirklichkeit insgesamt zu geben. Mit dieser scheinbaren Alternativlosigkeit verbunden ist die Tendenz solchen Systems, sich als Ganzes zu setzen und die einzelnen Teile unterzuordnen; das heißt, es wird nach den Bedürfnissen des Kapitalismus gefragt, nicht aber nach den Wünschen und Zielen der im kapitalistischen System lebenden Menschen. Zweitens besteht für den Analytiker (in diesem Falle Marx und vor allem seine Nachfolger) die Gefahr, daß er die in der Wirklichkeit festgestellten Zusammenhänge im Sinne gültiger Gesetze formuliert und dabei vergißt, daß nicht nur das System selbst, sondern auch die systematische Analyse nur einen Teil möglicher Wirklichkeit darstellt und daß beide dem Wandel unterliegen.

Sofern also der Systembegriff als Untersuchungsinstrument benutzt wird, geht es immer darum, nicht-willkürliche Zusammenhänge darzulegen, die häufig mit dem Begriff der Interdependenz belegt werden; aufzuzeigen, unter welchen Bedingungen und in welcher Form diese Zusammenhänge gelten und unter welchen Bedingungen nicht; und festzustellen, ob in einer bestimmten gesellschaftlichen Situation diese Bedingungen gegeben sind oder nicht.

Wie die Gefahren im Fall der nur illustrativ verwandten

Marxschen Analyse bereits andeuten, begegnet man dem Reden und Propagieren von System- oder von sogenannten Sachzwängen häufig nicht in dem oben eingeschränkten Sinne. Der Terminus des System- oder des Sachzwangs wird nicht nur im Hinblick auf ausgewählte technologisch-soziale Zusammenhänge mit genauen Bedingungsangaben gebraucht, sondern für gesellschaftliche Erscheinungen, ja für Gesellschaften insgesamt. System- und Sachzwang werden zu Annahmen über die Wirklichkeit und ihre Entwicklung, die als solche nicht mehr in Frage gestellt wird.

Eines der besten Beispiele hierfür war die in vielen westlichen Ländern erfolgreich vertretene und geglaubte Auffassung vom »System« des Kommunismus. Der Kommunismus – das war eine feste Größe, deren weitere Untersuchung man sich sparen konnte. Unmenschlichkeit, Expansionsdrang, Aggression, Totalitarismus galten als unwandelbare Kennzeichen eines politisch-sozialen Systems, gegen das man sich nur mit allen Mitteln abschirmen konnte, jeden Keim im eigenen Lande nach Möglichkeit zertretend. Es verstand sich auf Grund solcher Auffassung wie von selbst, daß man mit kommunistisch regierten Ländern keine Politik im Sinne der Ausschöpfung einer Reihe von Handlungs- und Einwirkungsmöglichkeiten treiben konnte, sondern daß einem nur Defensive oder Gegenaggression blieb. Der Kommunismus wurde nicht mehr als eine Gesellschaftsform innerhalb geschichtlich-sozialer Bedingungen gesehen, sondern als ein zeitloses Abstraktum, an dem man die eigene Konstruktion nicht mehr wahrnahm.

Eine andere auf Gesellschaften insgesamt übertragene Systemvorstellung war die Mitte der fünfziger Jahre sehr bekannt gewordene ›Theorie des gegenwärtigen Zeitalters‹ von Hans Freyer, die allerdings bis heute ihre Nachfolger besitzt: Industrielle, technische und organisatorische Entwicklung führen unaufhaltbar zu einem »sekundären System«, das alle Menschen gleichermaßen entpersönlicht und gleichschaltet; es gibt kein Entkommen trotz der unmenschlichen Konsequenzen. Nicht unähnlich diesem Schreckbild war schon Max Webers Aufriß der modernen Bürokratie: sie sauge alle freien menschlichen Handlungen auf, sei aber zugleich in ihrer expansiven Entwicklung nicht aufzuhalten, da sie die einzig effiziente Organisationsform darstelle. Und ähnlich unentrinnbar interpretiert Herbert Marcuse die technologisch instrumentierte Gesellschaft der Gegenwart, die nur noch total angepaßte und gegängelte Menschen ohne eigene Handlungsspielräume zulasse. Kennzeichnend für alle drei Systemauffassungen, deren therapeutische Alternativen sich erheblich voneinander unterscheiden und nur darin ähneln, daß sie gleichermaßen analytisch nicht begründete Hoffnungen vortragen – kennzeichnend für diese Systemauffassungen ist, daß wenige Kriterien der jeweiligen Gesellschaft zu einem totalen gesetzlichen Zusammenhang mit unausweichlichen Konsequenzen verdichtet werden. Daß die Kriterien nicht die einzigen sind, daß sie sich darüber hinaus wandeln können, daß hinter den einzelnen Zusammenhängen Interessen und Gegeninteressen stehen, daß die eine oder andere Aussage selbst für die analysierte Gegenwart nur bedingt stimmt – all diese Einschränkungen werden durch das konstruierende Engagement überrant. Stimmt es denn wirklich, daß keine Handlungsalternativen mehr gegeben oder daß sie irrelevant sind? Stimmt es denn überhaupt, daß nur hierarchisch aufgebaute, nach Spezialisierung, Befehl und Gehorsam funktionierende Organisationen effektiv sind? Ist nicht der Effektivitätsbegriff zu einseitig, und läßt sich nicht zeigen, daß gerade solche Organisationen komplizierten Aufgaben nicht gerecht werden? Steht nicht jeweils ein sehr einseitiges Menschenbild im Hintergrund? Lassen sich nicht genaue Angaben über Herrschaftsausübung machen und von daher auch Hinweise zur Überwindung geben?

Die als System ausgegebenen und in ihren Voraussetzungen, Einseitigkeiten und Konsequenzen nicht mehr überdachten Gesellschaftsvorstellungen sind vor allem im letzten Jahrzehnt, seit der Ausbreitung der Computer und der Automation, fast unaufhaltsam angewachsen. Schuld daran ist nicht zuletzt das Selbstbild der Sozialwissenschaft und einer in die Gesellschaft übersetzten Technik, die beide in ihrer Bedeutung rapide zugenommen haben. In den Sozialwissenschaften war zunächst oft im Zusammenhang mit dem unreflektierten Antikommunismus vom Ende der Ideologie die Rede, das heißt davon, daß es in der Wissenschaft nicht mehr darum gehen könne, von dem Hintergrund bestimmter Werte her und auf bestimmte Ziele hin zu analysieren, sondern daß es nur darum zu tun sei, Zusammenhänge wertfrei festzustellen und auf Grund des wertfrei Festgestellten Voraussagen zu machen. Zwecke und Mittel wurden dabei fast willkürlich getrennt und nur die Mittel wissenschaftlich untersucht, in der Gegenwart festgestellte Kausalbeziehungen zwischen bestimmten Faktoren als mehr oder minder zeitlose Theorie ausgegeben, häufig darauf verzichtet, die Bedingungen, unter denen eine Aussage steht, genau anzugeben, und zu sagen versäumt, welche Alternativen für die festgestellten Mittel und die nicht diskutierten Ziele vorhanden sind oder unter bestimmten Annahmen vorhanden sein könnten. Kein Wunder, daß dergestalt aus Wissenschaft als einem Instrument zur systematischen Aufarbeitung menschlicher Erfahrung zum Zwecke der Verbreiterung und Verbesserung der Handlungsmöglichkeiten eine Art seltsamer Handlungsersatz wurde. Wissenschaftliche Feststellungen über den Ist-Zustand in einer bestimmten gesellschaftlichen Situation wurden – ganz abgesehen von den Unschärfen und Einseitigkeiten solcher Feststellung – teilweise von den Wissenschaftlern selbst, mehr aber noch durch die gesellschaftlichen und politischen Abnehmer wissenschaftlicher Ergebnisse als gültige Aussagen derart begriffen, daß aus dem »es ist im Augenblick in Anbetracht dieser und jener Gegebenheiten so« ein »es kann nicht anders sein«, »es wird so bleiben«, ja »es muß so sein« wurde. Aus Beschreibungen wurden Gesetze, aus festgestellten bestehenden Zusammenhängen feste Zukunftsvoraussagen. Daß den festgestellten gesellschaftlichen Fakten eben gesellschaftliche Handlungen vorausgingen, die diese Fakten bewirkten, wurde dabei ebenso übersehen wie die Tatsache, daß wissenschaftliches Erkennen selbst eine gesellschaftliche Handlung darstellt, die sich von anderen Handlungen allenfalls durch größere Präzision, Klarheit und einen höheren Grad an Systematisiertheit auszeichnet. So konnte es geschehen, daß Ergebnisse empirischer Sozialforschung, zum Beispiel der Meinungsbefragung, als fixe Größen hingenommen wurden, daß die Aussage, die Passivität eines Großteils der Bevölkerung im Hinblick auf Politik sei gut für die Stabilität von Demokratien, geradezu normativen Rang erhielt, daß man es in der Formel der »pluralistischen Gesellschaft« für erwiesen hielt, alle Gruppen und Meinungen kämen zum Zug, weil man die nicht organisierbaren Gruppen, die unterdrückten Meinungen, das strukturelle Gefälle der Ungleichheit in der Gesellschaft nicht zur Kenntnis nahm. Diese Beispiele sind aber noch die harmlosesten aus einer großen Kette der sogenannten verwissenschaftlichten Gesellschaft, eine Auffassung, die glauben machen will, es gäbe in dieser Gesellschaft keine großen Konflikte, keine gegensätzlichen Interessen, keine Herrschaft und Ungleichheit und vor allem keine Handlungsalternativen mehr, da ja alles wissenschaftlich zunehmend erweisbar und eindeutig sei. Die neue Als-Ob-Philosophie scheinbarer wissenschaftlicher Eindeutigkeit verdrängt unter anderem das beste Indiz für Wissenschaft: den begründeten Konflikt und die mit Bedingungen versehene Aussage.

In welche Einbahnstraßen solche wissenschaftliche, gesellschaftlich weitergetragene Anspruchs-Eindeutigkeit führt, läßt sich an den schlimmen Folgen einer jahrelang verfehlten Entwicklungspolitik ablesen, die von der nationalökonomischen Annahme ausging, die moderne Wirtschaft – abgelesen an ihrer Höchstentwicklung in Amerika – bedürfe überall der gleichen Voraussetzungen und führe überall zu den gleichen Folgen. Auf diesen wirtschaftlichen Standard hin gäbe es prinzipiell nur einen Weg, der durch Schwerindustrie, Urbanisierung usw. gekennzeichnet sei. Dieses einseitige Wirtschafts-Entwicklungsmodell hat zu völlig verfehlten Investitionen geführt, hat Hunger und Elend vielfach noch vergrößert, die alternativen Möglichkeiten der einzelnen Länder jahrelang nicht wahrnehmen lassen – und tut dies teilweise heute noch.

Eine Folge dieses Wirtschaftsmodells eines technologischen Kapitalismus in den entwickelteren Industrieländern selbst ist die häufig unbedachte Förderung des Wachstums als solchem, ohne daß man überlegt, ob dieses oder jenes Wachstum nicht durch seine Folgewirkungen auf die Bedürfnisse der einzelnen verhängnisvoll wirkt. Häufig ist die Argumentation ähnlich wie die amerikanischer Industrieller im Hinblick auf die Verschmutzung der Luft, des Wassers usw.: 1. Unsere Gewinne sind zu gering, um alle nötigen Kontrollen vorzunehmen. 2. Ein gewisser Verschmutzungsgrad ist eben ein Teil der Kosten, die für den wachsenden Wohlstand der technologischen Gesellschaft erbracht werden müssen. Wäre es aber nicht denkbar – um nur zwei harmlose Fragen zu stellen –, daß die Gewinne eben nicht so hoch wie üblich ausfallen und daß solche »Wohltaten« nicht erwünscht sind?

Mit dem Wachstum zusammen begegnet immer häufiger der Begriff der Innovation, der Erneuerung oder – altertümlicher ausgedrückt – der Reform. Innovation, häufig auf technologische Neuerungen begrenzt, scheint dabei ebenso wie Wachstum für die Erhaltung und Entwicklung der Gesellschaft unabdingbar. Wieder aber läßt sich beobachten, daß nach dem Wozu der Innovation, nach den Folgewirkungen über eine bestimmte Effizienzsteigerung hinaus nicht gefragt wird. Innovation ist zu einem Systemzwang geworden. In dieses Bild lassen sich auch die neuen Schlagworte der »technotronischen«, der »postindustriellen« Gesellschaft einordnen, die nicht nur mit ihren schmissigen Bezeichnungen, sondern mit den beigegebenen Erläuterungen das technologisch angeblich unbedingt Erforderliche zum gesellschaftlichen Maßstab machen. Dabei verschleiern sie, daß es sowohl konkurrierende Technologien wie konkurrierende Verwendung von Technologien wie Verzicht auf bestimmte Entwicklungen geben kann und gibt. Die technologische Entwicklung ist nicht nur auf die Lösung gesellschaftlicher Probleme ausgerichtet – eine Vielzahl gesellschaftlicher Erfordernisse wird durch die technologische Entwicklung erst geschaffen, neue Nöte werden erst erzeugt. Es geht nicht darum, maschinenstürmerisch gegen bestimmte moderne Entwicklungen anzugehen, sondern es geht darum, der Entwicklung als solcher ihren Gesellschaft transzendierenden Heiligenschein zu nehmen. Allzu hurtig werden Sachzwänge auf dem Boden des Gegebenen, der auch als Basis der Vorausschau dient, konstruiert, allzu schnell gibt man sich mit bestimmten Tatbeständen als zwangshaft zufrieden, weil man handelnd, weil man politisch, weil man wissenschaftlich nichts riskieren will. Eine nicht getroffene Entscheidung, eine vorliegende Anerkennung eines scheinbaren Sachzwanges zieht aber den nächsten nach sich. Ist etwa das Forschungsinteresse auf ein bestimmtes Gebiet gelenkt, wird es schwer sein, die Richtung zu verändern. Mehr noch: die genauere Kenntnis des ausgewählten Gebietes beschert diesem einen Vorsprung, nur weil man sich in ihm besser auskennt, die weiteren Entscheidungen damit scheinbar sicherer werden, selbst wenn sie von den Zielen her betrachtet neue Krisen und Nöte mit sich bringen.

Fassen wir die Mängel solcher Systemzwang-Feststellungen, von denen nur ein kleiner Ausschnitt vorgeführt wurde, zusammen, so läßt sich behaupten, daß aus einer Feststellung von Beziehungen zwischen einzelnen Faktoren häufig eine quasi gesetzliche Dauerfixierung dieser Beziehung geworden ist, das nämlich, was man mit dem Wort Reifizierung meint: das Für-die-Wirklichkeit-selber-Nehmen einer zeitlich und sachlich begrenzten Aussage. Neben diese Fixierung tritt oft die Abstraktion, das heißt die Abhebung einer bestimmten Abhängigkeitsaussage zu einem gültigen System, das einen merkwürdig autoritären, alle einzelnen und Einwände sich unterordnenden Zug erhält, der mit dem Ausdruck Sachautorität nicht selten verschleiert wird.

Diese beiden Merkmale werden gemäß der überlegenen »Autorität« des nach seinem Interessenkontext nicht mehr hinterfragten Systems ergänzt durch die Wahllosigkeit gesellschaftlichen Tuns. Der Handlungscharakter von Politik insgesamt, die Auswahl zwischen Alternativen und das Erwägen unterschiedlicher Wege wird weitgehend beseitigt.

Die Folge solcher Konstruktionen und ihrer gesellschaftlichen Übersetzung besteht aber in der Erzeugung sekundärer Sachzwänge; das heißt, man trifft Entscheidungen, ohne des Entscheidungsgehalts gewahr zu sein, und ist dann für eine bestimmte Zeit tatsächlich »Sklave« dieser Entscheidung. In diesem Fall ist nicht an die häufigen Entschuldigungen gedacht, die alle »Schuld« auf die unabdingbaren technologischen Apparaturen der Firma und der Verwaltung schieben. Diese selbstzufriedene Form des Humanismus, die die Technik zum Schuldigen erklärt, weil man selbst zu Änderungen nicht willens ist, verdiente eine gesonderte Betrachtung, gehört aber in den fälschlich und ausfluchtartig begründeten Systemzwang-Zusammenhang mit hinein. Bei der Selbstfestlegung, die als Sachzwang wirkt, ist vielmehr eher an das Beispiel der Staatshaushalte zu denken, in denen durch langfristige Festlegungen und nicht wieder aufgenommene oder schwer aufnehmbare Entscheidungen langfristig oft über 90 Prozent der Summen festliegen und neue Handlungsmöglichkeiten dadurch verstellt sind. Man kann nicht die Raumfahrt fördern und gleichzeitig beklagen, daß man so wenig Mittel für Strukturentwicklung oder für Krebsforschung frei hat.

Zur Überwindung dieser Form des sekundären, nicht vorab in den Prioritäten überdachten Sachzwanges wurde selbst ein neues System »erfunden«, das hier Abhilfe leisten soll. Es ist das erstmals im amerikanischen Verteidigungsministerium unter McNamara zur Anwendung gekommene Planning-Programming-Budgeting-System. Dieses System sollte es durch die überlegte Kalkulation der jeweils in den Haushaltsentscheidungen ausgeschlossenen Alternativen und die möglichst genaue Angabe der Folgewirkungen bestimmter Entscheidungen ermöglichen, eben den nahezu unbewußten sekundären Sachzwängen zu entgehen.

Es ist hier nicht der Ort, dieses Analyse-Instrument näher in seinen Möglichkeiten und Grenzen vorzustellen. Es soll nur angemerkt werden, daß eine der Hauptschwächen dieses neuen Systems in seiner mangelnden Zielorientierung liegt, in seinen zu sehr ökonomisch eingegrenzten quantitativen Kriterien und in der Tatsache, daß der Spielraum für alternative Überlegungen zu begrenzt ist. Strukturelle Probleme einschließlich des hier zentralen Problems der Organisation und politischen Direktion der Wirtschaft bleiben außerhalb des Gesichtskreises. In der Beschränkung auf überwiegend quantitative Kriterien, Kostenkalkulationen im wesentlichen, und auf Systemanalytiker, die Politik nicht eigentlich im Horizont ihres analytischen Interesses haben, wird aber von vornherein der methodisch-politische Wert solcher Systemanalyse gemindert und zeigt sich eine der Hauptschwächen gegenwärtiger Politik im Hinblick auf die fast übergroß anstehenden Probleme: die Unfähigkeit, die Unwilligkeit und die Angst vor extensiver und intensiver Zieldiskussion und vor einer daraus resultierenden Liste politischer Prioritäten. Die so oft in Fest- und Feierreden festgestellte Kluft zwischen technologisch Möglichem und Erreichtem und dem von menschlichen Handlungen Steuerbaren, in der Qualität von Politik Verbesserbaren hat nicht zuletzt in dieser selbstverschuldeten Unfähigkeit der politischen Systeme zur politischen Zieldiskussion, zur breiten Artikulation und zur Zielentscheidung mit Folgenkalkulation seine Ursache. Gestärkt wird diese Unfähigkeit heute durch eine Wissenschaft, die nicht das Handlungsplateau zu verbreitern, sondern durch den Schein wissenschaftlichen Systemzwangs zu verengen unternimmt.

Mit dieser eindeutigen Qualifikation – das dürfte auch aus der vorhergehenden Skizze hervorgehen – ist kein Wort gegen eine heuristisch gemeinte, das heißt als Untersuchungsinstrument benutzte, begrenzte und in ihren Bedingungen ausgewiesene Systemanalyse gesagt. Ganz im Gegenteil! Angesichts der wachsenden Komplexität gesellschaftlicher Beziehungen, der politischen Verwaltungs- und Planungsprobleme kommt man ohne gezielte Systemanalysen, das heißt bestimmtes Im-Zusammenhang-Sehen gar nicht aus; hierzu bedarf es aller vorhandenen technischen Mittel, deren Grenzen freilich eindeutig zu sehen und zu artikulieren sind. Der Politiker und der Verwaltungsmann, die sich auf ihren Charakter, ihre Intuition und gegebenenfalls ihre Rechtskenntnis verlassen konnten, passen nicht zu dem Bedarf, komplexe Probleme in möglichst geringer Einseitigkeit und gemäß den Bedürfnissen der betroffenen

Menschen zu lösen. Solches unter Bedingungen Im-Zusammenhang-Untersuchen und das entsprechende Handeln erfordern aber ein Hinausgehen über schmale technische und ökonomische Daten, die selbst vor ihrem gesellschaftlichen Hintergrund zu sehen sind. Mit oberflächlicher Logistik läßt sich weder Entwicklungs- noch Wachstumsproblemen beikommen. Hätte es eines Beweises bedurft, der Vietnam-Krieg würde ihn liefern, der kürzlich von General Westmoreland freilich als eine gute Erprobung zukünftiger vollautomatisierter Kriegsführung angesehen wurde.

Heuristisch beschränkt, zielorientiert, auf alternative Möglichkeiten mit Folgeangaben angelegt, haben Systemmodelle gerade zur Überwindung sekundärer Sach- und Systemzwänge ihre Berechtigung. Es gilt hier zum Teil Ähnliches wie für die moderne Organisation. Organisatorische Ungerechtigkeiten lassen sich kaum unorganisiert überwinden. Damit ist freilich nicht gesagt, daß unorganisiertes Dasein und nicht im heuristischen System begreifbares Handeln nicht das Ziel, die langfristige Alternative als solche darstellen. Auf jeden Fall können komplexe Systeme und System-Analysen ohne breiten Artikulationshintergrund schon heute nicht zureichend existieren und funktionieren. Sosehr zielorientiert aber solche Analysen sein müssen, sosehr sind ihre Grenzen anzugeben, die auch im Hinblick auf Praxis bestehen. Es geht in einem falschen Planungsbegriff nicht an, auch »die besten« Systemmodelle von oben zu administrieren.

Wird aber die wissenschaftlich untunliche Überschätzung der Wissenschaft nicht sinnvoll zurückgenommen, wird die Unterdrückung der Ziele zugunsten einer scheinbar ziellosen, tatsächlich aber bestimmten Interessen verhafteten Zweckdiskussion nicht aufgegeben, dann scheint die Ausbreitung des sekundären Sachzwangs, der das menschlich unbeeinflußbare Schicksal in der Gesellschaft zunehmend ersetzt, unvermeidlich. Setzt sich diese Entwicklung fort, dann besteht die Gefahr der Technokratie, der elitär-einseitigen Anwendung sogenannter Systemzwänge, von der im nächsten Beitrag die Rede sein wird.

Technokratie

Claus Koch

Die List unseres politischen Alphabets bringt es mit sich, daß zuvor vom »Systemzwang« die Rede war. Was Wolf-Dieter Narr unter diesem Stichwort erläuterte, nämlich die Unterwerfung des politischen Handelns unter vorgeblich unvermeidbare System- oder Sachzwänge, kennzeichnete bereits ein Hauptelement von Technokratie. Und wenn von einem alternativlosen Planen gesprochen wurde, das sich ganz in den Dienst von Leistungskraft und wirtschaftlichem Wachstum stellt, ohne weiter nach historischen Bedingungen oder nach tieferen Bedürfnissen der gesamten Gesellschaft zu fragen, dann wurde ein weiteres Merkmal technokratischer Strukturen beschrieben. Dazu gehört schließlich, wie Wolf-Dieter Narr ebenfalls hervorgehoben hat, daß die zunehmende Verfeinerung der Instrumente für Projektierung und Verwaltung aller gesellschaftlichen Prozesse mehr und mehr die Inhalte von Politik und damit ihre Widersprüche dem Sehvermögen der Planer wie der Betroffenen entrückt.

Mit all diesen Eigenschaften ist freilich noch nicht die Besonderheit von Technokratie bezeichnet, nämlich einer Form der Herrschaft, die sich von den uns bekannten und beschreibbaren Formen unterscheidet. Wie ja schon immer seit der Aufklärung das Wesen der Herrschaft von Menschen über Menschen, von Klassen über Klassen der vorzüglichste Gegenstand der Sozialwissenschaften gewesen ist, so ist auch die Technokratie zu einem Generalthema der Soziologen und der politischen Wissenschaftler geworden, sofern sie überhaupt noch nach Theorien über die geschichtliche Entwicklung unserer Zivilisation suchen. Expertokratie, Herrschaft der Manager, postindustrielle Gesellschaft, wissenschaftliche Zivilisation – wo immer während der letzten dreißig oder vierzig Jahre unter solchen Schlagworten Modelle der hochentwickelten Industriegesellschaften erdacht wurden, ging es um den Versuch, die Gesetzmäßigkeiten der Technokratie aufzuzeigen. Meistens freilich mit einer rechtfertigenden Absicht und dem Bemühen, das Element Herrschaft, und das heißt allemal noch Unterdrückung menschlicher Bedürfnisse, Erwartungen und Befriedigungen, verschwinden zu lassen.

In den letzten Jahren ist unser Stichwort, das von den Apologeten der Technokratie wie von ihren Kritikern für recht unterschiedliche Sachverhalte in Anspruch genommen worden ist, ziemlich heruntergekommen. Nicht zuletzt durch den wahllosen Gebrauch, den die studentische Opposition davon gemacht hat. Ihr gilt bald jede Art von Autorität und jede Form der Entscheidungsfindung, die sich nicht durch urdemokratische Billigung legitimieren kann, als technokratisch. Und »Technokrat« ist schlechthin zu einem persönlichen Schimpfwort geworden – was in einem ironischen Widerspruch zu den Befunden der Soziologen steht, welcher Schule sie auch angehören mögen. Denn wenigstens darin sind sie sich einig, daß gerade in technokratisch durchsetzten Ordnungen auch die Schalthebelbediener nur einen ganz geringen Spielraum für selbständige Entscheidungen genießen, daß der persönlichen Willkür auch der Mächtigen sehr enge Grenzen gesetzt sind. Und wenn es überhaupt so etwas wie Technokraten als klar bestimmbare Träger der Macht gibt, so ist ihre persönliche Anonymität eines ihrer wichtigsten Kennzeichen.

Wäre ein perfektes Modell der Technokratie denkbar, so müßte man die Verwalter dieser Herrschaft geradezu als Unpersonen bezeichnen. Es gehört daher zu den Mißverständnissen vieler Antiautoritärer, daß sie die technokratischen Tendenzen in der Wissenschaftsorganisation, in der staatlichen Verwaltung und in den Parteien immer wieder auf Personen und Gruppen zurückführen. Das verleitet sie dazu, überall Machtverschwörungen zu vermuten, womit sich dann am Ende die Notwendigkeit der Revolution rechtfertigen läßt. Erzürnt über solch teils absichtliche, teils naive Begriffsverwirrung hat Jürgen Habermas, der wohl die scharfsinnigsten Analysen zur Technokratie-Diskussion beigesteuert hat, einmal einigen Führern der Scheinrevolution zugerufen, sie seien nichts anderes als Technokraten des Protests.

Daß hierzulande das Wort »Technokrat« zur billigen Münze im ideologischen Alltagskampf geworden ist und daß sich nahezu jede funktionale Autorität dem Technokratie-Verdacht ausgesetzt sieht, hängt wohl nicht zuletzt damit zusammen, daß der Tatbestand selbst so schwer greifbar ist, sei es nun in Institutionen oder in bestimmten Gruppen der Elite. In Frankreich ist das anders. Wenn französische Soziologen oder Gesellschaftskritiker von Technokratie und Technokraten reden, dann haben sie meistens konkrete Sachverhalte und gesellschaftliche Gruppen vor Augen. Vor allem jene Funktionärselite, die durch gemeinsame Ausbildung an den Grandes Ecoles, den praxisorientierten Akademien für die Spitzenkader, und durch gemeinsame Karrierewege miteinander verbunden sind. Diesen Funktionären, die aus einer harten Leistungskonkurrenz an den hohen Schulen hervorgehen, sind die zentralen Positionen in der staatlichen Verwaltung, in den öffentlichen Unternehmen, im halbstaatlichen Bankwesen und auch in der Privatindustrie vorbehalten. Ihre Zahl ist vor einigen Jahren in einer Studie mit fünf- bis sechstausend angegeben worden – was zumindest eine Größenordnung bezeichnet. Der Wechsel zwischen staatlichem Dienst und Privatsektor ist für diese Kader durchaus selbstverständlich, was durch die starke Verflechtung des Staatsapparats mit den großen Industriekonzernen und dem Bankwesen begünstigt wird.

Mag auch die Mehrzahl dieser Technokraten der Bourgeoisie entstammen, so läßt sie doch ihr Korpsgeist, ihre Hingabe an das öffentliche Interesse und ihre Schulung eine gewisse Distanz zu den Partikularinteressen gerade auch des Privatunternehmertums wahren. Der Modernisierung einer Gesellschaft verschrieben, die sich weithin den spätkapitalistischen Bedingungen noch nicht angepaßt hat, sind sie entschiedene Gegner des mittelständischen Kleinkapitalismus, von dem etwa das rückständige Dienstleistungswesen in Frankreich so stark geprägt ist. Und es gibt in den Reihen dieser Elite eine beträchtliche Gruppierung von Administratoren und Technikern, die sozialistischen Ideen anhängen und deshalb nicht selten als Linkstechnokraten bezeichnet werden.

Die Bedeutung und die stille Macht dieser Funktionärsschicht, die von ihren Kritikern wie von ihren eigenen Angehörigen häufig als Kaste bezeichnet wird, sind angesichts des Niedergangs der parlamentarischen Demokratie unter der Fünften Republik mehr und mehr gewachsen. Wenn überhaupt jemand, so sind in dem nach wie vor von Klassengegensätzen gespaltenen Frankreich allein sie in der Lage, zwischen den Antagonismen zu vermitteln und die Staatsmaschinerie in Gang zu halten. Sind also diese Technokraten die entscheidende politische Führungsklasse, oder haben sie zumindest die Chance, es zu werden und eine reinere Form der Technokratie zu begründen? Und worin, wenn nicht in der bloßen Verwaltung staatlicher Macht, besteht ihre Legitimation? Ist schließlich die Rolle dieser Technokraten-Kaste eine spezifisch französische Erscheinung, die nur durch eine besondere historische Entwicklung zu erklären ist, oder zeigt sich hier ein Modell, das Tendenzen in anderen Industriegesellschaften vorzeichnet? Nicht wenige französische Soziologen sind der Ansicht, die heutige Rolle der technokratischen Funktionärselite sei eine vorübergehende Erscheinung. Sei Frankreich erst einmal in die Organisationsformen der modernen, klassenlosen Industriegesellschaft hineingewachsen, habe es erst einmal zeitgemäßere Strukturen demokratischer Herrschaft entwickelt, was eben eine Reform der wirtschaftlichen Bedingungen voraussetze, dann werde auch die Führungsrolle der Technokraten in engere Grenzen zurückgeführt werden können. Es sei eben vor allem der Mangel an sozialer Integration, der den Aufstieg der Technokraten bisher begünstigt habe.

Daß die Funktionärsschicht zur führenden Herrschaftsklasse werden könne, halten diese Theoretiker für ebenso unwahrscheinlich wie diejenigen Kritiker, die nicht auf die Integration setzen und noch tiefe, gar revolutionäre Krisen erwarten, ehe der heutige Kapitalismus in Frankreich einer demokratischeren Gesellschaftsform Platz mache. Sie erinnern dabei nicht zu Unrecht an den Mai 1968, den die Technokraten nicht vorausgesehen hätten, ja auf Grund ihrer partiellen Blindheit für die wirklichen Antagonismen der französischen Gesellschaft gar nicht hätten voraussehen können. Geschweige, daß sie bis heute in der Lage wären, die Konsequenzen daraus zu ziehen.

Ein Teil der Marxisten schließlich ist der Auffassung, die Technokraten seien im Grunde von der nach wie vor herrschenden Kapitalistenklasse abhängig. Sie seien, wie die Vertreter der Staates schon immer, nichts anderes als deren Agenten. Daran stimmt zumindest, daß die Funktionärselite keine Basis politischer Legitimation besitzt. Sie entscheidet zwar weitgehend selbst über die Maßstäbe, nach denen ihre Mitglieder rekrutiert werden und avancieren, aber sie kann sich zur Durchsetzung ihrer Ziele auf keine besondere Gruppe der Gesellschaft stützen, will sie nicht ihre gesamte Position aufs Spiel setzen. An der marxistischen Kritik stimmt ferner, daß der Handlungsspielraum der Technokraten nur so weit reicht, wie das wirtschaftliche Wachstum erhalten bleibt, das heißt noch immer nichts anderes als: wie die Gewinnerwartungen der Unternehmer angereizt und befriedigt werden können. Das gilt auch für die großen Staatsunternehmen, deren Politik zwar auf gewisse Strukturveränderungen hingelenkt werden kann, die sich letzten Endes aber doch den Gesetzen kapitalistischer Wirtschaft anpassen müssen.

Andererseits ist die französische Unternehmerschicht noch weniger als diejenige anderer westlicher Industrienationen in der Lage, den Wirtschaftsprozeß aus eigener Kraft zu organisieren und das Mindestmaß an sozialer Befriedung herzustellen, die ein regelmäßiges Wachstum im modernen Wohlfahrtsstaat braucht. Darin liegt die Stärke wie die Schwäche der Technokraten. Ob ihre Techniken des Krisenmanagements ausreichen, ob es ihnen gelingen kann, den französischen Kapitalismus grundlegend zu reformieren und ohne tiefere Erschütterungen in eine stabilere Ordnung zu führen, daran bestehen nicht erst seit dem Mai 1968 erhebliche Zweifel.

Zwar hat Frankreich mit seiner Planungselite das bislang anschaulichste Modell technokratischer Organisation geliefert, das nicht von ungefähr in vielen anderen Ländern, auch in der Bundesrepublik, die Administratoren, die Politiker und die Wissenschaftler in der Ära der Großen Koalition fasziniert hatte. Doch wenn man Technokratie weniger als eine konkrete und klar institutionalisierte Herrschaftsorganisation denn als ein Strukturprinzip der modernen Industriegesellschaft schlechthin begreift, dann sind wohl in den USA technokratische Entwicklungen am weitesten fortgeschritten.

Zunächst bedeutet »Technokratie« für die Amerikaner eine historische Erinnerung. In den frühen dreißiger Jahren war Technokratie die Parole einer sozialen Bewegung, deren Thesen und Programme weithin die öffentliche Diskussion beherrschten. Die Kritik dieser »Technocrats« richtete sich gegen die Ineffizienz der industriellen Maschinerie, der sie nach dem Wort ihres Cheftheoretikers Thorstein Veblen eine neue »Disziplin des Maschinenprozesses« entgegensetzen wollten. Die großen Wirtschaftskatastrophen jener Jahre führte die Technokratenbewegung nicht so sehr auf das Versagen der Kapitalistenklasse zurück als vielmehr auf den Widerspruch zwischen wissenschaftlich-technischer Vernunft und Eigentum und Besitz. Eine an Geld und Profit orientierte Sozialordnung, so lautete ihre These, vertrage sich einfach nicht mit einer rationalen Organisation des Produktionsapparats. Veblen und seine Anhänger forderten daher eine technologisch-organisatorische Revolution, die das Eigentum als gesellschaftliche Kontrollinstanz abschaffen sollte. Den revolutionären Kern sollten vor allem Ingenieure bilden; und technisch gebildete Menschen, die der Geldwirtschaft gleichgültig gegenüberstünden, sollten künftig, nachdem der Staatsapparat überflüssig geworden sei, die Lenkung der Gesellschaft übernehmen, in der übrigens auch eine Mitbestimmung durch Räte ihren Platz haben sollte. Diese Gesellschaft stellte sich Veblen im Grunde als einen einzigen industriellen Produktionsprozeß vor. Eine der Hauptwurzeln allen Übels sahen die Technokraten in der Politik, deren Legitimierungen und Maßstäbe für die industrielle Organisation bedeutungslos seien und durch die strenge Rationalität der Techniker und Ingenieure ersetzt werden müßten.

Nach 1933 wurden in zahlreichen amerikanischen Städten Clubs gegründet und neue Zeitschriften herausgegeben, die sich der technokratischen Idee widmeten. Der Führer der Bewegung, Howard Scott, entwarf einen nationalen Plan, dessen Befolgung die Produktivität der Gesellschaft um ein Vielfaches steigern sollte. Dieses Programm versprach, daß in einer technologisch fortgeschrittenen Gesellschaft ein gewaltiger Lebensstandard erreicht werden könne, wenn erst der Geldwirtschaft, der Vergeudung der Ressourcen und dem Mangel an Planung ein Ende gesetzt sei. Weniger die Rivalität der verschiedenen Technokraten-Organisationen als die Erfolge der New-Deal-Politik der demokratischen Regierung führten bald zum Verfall der Bewegung, die bei Beginn des Zweiten Weltkriegs bereits weitgehend verschwunden war, nachdem sie zeitweilig mehrere Hunderttausend eingeschriebener Mitglieder für sich gebucht hatte. In der Ideologie dieser amerikanischen Früh-Technokraten mischten sich syndikalistische, populistische, ja sogar faschistische Ideensplitter, deren Grundlage ein traditioneller Sozialdarwinismus war.

Mögen die heutigen Technokraten, die sich ja nicht als solche bezeichnen lassen wollen, jene merkwürdige Bewegung vergessen haben oder jede Gedankenverwandtschaft bestreiten, so lohnt doch die Erinnerung daran schon deshalb, weil wichtige Elemente ihrer Ideologie auch heute noch, wenn auch in anderem Gewand, wirksam sind. Raffiniertere Variationen jener Programme finden sich etwa in den Zukunftsvoraussagen nicht weniger Futurologen, die heute freilich fest in die Planungsprozesse integriert sind. Und die Forderung nach neuen Gesellschaftstechnologien, die von besonders ausgebildeten

Sozialingenieuren nach dem Muster naturwissenschaftlicher Technik entwickelt werden sollen, kann von renommierten Wissenschaftlern erhoben werden, ohne der öffentlichen Lächerlichkeit anheimzufallen.

Wenn heute die amerikanische Gesellschaft und ihre Institutionen, die jene Sekte durch die Technik revolutionieren wollte, sich seit dem Zweiten Weltkrieg immer mehr von technokratischen Strukturen durchsetzt sieht, so ist dies der Fortentwicklung des kapitalistischen Systems aus eigener Kraft zu verdanken. Mögen Theoretiker wie John Kenneth Galbraith oder C. Wright Mills die sich in Amerika herausbildenden Herrschaftsformen recht verschieden bewerten, mögen sie von Technostruktur oder von Machtelite sprechen, die Faktoren, die technokratische Praxis und technokratisches Denken begünstigen, werden von ihnen ziemlich ähnlich beschrieben: die rasch zunehmende Konzentration des Finanz- und des Industriekapitals, die Verschmelzung wirtschaftlicher, militärischer und wissenschaftlicher Eliten, die staatliche Dauerintervention in nahezu allen Wirtschaftsprozessen, die allgegenwärtige Regulierung der sozialen Beziehungen durch den Staat, schließlich die Finanzierung und Inganghaltung des technischen Fortschritts mit Hilfe der öffentlichen Haushalte, insbesondere über Forschung und Entwicklung für die Rüstung und die Weltraumfahrt.

Gelten alle übrigen dieser Charakteristika auch für die anderen kapitalistisch verfaßten Industrieländer, so kommt dem zuletzt genannten für Amerika eine besondere Bedeutung zu. Die Planung technischer Innovation und damit die Schaffung neuer Lebensbedingungen, die von Staatsbürokratie und Wirtschaft gemeinsam betrieben wird, ist nirgends so weit fortgeschritten und übergreift nirgends so weite Zeiträume wie in Amerika. Das erfordert Planungs- und Prognosetechniken, die die Gesellschaft bis in den letzten Winkel vermessen sollen. Zwar sind diese Techniken trotz gewaltigen Aufwands heute noch ziemlich schwach entwickelt, und es ist zweifelhaft, ob sie jemals zu solchen Perfektionsgraden verfeinert werden können, wie es die Futurologen und die Propagandisten der Computerzivilisation erwarten. Was sie jedoch schon heute so intensiv auf die amerikanische Gesellschaft wirken läßt, ist die Haltung einer instrumentellen Rationalität, die ihre Anwendung in allen Lebensbereichen reproduziert und die zu ihrer Fortentwicklung erforderlich ist. Diese nur auf Zwecke und Instrumente gerichtete Vernunft, über die Wolf-Dieter Narr unter seinem Stichwort »Systemzwang« gehandelt hat, ist weitgehend gleichgültig gegenüber den Inhalten und Werten gesellschaftlicher Planung.

Ihr vielleicht verhängnisvollstes Erzeugnis, das Modell erfolgreicher technokratischer Planung schlechthin, ist das System der stabilen Abschreckung. Es mag zwar den großen Krieg zwischen den Weltmächten verhindern, aber es konserviert auch die Drohung mit der äußersten Gewalt. Der empfindliche Regelmechanismus der Abschreckungsstrategien, der sogar zu einer Rationalisierung des Rüstungswettlaufs geführt hat, konnte sich während des vergangenen Jahrzehnts so gut einspielen, daß niemand mehr an seine Abschaffung zugunsten etwas höher entwickelter Umgangsformen im internationalen Verkehr zu denken wagt. Und es ist der längst nicht mehr hinterfragte Erfolg dieses Systems, der jegliche Überlegung über eine Abrüstung als irrelevant von den internationalen Verhandlungstischen gewischt hat. Sein intellektueller Konstrukteur und langjähriger Maschinenmeister, der frühere Verteidigungsminister McNamara, läßt sich daher mit gutem Grund als der hervorragendste Technokrat dieses Jahrzehnts bezeichnen.

Was für das Abschreckungssystem, das allein mit technischen Mitteln das Problem von Krieg und Frieden beiseite stellen soll, im großen gilt, soll ebenso für die Stillegung von Konflikten innerhalb der Gesellschaften durch geplanten technischen Fortschritt und wirtschaftliches Wachstum gelten. Doch wie schwach die Instrumentarien einer sozialen Krisenregulierung, die sich gegen die in den Herrschaftsbeziehungen gegründeten Ursachen der Konflikte blind macht, im Grunde geblieben sind, wird gerade an der tiefen inneren Krise Amerikas offenbar. Die gewaltige Steigerung technologischer und wirtschaftlicher Potenz, die technokratisches Planen erst möglich macht, läßt auch die Widersprüche der kaum angeritzten Sozialordnungen nur um so krasser hervortreten. Und sie verschärft die Brisanz der nur zeitweilig weggeregelten sozialen Konflikte. Das gilt übrigens für die sozialistischen Länder nicht weniger als für die kapitalistischen.

Mochte das Amerika der Ära Kennedy hoffen, mit Hilfe einer aufgeklärten sozialen Ingenieurskunst seine noch lange recht wildwüchsige kapitalistische Ordnung in eine stabilere Organisationsform führen zu können, so sind diese Erwartungen in den letzten Jahren gründlich enttäuscht worden. Hinter den hochentwickelten technokratischen Praktiken sind wieder die erschreckenden Züge eines brutalen Krisenkapitalismus zum Vorschein gekommen, den man wenigstens tendenziell bereits überwunden glaubte. Nicht zuletzt haben während der letzten Jahre jene neuen Krisenverhinderungs- und Planungswissenschaften, die absichtlich oder unabsichtlich den Glauben an die Zukunft der Technokratie gestützt hatten, an Glaubwürdigkeit und an Brauchbarkeit für die staatlichen Apparate eingebüßt: die Wachstumsökonomie, die Zukunftsforschung, die politische Kybernetik und, wenigstens partiell, auch die Friedensforschung.

Die neueren gesellschaftlichen Krisen in Frankreich und in den USA, welche auf ihre je besondere Weise Musterformen für Technokratie entwickelt haben, schließlich die ersten Risse in der Bundesrepublik einer nur schlecht konzertierten Aktion, stellen auch eine Reihe von Theorien in Frage, wie sie vor allem in Deutschland einer ziemlich abstrakten Diskussion Nahrung gaben. Immer wieder haben ja hierzulande Konzeptionen, die eine zwangsläufige Entwicklung zur Technokratie als geradezu schicksalhafte Gesetzmaßigkeit der modernen Industriegesellschaft zeichneten, ein größeres Interesse gefunden als anderswo. Das gilt gleichermaßen für die Thesen so gegensätzlicher Kulturkritiker wie Herbert Marcuse und Hans Freyer, Arnold Gehlen und Helmut Schelsky. Diese theoretische Auseinandersetzung um die Technokratie als Kulturschicksal, die zugleich eine ideologische Auseinandersetzung ist, durchzog insbesondere während der sechziger Jahre unter mannigfachen Schlagworten eine Sozialwissenschaft, die über die Herrschaftsverhältnisse und die politische Ökonomie der deutschen Gesellschaft kaum brauchbare Analysen vorzuweisen hatte.

Man wird daher gut daran tun, den Theorien über die Technokratie und den Prognosen über ihre Zukunft mit einiger Vorsicht zu begegnen. Denn meist verbergen sich dahinter ideologische Positionen, die einer harten wissenschaftlichen Kritik nicht standhalten. Gerade daran erweist sich auch, daß das Heraufkommen der Technokratie nicht, wie ihre Verfechter meinen, das Ende der Ideologien mit sich bringt. Eher das Gegenteil mag der Fall sein.

Wenn seit dem Beginn dieses Jahrzehnts das wissenschaftliche Interesse an der Technokratie-Diskussion nachgelassen hat, so sind damit doch nicht wichtige Fragen erledigt, die diese Diskussion aufgeworfen hatte: die Fragen nach der Eigendynamik der Bürokratisierungsprozesse; nach dem immer größeren Widerspruch zwischen den Möglichkeiten, die die Beherrschung der Natur eröffnet, und ihrer Blockierung durch die Imperative stabiler Herrschaft und extensiven, vernichtungsträchtigen Wachstums; nach der ständigen Erweiterung staatlicher Planungs- und Verfügungsmacht, um jenen Imperativen gerecht zu werden, und der Unfähigkeit, mit den dadurch ausgelösten Krisen fertigzuwerden, den Fragen also nach den Krisenzusammenhängen des »neuen Leviathan«. Mag die Auseinandersetzung mit den Theoremen viele dieser Fragen auf zweifelhafte Weise angepackt haben, so wird doch die reale Entwicklung dafür sorgen, daß die Wissenschaft das Jahr 1984 auf dem Terminkalender behält.

Todesstrafe

Robert Spaemann

Artikel 102 des Grundgesetzes der Bundesrepublik Deutschland lautet: »Die Todesstrafe ist abgeschafft.« Die Abschaffung war im Parlamentarischen Rat von der konservativen Deutschen Partei beantragt worden und fand eine große Mehrheit. Der Rat stand noch stark unter dem Eindruck des exzessiven Gebrauchs, der von der Todesstrafe im Dritten Reich gemacht worden war. Im letzten Krieg waren Menschen wegen des Erzählens eines Witzes zum Tode verurteilt worden. Aber schon in der ersten Legislaturperiode des Deutschen Bundestages wurden zwei Vorstöße unternommen, um den Verfassungsparagraphen wieder zu Fall zu bringen, einmal von der Bayernpartei, einmal von eben jener Deutschen Partei, die nicht lange zuvor die Abschaffung beantragt hatte. Eine Mehrheit von CDU-Abgeordneten stimmte damals bereits für die Wiedereinführung der Todesstrafe für Mord. Sie befanden sich damals und befinden sich heute noch im Einklang mit der Mehrheit des Volkes. Denkwürdig ist das Wort von Carlo Schmid im Bundestag aus jener Zeit, Entscheidungen, die die Humanität beträfen, seien in den Händen einer aufgeklärten Minderheit (das heißt parlamentarischer Repräsentanten) besser aufgehoben als in denen des Volkes.

Bei der Diskussion praktischer Fragen hängt viel davon ab, wer für einen bestimmten Vorschlag die Begründungspflicht und für eine bestimmte These die Beweislast hat und wer sich statt dessen auf die kritische Erörterung der vorgebrachten Gründe beschränken darf. Als vernünftige Grundregel kann gelten, daß derjenige, der an einem bestehenden Zustand etwas ändern will, dies begründen muß. Aus dieser Regel folgt zunächst, daß bei unserem Verfassungszustand die Wiedereinführung der Todesstrafe überzeugend begründet werden müßte. Das schafft für die Befürworter der Todesstrafe eine schwierige Lage. Denn viele dieser Befürworter sind der Meinung, daß gegenüber dem Gewicht der Tradition der Menschheit, des spontanen Gerechtigkeitsgefühls und der Mehrheitsüberzeugung des Volkes die Abschaffung der Todesstrafe eher die Abweichung sei, die weiterhin der Rechtfertigung bedürfe. Diesen Einwand muß man ernst nehmen, soweit bei den Befürwortern der Todesstrafe die Bereitschaft vorhanden ist, Vernunftgründen überhaupt Raum zu geben. Gerade dies aber ist sehr häufig nicht der Fall. An die Stelle tritt die Berufung auf das Bewußtsein »von Theorien nicht angekränkelter Bürger« oder die Versicherung eines Abgeordneten, daß er sich »selbst durch Hunderttausende von Zentnern Literatur« nicht von seiner Überzeugung abbringen lasse und es ablehne, sich »über solche Leute (das heißt Mörder) noch eine große wissenschaftliche Vorlesung anzuhören«. Das Volksempfinden, mit Recht Ausgangspunkt, Erstinstanz aller rechtlichen Erwägungen, hört auf, »gesund« zu sein, wenn es sich der rationalen Erhellung widersetzt und zur Berufungsinstanz erhoben wird. Sogar bei einem so gewissenhaften Denker wie Kant schleicht sich in der Behandlung des Themas ein aggressiver Ton ein. Nachdem er die Argumente des klassischen Gegners der Todesstrafe, des Marchese Beccaria, referiert hat, entfährt es ihm: »Alles Sophisterei und Rechtsverdrehung!« Kant allerdings substantiiert seinen Ausbruch dann mit einem gewichtigen Argument, während das Handwörterbuch für Kriminologie von 1936 kurzerhand zugesteht, daß zwar die besseren Gründe für die Abschaffung der Todesstrafe sprechen, aber, so heißt es, diese Gründe seien nicht entscheidend, denn das Verhältnis des einzelnen zum Staat reiche in die Sphäre des Unbegreiflichen, und die diesbezüglichen Fragen seien nur auf der Ebene des Irrationalen zu entscheiden. Eine solche Auffassung macht freilich jede Diskussion unmöglich. Denn diskutieren läßt sich nur mit Gründen. Die Alternative dazu wäre der diskussionslose Machtkampf. Ähnliches gilt freilich für manche Gegner der Todesstrafe, wenn sie ihre Ablehnung jeder gewaltsamen Tötung zu einem absoluten Verbot erheben, das an keine Bedingungen geknüpft ist und dessen Voraussetzungen nicht weiter diskutierbar sein sollen. Ihnen kann entgegengehalten werden, daß die Abwesenheit der Todesstrafe aufs Ganze menschlicher Geschichte gesehen zweifellos die Ausnahme ist. Unser Verfassungsartikel macht (wohl unbeabsichtigt) noch in seiner Formulierung diese Tatsache sichtbar. Er setzt das Institut der Todesstrafe als bestehend voraus, indem er es als »abgeschafft« bezeichnet, statt daß es einfach heißt: »Niemand darf mit dem Tode bestraft werden.« Goethe hat diese Abschaffung als Abnormität betrachtet, wenn er schrieb: »Die Todesstrafe abzuschaffen, wird schwerhalten. Geschieht es, so rufen wir sie gelegentlich zurück.« Goethe schrieb dies im Hinblick auf die abolitionistische Bewegung, die durch die berühmte Schrift des bereits genannten Beccaria ausgelöst worden war. Diese Schrift mit dem Titel ›Dei delitti e delle pene, Über Verbrechen und über Strafen‹ war im Jahre 1764 erschienen. Beccaria ging aus von den modernen Vertragstheorien des Staates. Wenn wir, so etwa argumentiert er, den Staat denken als Resultat eines Vertrages der Bürger, so können dem Staat nur diejenigen Rechte zukommen, die ursprünglich jeder einzelne über sich selbst hat. Nun hat aber niemand das Recht über sein eigenes Leben. Also kann er dieses auch nicht abtreten, und folglich kann auch der Staat kein Recht über das Leben seiner Bürger besitzen.

Dieses Argument ist schwach. Kant hat es gesehen, wenn er schreibt: »Der Hauptpunkt des Irrtums dieses Sophismus' besteht darin, daß man das eigene Urteil des Verbrechers (das man seiner Vernunft notwendig zutrauen muß), des Lebens verlustig werden zu müssen, für einen Beschluß des Willens ansieht, sich selbst zu richten, und so sich die Rechtsvollziehung mit der Rechtsbeurteilung in einer und derselben Person vereinigt vorstellt.« Die Befugnisse staatlicher Autorität können, auch wenn diese vom Volke ausgeht, nicht auf diejenigen Befugnisse beschränkt werden, die jedes Mitglied des Volkes als Individuum über sich selbst hat. Wenn Beccarias Argument stichhaltig wäre, so würde auch eine lebenslängliche Freiheitsstrafe unrechtmäßig sein, denn der Mensch ist auch nicht Herr seiner Freiheit. Jeder Vertrag, der die definitive Auslöschung des einen Vertragspartners als Person, also die Sklaverei, zum Inhalt hätte, würde sich selbst aufheben. Ein Vertrag impliziert nämlich eine gegenseitige Verpflichtung. Wer aber sich als Person aufgibt, sich zur Sache in der Hand eines anderen macht, hört auf, ein Subjekt von Pflichten zu sein. Dennoch billigen wir und billigte auch Beccaria der politischen Gemeinschaft das Recht auf Freiheitsentzug zu. Offenbar kommen wir nicht damit zurecht, den Staat, der der Garant aller privatrechtlichen Verträge ist, selbst als Resultat eines solchen privatrechtlichen Vertrages zu denken. Und wir müssen uns für die weiteren Überlegungen auch das folgende vor Augen halten: Das elementare Gerechtigkeitsempfinden, das wir wegen seiner Dumpfheit und Manipulierbarkeit als Berufungsinstanz ablehnen müssen, kann ohne Gefahr für das Rechtsbewußtsein und den inneren Frieden eines Gemeinwesens nicht als gleichgültig beiseite getan werden. Was sagt das elementare Gerechtigkeitsgefühl? Es sagt, daß, wer kalten Blutes getötet hat, das Recht auf Leben verwirkt hat. Wir müssen uns nur vorstellen, wie jemand, der, nachdem er das Recht auf Leben durch die Tat negiert hat, nun, nachdem er dingfest gemacht ist, dieses Recht für sich reklamiert, um die Situation als absurd zu empfinden. Der Mörder ist aus dem Zustand herausgetreten, von dem aus gegen andere Rechte geltend gemacht werden könnten. Sein Leben ist hinfort eine Tatsache, aus der er selbst keinen Rechtsanspruch auf Schutz mehr folgern kann. Das germanische Recht des frühen Mittelalters hat dieser Situation genau entsprochen mit der Erklärung der Vogelfreiheit. Der Mörder wurde aus der Rechtsgemeinschaft ausgestoßen, und es wurde ihm deren Schutz entzogen. Wer wollte, konnte ihn töten. Aber er mußte nicht getötet werden. Nicht das Leben nämlich ist ein Werk der Rechtsgemeinseaft, sondern der Rechtsanspruch auf Schutz des Lebens. Nicht das Leben hat also der Mörder verwirkt, sondern den Rechtsanspruch auf Schutz des Lebens. Sein Leben steht zur Disposition. Soweit werden wir dem elementaren Gerechtigkeitsgefühl, das ein Gefühl für Billigkeit und Gegenseitigkeit ist, folgen müssen. Aber folgt daraus, daß der Staat dem Mörder das Leben nehmen muß? Gewiß, die Erklärung der Vogelfreiheit ist mit den Erfordernissen der Rechtssicherheit und der Humanität nicht vereinbar. Sie würde bedeuten, die Gesellschaft weiter der Bedrohung durch den Mörder oder diesen der Lynchjustiz auszuliefern. Wenn das Leben des Mörders zur Disposition steht, was soll mit ihm geschehen? Um ihn zu töten, bedürfte es eines zusätzlichen guten Grundes. Gibt es einen solchen? Zur Beantwortung dieser Frage werden wir am besten daran tun, diejenigen Zwecke durchzumustern, die in der Strafrechtslehre als rechtfertigende Strafzwecke gelten, die Spezialprävention, die Generalprävention, die Besserung und die Sühne.

Erste Aufgabe der staatlichen Gewalt ist der Schutz derer, die unter ihr leben. Der Bürger hat einen Anspruch darauf, vor demjenigen definitiv geschützt zu werden, der durch die überlegte Tat das Recht seines Mitmenschen auf Leben negiert hat. Der Mörder hat sich aus der Rechtsgemeinschaft herausbegeben und sich ihr als Feind entgegengestellt. Er muß als Feind behandelt werden, solange er frei ist. Das heißt also, wenn er flüchtig ist, muß er herbeigeschafft werden, wenn nicht lebendig, dann tot. Die Erschießung des Flüchtigen durch die Polizei, wenn sie seiner anders nicht habhaft werden kann, ist weder Mord noch Strafe, sie ist ein Akt gemeinschaftlicher Notwehr. Wenn er aber gefangen ist, bedarf es nicht seiner Tötung. Die Gesellschaft kann und muß vor ihm definitiv geschützt werden. Das kann geschehen durch lebenslange Haft oder eine Haft, die das humanitäre Äquivalent der lebenslänglichen ist, das heißt, die so lange dauert, bis alle die vitalen Energien erloschen sind, die nach menschlichem Ermessen Voraussetzung einer Gewalttat sind. Die Todesstrafe kann diesen Schutz praktisch nicht verbessern. Es gibt in unserem Land kein Beispiel einer Wiederholungstat, die, wenn es Todesstrafe für Mord gäbe, unterblieben wäre.

Schwieriger steht es mit der sogenannten Generalprävention, das heißt der Abschreckung. Wenn wir davon ausgehen, daß der Mörder einen Rechtsanspruch auf Schutz des Lebens verwirkt hat, und wenn wir weiter annehmen, seine Tötung würde auf andere potentielle Mörder abschreckend wirken und sie von der Tat abhalten, dann, so scheint mir, müßte er seinen Kopf hergeben, denn der Tod jedes weiteren Ermordeten müßte einer Rechtsordnung zur Last gelegt werden, die es versäumt hat, sein Leben durch Todesdrohung für den Mörder zu retten. Mir scheint, es muß gegenüber manchen prinzipiellen Gegnern der Todesstrafe zugestanden werden, daß die abschreckende Wirkung dieser Strafe ein hinreichender Grund für ihre Einführung wäre. Wenn das Leben friedlicher Menschen durch den Tod des Mörders einen nachweislichen höheren Schutz erfahren würde, so ist es in der Tat nicht einsichtig zu machen, wieso der Mörder am Leben bleiben soll. Nun sind aber die Befürworter der Todesstrafe bisher nicht nur den Beweis für eine solche abschreckende Wirkung schuldig geblieben, sondern ein überwältigendes statistisches Material auf der ganzen Welt zeigt heute, daß kein Zusammenhang zwischen der Existenz der Todesstrafe und der Zahl von Kapitalverbrechen besteht. Man hat den Wert solcher Statistiken grundsätzlich in Frage stellen wollen. Man hat gesagt, es sei eben doch nie festzustellen, ob in einer bestimmten Situation nicht eben die Mordziffer niedriger wäre, wenn es die Todesstrafe gäbe. Aber wenn sich nachweisen läßt, daß in einem Lande nach Abschaffung der Todesstrafe die Tötungsdelikte zurückgehen und daß in benachbarten Ländern diejenigen, die die Todesstrafe abgeschafft haben, niedrigere Mordziffern haben, dann steht zumindest fest, daß die Behauptung einer abschreckenden Wirkung auf einer Spekulation beruht, da nach Ausweis der Statistik eher das Umgekehrte der Fall ist. Und wenn man an dem Grundsatz festhält, daß man nicht gegen, sondern für die Tötung eines Menschen zwingende Gründe vorbringen können muß, dann liegt auf der Hand, daß die Abschreckungstheorie in bezug auf die Todesstrafe versagt hat. Offenbar ist es eben so, daß ein Mensch, der einen Mord begehen will, vorher nicht zu fragen pflegt, ob ihn für seine Tat lebenslängliches Zuchthaus oder der Tod erwartet, sondern daß er nur daran denkt, wie er der einen wie der anderen Strafe entgehen kann. Die beste Abschreckung ist und bleibt daher eine gute Polizei und ein maximaler Prozentsatz aufgeklärter Fälle. Es bliebe höchstens das Problem der Sicherheit der Gefängnisaufseher. Kann die Androhung der Todesstrafe lebenslänglich Inhaftierte vor Gewalttaten gegen Gefängnisbeamte abhalten? Es besteht kein Grund zu dieser Annahme. Im Gegenteil könnte der Überdruß an der Gefangenschaft dazu anreizen, beim Befreiungsversuch alles auf eine Karte zu setzen. Die Androhung schwerster Haftverschärfung wäre in diesem Falle eher abschreckender.

Aus dem Gemeinwohl, das heißt in diesem Falle der öffentlichen Sicherheit, folgt also nichts zugunsten der Todesstrafe. Wie steht es nun mit den beiden anderen Strafzwecken, dem der Besserung und dem der Sühne? Was die Besserung betrifft, so kann dieses Motiv zweierlei bedeuten. Einmal kann es abzielen auf die Resozialisierung des Täters. Dies wird durch die Todesstrafe natürlich nicht erreicht, vielmehr stellt die Todesstrafe den endgültigen Verzicht auf dieses Ziel dar. Besserung kann auch den Täter selbst in seiner Personalität zum alleinigen Ziel haben. Die Erfahrung lehrt in der Tat, daß die unmittelbare Konfrontation mit dem Tode den Menschen in eine Entscheidungssituation bringt, die ihn zum Umdenken veranlassen kann. Nach Auskunft mancher Gefängnisgeistlicher ist die Reue vieler Mörder über ihre Tat vor der Hinrichtung nicht nur das Bedauern darüber, einen Fehler gemacht zu haben und erwischt worden zu sein, sondern eine wirkliche sittliche Bekehrung, soweit man das von außen beurteilen kann. Das kann jedoch nie als Begründung für die Todesstrafe dienen. Denn erstens ist diese Wirkung nicht sicher. Es gibt auch die umgekehrte Reaktion der dumpfen Verzweiflung. Zweitens aber und vor allem: Die läuternde Wirkung kann nur ausgehen von einer Todesdrohung, die nicht unmittelbar diese Läuterung zum Ziel hat. Der Tod mag als schicksalhaftes Verhängnis oder als gerechte Strafe erwartet werden, die Todeserwartung kann den Menschen wandeln. Die Wandlung aber wird unmöglich gemacht, wenn sie zum Zweck der Todesdrohung gemacht wird. Die Tötung als pädagogische Maßnahme ist pervers.

Um also dem Ziel der Besserung dienen zu können, müßte die Todesstrafe gerecht sein. Daß sie es sei, behaupten die Verteidiger der Todesstrafe. Und zwar sehen sie die Gerechtigkeit im emphatischen Sinne im Sühnecharakter dieser Strafe. Was ist damit gemeint? Der Begriff der Buße oder Sühne impliziert den Gedanken der Wiederherstellung eines durch den Verbrecher gestörten Gleichgewichtszustandes, den Gedanken der Wiedergutmachung oder Entschädigung. Am unmittelbarsten leuchtet dies in privatrechtlichem Zusammenhang ein: Wer einen Schaden angerichtet hat, soll ihn wiedergutmachen. Das Eigentümliche im Begriff der Sühne liegt darin, daß hier die Wiedergutmachung dadurch geleistet wird, daß dem Übeltäter ein dem angerichteten entsprechendes Übel widerfährt. Dem Bestohlenen kann der Dieb das Gestohlene zurückgeben. Aber er hat ja nicht nur den Bestohlenen geschädigt, sondern die allgemeine Sicherheit des Eigentums beeinträchtigt, indem er sich eine Chance verschaffte, das gestohlene Gut zu genießen, ohne es erstatten zu müssen. Dafür muß er, wie wir sagen, büßen, das heißt eine Beeinträchtigung seiner Lebensentfaltung in Kauf nehmen. Zum Gedanken der Sühne gehört der der Wiederherstellung der Integrität des Rechtsverletzers zugleich mit der Rechtsordnung. »Die Strafe ist die Ehre des Verbrechers«, heißt es bei Hegel. Die Eintragung in ein Strafregister, das den Bestraften noch nachträglich diskriminiert, widerspricht deshalb dem Grundgedanken der Sühne. Im Sühnebegriff steckt ohne Zweifel ein mythisches Element, der Gedanke einer beleidigten und durch ein Blutopfer zu versöhnenden Gottheit. Eine solche mythische Vorstellung scheint noch bei Kant durch, wenn er schreibt: »Selbst wenn sich die bürgerliche Gesellschaft mit aller Glieder Einstimmung auflöste (zum Beispiel das eine Insel bewohnende Volk beschlösse, auseinanderzugehen und sich in alle Welt zu zerstreuen), müßte der letzte im Gefängnis befindliche Mörder vorher hingerichtet werden, damit jedermann das widerfahre, was seine Taten wert sind, und die Blutschuld nicht auf dem Volke hafte, das auf diese Bestrafung nicht gedrungen hat, weil es als Teilnehmer an dieser öffentlichen Verletzung der Gerechtigkeit betrachtet werden kann.« Kant wählt dieses Beispiel, um deutlich zu machen, daß das Motiv der Sühne nicht auf so etwas wie soziale Nützlichkeit rückführbar ist. Ich möchte nun in diesem Zusammenhang drei Thesen vertreten.

Erstens: Die Todesstrafe als Sühne ist nur sinnvoll unter der religiösen Voraussetzung eines Fortlebens nach dem Tode und einer jenseitigen Gerechtigkeit. Wenn der Begriff der Sühne den Gedanken der Rehabilitierung des Übeltäters einschließt, dann kann die Todesstrafe nur Sühne sein, wenn der, der sie erleidet, diese Strafe überlebt und wenn es ein Reich gibt, in dem er als Wiederhergestellter seinen Platz einnimmt. So steht auf mittelalterlichen Richtschwertern: »Wenn ich tu das Schwert aufheben, wünsch' ich dem armen Sünder das ewige Leben.« Nur unter dieser Voraussetzung auch wird die Todesstrafe gebührend relativiert. Der Richter kann ja ein viel schlechterer Mensch sein als der Mörder, hinterlistig, feige, brutal. Im Richterspruch kann und darf sich eine Bewertung der Motive des Menschen nicht niederschlagen. Nur Gott kennt und richtet das Herz. Der Begriff »niedrige Beweggründe«, der in der nationalsozialistischen Ära in unser Strafrecht eingeführt wurde und heute noch eine Rolle spielt, hat im Strafrecht ebensowenig verloren wie die strafmildernde Bewertung politischer Motive gegenüber privaten. Wo ein solches definitives Tribunal, an dem die Gedanken der Herzen offenbar werden, nicht geglaubt wird, da muß die Todesstrafe als höchste Ungerechtigkeit erscheinen. Unser Staat aber ist nicht ein solcher, in dem die Fortexistenz des Menschen nach dem Tode eine allgemeine Voraussetzung alles Gemeinschaftslebens ist. Es gilt deshalb, was Albert Camus schreibt: »Wenn ein atheistischer oder skeptischer oder agnostischer Richter einem nichtgläubigen Schuldigen die Todesstrafe auferlegt, spricht er eine endgültige Strafe aus, die nicht rückgängig zu machen ist. Er setzt sich auf Gottes Thron, ohne Gottes Macht zu besitzen und selbst ohne daran zu glauben. Im Grunde genommen tötet er, weil seine Vorfahren an das ewige Leben glaubten.« »Religionen ohne Transzendenz töten Verurteilte ohne Hoffnung.« Ein säkularisierter Staat muß auf die Todesstrafe verzichten, wenn diesem Verzicht keine Gründe der öffentlichen Sicherheit im Wege stehen.

Meine zweite These ist die: Das Christentum hat den Gedanken der Sühne entmythologisiert und macht es möglich, die Reduktion der Strafe auf sozial utilitäre Zwecke auch religiös zu rechtfertigen. Zwar glaubten in der Vergangenheit immer wieder christliche Politiker, das Sühnemotiv der Strafe im Hinblick auf die Todesstrafe aus religiösen Gründen hervorheben zu sollen. Man sprach vom »christlich betonten Prinzip der Vergeltung«. Das ist eine Verkennung des spezifisch Christlichen. Der Gedanke einer zu versöhnenden ewigen Gerechtigkeit bildet zwar den Hintergrund der paulinischen Erlösungslehre. Aber das spezifisch Christliche ist doch der Glaube, daß diese Gerechtigkeit ein für allemal versöhnt ist durch den Tod Christi. Daraus folgert deshalb schon Thomas von Aquin, daß die irdische Strafgerechtigkeit sich nicht am Sühneprinzip, sondern an dem des Gemeinwohls zu orientieren habe. Und Bernhard Häring, einer der angesehensten katholischen Moraltheologen der Gegenwart, schreibt: »Die Todesstrafe rechtfertigt sich lediglich durch ihren Dienst am rechtverstandenen Gemeinwohl.«

Meine dritte These: Das Sühnemotiv wird jedoch auch dann nicht hinfällig, wenn das Strafmaß lediglich vom Gesichtspunkt des Gemeinwohls diktiert wird. Die Größe des Sühnebegriffs liegt darin, daß in ihm der Bestrafte selbst nicht nur Mittel, sondern zugleich Zweck ist. Er, der andere zu bloßen Objekten seiner rechtswidrigen Willkür machte, wird selbst nun zwar zum Objekt von Maßnahmen gemacht, die geeignet sind, den Schaden seiner Tat für die Allgemeinheit zu beseitigen. Das Maß der Strafe sollte sich aber lediglich nach den Erfordernissen des Gemeinwohls richten. Das Sühnemotiv sollte es gar nicht beeinflussen. Sühne wird die Strafe dadurch, daß der einzelne die Strafe akzeptiert und übernimmt als das, was er der Rechtsgemeinschaft zu leisten schuldig geworden ist. Ob er das tut, hängt letzten Endes von ihm selbst ab. Es wird aber dadurch erleichtert, daß die Strafe ihm selbst in ihrer Art und ihrem Umfang als objektiv notwendig einleuchtet. Das wiederum setzt einen Strafvollzug voraus, der den Bestraften überhaupt erst instand setzt, solche Einsichten zu realisieren. Das heißt, das Ziel der Besserung und Resozialisierung ist dem der Sühne nicht nur nicht entgegengesetzt, sondern sogar dessen Voraussetzung. Nur der Gebesserte kann subjektiv Sühne leisten.

Und ein letztes: Wer total und in jeder Hinsicht ins Unrecht gesetzt ist, kann sich selbst psychologisch aus der Situation nicht mehr herauswinden. Der Mörder aber ist nie gegenüber der Gesellschaft schlechthin und total im Unrecht. Tatsächlich können wir uns guten Gewissens nicht dümmer stellen, als wir sind. Wir kennen heute viele psychische und soziologische Bedingtheiten der Kriminalität. Es geht nicht darum, den Täter sentimental zum schuldlosen Opfer umzustilisieren. Wenn sich in ihm die Schuld der Gesellschaft verdichtet, so deshalb, weil er selbst willentlich schuldig wurde. Wenn aber die Gesellschaft ihn einfach beseitigt, so findet sie ein zu leichtes Alibi. Wenn die Gesellschaft das Wort Kains: »Bin ich denn der Hüter meines Bruders?« gegen Kain wendet, zeigt sie damit ihre eigene Kainsnatur. Mit den Aufwendungen an Geld, fachlichem Können und menschlichem Engagement, das sie dem Strafvollzug zuwendet, leistet sie selbst die Sühne, die sie dem Ermordeten wie dem Mörder schuldet.

Toleranz
Die Verschleierung von Ohnmacht
Überprüfung eines Begriffs

Alexander Mitscherlich

Toleranz ist die Fähigkeit des Ertragens. Man sollte gleich hinzusetzen: aber nicht eines Duldens um jeden Preis, sondern eines sinnvollen Ertragens des Andersartigen. Von Toleranz kann nur die Rede sein, wo durch sie ein Konflikt vermieden wird. Die Existenz fremder Sitten, fremden Glaubens, fremder politischer Konzepte muß für mich jenseits bereitliegender Vorurteile Sinn gewinnen. Das ist die Voraussetzung toleranten Verhaltens. Sein Instrument ist die sogenannte unvoreingenommene Beachtung. Zwar kann niemand gänzlich unvoreingenommen sein; aber wir können es lernen, der Anzeichen unserer Voreingenommenheit innezuwerden. Diese Reflexionsfähigkeit gehört in den Ablauf toleranten Verhaltens. Von der Beachtung und Beobachtung sowohl des fremden Anderen wie der spontanen eigenen Reaktionen führt ein nächster Schritt zur Achtung anderer Standpunkte, Meinungen, Zielsetzungen.

Wer Macht besitzt, kann tolerant handeln. Wer machtlos ist, kann tolerant denken. Da die Machtlosen fast immer, wenn sie zur Macht gelangen, die Toleranz vergessen – ein sehr beachtenswertes Phänomen – und die Mächtigen sich nur selten bis zur Toleranzstufe im Denken geübt haben, ist es nicht gut um die Toleranz in der Welt bestellt. Infolgedessen wirkt der moralische Anlauf, der meist genommen wird, wenn von Toleranz die Rede sein soll, um so lächerlicher, je hilfloser wir sind, faktisch Toleranz zu produzieren. Sprechen wir von ihr deshalb auf der Ebene alltäglicher Entscheidungen. Sie mag uns als ein erstrebenswertes Kultur- oder Sozialverhalten gelten. Wovon hängt ihr Zustandekommen ab? Wo sind die Grenzen, bis zu denen Toleranz ihre Funktion erfüllt?

Übrigens können wir schon in der Einstufung der Toleranz als eines erstrebenswerten Sozialverhaltens des heftigen Widerspruchs der weit überwiegenden Zahl der Menschen gewiß sein, wenn von ihnen selbst Duldsamkeit, Nachsicht, Einsicht in die eigenen Unleidlichkeiten gefordert wird. Auf den großen Streitfeldern zwischenmenschlicher Beziehungen stößt man früher oder später auf entschlossene Intoleranz, gehe es um rassische Gleichberechtigung, um die differenzierten Fragen der politischen »Mitbestimmung« der verschiedenen sozialen Gruppen, um religiöse Dogmatik oder um die Beibehaltung ideologisch begründeter Ungleichheit der Aufstiegs- oder besser Entfaltungsmöglichkeiten des einzelnen. Die Regel bei solchen Differenzen ist die Interesselosigkeit am Standpunkt des anderen, an dessen eigener Meinung, dessen eigenem Konzept und das für diese fremde Welt stumpfe Verfolgen egoistischer Interessen. Da vielerlei Ängste in die Charakterstruktur von uns allen eingebaut sind, fällt uns Toleranz in keinem Falle leicht. Sie fordert Überwindung der Angst in einem Augenblick, in dem diese als Signal fühlbar wird. Denn Fremdes, wo es vor uns auftaucht, alarmiert in uns Abwehrstellung, vorsichtige Absicherung gegen mögliche Gefahr.

Toleranz ist nicht Schwäche; also auch nicht gleichbedeutend mit Aufgeben des eigenen Standpunktes. Sie setzt im Gegenteil voraus, daß man ihn besonnen zu verfechten versteht. Je mehr dabei individueller Mut erfordert wird, desto seltener wird Toleranz. Das ist sicher für das Individuum, das den Toleranztest nicht besteht, kein Ruhmesblatt, aber doch ein Anzeichen dafür, daß im Ernstfall, wenn die erklärten Interessen von einzelnen und von Gruppen ins Spiel kommen, die »Falken« sich vermehren und die »Tauben« sich in den Augen der Falken als »Verräter« zu erweisen beginnen, die man nur mit Sanktionen in Schach halten kann; zum Beispiel dadurch, daß man sie als »vaterlandslose Gesellen« ächtet.

In unfeierlichem Ton – trotz des Anlasses, nämlich seiner Weihnachtsansprache 1969 – hat Bundeskanzler Willy Brandt es als ein politisches Ziel benannt, die Deutschen müßten gute Nachbarn nach außen wie nach innen werden. Ohne Toleranz keine gute Nachbarschaft. Die Ansätze zur Verwirklichung des Zieles müssen zunächst bei uns selbst, nicht bei der Eigenart der nachbarlichen Völker gesucht werden. Für die gilt natürlich das gleiche. Denn eine kardinale Einsicht toleranter Einstellung sagt uns, daß wir über uns selbst mehr in Erfahrung bringen können als über andere. Die Einsicht sagt uns aber auch, wie schwierig es ist, kritische Selbstbetrachtung zu üben. Sie ist uns tief zuwider, und wir streben von ihr weg. Denn Selbstbeobachtung mobilisiert zunächst immer Ängste, wir könnten in den

Augen der anderen nicht jenen Wert haben, den wir uns selbst zusprechen. Die Angst, aus der eigenen Gruppe verstoßen, wie auch die, lächerlich zu werden, sind sehr oft unbeherrschbare Gegenmotivationen gegen tolerantes Verhalten. Aus unserer Gruppenvergangenheit als »Großdeutsche« erinnern wir uns sehr gut, wie uns eine mehr oder weniger verführerische Stimme zum kurzen Prozeß mit unseren Nachbarn riet und wie wir aus diesem überstarken aggressiven Verlangen das Risiko bagatellisierten. Viele Beobachter haben besser als die meisten von uns erkannt, daß unsere Riesenansprüche ein Abwehrmechanismus unserer Kleinheitsängste waren. Solche abgewehrte Angst kann unter Umständen auf schreckliche Weise die Weltpolitik bestimmen.

Toleranz läßt sich leicht als wirklichkeitsfern, als utopisch abtun; denn sie bringt das faktische Risiko mit sich, von der Aggression anderer – und natürlich auch von der eigenen – überwältigt zu werden, wo man ein Gespräch anstrebte, eine Lösung von Konflikten suchte, ohne den Rückgriff auf die Tötungsabsicht und die nackte Gewalt. Angesichts der selbstgerechten Interesselosigkeit der reichen Nationen für das Schicksal der armen kann die Notwendigkeit, Utopien zu entwickeln, für die menschliche Wohlfahrt gar nicht überbetont werden. Als utopisch wurden seit jeher denkbare, aber nicht als realisierbar erachtete technische Großziele bezeichnet. Die Utopie, die hinsichtlich der Toleranz zu entwerfen ist, betrifft die Selbstgestaltung des Menschen in Richtung verminderter Aggressivität oder erhöhter Fähigkeit, trotz Angstreaktionen, trotz innerer Angstsignale kritisch denkfähig zu bleiben. Ohne die Hoffnung – ist es eine utopische Hoffnung? – der allmählichen Erweiterung unserer kritischen Denkfähigkeit wären wir dem Zynismus einer Menschenkunde ausgeliefert, in der die Gemeinheit eine gleichsam alternativelose Konstante humanen Verhaltens bildet. Für eine solche Auffassung lassen sich im übrigen nicht wenige Argumente beibringen. Vor unseren Augen verwandeln sich Millionenstädte in Aufmarschgebiete für Rassenschlachten oder in die Fanggründe ebenso perfekt kommerzialisierter wie barbarischer Krimineller. Wie unter solchen Auspizien gute Nachbarschaft halten? Denn das Charakteristikum solcher Zustände ist die Erbarmungslosigkeit. Sie begleitet die offenen wie die verdeckten Kriegszustände und vergewaltigt die Entscheidungen des einzelnen. Denn er gehört zu Gruppen, die unbedingte Konformität, unbedingten Gehorsam fordern – wie ein Heer, wie die mächtige amerikanische Verbrecherorganisation »Cosa Nostra« und ähnliche Gruppen. Von ihrem Anspruch kann man sich nur unter allergrößter Gefahr für das eigene Leben trennen; häufig genug nur dadurch, daß man es aufgibt.

Eine ergreifende jüdische Maxime fordert: Wenn einer dir sagt: Töte! oder du wirst getötet – laß dich töten. In der Nummer 52 (1969) der Illustrierten ›stern‹ konnte man einen Bericht von der israelischen Front am Suez-Kanal lesen. Dort töten Israelis, um nicht getötet zu werden. Als einer der Scharfschützen einen unvorsichtigen Araber bei der Verrichtung seiner Notdurft erschießt, löst das Gelächter aus. Im Frontjargon sagt der erfolgreiche Schütze: »Der wird keiner Elternvereinigung mehr beitreten.« Tötend konzentriert er sein Bewußtsein ausschließlich auf die Aufgabe des Treffens – »mitten zwischen die Augen« –, nicht auf die Tatsache, daß damit gleichzeitig ein Menschenleben vernichtet wird. Er erwartet auch keine andere Einstellung vom Gegner.

In ihrer Reaktion auf das gelungene Töten zeigen die Schützen die Tendenz der Verharmlosung; sie tun so, als hätten sie einem Lehrer erfolgreich einen Streich gespielt, ohne arge Absicht. Der Mechanismus der Schuldverleugnung – ein unbewußter Selbstschutzvorgang – bewahrt das Ich vor der Überwältigung durch Vergeltungsangst und – bei entwickeltem Gewissen – durch Schuldgefühle. Die Befolgung der ethischen Maxime, sich lieber töten zu lassen als selbst zu töten, hätte in diesem Augenblick, in dem wieder einmal ein Diktator die unbeugsame Absicht geäußert hatte, das Volk der Israelis in Blut zu ersticken, sinnlose Selbstaufgabe bedeutet. Der vom Kollektiv gedeckte Tötungsbefehl scheint in dieser eskalierten Situation angemessen. Er arbeitet Hand in Hand mit dem in uns bereitliegenden Abwehrmechanismus der Verleugnung von Schuld.

Es muß aber betont werden, daß alle diese Abwehrvorgänge, mit denen sich das Ich schützen will, infantil, Teil einer Vogel-Strauß-Politik sind; sie verzerren die Realität und beantworten sie nicht angemessen; zum Beispiel wird regelhaft der Gegner als ein minderwertiges Wesen wahrgenommen. Vor Jahren schrieb Paul Sethe (Die Welt, 24. 3. 1962): »Die Bösen, das sind die anderen. Deutsche und Polen halten sich gegenseitig ihre Unterdrückungstaten vor, als wäre die eigene Nation ganz rein und nur die andere das abschreckende Beispiel des Verknechtungswillens. Die Deutschen erzählen untereinander schaudernd von den Schreckenstaten der Russen bei ihrem Einmarsch 1945. Wieviel russische Kriegsgefangene durch Hunger oder Genickschüsse ermordet worden sind, davon wollen sie nichts wissen. In kaum einem populären amerikanischen Geschichtsbuch fehlt die Anklage gegen Bismarck, er habe seine politischen Ziele nur durch Blut und Eisen erreicht. Daß ihr berühmter Landsmann Lincoln dieselben Mittel benützt hat, scheint ihnen natürlich.« In unserem Beispiel wird das Treffen ins Schwarze mit der angemessenen Freude des Triumphs ob der gelungenen Leistung beantwortet. Daß gleichzeitig getötet wurde, bleibt aus dem Gefühlsleben ausgespart. Darauf setzt keine affektive Antwort ein. Ein Zeichen für den gelungenen Abwehrvorgang der Verleugnung. Denn sosehr auch die Handlung des israelischen Soldaten aus der Kampfsituation verstehbar ist, sie bleibt gleichzeitig ein Tötungsakt, ein Akt mitmenschlicher Schuld. (Vgl. ›Gespräche mit israelischen Soldaten‹, Frankfurt 1970.) Gerade dieses Dilemma muß aufgedeckt bleiben. Denn die Erhellung des Mechanismus, der immer und immer wieder in der Geschichte solche Todfeindschaften hervorgebracht und in ihrer Barbarei ermöglicht hat, ist vielleicht die zentrale Aufgabe in der Strategie um Toleranzvermehrung.

Aus der einmal etablierten Feindschaft zu schließen, die Hoffnung auf eine Technik toleranter Konfliktlösungen sei utopisch, ist bequem, aber unlogisch. Utopisch wird diese Hoffnung nur so lange sein, wie es uns nicht gelingt, die Mechanismen der aggressiven Aufladung zwischenmenschlicher Beziehungen, zum Beispiel von »Nachbarschaften« – sei es die eheliche, kameradschaftliche, nationale Nachbarschaft – rechtzeitig, frühzeitig genug in ihren Symptomen zu erkennen. Darin einander beizustehen gelingt uns bisher nur höchst mangelhaft. Das beweist uns zum Beispiel die Häufigkeit der Ehescheidungen ebenso wie die so schmerzlich begrenzte Einflußmöglichkeit der UN. Beide Institutionen würde man aber doch trotz dieser Unzulänglichkeiten nicht aufgeben wollen, sondern sie eher im Sinne der utopischen Herausforderung auffassen, sich zu jener Einsichtsfähigkeit in sich selbst und in das Wesen des anderen vorzuarbeiten, die durch diese Institutionen notwendig wurde. Rückblickend weiß man von mancher Ehe, warum, aus welcher Verflechtung von Motiven sie zerbrechen mußte. Die Partner wundern sich über ihre Blindheit damals, als die Entfremdung begann. Rückblickend ist es leicht einzusehen, daß keine rationalen Gründe die »Erbfeindschaft« zwischen Frankreich und Deutschland, die jetzt wie spurlos verschwunden zu sein scheint, hervorgebracht haben, sondern nur rationalisierte Gründe. Das sind Argumente, die nur scheinbar für die Begründung der Feindschaft brauchbar waren. Die Quelle der abgründigen Feindschaft – wie später zum bolschewistischen Rußland – war im Riesenmaßstab »dörflich«. Im frustrierenden Einerlei des eigenen Haushalts entsteht das Bedürfnis nach dem affektiven Blitzableiter, nach dem Sündenbock, den Wut und Abscheu unvermittelt treffen darf. Im nahen nachbarlichen Nebeneinander kreuzen sich die Projektionsbedürfnisse aggressiver Impulse aus Neid, Enttäuschung, mangelnder Möglichkeit des Abreagierens. Je geladener die affektiven Antworten werden, desto überzeugender wirkt jedes abwertende Urteil, dessen Fadenscheinigkeit dem Unbeteiligten sofort ersichtlich ist, beispielsweise die These von der »Dekadenz« der Franzosen, die im kaiserlichen Deutschland gang und gäbe war. Was die dörfliche Nachbarschaft vergiften kann, wiederholt sich, in der Konsequenz des Geschehens unverändert, auf internationaler Ebene. Am Ende der Erregungssteigerung steht der Wunsch, jetzt endlich einmal die Rangverhältnisse eindeutig herzustellen. Solcherart entwickelte sich ein Leitmotiv des deutschen, politischen Weltmachtstrebens vor 1914, wie der Historiker Fritz Fischer in seinem Buch ›Krieg der Illusionen. Die deutsche Politik von 1911–1914‹, Düsseldorf 1969, unlängst erneut dokumentierte.

Retrospektiv erkennen wir die Motive unserer Intoleranz vor 1914, und wie sich unser Beitrag zur Katastrophe des Ersten Weltkrieges, auch danach in den folgenden zwei Jahrzehnten, ziemlich gleich blieb: Er stammte von der abgewehrten kollektiven Inferioritätsangst her. Sie brachte eine gesteigerte affektive Gereiztheit hervor. Stets fühlte man sich beleidigt und zu kurz gekommen. Dieser Komplex wurde das *wahrhaft* treibende Moment. Es war zugleich ein *wahnhaft* antreibendes, denn es hatte sich von jeder Rationalität entfernt. Schließlich induzierten sich – ganz wie in vielen Ehe- oder Familienfeindschaften – die beiden Seiten zur Hervorbringung eines Systems von überzeugend wirkenden Scheingründen, denen gegenüber die Vernunft machtlos war. Was der Vernunft lange genug widerstand, waren die affektiven Bedürfnisse auf beiden Seiten. Für deren entspannenden Ausgleich bot sich schließlich nur noch die Massenentladung Krieg an.

Politik, die auf Toleranz zielt, muß demnach nicht nur Forschung der zutageliegenden Konflikte betreiben. Sie muß noch einen Schritt weitergehen und deren Motive erforschen. Es geht um die Vielfalt und manchmal um die Einfalt von Motiven, die entdeckt werden müssen, wenn man aggressiver, intoleranter Ausgangslagen rechtzeitig gewahr werden will; wenn man dort zuvorkommen will, wo ein Konfliktgeschehen sich einfädelt und seinen Lauf nimmt.

Wenn Toleranz etwas Utopisches, etwas Unwirkliches anhaftet, ist es um so nötiger, sie an den verschiedensten Schauplätzen, an denen sie fühlbar werden kann, aufzusuchen. Die Bedingungen, wann Toleranz am Platz ist, unterscheiden sich gewiß im Verkehr mit meinem über mir wohnenden und ausgelassene Tanzereien liebenden Nachbarn vom Verkehr zum Beispiel zwischen den deutschen Nachbarn Bundesrepublik und DDR.

Zunächst einmal müssen einzelne – ebenso wie Gruppen, die in Feindschaft zu geraten drohen – aus ihrem jeweiligen Bewußtseinshorizont über so viel klaren Blick verfügen, daß sie bereit sind, Querelen und die kleineren Verstöße gegen die nachbarschaftliche Rücksichtnahme auf sich beruhen zu lassen. Das wird ihnen um so leichter gelingen, je weniger aggressive, ungestillte Bedürfnisse in ihrer eigenen Gruppe oder im eigenen einzelnen vorhanden sind. Laute Empörung entspricht häufig nicht dem Anlaß. Wo man vom Partner sagt, daß er so unverfroren sei, so scheußlich sich benehme, so greulichen Göttern opfere, daß er keine Nachsicht verdient, pflegt, wenn man vom einzelnen auf die Gruppe, auf die Vielheit schließen darf, eine große innere Zerrissenheit am Werk zu sein, eine Ratlosigkeit ob der Unfähigkeit, sich selbst im Zaum zu halten.

Es kommt also nicht auf einen Richtspruch an: der Ehemann oder die Ehefrau oder die Juden oder Ulbricht seien an allem schuld, sondern auf die Aufrechterhaltung eines Gleichgewichts im Erleben wechselseitiger Fremdheit, welches aber, wie erwähnt, von wechselseitigem Interesse aneinander begleitet wird. Gelingt es, die oberflächlichen Argumente hinter sich zu lassen, dann stößt man nicht selten auf enttäuschte übertriebene Liebesansprüche, enttäuschte Ansprüche der Anerkennung des eigenen Wertes, die eine mächtige Welle von Haß und Unversöhnlichkeit ausgelöst haben. Am Verhältnis der Bundesrepublik zur zwei Jahrzehnte nur als »sogenannt« geführten DDR wurde uns das von der Regierung Adenauer vor Augen geführt.

Diese Arroganz wurde von Arroganz und unleidlicher Schikane beantwortet. Schikane hat aber immer das Motiv des verletzten (zuweilen wahnhaft verletzt geglaubten) Selbstgefühls.

Nun aber zur Voraussetzung der Voraussetzungen: Welches seelische Kräfteverhältnis ermöglicht tolerantes Benehmen? Die Entscheidung: tolerant oder intolerant? wird zum Problem, wenn eine starke Motivation zur Intoleranz fühlbar wird, die allemal damit lockt, daß baldige aggressive Triebbefriedigung versprochen wird. Dies kann geschehen, weil Intoleranz über mächtige Stützen verfügt; als da sind: nicht anzweifelbare Vorurteile, dogmatische Glaubenssicherheit, materiell und psychologisch raffiniert gesicherte Herrschaftssysteme. Sie erlauben und erleichtern ein Ausagieren der destruktiven Tendenzen. Nur Träumer können sich darüber im unklaren sein, daß solche in unser aller seelischer Ökonomie eine viel bedeutendere Rolle spielen, als es uns angenehm zu wissen ist. Erinnern wir uns an die zahllosen Schlachten, die wir, beginnend mit der Keilerei bei Issus 333, in der Schule zu lernen genötigt wurden. Sie stellten eine Summierung von einzelnen Tötungs- und Verletzungsakten dar. Im Bewußtsein der jeweilig Handelnden durften sie nur den Aspekt von Mut, Tapferkeit, Vaterlandsliebe gewinnen. Wer hat uns angehalten, uns in die Tatsache einzufühlen, daß mit all diesen Tugenden – wenn überhaupt Toleranz einen Sinn hat – die sträflichste aller Taten: Mordabsicht und Mord, verknüpft ist? Um uns in dieses Wissen einüben zu können, dafür fehlte unseren Lehrern die Einsicht und den Lehrern unserer Lehrer auch – zurück bis zu Homers Zeiten, wo allerdings noch eine andere Form der Humanität, eine tragisch dualistische von Schuld und Größe, sichtbar ist.

Zur Eindämmung unserer Selbsttäuschungen bieten sich drei Standorte der Beobachtung an. Erstens: wir können versuchen, die Dynamik seelischer Prozesse in tolerantem und intolerantem Verhalten so genau, als es uns gelingt, zu analysieren. Zweitens können wir versuchen, genauer zu bestimmen, inwiefern sich tolerantes und intolerantes Verhalten beim einzelnen von dem in Gruppen unterscheidet. Das mag zunächst am Bonmot eines wegen seiner gewinnenden Toleranz mit vielen Freunden gesegneten Mannes angedeutet sein. Auf die Frage, was er von Toleranz in der Politik halte, antwortete er: »Nichts!« Und nach kurzer Pause: »Man kann Braunhemden nicht im Nachthemd begegnen.«

Drittens muß die Frage gestellt werden, wann Toleranz geradezu gefährlich werden kann, weil sie ein Gefälle von Aggressionsneigungen erzeugt bzw. Aggression anlockt. Denn das ist doch die große Befürchtung der nicht grundlos ängstlichen Naturen, daß stark mit aggressivem Gruppenverhalten identifizierte Mitglieder, die von Toleranz nur in abwertendem Ton gehört haben, diese mit Schwäche verwechseln und beutewitternd zustoßen.

Zusätzlich ist die Frage nicht von der Hand zu weisen, ob Toleranz im historischen Geschehen in ein antagonistisches System gehört, oder ob sie eine Funktion in einem dialektischen Prozeß erfüllt. Mit anderen Worten: Pendelt Geschichte zwischen Einsicht und Einsichtslosigkeit, zwischen militanter Intoleranz und Duldsamkeit hin und her, oder kehrt dieses antagonistische Verhalten nie mehr in die gleiche Ausgangslage zurück? Denn in einem dialektischen Wechsel innerer Zustände, in einem Wechsel von Bereitschaft zur Überlegung und Aggressionsbereitschaft entstehen Erinnerungsspuren. Mit ihrer Hilfe wird allmählich intolerantes Verhalten immer fühlbarer von der Ahnung toleranter Lösungen begleitet, die es uns zunehmend schwieriger macht, uns Intoleranz als die beste Lösung einzureden; und zwar deshalb, weil sie mit Verzerrungen der Realität verknüpft ist oder mit dem nicht weniger pathologischen Zustand einer periodischen Gewissensschwächung, welche Intoleranz zuläßt.

Die innerlichen Voraussetzungen der Toleranz lassen sich mit dem Begriffsinstrumentarium der Psychoanalyse ziemlich genau bestimmen. Der Bereich unbewußt wirksamer Triebe, das »Es«, kennt nichts, was sich mit Toleranz bezeichnen ließe. Unsere libidinösen wie aggressiven Triebenergien drängen am Beginn unseres Lebens ganz selbstbezogen und gegen andere Individuen rücksichtslos auf Befriedigung. Die Triebversagungen, die ihnen auferlegt werden müssen, damit besonnenes Verhalten zustande kommt, wirken zunächst von außen auf sie ein. Wir nennen das Erziehung; mit einem neuen Fachausdruck »primäre Sozialisation«. Das Individuum lernt, auf andere Rücksicht zu nehmen.

Schließlich wird schrittweise diese steuernde Kontrollinstanz verinnerlicht, wird zum Gewissen, mit Freuds anschaulichem und umfassenderem Begriff: zum Über-Ich. Wenn wir uns das Über-Ich als ein Bündel von Handlungsanweisungen vorstellen, die das Individuum in Konformität mit den Sitten, den Normen seiner Gesellschaft, Klasse, Arbeitsgruppe, Familie steuern, dann wird man im sozialen Verhalten dieses Individuums so viel Toleranz und insbesondere dort Toleranz vorfinden, wie und wo sie sich in dieser Gesellschaft entwickelt hat.

Es ist vermerkenswert, daß Toleranz keineswegs nur den moralisch hervorstechenden Aspekt der überlegenen Geduld und Fähigkeit zum fairen Kompromiß hat. In bürgerlichen Kreisen war man zum Beispiel zwar auf Sittenreinheit erpicht, aber man gestand sich doch den galanten Seitensprung als Kavaliersdelikt zu. Diese Toleranz galt jedoch mehr für Männer als für Frauen und nicht für die dienenden Stände; und auch nicht, wenn es zur Scheidung kam. Derlei verstieß gegen den »comment«. Andererseits, wer den Fisch mit dem Messer aß, gehörte nicht zur feineren Gesellschaft. Man sah ihm den Verstoß gegen das gute Benehmen nach, wenn er nicht aus den eigenen Reihen stammte. Ein Mitglied der eigenen Gruppe wird durch den faux pas lächerlich, mehr noch, sein eigenes Gewissen richtet ihn. Darum hat mancher Offizier, der Spielschulden hatte, zum Revolver gegriffen. Nicht wenige Wohngemeinschaften oder politische Gruppierungen haben die Entwicklung eines immer intoleranten Gruppencomments zu fühlen bekommen. Nicht wenige gute Absichten sind an dieser unaufhaltsamen, weil in ihren Motiven unbewußt bleibenden Projektion der Aggression gescheitert. Freud sprach vom »Narzißmus der kleinen Differenzen«, charakteristisch für manchen Religions- und Sektenkampf in Vergangenheit und Gegenwart.

Lagunen von Toleranz im internen Aktionsbereich einzelner Gruppen lassen sich als Toleranz des stillschweigenden Einverständnisses bezeichnen. Immer handelt es sich dabei um eine Erhöhung der Schwelle, von der an ein anstößiges Verhalten mit Sanktionen geahndet wird. Wenn eine Mutter ihrem Kind nachsieht, daß es mit drei Jahren noch nicht sauber ist, und sich nichts daraus macht, daß die Mütter ihrer Bekanntschaft früher erfolgreich waren, dann handelt sie tolerant. Sie wägt Vor- und Nachteile ab, sieht zum Beispiel im verzögerten Lernerfolg des Kindes dessen infantilen Autonomiewunsch und läßt ihn gelten. Sie kann abwarten, bis das Kind selbst die Zweckmäßigkeit der Beherrschung seiner Schließmuskeln einsieht.

Die tolerante Mutter, die uns als Beispiel dient, verfügt in dieser Erziehungssituation über kritische Ich-Fähigkeiten. Sie gibt nichts auf das quasi sportliche Sauberkeitstraining, durch das nach außen signalisiert wird, daß Mutter und Kind den typischen Erwartungen der Gruppe genügen. Prestige- und Statussymbole stehen der selbständigen Urteilsbildung ebenso entgegen wie die Befangenheit in kollektiven Vorurteilen. Das gilt auch für die übergewährende Mutter, die es nicht wagt, ihre eigenen Bedürfnisse dem Kind gegenüber zur Geltung zu bringen, und es dabei diesem erschwert, von der Realität, von der wirklichen Existenz des anderen frühzeitig genug Kenntnis zu bekommen. Ohne selbständiges Urteil ist aber Toleranz undenkbar. Sie ist nicht Interesselosigkeit des laisser faire, sondern kritische Selbständigkeit in Konkurrenz- und Konfliktsituationen, wozu, was immer wieder betont werden muß, noch die Fähigkeit kommt, den Gedanken und Gefühlen des anderen verstehend zu folgen.

Um weiter die Begriffssprache der Psychoanalyse zu benützen: All diese Leistungen sind an das Ich gebunden. Ihm fällt die Aufgabe zu, einerseits den Triebansprüchen bestmöglich zu genügen, andererseits sich gegen ihre Forderungen zur Wehr zu setzen; dem Über-Ich Genüge zu tun und andererseits seine gängelnden Übergriffe abzuweisen. Toleranz als Möglichkeit reicht demnach genauso weit, wie sich kritische Fähigkeiten entfalten konnten und durften.

Die zweite Perspektive, der wir folgen wollten, bringt uns zur Frage nach dem Unterschied zwischen individuell und kollektiv gezeigter Toleranz. Dem Prinzip nach wird man einräumen müssen, daß ein Kollektiv beides kann: es kann tolerantes Verhalten nahelegen bzw. intolerantes nicht prämiieren. Diese Handlungsanweisung wird vom einzelnen ins Über-Ich aufgenommen. Das tatsächlich tolerante oder intolerante Verhalten wird aber vom Ich des einzelnen bestimmt. Jedenfalls zu einem größeren Anteil als bei anderem, weniger umstrittenem, problemloserem, sozial konformem Verhalten. Wenn die Devise lautet: »Das Vaterland ist in Gefahr, totet die Feinde«, dann wird keine kritische Besinnung, sondern konformer Gehorsam gefordert. Wenn die Devise lautet: »Üb immer Treu' und Redlichkeit«, dann ist das wiederum eine Über-Ich-Forderung, innerhalb derer aber die erwähnten Lagunen von Toleranz erscheinen können. Dort werden Verstöße geduldet; aber sie dürfen ein gewisses Maß nicht übersteigen. Grundsätzlich bleibt es beim Ehrlichkeits-Dressat, bei der durch die Erziehung in Fleisch und Blut übergegangenen, fast automatischen Reaktionsform. Auch dann also keine Besinnung. Wir wissen, daß die Übertretungsquote des Gebotes sehr hoch ist.

Geht es aber um unabgeschlossene Probleme, zum Beispiel welchen Sinn in der Strafjustiz die Strafe hat, oder um das dunkle Kapitel der Sympathien und Antipathien und wie man sie zu begründen versteht, dann erweist es sich, wieviel kritische Urteilskraft in einer Gesellschaft lebendig erhalten wurde; ob sie es überhaupt zuläßt, daß sich über die Dressate hinaus feiner gegliederte sprachliche Verständigungsformen, differenziertere, sachgerechte Urteile entfalten.

Die Kollektiv-Orientierung wäre nicht so gefährlich und wäre in der Geschichte nicht so oft verderblich gewesen, wenn nicht zuweilen große Gruppen einer Gesellschaft in den Zustand partieller Geisteskrankheit geraten wären und aus diesem Zustand heraus ebenso überzeugt, siegesgewiß wie realitätsblind gehandelt hätten und handeln würden. Die Geschichte der Protokolle der »Weisen von Zion« bietet sich dafür als ein Musterbeispiel an. Norman Cohn ist der Wanderung dieses fingierten Dokuments durch Europa, wo immer es zur Stützung antisemitischer Gewalttaten benötigt wurde, mit Sorgfalt nachgegangen (Norman Cohn, ›Die Protokolle der Weisen von Zion. Der Mythos von der jüdischen Weltverschwörung‹, Köln 1969). Am Ende ist sowohl der Landgerichtsrat wie die feine alte Dame, der Delikatessenhändler wie der Polizeisergeant von der Existenz einer unheimlichen internationalen Verschwörung überzeugt. Wiederum kommt das Mutproblem ins Spiel. Wer mit eigener Urteilskraft weiterfragen will, wer Einsicht in die Herkunft der zum Beweis angeführten Dokumente verlangt, wird verdächtig, selbst dieser Verschwörerbande anzugehören.

Nach den Entdeckungen Freuds sträubten sich viele Leute einzusehen, daß wir alle psychoneurotische Züge bieten, als Narben gleichsam des Kampfes, den wir beim Erlernen der Verzichte in den vielfältigen Gruppennormen, Geboten und Verboten geführt haben. Die Grundmuster neurotischer Reaktionen werden in der Familie erworben. In ihr ist das Zusammenleben so schwierig, daß es keine Erziehung ohne Traumen geben kann. Nicht deshalb, weil die Eltern so böse oder die Kinder so uneinsichtig wären, daß es ohne Verletzung und Einschüchterung nicht abgeht, sondern weil Einschüchterung und Verletzung bei verschiedenen Subjekten sehr verschieden aussehen, weil es eben keine definitiven Umgangsformen der Menschen miteinander gibt. Das entschuldet natürlich nicht stumpfsinnige Vergewaltigung und Unterdrückung.

Gegenwärtig fällt es vielen Leuten schwer, über die Ubiquität neurotischer Reaktionen hinaus einzusehen, daß die Sozialverhältnisse, in denen wir leben, Gesellungsformen, Leistungsanforderungen hervorgebracht haben, die sehr schwere Störungen im einzelnen erzeugen können. Es treten besondere Formen abgegrenzter Wahnvorstellungen massenhaft auf. Massenhaft soll hier heißen, daß die Auslösungsmomente solcher verrückten Einstellungen nicht auf seelischen Verwundungen im individuellen Lebensumkreis des einzelnen beruhen, sondern auf Erfahrungen, welche die Gesellschaft als ganze macht. Man denke zum Beispiel an die von einer Wirtschaftsdepression mit langandauernder Arbeitslosigkeit erweckten Erlösungshoffnungen; oder an die Hoffnungslosigkeit in den großen Negerghettos der Vereinigten Staaten und Südafrikas, in denen infolge der Rassendiskriminierung ein großer Anteil der Negerjugend vom Produktionsprozeß definitiv ausgeschlossen bleibt. Oder man vergegenwärtige sich die Tatsache, daß die durchschnittlich zu leistenden Arbeiten der Lohnabhängigen in sich inhuman sind, weil sie keine Gestaltung durch das Individuum zulassen.

Noch ein besonders beklagenswertes Beispiel kollektiv geforderter Verkehrung natürlicher Gefühle in ihr Gegenteil; sie wirkt sich gleichsam an der Wurzel der Humanität zerstörend aus. Manche politischen Ideologien verlangen, daß Mütter die Aufopferung ihrer Söhne auf dem »Altar des Vaterlandes« bejahen. Wenn Mütter darauf eingehen, dann wird die von der Natur her am wenigsten mit Ambivalenz belastete Gefühlsbeziehung erschüttert. Söhne, die in solchem sozialen Milieu geboren werden, müssen in ihrer unbewußten Einstellung zum »Urmißtrauen« statt zum »Urvertrauen« gedrängt werden, wie Erik Erikson in seinem Buch ›Kindheit und Gesellschaft‹ (Zürich 1957) entwickelt hat.

Die mit solchen sozialen Lebensbedingungen verknüpften Erlebnisse sind gewiß nur Auslösungsfaktoren, und sie lösen nur bei spezifisch vorbereiteten Individuen die schwersten psychischen Reaktionen aus. Aber offenbar ist häufig in der Geschichte verschiedenes zusammengetroffen, das zur Einleitung kollektiver Kettenreaktionen führte; immer wieder traten massenhafte Wahnvorstellungen auf, durch die das politische Geschick der Verfolgten, aber auch der Verfolger selbst zutiefst beeinflußt wurde. Die psychoanalytische Theorie fordert, daß die Keime zur wahnhaften Wirklichkeitsverkennung in der frühen Kindheit gelegt wurden, und zwar durch eine uns in ihrer Spezifität noch nicht klar erkennbare gefühlshafte Entbehrung und Isolierung des Individuums. Man mag etwa noch so viele ökonomische und weltpolitische Einzeltatsachen für den Sieg des Nationalsozialismus anführen, eine Schlüsselbedeutung kommt seelischen Vorerfahrungen zu, die seine massenhafte Ausbreitung erst möglich gemacht haben. Dafür spricht nicht nur die Tatsache, daß er mit nebelhaften Zielvorstellungen wie der »Reinhaltung des deutschen Blutes« zur Macht kam, sondern mehr noch die Ausdauer der vielen Individuen, die ihn an der Macht hielten und die sich dabei aus den massiven Globalanklagen gegen Juden, Plutokraten und bolschewistische Untermenschen Kraft holten. Das sprach ihre sozial erworbenen aggressiven Bedürfnisse an. Zur Neurose gehört ein Unbehagen an der eigenen Person. In der psychotischen Reaktion wird dieses Unbehagen ganz auf den wertunwürdigen anderen abgewälzt, und aus dieser Überzeugungsposition blieb der Apparat der Nationalsozialisten über Stalingrad hinaus noch lange innerlich intakt.

Ist einmal der Zustand der psychotischen Realitätsverkennung erreicht, dann ist das Ich machtlos, dann werden konsequenterweise Überzeugungen nicht mehr durch Kontrolle der Realität überprüft. Das Ich hat Wahngewißheiten gegenüber sein Einspruchsrecht eingebüßt. Hätte nicht das bürgerlich deutsche Erziehungspotential mit seiner lebenslangen infantilen Gehorsamsforderung zu verschrobenen Idealbildungen und komplementär dazu zum Glauben an bösartig verfolgende, blutverderbende Untermenschen geführt, so wäre der Nationalsozialismus, wie mancher aufgeklärte Kopf glaubte hoffen zu dürfen, spukhaft verschwunden. Er sprang aber von der sektiererischen Außenseiterstellung, weil er bereitliegende psychotische Mechanismen zu mobilisieren verstand, in die Position der Volksreligion. Insofern war es nach dem Totalbankrott nicht falsch, von Mitläufern zu sprechen, wie es wahrscheinlich ebenso wenig falsch ist, anzunehmen, daß bei all jenen nationalsozialistischen Mitläufern, die ihre Einstellung zu den damaligen Wahnbildungen nicht durchgearbeitet haben, die Neigung zu wahnhaften Verkennungen der Wirklichkeit mehr oder weniger latent weiterbesteht. Wozu wurde mitgelaufen? Um der großen kollektiven Sicherheit willen. Wodurch wurde das Mitlaufen ermöglicht? Durch eine wahnhafte Verkennung der Realität. Sicherheitswunsch wie Vernichtungswunsch sind, wie man es gegenwärtig wieder bei den arabischen

Führern und Massen beobachten kann, Produkte einer Manipulationstechnik, die zu ekstatischer Projektion eigener brennender Zerstörungswünsche auf einen Gegner aufreizt.

Wahnbildungen dieser Art markieren eine absolute Grenze, die der Toleranz gesetzt ist. Wo die Überzeugung unanzweifelbarer Richtigkeit und Superiorität der eigenen Positionen ausgebrochen ist, endet die Neugier für andere, für fremde Lebensformen.

Aus all dem geht hervor, wie eng die gelingende oder mißlingende Ich-Reifung beim Individuum von den Verhaltensvorschriften einer Gesellschaft abhängen und wie schwer es für dieses Individuum ist, Einfluß auf die Rollenmodelle, auf die Handlungsmodelle seiner Gesellschaft zu nehmen. Vom Standort frenetischer Intoleranz und ihrer massiven Eindeutigkeit nimmt sich die tolerante Einstellung als Gefahr der Identitätsauflösung, des Verlustes des eigenen Selbsts aus. Die entscheidende psychologische Einsicht in solchen Irrtum beruht darauf, daß wir zu erkennen gelernt haben, daß massenhafte Erregungszustände mit ihrem gewaltigen Destruktionshunger die Konsequenz schwerer innerer Zerfallsprozesse der Persönlichkeit sind. Gesellschaften wie zum Beispiel die englische, die seit langen Jahrhunderten bis zum spleen im nationalen Innenraum, keineswegs durchgängig, aber deutlich die individuelle Freiheit gepflegt haben, sind gegen derartige Ausbrüche gewiß nicht total gefeit, aber doch geschützter. Zudem hatte die englische wie andere europäische Gesellschaften bis vor kurzem in ihren kolonialen Außenstellen schwer überschaubare Schlupfwinkel destruktiver Aggression und Quällust. Dort konnte die Gesellschaft oft in aller Stille nach außen Aggression agieren. Entscheidend ist, daß für sie ein Identitätsverlust keine aktuelle Bedrohung darstellt, sie müssen daher an dieser Stelle nicht die Elementarangst vor dem Persönlichkeitszerfall abwehren, dadurch, daß sie sich mit Wahngewißheiten zusammenhalten.

Die Ängste, die durch einen drohenden Identitätsverlust erregt werden, sind elementar. Das zeigt auch die sprichwörtliche Buchstabengenauigkeit und Intoleranz religiöser Konvertiten. Auch der erwähnte »Narzißmus der kleinen Differenzen« (Freud) gibt davon Kunde.

Wie steht es um die Chance, Toleranz zu mehren? Wir müssen einsehen, sie ist nicht groß. Da spielt Phylogenetisches, also der Entwicklungszustand unserer Menschenart herein. Von den drei psychischen Leistungsbereichen des Es, Über-Ich und Ich ist der des letzteren und entwicklungsgeschichtlich jüngsten auch am störbarsten. Die Fähigkeit des Ich zum Wagnis selbständigen Denkens wird am ehesten eingebüßt. Das geschieht fatalerweise, den seelischen Selbstschutztendenzen entsprechend, in vorbewußten und unbewußten seelischen Vorgängen, ist also schwer steuerbar.

Überdies wird derartige Selbständigkeit nur von Gesellschaften geschätzt, deren innerer Gruppenzusammenhalt Befriedigung vermittelt und der nicht vorwiegend durch neurotische Mechanismen oder durch terroristische Sanktionsdrohungen hergestellt wird. Ein befriedigendes Gefühl der Zusammengehörigkeit entsteht nur langsam in wechselseitigem Interessenausgleich, also in vielen Anpassungsschritten und nicht nur im Machtdekret. Da aber die Instinktgrundlagen eines solchen Zugehörigkeitsgefühls beim Menschen viel von ihrem automatischen Zwangscharakter verloren haben – es gibt keine endgültige Form menschlicher Gesellschaft –, bleibt für jede der Einzelgesellschaften die Gefahr, daß die primären Sozialisationstechniken und -arten den neuentwickelten Umweltbedingungen nicht mehr gerecht werden und daß sich dadurch ein Entfremdungsvorgang unter den Mitgliedern der Gesellschaft ausbreitet. Vor solchem Zerfall war bisher keine Gesellschaft gesichert.

In den soeben erwähnten Anpassungsschritten vermehrt sich – wo sie stattfinden – Toleranz, wird sie eingeübt. Frisch entstandene Gruppenformierungen, insbesondere solche unter diktatorischer Herrschaft, meinen, der Gefahr des Zerfalls durch ein engstes Netz wechselseitiger Überwachung zum Zweck der Konformitätskontrolle begegnen zu können. Vor unseren Augen ließ sich das an der russischen Gesellschaft seit der Oktoberrevolution verfolgen. Bis zum Einmarsch in die Tschechoslowakei offenbart diese Gesellschaft ein vor erbarmungsloser Grausamkeit nicht zurückschreckendes Unvermögen zur Toleranz. Bei ihr fällt das besonders auf, denn sie hatte sich im Dienste größerer menschlicher Freiheit revolutionär erneuert. Gleichermaßen wäre es außerordentlich wichtig zu wissen, welche psychischen Motivationen vornehmlich im Süden der Vereinigten Staaten zur chronischen Rassenintoleranz und welche in manchen Staaten Südamerikas zu einer viel geringeren affektiven Besetzung der Rassenfrage geführt haben.

Es leuchtet ein, daß zur Kultivierung der Ich-Leistungen eine allgemeine Differenzierung des kulturellen Inventars gehört. Gesellschaften, die sich im Prozeß der Verelendung befinden, haben dafür keine Interessen frei. Sie sind von anderen Sorgen geplagt. Zweifellos ist durch die sprunghafte Vermehrung der Erdbevölkerung in vielen Gesellschaften, in ganzen Kontinenten eine nicht weniger krasse Verstärkung der Verelendung eingetreten. Wo die Existenznot wächst, verlieren Gebote der Rücksichtnahme an zwingender Kraft, Erbarmungslosigkeit breitet sich aus. Anti-Sitten breiten sich aus, wie zum Beispiel Regression zu verrückten Vortäuschungen von Sicherheit. Ein Gefühl, daß nur Gewalt Recht verschaffen kann und ähnliches.

Mit anderen Worten, in weiten Bereichen der Erde herrscht nicht nur keine Toleranz – obgleich man ihrer dringend zur Ordnung der Verhältnisse bedürfte –, sondern es ist in diesen Weltgegenden auch von ihr aus keinerlei dialektischem Prozeß in der Vorgeschichte eine Erinnerungsspur vorhanden. Toleranz hat es dort in geschichtlicher Zeit als menschliche Möglichkeit noch nie gegeben.

Reichtum und Elend haben gemein, daß sie in sehr verschiedenen Formen auftreten können. Die Elendsformen unserer Zeit, die überall an eine »waste culture«, an eine Verschwendungskultur angrenzen, mobilisieren zunehmend primäre Destruktivität und Frustrationsaggression. Die primären Zerstörungstendenzen treten schon deshalb als realitätsblind, als wahnhaft hervor, weil Millionen dieser achtlos in die Welt gestoßenen Menschen von keinem tiefgreifenden Erziehungsprozeß ergriffen, sondern nur unzureichend sozialisiert wurden und deshalb in ihrer gefühlshaften Ich-Reifung kaum über den Status eines vier- oder fünfjährigen Kindes unserer Kultur hinausgelangen. Wenn sie überhaupt auf die Befriedigung passivsymbiotischer Wünsche durch eine millionenbrüstige Mutter Gottheit zu verzichten gelernt haben.

Die Wucherung aggressiver Gereiztheit, die auch immer tiefer in die sexuellen Befriedigungen eindringt, wobei sie die Zärtlichkeit – eine Urform der Toleranz – auslöscht, die Zuflucht zu bedenkenloser Brutalität als Entspannungsakt, versperrt zunächst bei den Menschen-Milliarden das Bekanntwerden mit bisher unbekannt gebliebenen Ich-Leistungen, etwa den vielfachen Formen libidinöser und aggressiver Sublimierung, die uns die überlieferte Geschichte zeigt. Soweit wir sehen, vermehrt sich Toleranz an manchen Stellen unserer Erde; die deutsch-französische Erbfeindschaft ist ernsthaftem

Interesse und Verständnisbemühen der Europäer untereinander gewichen. Rasch wächst hingegen ein Zustand, den man am besten als Beuteaggression von Mensch zu Mensch bezeichnen kann und der ein Bestandteil der sowohl psychischen wie ökonomischen Verelendung großer Teile der Menschheit ist, die unter dem Einbruch der Industriezivilisation und der Übervölkerung ihre tradierten kulturellen Sicherheiten verloren und keine neue Ordnung gewonnen hat.

Je weniger die Persönlichkeit aber von kulturellen Formungskräften gestaltet wird, in denen sich liebende Zuwendung und die Kraft zur Selbstbehauptung, die ja auch auf Aggression beruht, die Waage halten, desto rücksichtsloser, plumper, man kann sagen, prähistorischer ist das aggressiv-destruktive Verhalten, das sich ausbreitet. Massenausbrüche von rasender Erregung – etwa bei Fußballspielen –, Buschkriege von wahrhaft phantastischer Grausamkeit, Gefangenenfolterung korrespondieren miteinander. Dabei sollte nicht vergessen werden, daß diese Verelendungsroheit sich mit der Roheit jener trifft, die sich bis heute »Pioniere« nennen, in Wahrheit aber ohne Pardon Kulturen vernichten bis hin zur noch in Gang befindlichen Ausrottung der Amazonas-Indianer, der wir fast tatenlos zusehen.

Erst wenn man Aggression als ein Triebgeschehen, das unausweichlich zum Menschen gehört, auffaßt, weiß man, was auf dem Spiele steht, wenn Toleranz verloren geht, bzw. wenn ihr keine Möglichkeiten des Gedeihens geschaffen werden. Nur zwei Arten der Kraftreserve können die destruktive Aggression in Schach halten: unsere libidinösen Triebreserven und unsere kritischen Ich-Fähigkeiten. Wo Elend herrscht, sei es körperliches, sei es seelisches, vermögen die libidinösen Triebkräfte sich nicht durchzusetzen und nur mangelhaft der dann immer noch verfügbaren, im Gegenteil gereizten, aggressiven Triebbefriedigung entgegenzuwirken. Dies scheint der springende Punkt zu sein: die Vermehrung der Menschheit hat eine Bedrohungssituation beschworen, in welcher viel mehr Menschen leben als wir liebevoll aufzunehmen und zur »toleranten« Anteilnahme am Mitmenschen zu erziehen in der Lage wären.

Toleranz entsteht nicht durch Willensakte mythischer Art, sondern durch Eindämmung des Elends, der ökonomischen, des neurotischen und des psychotischen Elends. Von diesem Wissen muß man ausgehen, wenn man sich ernstlich und nicht nur moralisierend, wunschdenkend um gute Nachbarschaft bemüht.

Wir sind aber noch einen Hinweis auf den dritten Blickpunkt schuldig, von dem aus man Toleranz betrachten kann. Es ist zu bedenken, wie es um die Grenzen ihrer praktischen Brauchbarkeit steht. Bis zu welchem Affront, bis zu welcher Herausforderung und Beleidigung kann sie als Richtschnur des Verhaltens gelten: und was dann?

Die Tatsache, daß sich immer mehr Destruktivität in unserer Umwelt zeigt, wird kaum von jemandem ernstlich bestritten. Trotzdem könnte in diesem Eindruck auch eine Täuschung enthalten sein, und zwar, daß es uns mehr bedrückt, wo wir auf Destruktion und Grausamkeit stoßen. Das würde bedeuten, daß wir ihnen gegenüber sensibler geworden sind und verzweifelter darüber sind, daß enormer technischer Fortschritt nicht Empfindungskälte, tiefste Interesselosigkeit für das Schicksal des anderen zu verringern vermochte. Jedenfalls hat sich im Aggressionshaushalt der Gesellschaften der westlichen Welt, mit denen wir in Nachbarschaft leben, etwas geändert; ein Prozeß, der keineswegs zu Ende zu sein scheint. Besonders bedeutsam ist eine Verschiebung der Zielrichtung der Aggression. Die Ära der Entdeckungen von Kontinenten und der Einordnung des Entdeckten in koloniale Systeme ist zu Ende. Damit fällt aber eine der entscheidenden Möglichkeiten dahin, die den europäischen Staaten offenstand, um sich ihrer aggressiv dissozialen Mitglieder zu entledigen. Während sich im heimatlichen England oder Holland humanistisch-demokratisches Ethos verbürgerlichte und eine Kultur höflicher Toleranz entstand, ging es in den annektierten Weltteilen keineswegs so biedermännisch zu. Hier taten sich die Eroberer keinen Zwang an. Aggression durfte ungestraft mit Lust vermengt werden.

Die Lust in der Grausamkeit wird dort zum besonders dringlichen Ausweg für innere Triebspannungen, wo Lust als solche vom Über-Ich und damit von den Höhen der Wertwelt aus betrachtet sündig, kulturlos, animalisch erscheint, für das Individuum also vergällt und verdorben wird. Der vom Puritanismus bestimmte Geschichtsabschnitt war die bisher letzte lustverseuchende Zeitepoche. In Westeuropa und auch in den Oststaaten Nordamerikas hat man nie in vollem Ausmaß die nahezu hemmungslose Destruktivität zur Kenntnis genommen, welche Bürger der eigenen Nationalstaaten fremden Kulturen gegenüber zeigten. Die fette Beute, die seit der Entdeckung

Amerikas von allen Küsten der Welt nach Europa verschifft wurde, erzeugte einen Zustand von Dauereuphorie. Im übrigen war man durch die eigene Feudalstruktur oder durch die calvinistische Auserwähltheitslehre daran gewöhnt, daß Unterschichten nicht Menschen im eigentlichen Sinn des Wortes, das heißt, daß sie klassenfremde Wesen sind, denen gegenüber andere Standards der Machtdemonstration anzuwenden waren. Die »Wilden« waren wie das Proletariat keine Identifikationsobjekte. Sie gehörten ebenfalls zur Beute, den Sinn ihrer Eigenexistenz errieten vielleicht einige philanthrope Außenseiter und Völkerkundler. Die hatten aber gewiß keinen Sitz im Parlament.

Obgleich diese Nationalgesellschaften Kriege untereinander führten und damit Aggression in großem Stile auszuleben imstande waren, genügte diese Entlastung für den Alltag nicht. In ihm wuchsen fortwährend ungenügend sozialisierte Störenfriede heran, denen ein Spielfeld eröffnet werden mußte, in dem sie relativ ohne Über-Ich-Hemmungen ihre Grausamkeitslust, die nur am Artgenossen abzusättigen war, befriedigen konnten. Die Welt war groß in jenen Zeiten, das heißt, es war Platz für viele Desperados. Von den Ausrottungsraubzügen der Conquistadoren, vom Menschenhandel der ostindischen Kompanie bis zum Büffel- und Walfischmorden, eine Kette von mehr oder weniger ungehemmten Akten destruktiver Grausamkeitslust, während zu Hause in den »Mutterländern« Sitten und Wissen verfeinert wurden.

Aber auch im Innenraum der Gesellschaft gab es Schonung nur für den, den das Schicksal in den Schonbezirk geboren hatte. Es gehört zum Erstaunlichsten, daß die imposante sozialkritische Literatur des neunzehnten Jahrhunderts, wenn sie über sentimentale Anteilnahme an David Copperfield hinaus noch irgendeinen Einfluß auf die Humanisierung Europas gehabt haben sollte, in jedem Fall doch nur einen höchst langsamen Prozeß der Einfühlung in die minderprivilegierten Schichten, zu schweigen von den fremden Kulturen, die kolonialisiert wurden, in Gang setzen konnte. Noch heute hört man lauteren Unverstand reden, bekennt sich gleichsam ein verweltlichter Calvinismus, wenn es heißt, die Arbeiter wollten Arbeit, bei der sie nicht denken müßten, Neger hätten nicht die Intelligenz der Weißen und solcherlei mehr. Kein Verständnis dafür, daß der nie zur feineren Denkform Aufgeforderte, um sich der Monotonie der ihm abgeforderten Arbeit zu erwehren, nicht von ihr gestört sein will und in die Phantasie abrückt. Die freilich wird inzwischen auch von der Konsumstrategie der Machthaber beherrscht.

Ob das also die christliche Seefahrt war, deren Schiffe, verläßt man sich etwa auf Hermann Melvilles Schilderungen, schwimmenden Zuchthäusern glichen; ob es die gesetzlose Zone der western frontier, des »Wilden Westens« mit Selbstjustiz und Indianermord war; ob Goldrausch und Seeräuberei, Kolonialtruppe und Fremdenlegionär – insgesamt saugten diese Bereiche und Dienste die aggressiv Unbefriedigten von der eigenen Gesellschaft ab. Man verkam dort draußen an der Kolonialfront oder kehrte als »Begüterter« zurück, dessen Dissozialität im Urwaldschatten zurückblieb, wie das Joseph Conrad im Herrn Kurtz seiner Novelle ›Das Herz der Finsternis‹ unvergeßlich beschrieben hat. Aber nicht einmal diese dauernde Drainage europäischer Zerstörungsleidenschaft in andere Kontinente konnte die Nationen abhalten, sich gegenseitig die Beute streitig zu machen.

Seit dem Ende des Zweiten Weltkrieges hat sich aber eine entscheidende Veränderung des Bewußtseins bei den Beherrschten vollzogen, von dem die Herrschenden widerwillig genug Kenntnis nehmen mußten. Das spricht doch dafür, daß wir einem dialektischen Geschichtsprozeß unterstellt sind. Dieses zwanzigste Jahrhundert hat die Einfühlung in die Unterdrückten und Ausgebeuteten als eine allgemeine Fähigkeit, als einen Teil des öffentlichen Bewußtseins gebracht, wie zuvor eine allgemeine Unfähigkeit und eine allgemeine Bereitschaft zur Verleugnung, zur Verdrängung bestand. Eine unbeabsichtigte Funktion des Vietnam-Krieges lag darin, daß er ein Selbstbewußtsein der Unterdrückten und ein Selbstverständnis der bisherigen Unterdrücker schuf, die beide aussagten, daß es keine Legitimität für koloniale Ausbeutung mehr gibt. Aber die nachkoloniale Zeit ist kein Beginn, der frei von Vorgeschichte wäre. Das böse Omen der Kriege im Kongo und in Biafra, die Hexenjagd auf Kommunisten in Indonesien, neuerdings die neo-kolonialistischen Massaker von Bangla Desh, machten augenfällig, daß die sich selbst bestimmenden Nachfahren der Kolonialsklaven weit entfernt von einer besseren Technik der Aggressionsbeherrschung sind.

Im Aggressionshaushalt der hochtechnisierten Industrienationen spielt es nun aber eine mehr und mehr beängstigende Rolle, daß man mit jenen einzelnen oder mit jenen Gruppen, die es nicht gelernt haben, ihre Aggressivität zu kontrollieren, lernen muß, zusammenzuleben. Die Zeiten sind vorbei, in denen man den mißratenen Sohn in die Vereinigten Staaten abschieben konnte. Die Zeiten sind auch für die Vereinigten Staaten vorbei, in denen sie sich verschleiern konnten, wieviel hochaggressive und in ihrer Aggressivität schwerst gestörte Menschen sie beherbergen, weil die Weite des Raumes dem aggressiven Triebtäter es nicht mehr erlaubt, die Rolle des »lonely wolf« zu übernehmen.

Jetzt verwandeln sich die Metropolen mehr und mehr in ein wahrhaft gefährliches Pflaster, in dem man Gefahr läuft, für den Gegenwert einer Tagesdosis Heroin von einem demoralisierten Süchtigen erstochen zu werden; in denen man Gefahr läuft, wie Hubert Selby in seinem Buch ›Letzte Ausfahrt Brooklyn‹ oder vorher Truman Capote in der Analyse eines Kollektivmordes mit dem überaus treffenden Titel ›Kaltblütig‹ gezeigt haben, daß Grausamkeitslust irgendein zufälliges Opfer ergreift, um sich an ihm zu befriedigen. Vielleicht ist dieser Moment des Zu-Tode-Quälens und Tötens der einzige, in dem die Produkte unseres prachtvollen Fortschritts warmblütig werden.

Zertrümmerte Telefonzellen, demolierte Bänke in den öffentlichen Anlagen, ausgeplünderte Automaten, beschmierte Wände in den Hörsälen: das alles vor Augen, erscheint es wenig erfolgversprechend, der Toleranz das Wort zu reden. Welche vielleicht utopische, vielleicht doch realisierbare Hoffnung können wir entwickeln, um die Aussicht auf Toleranz nicht fahren lassen zu müssen? Zunächst ist es wichtig, sich klarzumachen, daß destruktive Aggression beim einen auf die gleichen Objekte fixiert sein kann, die für andere Menschen liebevoll gepflegte Teile der Welt, der Wirklichkeit sind. Daraus folgt, daß nur jener fähig ist, Toleranz durchzuhalten, der in der Lage ist, wo er dazu gezwungen wird, seinen Besitz zu verteidigen. Besitz muß nicht Fetisch sein, Besitz kann ein Stück unersetzbare Wirklichkeitserfahrung vermitteln, nur von solchem legitimen Besitz sprechen wir, nicht vom Besitz der Produktionsmittel, sondern von dem im unmittelbaren Wortsinn »persönlichen«, man könnte auch sagen: persönlich geformten Besitz. Das Besitzproblem ist im Sinne der Gerechtigkeit sicher ein nie vollkommen lösbares. Im Augenblick sei nur festgehalten, daß Besitzlosigkeit ein Extrem, nicht die Regel menschlicher Existenz ist. Je weniger mit Besitz die Erinnerung an gewalttätige Aneignung verbunden ist, desto konfliktloser, entschiedener läßt er sich von Toleranten gegen die Spielformen der Intoleranz verteidigen, die auf Kassation des Besitzes, auf falsche Egalität aus sind, weise sie sich – wie in der Vergangenheit – als religiöse Kontrolle oder heute als Kontrolle der Information aus.

Die gewaltlose Aneignung ist also die legitime Voraussetzung für spätere Entschlossenheit zur Selbstverteidigung. Das gute Gewissen des Besitzenden ist sein Alibi für Toleranz; kein perfektes Alibi, aber eines, das wir der Strebung nach verstehen und als Motiv der affektiven Selbstverteidigung anerkennen können.

Was für den einzelnen gilt, trifft für Gruppen aller Größen zu: wenn man sich eine Gesellschaft vorstellt, die nicht bereit ist, sich gleichermaßen aggressiv zu bewaffnen wie die Nachbargesellschaften, so muß sie sich zweifellos auf eine andere Weise sichern, damit sie nicht als machtpolitisches Vakuum wirkt. Das kann nichts anderes bedeuten, als daß diese in der Zukunft denkbare Gesellschaft ein besseres Selbstverständnis im allgemeinen, ganz besonders aber hinsichtlich ihrer aggressiven Bedürfnisse entwickelt hat; und daß sie zu allem noch ein nicht zu grob entstellendes, verharmlosendes Gedächtnis für Akte hat, in denen sie gegen die von ihr selbst anerkannten Gesetze der Menschlichkeit verstoßen hat. Das würde diese Gesellschaft instand setzen, von unbewußten Affekten (oder auch Schuldgefühlen) etwas weniger behelligt zu handeln, dann nämlich, wenn aggressive Verleumdung sie trifft. Sie brauchte auf die aggressive Projektion nicht mit aggressiver Gegenprojektion zu antworten, weil sie die Schuldgefühle aus aggressiven Verbrechen bei sich selber besser durchgearbeitet hätte. Wir können nicht mehr als vermuten, daß dies unserer erdachten Gesellschaft einen geschichtlich kaum je beobachteten Handlungsspielraum eröffnen würde – anstelle der wohlbekannten Eskalation der wechselseitigen Projektion z. B. von Aggressionsabsichten. Einer solchen Gesellschaft sollte es gelingen können, dem angriffslustigen Gegner (meist ist der weniger lustig als besessen) die unbeugsame Entschlossenheit zur territorialen Verteidigung zu vermitteln, darüber hinaus ihm aber in der unbewußten Kommunikation zu verstehen zu geben, daß ihm kein Rückschlag von Destruktion vom Angegriffenen droht, der um der Befriedigung von dessen Grausamkeitslust willen geschehen müßte.

Wahrscheinlich wird man nur Gelächter bei denen auslösen,

die nur wenige Gedanken auf das kommunizierende System ihrer eigenen Aggression mit der ihrer Mitmenschen verwendet haben und die ihre Aggression nicht schwächen dürfen, wenn ihnen überhaupt noch Lust auf dieser Welt zugänglich bleiben soll. Es ist eine traurige Tatsache, aber eben eine solche, daß der technische Fortschritt (mit mehr Essen, besserem Wohnen, mehr Besitz für sehr viele) zunächst nur Verlagerungen der Schauplätze für Grausamkeit, nicht aber deren Verringerung mit sich gebracht hat. Jedoch soll nicht vergessen werden, was mühsam auf der anderen Seite des dialektischen Vorgangs errungen wurde: das Gefühl dafür, daß Grausamkeit zwar eine natürliche Fähigkeit des Menschen ist, aber nicht ein über ihn verhängtes Schicksal. Die Grausamkeit von Mensch zu Mensch erwirbt sich jeder einzelne, und viel hat dabei die Gesellschaft verschuldet, wenn sie versäumte, die Fähigkeit der Einfühlung bei ihm zu fördern. Es ist tunlich, sich nicht nur an Extremfällen wie sozial schwer geschädigten Individuen zu orientieren. Für den Durchschnitt, den wir ausmachen, darf »die Gesellschaft« – ein zwar reales, aber zugleich nebelhaftes Wesen – nicht zum billigen Sündenbock werden. Es bleibt uns die Aufgabe erhalten, uns mühselig um ein besseres Verständnis von uns selbst zu bemühen und dabei verstehende Toleranz zu üben und zu lernen, sie dem anderen auch zu erweisen.

TOTALITARISMUS

Alexander Schwan

Das Stichwort »Totalitarismus« behandeln, bedeutet heute vor allem, von der Problematik und historischen Relativität eines wissenschaftlichen Begriffes reden. Selten sind Aufkommen, Anwendung und Infragestellen eines sozialwissenschaftlichen Terminus so stark von politischen Konstellationen beeinflußt gewesen wie beim Begriff und der Sache des Totalitarismus. Diese Konstellationen waren wiederum zutiefst geprägt eben durch das Phänomen, das im Begriff Totalitarismus gefaßt werden sollte, andererseits aber auch durch die Art und Weise, wie dem Phänomen Totalitarismus politisch begegnet wurde, durch den politischen Standort also, den man ihm gegenüber einnahm. Der wissenschaftliche Terminus Totalitarismus entsprang einer politischen Perspektive, und diese Perspektive hat sich im Laufe der Zeit mit der Konstellation und der Sache selbst immer wieder um Nuancen oder auch gänzlich gewandelt. Dadurch ist eine unselige Verwirrung um diesen Begriff und seine Verwendung entstanden, die es angeraten sein lassen könnte, ihn zu den Akten der Geschichte zu legen. Doch dagegen erheben sich politische Bedenken seitens derer, die ihn in die wissenschaftliche Diskussion eingebracht haben: dies verkenne den Ernst der Situation, die nach wie vor in wichtigen Regionen unseres Erdballs vom Phänomen Totalitarismus bestimmt sei. Und neuerdings spielen andere mit der Vokabel im positiven Sinne, die mit der bisher vorherrschenden Ansicht über den Totalitarismus jedoch nichts zu tun haben wollen.

Das Gesagte sei in aller Kürze konkretisiert: Im Laufe der dreißiger und verstärkt in den vierziger Jahren begann die Vorstellung vom totalitären Staat, von der totalitären Diktatur, vom Totalitarismus eine wissenschaftliche Bemühung in der westlichen Welt, insbesondere in den angelsächsischen Ländern, zu beherrschen, die im Interesse der Verteidigung der Freiheit, der Rechtsstaatlichkeit und der Demokratie den italienischen Faschismus und den deutschen Nationalsozialismus –

Regimes, die sich selbst als totale Herrschaft definierten – und den Stalinismus in der Sowjetunion – der sich als eine besondere Phase im Übergang von der Diktatur des Proletariats zum Sozialismus ausgab – zu analysieren und zu bewerten suchte; dies diente der Klärung des (gegensätzlichen) Verhältnisses der Demokratie zu diesen Herrschaftsformen. Nach der politischen Niederringung Mussolinis und Hitlers wurden solche Bemühungen auch in Deutschland aufgegriffen; sie entsprachen dem Bedürfnis nach »Bewältigung« der bösen Vergangenheit. Zugleich hielt der sich unter den Siegermächten des Zweiten Weltkrieges herausbildende Ost-West-Gegensatz in den fünfziger Jahren das Interesse an der Analyse des Sowjetsystems mit Hilfe des Totalitarismusbegriffs wach. Die fünfziger Jahre wurden zur Blütezeit der Totalitarismustheorie, formuliert aus liberal-demokratischer Perspektive. Mit der Periode der Entstalinisierung und der proklamierten Koexistenzpolitik im Osten schloß sich im Westen eine Reihe von empirischen Einzelstudien an, stimuliert von dem Bestreben, die Aufweichungstendenzen des sowjetischen Totalitarismus und seinen allmählichen Übergang in eine autoritäre, abgemilderte Diktatur herauszuarbeiten. Im Zuge einer von der ideologischen Konfrontation sich immer mehr absetzenden Forschung trat schließlich die Forderung auf den Plan, die sogenannten totalitären Systeme nur immanent, aus ihrem eigenen Verständnis und von ihrer Position her, zu analysieren. Dies ermöglichte es linken Autoren, den Vorwurf des Totalitarismus nicht nur vom nachstalinschen Sowjetsystem, sondern sogar vom Stalinismus abzuweisen, wie Stalin dies selbst besorgt hätte.Der Begriff Totalitarismus sollte auf den Faschismus beschränkt und hier auf alle viertel-, halb- und ganz-faschistischen Regimes ausgedehnt werden. Verstärkt wurde von dieser Seite dann eine Affinität zwischen faschistischem Totalitarismus und prä- oder postfaschistischem liberalem Kapitalismus und spätkapitalistischer Konsumgesellschaft konstatiert und somit die ideologische Konfrontation wieder zum Leben erweckt. Es sind andere Linksintellektuelle, die sich neuerdings in spielerischer Umformulierung des Begriffs die Vokabel Totalitarismus für ihr Konzept sozialistischer Demokratie – in verräterischer Attitude – zu eigen machen und nun plötzlich dem Nationalsozialismus totalitäre Wesenszüge absprechen. Demgegenüber halten einige Anhänger einer liberalen offenen Gesellschaft den Totalitarismusverdacht gegenüber nahezu allen sozialistischen und kommunistischen Modellen vehement aufrecht und dehnen ihn über unser Jahrhundert auf die gesamte Geschichte aus.

Angesichts dieser Situation scheint das Etikett zur Wechselmünze im ideologisch-politischen Kampf geworden und rational-wissenschaftliche Verwendbarkeit endgültig eingebüßt zu haben. Wir werden daher kritisch prüfen müssen, welchen genauen Sinn der Begriff »Totalitarismus« in der groß entfalteten wissenschaftlichen Theorie der fünfziger Jahre besaß, welche historische Reichweite er in Anspruch nehmen kann, inwiefern er seitdem bis zur Unkenntlichkeit deformiert worden ist und welche Relevanz ihm heute noch zukommt. Aus Raumgründen greifen wir nur einige wenige der signifikanten Exponenten und Positionen in der Totalitarismusdiskussion heraus.

Die liberal-demokratisch interessierte Analyse und Theorie des Totalitarismus wurde in den fünfziger Jahren auf ihre höchste Form gebracht von der jüdischen Philosophin und Jaspers-Schülerin Hannah Arendt und den Politologen Carl Joachim Friedrich und Zbigniew K. Brzezinski, alle in den USA wissenschaftlich tätig. Die durch diese und einige andere Autoren repräsentierte Theorie sucht den Totalitarismus als ein spezifisches geistiges und politisches Phänomen des zwanzigsten Jahrhunderts zu erfassen, als eine in ihm liegende bedrohliche Möglichkeit und unheilvolle Wirklichkeit, der im freiheitlichen demokratischen Rechtsstaat die große geistige und politische Alternative als die andere, rettende Möglichkeit und Wirklichkeit gegenübersteht. Die Alternative von Totalitarismus und Demokratie ergibt sich aus geistigen Voraussetzungen, die mit der Säkularisierung und der Aufklärung im Zeitalter der Neuzeit, aus politischen Grundlagen, die durch die Französische Revolution, und aus sozialen und ökonomischen Bedingungen, die durch eine tiefgreifende Industrialisierung und Technisierung des gesellschaftlichen Lebens geschaffen wurden. In einem Zeitalter, dem keine kosmisch oder göttlich bestimmte Weltordnung, keine traditional legitimierte politische Hierarchie und keine feudal-ständisch strukturierte Klassenschichtung mehr vorgegeben ist, stehen die Menschen einer amorph gewordenen Gesellschaft vor der Notwendigkeit, eine Orientierung in Welt, Politik und sozialem Lebenszusammenhang allererst von sich aus aufzubringen. Dieses Zeitalter ist vom Kampf der Weltanschauungen bestimmt, die je auf ihre Weise dem Bedürfnis entgegenkommen, Orientierung, Standort und Sicherheit angesichts eines um sich greifenden Gefühls der Verlassenheit und des Entwurzeltseins in einer konturenlosen Welt zu verschaffen. Auch die um politische Macht und Verantwortung ringenden Kräfte und Parteien werden mehr und mehr zu ideologisch ausgerichteten Weltanschauungsparteien, anstatt konkrete Interessen festumrissener sozialer Gruppen und Klassen zu vertreten.

Wenn dann wie mit dem Ersten Weltkrieg die Gesamtheit der Bevölkerung von Nationen in den Schmelztiegel der immer schärfer weltanschaulich bestimmten politischen Auseinandersetzungen gerät und somit politisiert wird, wenn dadurch aber die Politik in den Sog der großen populären, Emotionen schürenden Programme und Parolen gerät, dann wird es – zumal in einer Zeit wirtschaftlicher Zerrüttung als Folge des Krieges – immer schwerer, das Bedürfnis nach Weltorientierung in der rationalen und freiheitlichen Weise der individuellen Selbstbestimmung und der sozialen Mitverantwortung, also in der politischen Form der Demokratie zu äußern. Denn dies würde bedeuten, von Tag zu Tag eigenverantwortlich und gemeinschaftlich stets neu zu überlegen und zu entscheiden, was in einer Gesellschaft als das gemeinsame Beste im Sinne der relativ günstigen Befriedigung vieler Interessen und Positionen auf begrenzte Zeit auszumachen und zu realisieren ist. Dies würde eine kritische und selbstkritische Wachheit des Denkens und Handelns für jeden Tag von neuem abverlangen. In der aus den Fugen geratenen, aufgewühlten und unüberschaubar gewordenen Welt und Zeit nach dem ersten totalen Krieg mußte das für allzu viele eine Überforderung bedeuten.

In dieser Zeit der zwanziger Jahre unseres Jahrhunderts ist das Aufkommen jener politischen und weltanschaulichen Bewegungen zu lokalisieren, die sich dann zu totalitären entwikkelten. Es sind Massenbewegungen, die in einer äußersten geistigen, sozialen und ökonomischen Krisensituation nach radikaler Neuordnung des politischen wie überhaupt zwischenmenschlichen, ja auch des individuellen Lebens auf Grund einer totalen Konzeption, die alle Welträtsel und Lebensfragen dauerhaft löst, und nach einer alle Zweifel und Skrupel beseitigenden Anleitung fürs Handeln verlangen. Mit einer solchen Bewegung will man sich in jedem Augenblick voll identifizieren können, in ihr hat man umgekehrt vorbehaltlos aufzugehen. Damit dies möglich wird, muß die Bewegung unaufhörlich in Bewegung bleiben. Das Handeln in ihr und mit ihr wird so zum permanenten Aktivismus um seiner selbst willen, unter bedenkenlosem Einsatz aller Mittel, auch und gerade dem der Gewalt, da mit ihr sich Bewegung und Tat machtvoll erweisen.

Der Nationalsozialismus und der erst unter Stalin zur geschlossenen Doktrin und Politik entwickelte Marxismus befriedigten dieses Grundbedürfnis von in der Massengesellschaft des zwanzigsten Jahrhunderts verlorenen Individuen perfekt. So schien es; aber um dies leisten zu können, mußten sie sich zu totalitären Bewegungen und Herrschaftsformen ausgestalten – das geschah in den dreißiger und vierziger Jahren –, die mit solch ungeheuerlichen Verbrechen und Unmenschlichkeiten verbunden waren, daß die Vereinzelung, Verlorenheit und Entwurzelung des modernen Menschen durch sie nur ins Extrem trieb, statt aufgehoben zu werden. Die vielen, die die Bewegungen mit heraufbeschworen hatten und die bösen unerwünschten Folgen erkannten oder oft auch nur ahnungsweise empfanden, waren inzwischen zur Ohnmacht verdammt, so daß sie dem etablierten totalitären System kaum noch etwas entgegensetzen konnten.

Die radikale und aktivistische Bewegungspolitik schlug in Totalitarismus um – oder setzte sich in ihrer neuen »Qualität« konsequent fort (Friedrich und Brzezinski würden für die erste, Hannah Arendt für die zweite Formulierung stehen) –, als nach der nationalsozialistischen Machtergreifung und nach der Durchsetzung der Stalinschen Alleinherrschaft die Führer daran gingen, über die weltanschaulichen Gegner der Bewegung hinaus auch die innerparteilichen Konkurrenten nicht nur auszuschalten, sondern zu vernichten: beginnend mit der Röhm-Gruppe in Deutschland, den »Rechts-« und »Linksabweichlern« in der Sowjetunion. Die Bewegungspolitik wurde transformiert zur Liquidierungspolitik, und das nächste – konsequente – Stadium war erreicht, sobald die gesamte Gesellschaft prinzipiell nach dem Modell der permanenten Vernichtung organisiert wurde. Dies ereignete sich mit der Ausbildung eines Systems von Konzentrations- oder Arbeitslagern, die nicht mehr nur der Disziplinierung von Gegnern, sondern der Liquidierung »unerwünschter«, »lebensuntauglicher«, zufolge ihrer Rasse oder Klasse ohne subjektives Dafürkönnen zu »objektiven« Feinden abgestempelter Menschen dienten. Prinzipiell waren alle Bürger in sämtlichen Funktionen unter totalitärer Herrschaft in die Vernichtung einbezogen, da sie jederzeit aus willkürlichem Anlaß davon betroffen sein konnten. Die

Angst vor dieser ständig präsenten Möglichkeit und das Mißtrauen aller gegen alle vor Denunziation und Verrat wurden zum Habitus der »Bürger« solcher Gesellschaft. Dieses Stadium permanenten Terrors gegen lebende Leichname und der totalen Beanspruchung aller Lebensbezirke der Individuen unter dem Signum der Angst und des Schreckens war Ende der dreißiger Jahre, nach den Stalinschen Säuberungsprozessen und mit der Hitlerschen Proklamation totaler Kriegs- und Rassenpolitik, erreicht.

Aber welche Herrschaftsstruktur machte solche unmenschliche Lebenssituation möglich? Die Totalitarismustheorie der fünfziger Jahre gelangte zu dem verblüffenden, aber überzeugenden Fazit, daß recht eigentlich Strukturlosigkeit die totalitäre Herrschaft charakterisiert. Es handelt sich um ein System gerade nicht statischer und festgefügter hierarchischer Strukturen, sondern terroristischer Dynamik. Als seine notwendig zusammengehörigen, aber miteinander konkurrierenden politischen Instrumente in der Hand des totalitären Führers sind eine geschlossene Ideologie, der Zwangsapparat einer monolithischen Partei, eine terroristische Geheimpolizei, ein absolutes Nachrichten- und Waffenmonopol und eine zentralgelenkte Wirtschaft erkannt worden. Unter ihnen sind Ideologie, Parteiapparat und Geheimpolizei zentrale Steuerungsorgane, Staat, Militär, Gewerkschaften, wirtschaftliche Berufsverbände usw. dagegen gewinnen die Funktion der Fassade nach außen zur Täuschung der Außenwelt über den Charakter der totalitären Bewegung, aber auch zur Täuschung über die Außenwelt und zur Abschirmung der Parteikader ihr gegenüber. Das System der Verdoppelung und Multiplikation der politischen Instanzen erlaubt es der Führung, sie ständig gegeneinander auszuspielen, Verantwortlichkeiten zu verunklaren, Sicherheit und Verläßlichkeit zu unterhöhlen, die politische Linie und Machtgewichte immer wieder zu verändern und damit ein allgemeines Gefühl und die entsprechende Realität vollständiger Rechtsunsicherheit und Rechtlosigkeit zu schaffen. In dieser Situation sind insoweit alle Individuen, auch die Amts- und Funktionsträger, gleichgeschaltet. Jeder kann willkürlich in einem Augenblick zur Höhe erhoben und im nächsten in den Abgrund der Vernichtung geworfen werden. Nur auf dieser Basis der absoluten Verunsicherung und Rechtlosigkeit kann der Führer eine totale Herrschaft ausüben. Sein Wille wird zum obersten und einzigen Gesetz, und so oft er sich auch ändert und so wenig er sich konkret festlegen läßt – weil dies Abhängigkeit und Kontrollierbarkeit bedeutete –, so gilt er doch stets absolut. Zumeist werden im Zuge einer Willens-, einer Kursänderung des Führers die marionettenhaften Vollzugsorgane des bisherigen Kurses liquidiert und durch andere Marionetten ersetzt. Jedesmal geht es um alles oder nichts, ist der Herrscherwille mit der Behauptung schicksalhafter oder objektiv-gesetzlicher Notwendigkeit verbunden. Die Geschichte als das Feld des Handelns wird zu einem riesigen Laboratorium für die ungeheuerlichsten Experimente mit Menschenmaterial zum Zwecke des Erweises der Möglichkeit totaler Herrschaft. Dahinter steht die Überzeugung von der Allmacht des Menschen, inkorporiert im Führer, dem alles erlaubt und alles möglich ist, womit der Totalitarismus jedoch nicht nur zum System vernichtenden Betrugs gegenüber den von ihm erfaßten Menschen, sondern auch zum System selbstzerstörerischen Selbstbetrugs gerät. Diese Herrschaft hat in ihrer äußersten Konsequenz keinen Nutzen, kein Ziel, keinen Sinn; sie müßte – gelangte sie zur Macht über die ganze Welt, womit sie allein erst wahrhaft total würde – in den Untergang von allem treiben.

So gesehen war es logisch, daß Hitlers Politik im totalen Krieg und in der Selbstvernichtung zusammenbrach und daß der Stalinismus den Tod seines Urhebers nicht lange überdauerte. Die Nachfolger Stalins, selbst zuvor Instrumente seiner totalitären Herrschaft, haben erkannt, daß ein System des Massenterrors, der Angst, der Rechtlosigkeit, der Verunklarung politischer Verantwortung, der Vervielfachung konkurrierender Instanzen und der Beseitigung jeglichen individuellen Freiraums zugunsten der Omnipotenz eines Führers auf die Dauer der Sowjetunion keine innere Überlebenschance gewährt hätte. Wollten sie diesen Staat zu einer modernen, leistungsfähigen hochtechnisierten Industriegesellschaft entwikkeln, so mußten sie ein Minimum an Rechtssicherheit und Eigenverantwortlichkeit in Partei, Staat und Wirtschaft einräumen. Einzeluntersuchungen im Rahmen der kurz skizzierten Totalitarismustheorie haben dargetan, wie sich das Sowjetsystem seit der Ära Chruschtschow mit manchen Rückschlägen und vielem Zögern langsam von einem totalitären zu einem autoritären Regime gewandelt hat – oder zumindest zu einem »aufgeklärten Totalitarismus« (W. E. Griffith) bzw. »konsultativen Autoritarismus« (A. G. Meyer). Autoritäre Herrschaft ist von totalitärer dadurch unterschieden, daß sie eine Delegation von Verantwortlichkeiten und Rechten im Zuge einer strengen, aber durchsichtigeren Hierarchie von oben nach unten und eine begrenzte Autonomie des privaten Lebens kennt. Bleibt es prekär, die Grenzmarke zwischen beiden Herrschaftsarten genau festzulegen und das heutige Sowjetsystem klar einer von beiden zuzuordnen, so läßt sich jedenfalls unschwer feststellen, daß dieses System von einer Demokratisierung oder Liberalisierung seiner Politik noch weit entfernt ist. Dafür zeugt am deutlichsten das Scheitern des tschechoslowakischen Experiments unter Anwendung militärischer Gewalt im Interesse der ideologischen und machtpolitischen Geschlossenheit des Systems.

Akzeptiert man die angedeuteten Kriterien der liberalen Totalitarismustheorie für die Erklärung einer Herrschaftsform als einer totalitären – und es sind keine plausibleren seitdem benannt worden –, so erscheint der historisch-regionale Geltungsbereich für das Phänomen eingegrenzt auf Hitlerdeutschland und auf die Sowjetunion von der Mitte der zwanziger bis zur Mitte der fünfziger Jahre. Es bleibt ein offenes Problem, ob nach diesen Kriterien einzelne Phasen des faschistischen Italien und des China Mao-Tse-Tungs als Phasen totalitärer Bewegung und Herrschaft anzusprechen sind. Im höchsten Maße bedenklich erscheint jedoch die Ausdehnung des Totalitarismusbegriffs zur Charakterisierung nahezu aller diktatorischen, autokratischen und absolutistischen Herrschafts-, ja Denkformen in der europäischen Geschichte bei anderen liberalen Autoren. Am schärfsten hat der deutsch-englische Wissenschaftstheoretiker Karl R. Popper einen Gegensatz zwischen freiheitlicher, offener Gesellschaft und totalitärer, geschlossener Gesellschaft und ihren theoretischen Apologeten quer durch die gesamte Geschichte konstruiert. Dieser Gegensatz ist für ihn so alt wie unsere Zivilisation, beginnend in der Antike. Demzufolge sind Platons Staatsideal einer durch Erziehungsdiktatur in einer abgestuften starren Ordnung von sozialen Rängen und politisch-gnoseologischen Funktionen zu bewirkenden vollkommenen Gerechtigkeit und sein historischer Bezugsrahmen, das antidemokratisch und antiathenisch orientierte Sparta ebenso totalitär wie Hegels dialektische Staatsphilosophie, die einen gesetzmäßig sich abspielenden Geschichtsverlauf konstruiert und sich selbst über sie zum »Weltgerichtshof« erhebt, und ihr angeblich konstitutiver politischer Hintergrund, der preußische Staat der Restaurationszeit. Aber auch Aristoteles oder Marx und viele andere – alle jene, die einen denkerischen oder politischen Entwurf im Ganzen wagten – leisten totalitärer Doktrin und Politik Vorschub.

Eine solch pauschale Verfahrensweise verkennt, was das Wesen totalitärer Politik ausmacht: das Element radikaler Bewegung und unbedingten Aktivismus, die Tendenz zum totalen Verfügen über alle Lebensbereiche unter Einsatz der technischen Mittel einer modernen Industriegesellschaft, die willkürliche und ständig wechselnde Manipulation der politischen Institutionen, die absolute Rechtlosigkeit der Individuen, die geradezu mythische Allmacht der Führer, den nihilistischen Hang zur Vernichtung und vieles mehr. Es zeugt von mangelndem Sinn für historische Dimensionen und ihre Grenzen sowie von ideologieverhaftetem Hang zu politisch motivierten, wissenschaftlich bedenklichen Verallgemeinerungen, wenn der Totalitarismusbegriff seiner präzisen Inhalte derart beraubt wird.

Auf der anderen (der marxistischen) Seite ist es – ebenfalls aus ideologischer Voreingenommenheit – Mode geworden, so sehr auf Differenzierung zwischen Faschismus und Nationalsozialismus einerseits und Kommunismus anderseits zu drängen, daß vom Totalitarismusvorwurf selbst gegenüber Stalins Herrschaft nichts mehr übrigbleibt. Wenn man, wie zum Beispiel der verstorbene Marburger Soziologe Werner Hofmann oder auch wie Herbert Marcuse, Herrschaft nur eng genug definiert, nämlich als institutionell gesicherte einseitige Aneignung von Teilen des Arbeitsprodukts der Arbeitenden durch die über Boden, Kapital oder andere Wirtschaftsmittel Verfügenden, dann ist nur noch Machtausübung im kapitalistischen Ausbeutungsinteresse Herrschaft, und jede ihrer faschistischen Abarten wird zur totalitären Herrschaft. Jede Machtausübung im Sowjetsystem dagegen erscheint als Auftragsgewalt im Dienste eines allen gemeinsamen Zweckes, als Treuhandschaft zur Erfüllung einer selbstgesetzten Aufgabe des Proletariats: das Endziel der klassenlosen Gesellschaft mit geeigneten Mitteln anzustreben. Der Stalinismus kann dann zur Erziehungsdiktatur mit einer »ins Unmaß gesteigerten Machtanwendung« verharmlost werden: bestehend in teils unangemessenen, teils aber auch (wegen der kapitalistischen Einkreisung und wegen des Nachholbedarfs an Industrialisierung und Technisierung) angemessenen drakonischen Maßnahmen. – Sicher ist es notwendig, zwischen den inhaltlichen Theorien des Faschismus und des Kommunismus zu differenzieren und den Stalinismus als eine – allerdings eben möglich gewordene, lange wirksame und sehr folgenreiche – Übergangsphase in der Geschichte kommunistischer Politik zu sehen, die prinzipiell auch andere, humanere Möglichkeiten und Leitbilder besitzt. Dennoch kann man den Versuch definitorischen Hinwegdeutens der vor nichts und niemandem haltmachenden terroristischen Herrschaft Stalins nur für unseriös befinden.

Herbert Marcuse ist an der Spitze anderer linker Schriftsteller weitergegangen. Für ihn gibt es nun eher eine Gemeinsamkeit von Totalitarismus (selbstverständlich eingeschränkt auf den Faschismus) und Liberalismus, und zwar infolge gemeinsamer wirtschaftlicher – nämlich kapitalistischer –, aber auch ideologischer Grundlagen: wegen der ihnen beiden angeblich eigentümlichen Vorstellung von einer Harmonie des Ganzen, die sich aus Konkurrenz und Kampf ermittelt, ohne inhaltlich bestimmbar zu sein. Liberalismus und Faschismus unterscheidet im Grunde nur noch das verschiedene Maß an Rationalität oder Irrationalität in Theorie und Praxis. Im übrigen ist demnach die totalitäre Beherrschung aller Lebensbereiche der liberalen Waren-, Wettbewerbs- und Konsumgesellschaft kaum minder eigen als dem faschistischen Terror. Oder wie Karl Barth es einmal auf einen Vergleich von Osten und Westen gemünzt hat: den Herrschaftstendenzen von »Partei, Propaganda und Polizei« dort steht hier eine nicht minder totale Übermächtigung durch »Presse, Privatwirtschaft, Protzerei und Publikumsmeinung« gegenüber. – Wo jedoch die Vergleichgültigung der Phänomene so weit und gar bis zur Alliteration gedeiht, kann eine Auseinandersetzung und Verständigung auf wissenschaftlicher Ebene kaum mehr erhofft werden. Man erinnere sich an das zum präzisen Totalitarismusbegriff Ausgeführte, um die ganze Absurdität eines Vergleichs zu ermessen, der über die berechtigte Feststellung vereinzelter ähnlicher Elemente im Liberalismus und im Totalitarismus pauschalisierend hinweggeht.

Herbert Marcuse hat darüber hinaus nun aber auch angedeutet – und ähnlich der Stuttgarter Politologe Martin Greiffenhagen –, daß sich vom Totalitarismus sogar in einem annäherungsweise positiven Sinne sprechen läßt. Dies sei dann der Fall, wenn man damit die Phase eines »demokratischen Zentralismus« in der Art einer Erziehungsdiktatur – der politischen und pädagogischen Durchsetzung eines Bildes von »wahrer« Allgemeinheit und Gemeinschaftlichkeit in der heute zerrissenen Gesellschaft von oben her – meint, eine Phase, gedacht als

Übergang zu dereinst radikaldemokratisch-sozialistisch organisierter Freiheit. In diesem Sinne erscheint eine »totalitäre Demokratie« vorübergehend (also historisch-relativiert) gerechtfertigt. – Jedoch, ganz abgesehen davon, daß hier die zutiefst widersprüchliche Idee einer totalitären Demokratie zu emanzipatorischen Zwecken in keiner Weise politisch konkretisiert wird: wer garantiert, daß die zur totalen Erziehungsdiktatur Bevollmächtigten – nach welchen unerfindlichen Kriterien auch immer ausgewählt, wenn nicht selbstermächtigt! – das Heft jemals aus der Hand geben und nicht immer noch eine unerledigte Erziehungsmission vor sich sehen werden, die sie permanent unentbehrlich macht? Und welch verräterische elitäre Verachtung für die Fähigkeit der Mitbürger zur Mit- und Selbstbestimmung kommt in solch spielerischen Versuchen im Umgang mit dem Begriff des Totalitären zum Ausdruck!

Ist die Totalitarismusdiskussion bei diesem konfusen Stande angelangt, so erscheint es in der Tat am redlichsten, den Begriff fallen zu lassen. Er verunklart allenfalls die Positionen einer vorwiegend ideologischen Auseinandersetzung. Eine präzise wissenschaftliche Bedeutung kommt ihm heute kaum mehr zu. Wie der klar konstatierbare und analysierbare Totalitarismus der Hitlerschen und Stalinschen Politik selbst, so hatte auch der Totalitarismusbegriff »seine Epoche«. Für die Analyse dieser Epoche, jedoch auch ihrer Folgeerscheinungen, soweit sie gegenwärtig noch wirksam sind, behält er sein Recht. Als Vorstellung eines Ismus, das heißt einer radikalen Bewegung und eines geschlossenen Systems totalitärer Politik, ist er heute – zumindest vorläufig – unzweckmäßig geworden. Allenfalls ließen sich im Bewußtsein und Habitus vieler heute vorfindlicher Gesellschaften – in der einen weniger, der anderen mehr – totalitäre Tendenzen aufdecken, die mit offen oder latent freiheitsfördernden Tendenzen konkurrieren. Aber solche Tendenzen polemisch mit wechselnder Münze gegeneinander auszuspielen, würde der gegenseitigen Verdächtigung Tür und Tor öffnen, ohne eine Klärung zu erbringen, und den wissenschaftlichen und politischen Dialog abbrechen. Vielmehr kommt es heute darauf an, in allen politischen Systemen die Realität, die Chancen und die Hemmnisse einer Humanisierung der Gesellschaft zu untersuchen und aufzudecken, um in Ansehung der jeweiligen Gegebenheiten und Möglichkeiten den Prozeß der Emanzipation der Bürger als Weg zu einer möglichst weitreichenden Selbstbestimmung aller Menschen zu fördern.

Dietrich Geyer

Tradition ist ein ambivalenter Begriff und, wie wir täglich sehen, ein höchst umstrittener Tatbestand. Sein Sinn schließt sich nicht schon von selber auf. Gewiß, Tradition kommt von tradere: übergeben, weitergeben – von Hand zu Hand, von Mund zu Mund, über Generationen hin und über Zeiten fort. Und ohne Zweifel ist es dieser Akt des Übermittelns, Übertragens, Überlieferns, der den Begriff begründet hat. Dauer im Wandel, Altes im Neuen, Fortwirkung, Erbe, Kontinuität – im Umkreis solcher Wortbildungen steht, was Tradition bezeichnen kann. Im allgemeinsten Sinne läßt sich sagen: Tradition hat mit Geschichte zu tun, Tradition verbindet Gegenwart mit geschehener Geschichte, meint gegenwärtige, lebendig gebliebene Vergangenheit; kraft der Tradition kommunizieren wir mit unserer eigenen Geschichte.

Wenn Tradition also mit Geschichtlichkeit schlechthin zusammenfällt, dann hätten wir die Philosophen zu befragen. Holt man sich dort Auskunft, so wird man rasch gewahr, daß jede philosophische Bemühung gehalten ist, den Begriff nicht nur zu definieren, sondern ihn auch auf sich selber anzuwenden. Denn der Geist, so hören wir, ist in der Geschichte geworden, folglich ist Geist ohne Tradition nicht zu denken. Nur in der Tradition und an der Tradition könne sich der Geist entfalten (B. Snell). Entsprechend prinzipiell und weitgespannt sind auch die Definitionen, die uns von dieser Seite angeboten werden: Tradition ist eine Kategorie des Menschen, »sie umfaßt alles, was nicht biologisch vererbbar, aber geschichtliche Substanz des Menschen ist« (K. Jaspers); Tradition stellt sich dar als ein die Geschlechter verbindender Zusammenhang, der auf der Gemeinsamkeit der menschlichen »Natur« und der »Vernunft« beruht. Tradition ist nichts anderes als »das Sichtbarwerden dieser vorgegebenen Gemeinsamkeit« (Th. Litt). Daß es bei alledem um Werte geht, deren Würde sich von selbst versteht, wird regelmäßig unterstellt, und das meint zugleich, daß Tradition, jene über Jahrtausende hin wirksame Verbindung, auf

Autorität, Achtung, Vertrauen und Ehrfurcht gegründet sei. Wer dies untergräbt, so wird gewarnt, »der erschüttert, auch ohne es zu wissen und zu wollen, die letzte Grundlage aller menschlichen Kultur« (A. Rüstow).

Vor solchem Anspruch könnte man verzagen, wenn derlei Mahnungen nicht mittlerweile arg verschlissen wären. Selbst die Versicherung, daß der Mensch der Tradition nicht blindlings ausgeliefert sei, wird den kaum trösten, der vorab Aufklärung erwartet, bevor er an der ihm verheißenen Freiheit Freude finden kann. Doch auch das Selbstgespräch dieser Gelehrten läßt uns sehen, daß sie mit ihrer Gegenwart in Fühlung sind. Von den Erschütterungen unserer Zeit und ihren Katastrophen, von der ungeheuren Beschleunigung, die die Geschichte durch Technik und Wissenschaft erfahren hat, ist man nicht unberührt geblieben. Der »Verlust der Tradition«, der »Traditionsbruch«, wird schmerzlich wahrgenommen. Das Empfinden, der Tradition nicht sicher zu sein, nagt an der eigenen Sicherheit. So ruft man nach Besinnung und Erneuerung, gesteht sich sogar ein, daß es auch Traditionen geben kann, die geistlos, tot und starr geworden sind und abgeworfen werden dürfen. Doch zur Erhellung der Probleme, die mit dem Traditionsbruch sich verbinden, ist damit nicht viel ausgerichtet.

Beherztere Denker haben freilich längst gespürt, daß es mit der Klage über den Verlust der Tradition nicht sein Bewenden haben kann. So sieht Gerhard Krüger im Schwund der Tradition eine Folge der Veränderungen, die mit der Französischen Revolution und mit der Kantschen Philosophie geschichtlich wirksam geworden sind. Die Entstehung einer »grundsätzlich von der Tradition emanzipierten Gesellschaft« und einer »grundsätzlich von der Tradition emanzipierten Philosophie« hätten ein neues Verhältnis zur Vergangenheit, »historisches Bewußtsein«, an die Stelle der Traditionen treten lassen: »Seit man ›konservativ‹ von Traditionen spricht, hat man sie nicht mehr.« Dieser Satz impliziert, daß Tradition seit langem ihre Unschuld schon verloren hat.

Überträgt man diesen Gedanken auf den geschichtlichen Prozeß, dann entpuppt sich Tradition vorab als eine soziale Kategorie, deren Qualität sich im Zug des gesellschaftlichen Wandels verändert. Damit sind nun statt der Geschichtsphilosophie die Sozialwissenschaften angesprochen. Hier hat der Begriff Tradition längst eine sehr spezifische Façon. In der Herrschaftssoziologie Max Webers, die den Typus der »traditionalen Herrschaft« beschreibt, wird Tradition von Rationalität scharf abgesetzt. Bürokratie und kapitalistische Wirtschaft stehen zu ihr in schroffstem Gegensatz. Theodor W. Adorno hält Tradition für einen wesentlich »feudalen« Tatbestand, der im strengen Sinn mit bürgerlicher Gesellschaft nicht vereinbar sei. Tradition, das Bewußtsein zeitlicher Kontinuität, sei durch Zweckrationalität kassiert, und die Rituale und Surrogate, die magisch oder gar ästhetisch bannen wollen, was verloren ist, vermöchten die vorgegebene Verbindlichkeit alter Formen nicht mehr herzustellen.

Mit anderen Worten: die Kategorie der Tradition wird den vormodernen, vorbürgerlichen, vorindustriellen Zeiten zugerechnet, der Welt des alten Handwerks und seiner Zünfte, dem Oikos der Familie, der Geschlossenheit patriarchalischer und ständischer Ordnungen, Verhältnissen, in denen Normen und Verhaltensweisen unbefragt in Geltung blieben. Das bürgerliche Prinzip des Tauschs von Äquivalenten hat diese Unmittelbarkeit zerstört. Mittlerweile ist solche Rückbindung der Tradition ans Vormoderne den Sozialwissenschaften, zumal den zeitgenössischen Entwicklungstheorien, durchaus geläufig geworden. Tradition und Rückständigkeit (»backwardness«) gehen hier begrifflich sehr dicht zusammen. Der Gegenbegriff zur Tradition heißt: Modernität. Dem fortschreitenden Prozeß der Modernisierung traditionaler Gesellschaften und Institutionen, der Schrumpfung und Auflösung von Tradition gilt das angespannteste Interesse.

Akzeptiert man, daß Tradition an Geschichtslosigkeit, an Industrialismus und Urbanisierung, an bürgerlicher Aufklärung und Rationalität zugrunde gegangen sei, dann wird man die Aussagekraft dieser These gleichwohl nicht übertreiben dürfen. Denn auch in der modernen Gesellschaft ist, wie jeder weiß, Tradition nicht einfach abgeschafft oder im Ressort der Denkmalspfleger aufgegangen. Vielmehr ist sie durch die Deformationen, die sie erlitt, und durch die Fragwürdigkeit, in der sie steht, nun erst wirklich problematisch geworden.

Zunächst ergibt sich, daß Traditionsbestände vormoderner Art in großer Zahl und in vielfältigsten Bezügen noch immer bei uns sind. Sie haben den Lauf der Zeit gewiß nicht unbeschädigt überdauert, doch noch in der Gefährdung, mit reduzierter oder transformierter Substanz sind Traditionen mächtig geblieben: in der Sprache, im Denken, in den Normen des Rechts, den staatlichen Institutionen, in Familie und Gesellschaft.

Die ehrwürdigste traditionale Instanz in unserer Gegenwart repräsentieren zweifellos die christlichen Kirchen. Nicht nur mit ihren Einrichtungen und Ordnungen, sondern mehr noch durch den Glauben selbst sind sie in elementarem Sinn an den geschichtlichen Charakter der Offenbarung, an die Tradition des Neuen Testaments verwiesen, an eine Überlieferung, die im Rückgriff auf die ursprüngliche Wahrheit der Verheißung Vergangenheit, Gegenwart und Zukunft zu einem großen Kontinuum zusammenschließt (v. Campenhausen). Auch das aggiornemento, die Anpassung an die Aufgaben und Bedürfnisse der modernen Welt, kann und will der Bindung an die »Tradition der eschatologischen Hoffnung« nicht entsagen. Ja es sind gerade die resolutesten Kritiker des Status quo, die ihr Verlangen nach radikaler Reform an der Ursprünglichkeit der christlichen Botschaft wie der Christengemeinde orientieren. Gegen den falschen, restaurativen Traditionalismus, der in die Kirchen eingewachsen ist, wollen sie echte, unverstellte Tradition mobilisieren. In dieser merkwürdigen Verschränkung von Freiheit und Gebundenheit kommt Revolution mit Tradition überein.

Die Universität, eine andere große Hinterlassenschaft unserer Vergangenheit, zeigt eine ähnliche Dialektik. Von ihrer Tradition zu sprechen, in Deutschland zumal, heißt, offene Wunden anzurühren. Seit der Talar der Ordinarien in alten Schränken nun verstaubt, seit Fakultäten und Senate zur Selbstauflösung sich entschließen müssen, seit ungekämmte junge Leute in Niethosen und Pullovern die Hohen Schulen »übernehmen« möchten, verkommt, so hört man, mit der alten Universität jetzt auch die freie Wissenschaft, das Erbe einer großen Tradition. Obgleich vieles von dem, was nun verschwinden mag, seit langem nur noch pure Ideologie und stilisierte Konvention gewesen ist, werden ältere Maßstäbe und Normen schon deshalb nicht verlorengehen, weil Wissenschaft hinter die Erfahrungen ihrer Geschichte nicht zurückfallen kann. Das gilt auch für ihr Verhältnis zur Gesellschaft, zu politischen und wirtschaftlichen Interessenten, für den Dualismus zwischen Wissenschaft und Politik. Vollkommene Anpassung hat sich die Universität straflos nie gestatten dürfen. So kämpfen selbst die Rebellen, die im Namen einer kritischen, »emanzipatorischen« Wissenschaft die alte »fachidiotische« und »technokratische« zerstören möchten, mit Waffen aus dem Arsenal der Tradition. Die Idee der Freiheit, die Utopie der Revolution, auch jene, die im Colloquium der

Intelligenzia schließlich aufgehoben bleibt, hat ihre eigene Vergangenheit.

Das Beispiel zeigt, daß es noch heute Traditionen geben kann, die sich als Kontrapunkt der Reaktion begreifen. Auf Transparenten, Fahnen und Plakaten mit Marx, Bakunin, Mao, Ho und Rosa Luxemburg trägt dieser Anspruch sich tagtäglich wieder vor.

Ein anderer Aspekt wird deutlich, wenn wir sehen, daß politische Systeme unserer Gegenwart von der Verwendungsfähigkeit von Traditionsbeständen große Stücke halten. Wo an den Feiertagen der Nation die steifen Rituale der Paraden im kostümierten Aufzug und im kommerzialisierten Massengaudi untergehen, mag traditionalistisches Gepränge noch zu ertragen sein. Anders dann, wenn Tradition als Element der Stabilisierung sich zur Doktrin erhebt. Das gilt zumal für Regime, die ihrer Legitimation oder doch der Legitimation ihrer Politik nicht sicher sind. Dort werden Traditionen künstlich hergestellt, manipuliert, als Herrschaftsinstrumente eingesetzt, als Bindemittel, die zusammenhalten sollen, was von allein nicht beieinander bliebe. In Vietnam wird dem GI Bescheid gegeben, daß es die eigene, große Tradition der Freiheit sei, um deren Fortbestand er in den Dschungel gehe. Vollends die Diktaturen unserer Zeit demonstrieren allenthalben, wie Tradition als Retortenzüchtung derer, die regieren, politisch wirksam werden kann. Die griechischen Obristen, und nicht nur sie, beherrschen das mit großer Fertigkeit.

Auch in Deutschland ist manipulierte Tradition nicht bloß eine ferngerückte Erinnerung – etwa an den »Geist von Potsdam« oder an den Führer Adolf Hitler. In der DDR wird seit langem eine eigene Art von Tradition mit großem Anspruch ritualisiert. Der zweite deutsche Staat stellt sich nicht nur an seinen Jubeltagen als »die Krönung der progressivsten Traditionen deutscher Geschichte« immer wieder dar. Während die Bundesrepublik, so heißt es, mit »überlebten, reaktionären, antikommunistischen und antinationalen Traditionen« sich verbinde, »mit der unseligen Tradition des Militarismus und Imperialismus«, verkörpere die DDR »den durch die vielhundertjährige Geschichte unseres Volkes legitimierten deutschen Staat des Friedens und der Freiheit, der Menschlichkeit und der sozialen Wohlfahrt«. – »Die Wurzeln unserer Bewegung« – sagt das ZK der SED – »reichen bis in die Kämpfe der städtischen Armut des Mittelalters, in die gewaltige Revolution zu Beginn der europäischen Neuzeit, den Großen Deutschen Bauernkrieg zurück. Wir sind die Enkel und Erben des deutschen Proletariats ..., wir sind die Erben aller humanistischen Traditionen des deutschen Volkes, der klassischen Literatur und Kunst, Philosophie und Wissenschaft.« – »Die bestimmende Traditionslinie führt ... von Karl Marx und Friedrich Engels über August Bebel und Wilhelm Liebknecht, Rosa Luxemburg, Karl Liebknecht und Ernst Thälmann zu Wilhelm Pieck und Walter Ulbricht.« Man sieht, die Gegenwart der DDR will als die vorläufige Erfüllung der deutschen Geschichte verstanden sein.

Aber auch in der Bundesrepublik, wo man den Bürgern ein kodifiziertes »Geschichtsbild« nicht einfach dekretieren kann, ist Tradition ein schwieriges Problem geblieben. Von Beginn an war zu sehen, daß auch der demokratische Staat, dieses uns nach der Hitlerzeit von außen zugetragene Geschenk, sich durch vielfältige Anstrengungen Halt an der Geschichte schaffen will. Das Bedürfnis, die neue Gegenwart an historische Überlieferungen zu binden, war da, noch ehe man von der Qualität dieser Überlieferungen sich hatte Aufschluß geben können. An welches Erbe war denn anzuknüpfen? Vom Ausland her, und nicht allein vom Osten, wurden Erfahrungen mit den Deutschen an großen Linien festgemacht, die vom Ritterorden über Luther und Friedrich den Großen bis zu Bismarck und Hitler die Permanenz deutscher Gefahr belegen sollten: die Kontinuität des Aggressionstriebs, die Tradition des Obrigkeitsstaates, der Untertanengesinnung, des Kadavergehorsams usw. Auch die Diskussion um die historischen Wurzeln des faschistischen und antisemitischen Syndroms in Deutschland hat weit in die Vergangenheit zurückgeleuchtet; mit Auschwitz war das schöne Bild vom »Volk der Dichter und Denker« vollends zerstört.

So sind Unsicherheit und Verdrossenheit in vielen Kontroversen groß geworden, doch die Bereitschaft zu kritischer Selbstaufklärung ging im Kampf gegen »Nestbeschmutzung« und »Verteufelung« mitunter rasch verloren. Die »Bewältigung der Vergangenheit« hat mancherorts willkommene Alibifunktionen wahrgenommen und neuen Verdrängungen Raum gegeben. Auch von den Historikern wurde das Kontinuitätsproblem bisher nur unzureichend aufgeklärt. Häufig hat sich ihr Interesse auf Peripheres kapriziert und hat Symptome für die Quintessenz der Sachen selbst gehalten. So wird die Frage nach den Voraussetzungen deutscher Kriegszielpolitik von 1914 weithin in die Figur des Kanzlers Bethmann Hollweg abgedrängt, und die Pathologie der jüngsten deutschen Geschichte in die Pathologie des »großen Verführers«.

Auf die kritische Neuorientierung des Geschichtsbewußtseins hat die junge Bundesrepublik offenbar nicht warten können. So kam »Tradition« ohne Aufklärung in bisweilen naturwüchsiger Form wieder auf. Im Bundesministerium des Innern symbolisiert die Bilderreihe der deutschen Innenminister seit 1848 die Kontinuität der Institution, nur Wilhelm Frick, der Nazi, hängt nicht dort. Sozialdemokratische Minister amtieren nicht unter den Konterfeis von Marx und Engels, Bebel oder Rosa Luxemburg, sondern unter dem Lenbach-Porträt des Eisernen Kanzlers. Auch das Verständnis, das den Wiederaufbau des Reichstages in Berlin begleitet, dürfte der Tradition des Bismarckreiches näher sein als der republikanischen Überlieferung. Die Gedenkstunden an die Reichseinigung »von oben«, die wir im Januar 1971 erlebten, haben die oszillierenden Bezüge des amtlichen Staatsbewußtseins erneut vor Augen gebracht. Die magische Kraft, die vom Verlangen nach einer wertbestimmten Bindung an Vergangenes ausgeht, wirkt unvermindert fort.

Bei der Erneuerung des Ordens der Friedensklasse des Pour le Mérite, den der Romantiker unter den Preußenkönigen, Friedrich Wilhelm IV., 1842 gestiftet hatte, war es Theodor Heuss darum zu tun, die »in der Welt des geistigen und künstlerischen Schöpfertums« von der Machtpolitik zerrissenen Kräfte wieder »in den Strom einer ehrwürdigen Überlieferung« zu stellen, in eine »würdige und bedeutende Tradition« und in eine »gute preußische« dazu (F. Meinecke). Das mag eine glückliche Absicht gewesen sein. Doch überall dort, wo solche Rückgriffe von größerer öffentlicher Bedeutung waren, hat der Opportunismus, der die Entschlüsse leitete, sich kaum verhüllt. Als der Deutsche Bundestag die Orden und Tapferkeitsauszeichnungen der beiden Weltkriege wieder zuließ, folgten die Beteiligten dem Wunsche, »den vielerwähnten Traditionswerten des Militärischen« gerecht zu werden. Jedoch von welchen Werten hier die Rede war, das wurde schwerlich dadurch dargetan, daß jetzt das Hakenkreuz aus dem E. K. verschwinden mußte.

Wie bekannt, hat in der deutschen Bundeswehr der 20. Juli 1944, der »Aufstand der Offiziere«, das Problem der Tradition in einer traditionslosen Armee tief aufgerührt. Doch wurde der

Stachel, der hier Schmerzen machte, alsbald schon wieder balsamiert – durch Symbolhandlungen, wie Namensgebungen für Kasernen und Zerstörer, in denen sich allgemeinere Bindungen an die Wehrmacht, an die Reichswehr, aber auch an die preußisch-deutsche Militärgeschichte manifestierten. In einem Erlaß des Verteidigungsministeriums, der solches Tun im Juli 1965 zu begründen suchte, ist dann verordnet worden, was vom Verhältnis »Bundeswehr und Tradition« zu halten sei: Der deutsche Soldat habe seine »Verbundenheit mit der Geschichte« in der schwarz-rot-goldenen Fahne, im Adler des Bundeswappens und im Eisernen Kreuz ausgedrückt zu sehen. Als Sinnbilder staatsbürgerlicher Verantwortung, sittlich gebundener soldatischer Tapferkeit, des Strebens nach Einigkeit und Recht und Freiheit wurden diese Zeichen vorgestellt, und die beigefügten Reflexionen über das Determinierte unserer Existenz, über das Nationalbewußtsein als Triebkraft der Menschheitsgeschichte und über die Vaterlandsliebe als »Wurzelboden politischer Verantwortung« sollten dem vielbeklagten Defizit an Tradition auf die Füße helfen. Es ist schwer vorstellbar, daß Rekruten sich von diesem hochsinnigen Gedankenbrei gesättigt finden.

Das Beispiel zeigt, daß das Bemühen, der Tradition bei uns Substanz zu geben, nicht leicht gelingen kann. Mit restaurativen Substraten der deutschen Geschichte scheint sich Tradition noch immer rascher zu verbünden als mit demokratischen Begriffen. Auch die Sozialdemokratie, Hüterin demokratischer Überlieferung, hat es schwer mit ihrer Geschichte. Mit dem »Ballast«, der abgeworfen wurde, ging manche gute Tradition dahin. Neue Traditionen, die in der Bundesrepublik entstanden, gewannen keine Überzeugungskraft. In der Erosion des 17. Juni, des einzigen nationalen Gedenktages im Kalender, steht das Dilemma längst vor aller Augen.

Man könnte meinen, daß das Verhältnis zur Vergangenheit nur dort noch unbefangen ist, wo Tradition in folkloristischer Gewandung und guter Nachbarschaft zu Werbung und Geschäft in schöner Blüte steht. Tatsächlich führen uns die Abendschau der Regionalprogramme und auch die Presse im lokalen Teil alltäglich wieder vor, wie Bürgermeistern und Gemeinderäten, wie Narrenzünften, Heimatgruppen, Liedertafeln, Turnvereinen die treue Pflege guter alter Sitten und Gebräuche zu fröhlicher Geselligkeit gedeihen kann. Es sei dahingestellt, ob solche Übung dem hohen Anspruch ihrer Organisatoren noch gewachsen ist. Doch kann das Traditionsproblem, mit dem wir, wie gezeigt, so große Mühe haben, im auffrisierten Brauchtum unserer vielgelästerten Provinz nicht aufgehoben werden.

Vermutlich wäre viel gewonnen, wenn die Einsicht sich verbreiten würde, daß Tradition in dieser Zeit nicht überanstrengt werden darf. Was an vergangener Geschichte bei uns blieb, als Last und Mahnung oder als Erfahrung, das wird nicht weiterhelfen, solange Sehnsucht nach Geborgenheit und innerem Halt uns zu den Traditionen treibt. Wir wünschen eine andere Beziehung: Mit Tradition in produktiver Fühlung stehen, heißt, Aufklärung und Kritik als »Medium der Bewahrung« erproben.

Versöhnung

Ludwig Raiser

Unter den Stichworten eines ABC der »Politik für Nichtpolitiker« hat das Wort »Versöhnung« keinen selbstverständlichen Platz. Es gehört wie das Wort »Sühne«, von dem es abstammt, vornehmlich zur Sprache des religiösen Lebens, in unserem Kulturkreis also zu den zentralen Begriffen christlicher Theologie. Dort geht es darum, das Geheimnis der Wiederherstellung der durch die menschliche Sünde zerstörten Gemeinschaft des Menschen mit Gott, also der so verstandenen reconciliatio vermöge des Sühnetods Christi zu begreifen. Von da ist das Wort in die Alltagssprache gedrungen und bezeichnet die Wiederherstellung der Gemeinschaft zwischen nahe verbundenen Menschen, wie Eltern und Kindern, Eheleuten oder Freunden, sie sich zerstritten hatten. Aber in der kühlen Luft der Politik, die von Interessenkonflikten und Machtkämpfen zwischen Fürsten oder Diktatoren, Gruppen oder Klassen, Nationen oder Koalitionen widerhallt, ist das Wort Versöhnung bisher nicht heimisch. Wohl gibt es hier neben Sieg und Niederlage im Kampf auch den friedlichen Ausgleich der widerstreitenden Interessen und die Verständigung zwischen entzweiten Parteien, die im rechtlichen Instrument des Vertrags bindende Kraft und auf Dauer gerichtete Wirkung erlangt. Auch kennt das Völkerrecht ebenso wie das Privatrecht den Gedanken der Entschädigung oder Wiedergutmachung für vorausgegangene Rechtsverletzung. Dagegen wird man das Stichwort »Versöhnung« in einem traditionellen Wörterbuch der Politik oder des Völkerrechts vergeblich suchen.

Dennoch ist der Begriff nicht versehentlich in ein »ABC zur aktuellen Diskussion« aufgenommen worden. Seit dem Zweiten Weltkrieg kreist das Denken vieler Menschen in Deutschland um die Frage, was geschehen kann, um das deutsche Volk mit den Völkern zu versöhnen, die unter dem Machtrausch des Nationalsozialismus am schwersten zu leiden hatten, besonders also mit dem jüdischen und dem polnischen Volk. Dabei scheiden sich schon an der Aufnahme des Begriffs der Versöhnung in die politische Diskussion bei uns und in diesen Völkern die Geister. Wer in der Denkweise des neunzehnten Jahrhunderts die Selbstbehauptung des souveränen Narionalstaats unter seinesgleichen als das oberste, keiner weiteren Ableitung oder Rechtfertigung bedürftige Ziel auswärtiger Politik betrachtet, wird zwar das Bedürfnis nach einer völkerrechtlichen Ordnung für die Staatengesellschaft nicht leugnen und demgemäß auch anerkennen, daß Verstöße gegen diese Ordnung, wie sie der NS-Staat in Europa beging, nach Vergeltung oder Schadensausgleich rufen, um dem Recht Genüge zu tun. Aber er wird der moralischen oder gar religiösen Wertung und Verurteilung solcher Verstöße mißtrauen und darum nicht Versöhnung, sondern in aller Nüchternheit Ausgleich und Verständigung zwischen den beteiligten Völkern und ihren Staaten anstreben. Der Ruf nach Versöhnung dagegen zieht seine Kraft aus der Überzeugung, daß auch für das Zusammenleben der Völker und Staaten ethische Verhaltensnormen und Maßstäbe Geltung beanspruchen können, wie sie für die Lebensführung des einzelnen Menschen auf einer noch gegenwärtigen oder säkularisierten religiösen Grundlage entwickelt worden sind. In dem Maß, in dem souveräne Nationalstaaten an Bedeutung verlieren gegenüber den gemeinsamen Problemen einer zur politischen Einheit zusammenwachsenden Menschheit, sollte auch das bisher zu schwache Bewußtsein der Zusammengehörigkeit und der gemeinsamen Verbindlichkeit solcher Normen und Maßstäbe den nationalen Egoismus mehr und mehr zurückdrängen. Auf dem Boden dieser Überzeugung gewinnen Begriffe wie Schuld und Sühne, Vergeltung und Versöhnung aktuelle Bedeutung auch im Bereich der auswärtigen Politik. Politisches Handeln, das sich an ihnen orientiert, ist ein Teil jener »außerordentlichen moralischen Anstrengung«, die nach einem oft zitierten Wort C. F. v. Weizsäckers von uns gefordert wird, wenn wir den zum Überleben der Menschheit notwendigen Weltfrieden erreichen und erhalten wollen.

Die beiden hier kurz gekennzeichneten Denkweisen mögen sich in der politischen Theorie gegenseitig ausschließen und darum auch heftig bekämpfen; in der heutigen geschichtlichen Wirklichkeit sind sie eigentümlich ineinander verflochten. Das wird gerade an den zuvor genannten beiden Fällen deutlich, in denen starke Kräfte in der Öffentlichkeit der Bundesrepublik nach Wegen suchen, eine Versöhnung mit dem jüdischen und dem polnischen Volk herbeizuführen.

Es war als ein Schritt zur Versöhnung mit dem jüdischen Volk gedacht, daß die Bundesrepublik neben einer den einzelnen, vom NS-Staat geschädigten Juden gewährten individuellen Wiedergutmachung dem Staat Israel eine Sühneleistung in Gestalt von Warenlieferungen im Gesamtwert von annähernd 3,5 Milliarden DM anbot. Der darüber 1953 abgeschlossene Staatsvertrag ist inzwischen erfüllt und abgelaufen; diplomatische Vertretungen des einen im anderen Land bringen zum Ausdruck, daß sich das Verhältnis im völkerrechtlichen Sinne normalisiert hat. Aber von Anfang an war jener ungewöhnliche Vertrag vielfachen Zweifeln und Mißdeutungen ausgesetzt: War der Staat Israel der richtige Empfänger einer Genugtuung für die Millionen gequälter und getöteter Juden in Europa? Und wirkten sich die jahrelangen umfangreichen Warenlieferungen nicht eben darin aus, daß die wirtschaftliche Widerstandskraft dieses schwer um seine politische Selbstbehauptung in einer feindlichen Umwelt ringenden Staates gestärkt wurde? Die zu Israel in erbittertem Gegensatz stehenden arabischen Staaten haben der Bundesrepublik deshalb Verletzung des Völkerrechts vorgeworfen. Umgekehrt ist kein Zweifel, daß Ben Gurion, der mit Adenauer diesen Vertrag schloß, das Mißtrauen seines Volks gegen die Annahme solcher Genugtuung nicht zuletzt mit der sehr nüchternen, außerhalb aller ethischen Kategorien liegenden Erwägung zu überwinden vermocht hat, daß Israel in seiner schwierigen Lage diese Wirtschaftshilfe dringend benötigte. Das wirtschaftliche, um nicht zu sagen machtpolitische Gewicht des Vertrages ist also sowenig zu leugnen wie die Tatsache, daß gerade der junge Staat Israel eine extrem nationalstaatliche Ideologie entwickelt und praktiziert. Den ethischen Puristen muß diese Verunreinigung der reinen Idee der Versöhnung irritieren. Der Staatsmann weiß, daß ethische und machtpolitische Antriebe im Vollzug politischen Handelns selten reinlich zu scheiden sind. Er sollte aber auch wissen – und die beiden großen alten Männer waren sich dessen bewußt –, daß machtpolitischer Ausgleich allein einen Konflikt zwischen Staaten bestenfalls auf Zeit suspendiert, aber nicht löst, und daß eine dauerhafte Befriedung nur gelingen kann, wenn dem Ausgleich ein Vorgang der Versöhnung zwischen den Völkern vorausgeht oder nachfolgt.

Im Falle Israels wird man sagen dürfen, daß dieser Vorgang der Versöhnung heute zwar gewiß nicht abgeschlossen ist, weil noch zu viele bittere Erinnerungen in der lebenden Generation der Juden in aller Welt fortwirken, aber doch jedenfalls auf Grund der geschilderten Anstrengungen auf gutem und hoffnungsvollem Wege ist. Im Verhältnis zum polnischen Volk dagegen ist er über erste tastende Versuche noch kaum hinausgelangt. Ein wichtiger, aber sicher nicht der einzige Grund liegt in dem ideologischen und machtpolitischen Gegensatz, der seit 1945 Europa in zwei Lager trennt, die sich feindselig oder doch mit äußerstem Mißtrauen gegenüberstehen. Er hat auch zwischen der Bundesrepublik und Polen eine unsichtbare, aber schwer zu übersteigende Mauer errichtet. Die Vertriebenendenkschrift der EKD vom Oktober 1965, die indirekte Antwort der polnischen Bischöfe und die jene Denkschrift in der Zielrichtung aufnehmende und fortführende Stellungnahme des Bensberger Kreises haben als Dokumente christlichen Versöhnungswillens den harten Boden aufgelockert, aber die Mauer nicht niedergelegt. Auch die Aufräumarbeiten von Gruppen junger Deutscher in Auschwitz und Majdanek können nicht mehr leisten, als was der Name der sie entsendenden Organisation besagt, nämlich ein Sühnezeichen setzen. Was den Vorgang der Versöhnung vor allem hemmt, ist im Bereich ethischer Motivation der Umstand, daß auf das Unrecht, das das polnische Volk im Krieg von der deutschen Besetzungsmacht erlitten hat, am Ende des Krieges das Unrecht der gewaltsamen Vertreibung der deutschen Bevölkerung aus Ostpreußen, Pommern und Schlesien gefolgt ist und nun bittere Erinnerungen auf beiden Seiten zu verhärteten Rechtsbehauptungen geführt haben. Vielleicht hätte von deutscher Seite ein schmerzliches Opfer der Versöhnung dienen können, nämlich der Verzicht auf die von Polen besetzten ehemals deutschen Ostgebiete. Aber dem standen in der Bundesrepublik bisher starke, an das Nationalbewußtsein appellierende Kräfte im Weg, während Polen diese Gebiete auf Grund der machtpolitischen Lage schon seit 1945 als von Rechts wegen zu Polen gehörig in Anspruch genommen hat. Infolgedessen wird ein nach fünfundzwanzig Jahren ausgesprochener Verzicht zwar immer noch politisch entspannende, aber kaum noch versöhnende Wirkung haben können. Wieder werden also ethische von machtpolitischen Antrieben überlagert, zumal auch in Polen der Wille zur nationalstaatlichen Selbstbehauptung besonders stark ausgeprägt ist. Aber während im Falle Israels die beiden Antriebskräfte in die gleiche Richtung wiesen, sind sie im Falle Polens bisher einander hinderlich; die zur Versöhnung drängenden Kräfte werden es auf beiden Seiten noch geraume Zeit schwer haben, zu öffentlicher Anerkennung und Wirkung zu kommen.

Die hier nur mit wenigen Strichen unternommene Schilderung des Verhältnisses des deutschen zum jüdischen und zum polnischen Volk sollte an zwei unser Gewissen besonders bedrängenden Beispielen verdeutlichen, was Versöhnung im politischen Bereich zu leisten hat. Die deutsche und die europäische Geschichte schon der letzten fünfzig oder hundert Jahre liefert weitere Beispiele; voll gelungen ist der Vorgang, so darf man heute hoffen, vor allem in unserem Verhältnis zu Frankreich, das im Geschichtsunterricht unserer Eltern und Großeltern noch als der Erbfeind Deutschlands bezeichnet worden ist. Vor uns aber steht eine den Gang der weiteren Weltgeschichte bestimmende Versöhnungsaufgabe gewaltigen Ausmaßes: die Aufgabe nämlich, die politische und wirtschaftliche Vorherrschaft der Menschen und Völker weißer Hautfarbe, die von allen anderen Völkern als Unterdrückung und Ausbeutung erfahren wird, in ein friedliches Nebeneinander und arbeitsteiliges Miteinander zu verwandeln. Der Berg von Rassenvorurteilen und von Rassenhaß, der sich hier auf beiden Seiten angehäuft hat, ist mit den herkömmlichen Mitteln politischen Machtkampfes oder Machtausgleichs nicht mehr wegzuräumen. Eine einseitig auf Kosten der schwarzen Bevölkerung betriebene, alle Privilegien der Weißen verteidigende Segregationspolitik, wie sie in Südafrika oder im Süden der Vereinigten Staaten praktiziert wird, kann den Konflikt nicht lösen, sondern muß den Spannungszustand verschärfen. Aber auch die im letzten Jahrzehnt von vielen gutwilligen Gruppen in den Vereinigten Staaten befürwortete und oft mit hohem persönlichem Einsatz betriebene entgegengesetzte Politik der Integration hat nach allem Anschein nicht die erhoffte Wirkung und stößt überdies auf enge Grenzen handfester wirtschaftlicher Interessen. Der Abbau von Vorurteil und Haß erfordert außer vielen wirtschafts- und gesellschaftspolitischen Maßnahmen eine tiefgehende Bewußtseinsänderung auf beiden Seiten, und diese wiederum wird ohne sicht- und fühlbare Opfer der bisher überlegenen Seite schwerlich in Gang kommen. Wenn kürzlich eine Gruppe militanter Schwarzer in den Vereinigten Staaten von den großen kirchlichen Denominationen hohe, in die Hunderte von Millionen Dollar gehende Summen als Schadensersatz für vergangene Ausbeutung verlangt hat, so mochte man die Forderungen nach Grund und Höhe verfehlt, naiv, erpresserisch oder absurd nennen. Aber es gibt zu denken, daß gleichwohl mehrere der so rüde angesprochenen Kirchen ihre grundsätzliche Bereitschaft zu erheblichen finanziellen Leistungen erklärten. Dahinter steckt mehr und anderes als nüchternes oder angstvolles Kalkül, das einen Preis dafür zahlt, in Ruhe gelassen zu werden. Es ist vielmehr ein deutliches Gespür dafür, daß es jetzt gilt, altes Unrecht zu sühnen und durch Opfer den Weg zur Versöhnung zu ebnen.

Inzwischen hat sich der Ökumenische Rat der Kirchen als weltumspannende Organisation entschlossen, für diese Haltung bei allen seinen Mitgliedskirchen einzutreten. Denn was sich hier noch zaghaft und punktuell in den Vereinigten Staaten anbahnt, wird im Laufe des kommenden Jahrzehnts die gemeinsame Aufgabe aller weißen Industrievölker der nördlichen Erdhalbkugel gegenüber den Völkern der sogenannten Dritten Welt sein. Zunächst sind auch hier viele Schritte unerläßlich, die nicht nur fragmentarisch, wie heute, sondern nach einem umfassenden Plan dem politischen und wirtschaftlichen Ausgleich dienen. Aber die enttäuschenden Erfahrungen der zwei großen UNCTAD-Konferenzen der sechziger Jahre in Genf und Neu-Delhi lehren, daß wirtschaftliches, auf Machtgewinn oder Machterhaltung gerichtetes Denken für sich allein die Spannungen nicht lösen kann. Auch karitative Leistungen können zwar Not lindern und werden dafür noch lange wichtig bleiben, aber sie können keine Strukturen verändern. Der große, die Staaten und Kontinente übergreifende Wirtschaftsplan, der die Entwicklungsländer gesunden und erstarken lassen soll, ist noch nicht konzipiert, geschweige denn ins Werk gesetzt. Aber auch er wird nur dann zum Frieden führen, wenn er von großen, zeichenhaften Opfern der bisher privilegierten Völker, die der Versöhnung mit den bisher zu kurz gekommenen Völkern dienen, begleitet sein wird.

Wir haben Versöhnung als einen von ethischen oder religiösen Antrieben bestimmten Vorgang im Bewußtsein zerstrittener Parteien, seien es Individuen, Gruppen oder ganze Völker, kennengelernt, der die Feindseligkeit zwischen den Streitenden auslöscht und es ihnen ermöglicht, sich gegenseitig wieder als Nachbarn, als politische und wirtschaftliche Partner, als Mitmenschen, vielleicht sogar als Freunde anzunehmen. Er wird im politischen Bereich um so leichter gelingen, je mehr sich die Einsicht in die Zusammengehörigkeit, die gegenseitige

Abhängigkeit und Verantwortung der Völker dieser Erde durchsetzt. Bloßer Zeitablauf wird freilich keine Versöhnung bewirken. Insbesondere wo die Feindseligkeit aus der bitteren Erfahrung begangenen und erlittenen Unrechts entsprungen ist, wird es vielleicht im Lauf der Geschichte irgendwann einmal zum untätigen und stets unsicheren Vergessen, dagegen zur aktiv begehrten und gewährten Versöhnung nur dann kommen, wenn die Schuld bekannt und eine als freiwilliges Opfer angebotene Genugtuung als solche angenommen ist. Alte geschichtliche Erfahrung lehrt, daß es politischen Gruppen und Staaten noch schwerer als Individuen fällt, sich durch solches Handeln aus den Zwängen des gewöhnlichen Interessen-, Macht- und Prestigedenkens herauszulösen. Meist bleibt selbst da, wo der Gleichklang der politischen oder wirtschaftlichen Interessen ein Zusammengehen, gar ein Bündnis nahelegt, vom alten Zwist ein fortschwelendes, jederzeit leicht wieder aufflammendes Mißtrauen zurück. Die Fälle voll gelungener Versöhnung sind seltene und kostbare Ereignisse in der bisherigen Geschichte der Menschheit.

Muß hiernach vor einer schwärmerischen Verwendung des Versöhnungsgedankens im Bereich der Politik gewarnt werden, so bleibt doch die Aufgabe bestehen, ihm zu realer Bedeutung und Wirkung gerade auf diesem Feld zu verhelfen. Seit wir nach dem Zweiten Weltkrieg der Gefahren innegeworden sind, die der Menschheit vom Gebrauch der zur Massenvernichtung führenden ABC-Waffen auf der einen Seite, von den Folgen der Bevölkerungsexplosion auf der anderen Seite drohen, müssen wir auch zu begreifen lernen, daß die Erhaltung des Weltfriedens zur Voraussetzung des Überlebens dieser Menschheit geworden ist. Nun hat das Wort »Friede« viele Bedeutungen. Versteht man darunter nur die Abwesenheit von »heißen«, auf Tötung oder Unterwerfung des Gegners gerichteten Kriegshandlungen, so kann ein solcher Zustand in zeitlicher und regionaler Begrenzung auch mit Waffengewalt aufrechterhalten werden. Aber es ist offensichtlich, daß damit Konflikte nicht gelöst und Spannungen nur aufgestaut werden, für das Ziel eines dauerhaften Weltfriedens also nichts gewonnen ist. Wir müssen darum unsere Anstrengungen auf einen Frieden im volleren Sinn des Wortes richten, nämlich auf ein politisches System, das Konflikte zwischen Gruppen und Völkern zwar nicht ausschließen kann, vielleicht nicht einmal ausschließen soll, aber Möglichkeiten eines gewaltlosen und gerechten Ausgleichs schafft und ihren Gebrauch zur ethischen und rechtlichen Norm erhebt. In einem solchen System würde auch der Vorgang der Versöhnung seinen legitimen, ja notwendigen Platz finden und vom geschichtlich seltenen Ausnahmefall zum selbstverständlichen, von der Völkergemeinschaft geachteten, ja geforderten Weg zur Beendigung von Streitfällen werden.

Verwaltung

Thomas Ellwein

Über Verwaltung zu sprechen heißt zunächst, auf Unklarheiten hinweisen zu müssen. Weder hat die Umgangssprache diesen Begriff mit einem einigermaßen klaren Sozialinhalt ausgefüllt, noch ist es der Wissenschaft gelungen, sich auf das zu einigen, was mit Verwaltung eigentlich gemeint ist. Die Schwierigkeit beginnt bekanntlich damit, daß Verwaltung sowohl einen Vorgang bezeichnet, zum Beispiel die Verwaltung eines Vermögens, wie auch eine Institution, also etwa die Verwaltung eines Industrieunternehmens oder einer Gemeinde. Die Institution wird einigermaßen sichtbar, nämlich durch das Verwaltungspersonal, die Verwaltungsgebäude, die Büros und die Büroeinrichtungen, während der Verwaltungsvorgang nur schwer zu beschreiben und begrifflich kaum zu fassen ist. Das bringt die erste Erklärung für die verbreiteten Vorurteile gegenüber der Verwaltung. Jedermann ist als einzelner und als Angehöriger von Gruppen ständig von Verwaltungshandeln betroffen, ohne recht sagen zu können, zu was es gut ist und worin es besteht. Das ist unangenehm. Verwaltung wird sodann häufig und sicher auch oft zu Recht mit Bürokratie gleichgesetzt. Dem Wortsinn nach bedeutet das Herrschaft derer, die die Dinge vom Büro aus steuern, und naturgemäß wirkt eine solche Herrschaft durch Steuerungsprozesse höchst suspekt, wenn man nicht begreift, was da eigentlich geschieht, und wenn man keinen Einfluß darauf hat. Die staatliche Verwaltung gar ist nahezu eine »schweigende Staatsgewalt« und war noch nie sonderlich bereit zu erklären, was sie tut. Vorurteile gegenüber der gesamten Verwaltung häufen sich deshalb oft, wenn es um die öffentliche Verwaltung geht. Vorurteile wiederum erschweren das Verständnis, selbst wenn sie einen berechtigten Kern haben und sich deshalb gut zur Verdeutlichung der Probleme heranziehen lassen.

Verwalten ist Dienstleistung. Im angelsächsischen »administration« kommt das deutlich zum Ausdruck. Die deutsche Sprachgeschichte bezieht den Ausdruck ursprünglich auf das

»Walten«. Damit meinte man früher, daß einer etwas Bedeutsames oder Sinnvolles tut, was andere betrifft. So war vom Walten Gottes die Rede. Später ging es mehr und mehr um das Besorgen von Angelegenheiten für andere, und durch Hinzufügen der Vorsilbe »ver« wurde das »Verwalten« allmählich seiner neuzeitlichen Bedeutung nähergerückt. Herrscher oder Eigentümer bedienten sich nun der Verwalter, um die Herrschaftsaufgaben wahrnehmen oder das Eigentum pflegen und vermehren zu lassen. Was der Verwalter tut, ist also abgeleitet. Er handelt im Auftrag. Sobald aber Verwaltung dauerhaft erfolgt und institutionalisiert ist, kann dieser Auftrag in Vergessenheit geraten. Dann beginnen die Probleme. Verwaltung wird zum Selbstzweck, zum eigenen Herrschaftskomplex, und die Verwaltungsmittel wirken so, als ob sie den Verwaltenden gehörten, obgleich sie ihnen doch nur zur Erledigung ihres Auftrages verliehen sind. Verwaltung neigt dazu, sich von ihren Zwecken frei zu machen und sich vom Auftraggeber zu lösen.

In der jüngeren Entwicklung ist noch eine andere Begrifflichkeit hinzugekommen. Früher ging man davon aus, daß der Verwalter den Herrscher oder den Eigentümer vertreten, seine Belange wahrnehmen soll. Gemeint war deshalb das stellvertretende Handeln. Seit geraumer Zeit ist zu Verwaltung der Bedeutungsgehalt von Organisation hinzuzudenken. Die Verwaltung dient dazu, innerhalb von Organisationen deren Tätigkeit zu gewährleisten, also durch organisationsinterne Maßnahmen dazu beizutragen, daß die Aufgaben der Organisation erledigt werden. Dafür zwei Beispiele: Wenn eine Stadt ein neues Krankenhaus baut, werden zahllose sichtbare Leistungen erforderlich. Der Architekt macht einen Plan, die Baufirma baut, viele Handwerker installieren, große Firmen liefern die technischen und medizinischen Einrichtungen, die Personalabteilung stellt das Krankenhauspersonal ein, der Stadtkämmerer und der Stadtrat besorgen die Finanzierung. Damit das aber alles klappt, bedarf es einer riesigen, allerdings unsichtbaren Verwaltungsleistung. Der Krankenhausbau wird geplant. Planende Überlegungen erschließen seine Notwendigkeit, ein günstiges Grundstück, die Finanzierung, die Abfolge der einzelnen Maßnahmen, den Personalbedarf oder ergeben die spätere Kalkulation und vieles andere mehr. Ganz ähnlich in einem Industriebetrieb. Damit dieser Betrieb Güter produzieren und verkaufen kann, bedarf es einer Verwaltung, die für all das die Voraussetzungen schafft und dafür sorgt, daß die einzelnen Teile des Betriebes – Ein- und Verkauf, Personal, Buchhaltung, Lagerverwaltung, Produktionsbereiche usw. – sinnvoll, das heißt möglichst reibungslos zusammenarbeiten.

Organisationen also, der Staat oder die Gemeinden, Parteien oder Verbände, öffentliche Verkehrseinrichtungen oder Industriebetriebe, Krankenhäuser oder Gefängnisse, die Kirchen oder der Deutsche Sportbund, brauchen einerseits Organe, durch die sie nach außen oder auch gegenüber ihren Mitgliedern vertreten werden, und eine Verwaltung, die den Betrieb am Leben erhält, die anfallende Arbeit verteilt, die Arbeitsvoraussetzungen schafft. Organisation geht auf Kosten der Spontaneität, gewährleistet aber Dauerhaftigkeit und damit Verläßlichkeit.

Beide Bedeutungsinhalte von Verwaltung gehören heute eng zusammen: Der Verwaltung sind einerseits Aufgaben übertragen, andererseits bildet sie selbst – wo immer man sie antrifft – ein organisiertes System, welches Teil eines übergreifenden Systems ist. Die Verwaltung als Teilsystem ist dabei unentbehrlich. Darin liegt zunächst ihre Bedeutung. Was sie tut, ist aber in der Regel nicht unmittelbar anschaulich. Darin liegt zunächst ihr Problem. Wenn zum Beispiel Theodor W. Adorno von unserer heutigen als einer »verwalteten Welt« gesprochen hat, meinte er die Tatsache, daß Politik, Wirtschaft, soziales Leben, Kultur und was auch immer der Organisation bedürfen und Organisation Verwaltung voraussetzt. Wird von anderen als ein Merkmal unserer Zeit angesehen, daß wir in sekundären Systemen leben und diese weithin die primären Gruppen wie Familie, Verwandtschaft, Nachbarschaft überlagern und durchdringen, dann ist eben dies gemeint: Die Ordnungen der modernen Gesellschaft werden durch unzählige Einrichtungen aufrechterhalten. Die meisten menschlichen Bedürfnisse werden nicht mehr spontan, sondern planmäßig, also organisiert befriedigt. Der einzelne wird damit eingespannt in ein Netz von Organisationen oder Systemen, das er nur höchst stückweise übersieht, von dem er abhängig ist, ohne es zu begreifen, und das von ihm ein Verhalten verlangt, dessen Formen weithin vorgeschrieben und damit abgelöst sind von dem, was unmittelbar zwischen Menschen gilt: Ist ein Formular nicht ausgefüllt, nützt alle Freundlichkeit des Beamten oder des Verwaltungskunden nichts.

Gehen wir gleich noch einen Schritt weiter. Die formalen Ordnungen, innerhalb derer organisiert und verwaltet wird, sind nur den Kennern geläufig. Nur die Techniker des Apparates wissen genau, an wen man sich wenden muß, welche Regeln man verletzen kann – kurz: es gibt so etwas wie ein spezielles Organisationswissen, das Außenstehenden meist unzugänglich ist und den Apparat verselbständigt. Die Verwaltung soll aber Apparat sein und eine dienende Aufgabe erfüllen.

Wird derart von Organisation und Verwaltung gesprochen, denkt man zumeist an die großen Unternehmen, an die Partei- oder Verbandsbürokratie und an die öffentliche Hand. Die öffentliche Verwaltung hat – jedenfalls in Deutschland und Frankreich – einen enormen zeitlichen Vorsprung. Sie gilt als die älteste Verwaltung schlechthin. Ihre Eigentümlichkeiten, die allerdings zumeist erst im neunzehnten Jahrhundert ausgeprägt worden sind, werden als Eigentümlichkeiten aller Verwaltungen betrachtet. Ihre innere Strktur ist für die Industrie vielfach vorbildlich geworden. Und umgekehrt: die antibürokratischen Vorurteile haben sich weitgehend an der öffentlichen Verwaltung entzündet und wirken ihr gegenüber noch immer besonders heftig. Betrachtet man die Vorurteile genauer, dann schließen sie sich oft in merkwürdiger Weise aus: Der Verwaltung wird sowohl Herrschsucht als auch Mangel an Entscheidungsfreudigkeit oder Initiative vorgeworfen, sowohl eine ausgeprägte formale Organisation als auch Schlamperei und Verschleppung, sowohl Korruption als auch Mangel an Verständnis für Sonderfälle. Was davon ist gerechtfertigt?

Zunächst müssen wir eine Unterscheidung vornehmen, die im verbreiteten Sprachgebrauch meist unter den Tisch fällt. Bund, Länder, Gemeinden und öffentliche Körperschaften sind hierzulande wie überall riesige formale Organisationen. Sie sind aber in der Hauptsache Dienstleistungsbetriebe. Der größte Teil ihres Personals arbeitet nicht in der Verwaltung. Wird also öffentlicher Dienst gleich Verwaltung oder auch nur Beamter gleich Beamter gesetzt, dann geht dies an der Realität völlig vorbei. Beamte, Angestellte und Arbeiter im öffentlichen Dienst haben wir zur Zeit rund 3,2 Millionen. Allenfalls 10 Prozent davon sind in der Verwaltung im eigentlichen Sinne tätig. Die übrigen sind Lehrer, Lokomotivführer, Förster, Krankenpfleger, Ärzte, Polizisten, Richter, Ingenieure in den Stadtwerken, Architekten, Psychologen, Kunsthistoriker, Straßenkehrer, Postboten usw. In einem Krankenhaus mit 100 Mitarbeitern sind höchstens 10 verwaltend tätig, indem sie die Bücher führen, Reinigungsfirmen beauftragen, Lebensmittel oder Bettwäsche einkaufen, Rechnungen bezahlen und was der Dinge mehr sind. Was bewegt uns dazu, die kleine eigentliche Verwaltung als so wichtig anzusehen, daß wir alles übrige mit ihr in einen Topf werfen?

Machen wir das an der Schulverwaltung klar. In der Schule sind zunächst Lehrer tätig. Mit ihnen haben es die Schüler und die Eltern zu tun. In gewissem Umfange geht es dabei auch um Macht, zumindest werden die Möglichkeiten der Lehrer oft unter diesem Aspekt gesehen. Mit der Schulverwaltung kommt man normalerweise kaum in Berührung. Sie besteht aus den Personen, die die Dienstaufsicht über die Lehrer ausüben, zum Beispiel aus den Schulräten, aus den zuständigen Personalabteilungen, aus den Behördenzweigen, die sich mit dem Schulbau herumschlagen, und aus den Teilen des Kultusministeriums, welche die oberste Aufsicht über Schulen und Lehrer haben. Im Volksschulbereich kommt auf 150 bis 200 Lehrer nur ein Schulrat. Die Schulverwaltung im weiteren Sinne fällt zahlenmäßig ebenfalls nicht ins Gewicht. Sie genießt auch kaum öffentliches Interesse. Dennoch: Die Schulpolitik, die sich in Lehrplänen, Richtlinien oder Erlassen niederschlägt, wird über die Schulverwaltung in die Schule hinein verlängert. Ob sich die Lehrer an die Prinzipien halten, die politisch bestimmt werden, das wird durch die Schulverwaltung überprüft, und die Verwaltung hat gegebenenfalls genügend Machtmittel, um die Lehrer zur Raison zu bringen. Anders ausgedrückt: Die Schulverwaltung ist der Mechanismus, über den sich die grundlegenden Beschlüsse in die Praxis hinein auswirken. Dieser Mechanismus, einem Transmissionsriemen vergleichbar, sorgt dafür, daß die Schulen kein eigenes Leben führen, sondern in ihrem Tun eingebunden sind in das, was an zentraler Stelle beschlossen worden ist. Weil die Schule im engeren Sinne erhebliches Gewicht hat, hat es auch die Schulverwaltung als Nahtstelle zwischen politischer Führung und Schulpraxis. Vergleichbar ist die Rolle der Forst- oder der Landwirtschaftsverwaltung, der Straßenbau- oder der Gesundheitsämter, ja der gesamten Ministerialbürokratie.

Um bei der Schule zu bleiben: Im Einzelfall haben wir es mit einem Lehrer zu tun. Grundsätzlich schafft aber die Schulverwaltung, indem sie Schulpolitik verwirklicht, die Voraussetzungen für das Tun dieses Lehrers. Dabei hat die Schulverwaltung Macht genug, um Elemente ihrer eigenen formalen Organisation auch in die Schule hineinzubringen. Lehrer müssen

Formulare ausfüllen, es werden Lehrinhalte festgelegt, es gibt ein ganzes Vorschriftengefüge – und damit die Möglichkeit des Lehrers, im Einzelfall achselzuckend zu sagen, dafür könne er nichts, er habe da seine Anweisungen. Schule, zunächst eine pädagogische Veranstaltung, wird über die Notwendigkeit einer Schulverwaltung selbst zur bürokratischen Organisation, zumindest nimmt sie vieles davon an. Das hat Vorteile, weil nur so ein gewisses verläßliches Gleichmaß herzustellen oder sinnvoll zu planen ist; es hat aber auch Nachteile, weil man dadurch dem Lehrer einen Teil seiner persönlichen Verantwortung abnimmt und sie aufs Schulganze überträgt.

Wegen der Funktion der Verwaltung als Transmissionsriemen zwischen grundsätzlichen Entschlüssen und deren Ausführung und wegen der Fähigkeit der Verwaltung, im Rahmen dieser Funktion auch der eigentlichen Ausführung ein Verwaltungsgepräge zu geben, ist es sicher nicht ganz abwegig, wenn so oft »die« Verwaltung mit dem ineinsgesetzt wird, was sie zu verwalten hat. Verwaltung zieht derart die Vorurteile auf sich, die ein riesiges Gefüge von meist unverständlichen Regeln, Vorschriften und Verhaltensanforderungen heraufbeschwört, und sie wendet gegen diese Vorurteile ein, daß sie dafür doch gar nichts könne, da sie ja nur vollziehe, was andernorts beschlossen worden sei. Auch das ist aber unrichtig. Ein Transmissionsriemen kann einseitig Energie übertragen. Im sozialen Verständnis gilt das nicht. Die Schul- oder Forstpolitik geht nicht aus einsamen Beschlüssen der verantwortlichen Politiker hervor, sie wird vielmehr nachhaltig durch die jeweilige Verwaltung vorbereitet. Praktische Erfahrungen werden in der Verwaltung gesammelt, mit verwaltungseigenen Erfahrungen angereichert und nach oben abgegeben. Die Verwaltungsspitze bereitet daraufhin Vorschläge für neue Gesetze oder Richtlinien vor, und die politische Spitze beschließt. Oft ist dieser Beschluß nur noch Formsache. Anders ausgedrückt: Eine funktionierende Verwaltung wird immer bemüht sein, daß sie in einer Weise geführt wird, die sie selbst für richtig hält. Und sofern sich die Verwaltungsspitze nicht eine gewisse Unabhängigkeit bewahrt, kann das schnell in eine verwaltungseigene Führung ausmünden. Dann wendet jemand Regeln an, für die er sich als nicht verantwortlich erklärt, obgleich er das Zustandekommen dieser Regeln maßgeblich beeinflußt hat. Ein Bonner Ministerialdirektor beklagte sich einmal über das Mißtrauen des Gesetzgebers und nannte dafür als Beispiel ein Gesetz, von dem aber nachzuweisen war, daß es aus seinem eigenen Ministerium stammte und von der Bundesregierung wie vom Bundestag ohne Änderung akzeptiert worden war. Die Entgegnung des Beamten: Ja, man habe das Gesetz eben so formuliert, weil man gewußt hätte, wie mißtrauisch das Parlament sei.

Fassen wir zusammen: Das Wesen der Verwaltung im engeren Sinne ergibt sich zum einen aus ihrem besonderen Platz und Auftrag in einem größeren System, zum anderen aus ihrer Möglichkeit, dieses System, dessen Stabilität sie gewährleistet, nach formalen oder sogar bürokratischen Gesichtspunkten auszubauen, und zum dritten endlich daraus, daß sich die Verwaltung gegenüber der jeweiligen Leitung oder Führung verselbständigen kann, indem sie auf die Führung maßgeblichen Einfluß nimmt. Dies kann man und sollte man völlig unpolemisch feststellen. Die Schule ist nicht wegen der Schulverwaltung da; aber sie könnte auch nicht ohne die Schulverwaltung existieren. Da zudem der Schulverwaltung Weisungsrechte zustehen, wirkt die einzelne Schule oft mehr wie eine nachgeordnete Behörde denn als pädagogische Einrichtung. Und auch die praktizierte Schulpolitik wird nicht nur aus den Ideen des Kultusministers oder der Mehrheitsfraktionen entwickelt, sondern entscheidend aus dem, was die Schulverwaltung dafür vorbereitend tut.

Weil das so ist, kommt alles darauf an, der Verwaltung ihren Platz präzise zuzuweisen. Je stärker wir organisationsbedingt leben und je stärker so die Verwaltung dieser Organisationen wird, desto wichtiger wird es, dafür zu sorgen, daß die Verwaltung nicht ausufert. Das gilt in der Zweckerfüllung wie in der Zweckbestimmung. Bekennt sich ein Industrieunternehmen zu Forschungsnotwendigkeiten und schafft es einschlägige Möglichkeiten, dann werden Verwaltungsaufgaben fällig. Forscher und Verwalter werden bald in einem Spannungsverhältnis zueinander stehen. Die Forscher werden behaupten, durch die Verwaltung an zügiger Arbeit gehindert zu werden; die Verwalter werden behaupten, die Forscher neigten zur Verschwendung und hielten sich nicht an das vorgegebene Programm. Beide Vorwürfe sind oft berechtigt, zu beiden kommt es aber meist nur deshalb, weil man die Funktionen vorher nicht klar abgegrenzt hat. Jedenfalls besteht die Möglichkeit, daß sich die Verwaltung zum Herrn des Forschungsvorhabens aufschwingt und dieses dadurch denaturiert.

Noch problematischer wird es meist dann, wenn es um die Zweckbestimmung geht. Versagt die politische Führung eines Landes darin, klare Ziele zu formulieren, dann tritt die Verwaltung auf den Plan. Durch Verwaltung kann man Regierung nahezu ersetzen. Dabei nimmt man freilich in Kauf, daß die Verwaltung nach ihren Bedürfnissen entscheidet. Verwaltungsgesichtspunkte sind aber von anderer Art als politische. Sie betonen das Regelhafte, die Tradition, das, was erfahrungsgemäß die Verwaltung kann – Verwaltung ist in der Regel mehr am Bestehenden orientiert, Politik müßte die gedachte Zukunft im Auge haben und mit ihr die Verbesserung des Gegebenen. Natürlich finden sich auch in der Verwaltung Kräfte der Reform. Gleichzeitig gilt aber der berühmte Abwehrausspruch der Verwalter: Das haben wir immer so gemacht! Das haben wir noch nie gemacht! Da könnte ja jeder kommen! »Da könnte ja jeder kommen« – das wendet sich gegen die Außenstehenden, die die Schliche des Apparats nicht kennen; »Das haben wir noch nie gemacht« – das wendet sich gegen Neues, während die Sentenz »Das haben wir immer so gemacht« das Bekenntnis zu den eingefahrenen Geleisen ist. Alle drei Schutzbehauptungen stabilisieren den Apparat. Das ist bis zu einem gewissen Maße notwendig, aber es ist kein eigener Wert für sich, vielmehr kommt grundsätzlich alles darauf an, sich den Apparat verfügbar zu halten.

Die mittelalterlichen Kaiser setzten Herzöge oder Grafen ein, damit an Ort und Stelle die kaiserliche Gewalt ausgeübt werden konnte. Die materiellen Voraussetzungen dafür mußten aus dem jeweiligen Gebiet gewonnen werden. Viele Verwalter der damaligen öffentlichen Macht benutzten das, um sich allmählich persönlich in den Besitz der Machtmittel zu setzen und damit selbst Herrscher zu werden. Für die moderne Bürokratie ist es kennzeichnend, daß ihr hier ein Riegel vorgeschoben ist. Kein Behördenchef kann Eigentümer seiner Behörde werden. Seine persönlichen Bezüge und das für ihn geltende Dienstrecht sind anderweitig bestimmt. Das ermöglicht eine durchgängige rationale Konstruktion der öffentlichen und ihr vergleichbar der Industrieverwaltung. Das Machtstreben ist heute von anderer Art. Es ist oft genug noch nicht einmal explizit vorhanden, sondern ergibt sich einfach daraus, daß ein gewisses Maß von Führung notwendig ist, aber nicht erbracht und deshalb von der Verwaltung selbst herbeigeführt wird. Da zudem in der Verwaltung die Fachleute sitzen, kann man das leicht mit dem Mantel der Objektivität umgeben. Politik erweist sich dann als Störfaktor – im Empfinden vieler Verwaltungsmänner, die sich darin aber durch in der Bevölkerung verbreitete Einstellungen bestätigt sehen. Tatsächlich liegen die Dinge anders: Die Verwaltung als System bedarf der ständigen Impulse, um nicht zu erstarren und um nicht die eingefahrenen Geleise zu sehr zu bevorzugen. In der Demokratie ist zu solchen Impulsen aber nur die politische Führung bevollmächtigt, nicht die Verwaltung selbst. Verwaltung steht im Dienst; sie in Dienst zu nehmen ist Sache ihrer Auftraggeber. Das ist vordergründig die politische Führung und sollte hintergründig die gesamte Bevölkerung sein.

Genau hier liegt das Problem, mit dem die moderne Demokratie noch nicht fertiggeworden ist: Durch die Präsenz einer großen und noch anwachsenden Verwaltungsmacht wird auch die politische Führung der Bevölkerung gegenüber verselbständigt. Durch Selbstverwaltung und andere Demokratisierungsmethoden versuchen wir deshalb, die Verwaltung unmittelbarer an die Bevölkerung zu binden. Da die Besonderheiten der Verwaltung als einer formalen Organisation aber dazu führen, daß die Bevölkerung, daß schon die Betroffenen ausgeschlossen werden, gelingt eine solche Demokratisierung nur bedingt. Dadurch gehen die Kontrollmöglichkeiten, die man sich erhofft hat, verloren. Und wenn sich die politische Führung mit Hilfe der Verwaltung verselbständigt, wird diese nur noch selbständiger. Kein Zweifel: Wollen wir nicht, daß unser Staat zum Verwaltungsstaat wird, also zu einem Gemeinwesen, das sein Gepräge eben von der Verwaltung bekommt, dann müssen wir diesem Prozeß entgegentreten. Verwaltungspolitik in der Demokratie hat dafür zu sorgen, daß die Verwaltung wieder zu einem Instrument und ihr die Möglichkeit genommen wird, selbst zum Herrschaftspotential zu werden. Dies ist aber kein Problem der Verwaltung selbst, sondern eines der politischen Führung. Wenn die Dienstklasse der höheren Beamten herrscht, verweist das allemal auf Mängel der politischen Führung – und damit auf Mängel einer Gesellschaft, die nicht imstande ist, eine politische Führung ins Amt zu bringen, welche entschlossen die Zukunft eben dieser Gesellschaft will. Die Verwaltungsprobleme der Gegenwart sind, jedenfalls zu einem entscheidenden Teil, Probleme der politischen Führung! In allen übrigen Bereichen gilt das analog.

Wahl

Jens Litten

Laut Grundgesetz ist die Bundesrepublik ein demokratischer und sozialer Rechtsstaat, in dem alle Macht vom Volke ausgeht. Da in einem Großflächenstaat nicht jeder sich selbst regieren kann, werden Repräsentanten bestellt, die dem Volk über ihre Tätigkeit Rechenschaft schuldig sind. Würden keine Repräsentanten gewählt, dann könnte sich der Volkswille, die volonté générale, nicht bilden; er bliebe richtungs- und wirkungslos, da die vielen Einzelwillen durch keinen Filter gingen, der im Wege der Kompromißbildung eindeutige Willensäußerungen einer Mehrheit garantiert.

Werden die höchsten Repräsentanten durch die wahlberechtigten Bürger direkt gewählt, findet zum Beispiel eine Volkswahl des Präsidenten statt, wird von einer plebiszitären oder direkten Demokratie gesprochen; schiebt sich dagegen zwischen das Wahlvolk und jene höchsten Repräsentanten eine Gruppe von Beauftragten, die nun ihrerseits die Inhaber der politisch wichtigsten Ämter wählen, handelt es sich um eine repräsentative oder indirekte Demokratie. Dabei ist nun wieder zwischen »reinen« und Misch-Formen zu unterscheiden. Die starke Verfassungsposition des Reichspräsidenten in der Weimarer Republik etwa setzte, zumal der Präsident direkt durch das Volk gewählt wurde, gewichtige plebiszitäre Akzente.

Im Grundsatz wurde aus den negativen Erfahrungen der Weimarer Zeit die Konsequenz gezogen, den Präsidenten nicht mehr direkt, sondern indirekt durch die Bundesversammlung wählen zu lassen, im übrigen aber seinen Kompetenzrahmen so weit zu beschränken, daß er weder der Regierung seinen politischen Willen aufzwingen noch gar eine Art Nebenregierung bilden kann. Weitere – in der Weimarer Verfassung vorgesehene – plebiszitäre Elemente wie etwa das Referendum sind nur im Falle der Änderung von Ländergrenzen anwendbar. Praktiziert wurde das Referendum bisher nur bei der Abstimmung über den Südweststaat im Jahre 1951. Volksbegehren und Volksentscheid, die Artikel 73 WRV vorsah, sind als verfassungsrechtliches Instrument nur für die Landesgesetzgebung vorgesehen.

Auf Bundesebene werden direkt nur die Abgeordneten für den Bundestag gewählt. Artikel 38 GG sieht allerdings vor, daß die Abgeordneten in ihren Entscheidungen frei, das heißt nicht gebunden sind an Partei- oder Wählerwillen. Diese Konstruktion des »freien« Mandats wie auch der Verzicht auf plebiszitäre Einrichtungen wie Volksbegehren und Volksentscheid haben dazu geführt, daß nach herrschender Lehre das Grundgesetz als »reine« Repräsentativverfassung gilt.

Dem wurde entgegengehalten, daß die Position des Abgeordneten überschätzt werde, zumal dem Artikel 38 GG der Artikel 21 GG entgegenstehe, in dem es unter anderem heißt, daß die Parteien an der politischen Willensbildung mitwirken, daher eine zentrale Funktion im politischen und Verfassungsleben besetzt halten. Dieser Auffassung zufolge sind in der parteienstaatlichen Demokratie der Bundesrepublik die Parteien ein Sprachrohr, dessen sich das mündig gewordene Volk bedient, um seinen politischen Willen zu artikulieren und durchzusetzen. Der Verfassungsrechtler Gerhard Leibholz, auf den diese Formulierung zurückgeht, hat daraus den Schluß gezogen, »daß der durch die Parteien gebildete Volks- oder Gemeinwille in der parteienstaatlichen Demokratie nicht mit Hilfe des politischen Prinzips der Repräsentation, sondern mit Hilfe des Prinzips gebildet wird, das auch in der plebiszitären Demokratie zur volonté générale führt. Wie in der plebiszitären Demokratie der Wille der Mehrheit der Aktivbürgerschaft mit dem jeweiligen Gesamtwillen des Volkes identifiziert wird, wird in einer funktionierenden parteienstaatlichen Demokratie der Wille der jeweiligen Parteienmehrheit in Regierung und Parlament mit dem Volks- und Gemeinwillen identifiziert«.

Aber das Identitätsprinzip, von dem Leibholz spricht, ist in den Parteien selbst heute noch in Frage gestellt. So vermögen sie zwei wesentliche Aufgaben nur unzulänglich zu erfüllen:

1. die Integration von Gruppeninteressen (in »Volksparteien« sollen sich Arbeiter und Unternehmer möglichst an einen Tisch setzen können);

2. die Vermittlung von Regierten und Regierenden; im innerparteilichen Maßstab heißt das: die freie Diskussion politischer Programmpunkte darf nicht beschnitten werden, Einfluß auf und Kontrolle der politischen Entscheidungen der Parteiführung müssen gewährleistet sein.

Mit der innerparteilichen Demokratie, das heißt der umfassenden Meinungs- und Willensbildung hapert es aber noch sehr. In einem umfassenderen Sinne kann nun jedoch für Wahlen zu Repräsentativgremien ein ähnlicher Funktionsrahmen bestimmt werden, wie er hier für die Parteien entwickelt wurde. In einer pluralistischen Demokratie, das heißt in einer Gesellschaft, in der verschiedene Großgruppeninteressen um ihre Durchsetzung wetteifern, ist die vornehmste Aufgabe der Wahl, die Beibehaltung oder Änderung politischer Richtungen zu bestimmen. Das gelingt aber nur, wenn dem Wähler deutlich unterscheidbare Parteiprogramme vorgestellt werden, die Entscheidungen über Sachfragen, also nicht nur zwischen Personen ermöglichen. Nachdem alle Parteien erfolgreich sich bemüht haben, »Volksparteien« zu werden, das heißt den Geruch von Klassenparteien zu verlieren, wird es für den Wähler immer schwerer, Entscheidungen im Sinne einer Änderung des politischen Kurses zu fällen. Nicht anders, sondern besser, so lautete lange Zeit die Parole. Das galt zunächst auch für den Wahlkampf 1969, der erst durch den Aufwertungsstreit und die starken außenpolitischen Differenzen der großen Parteien an Profil gewann. In der Bundesrepublik stand entgegen ihrer parteienstaatlichen Verfassung lange Zeit nur die Personenwahl im Vordergrund (»Auf den Kanzler kommt es an«). Der ehemalige Bundeskanzler Erhard konnte es sich unter diesen Umständen leisten, noch während seiner Amtszeit als Wirtschaftsminister nicht einmal ordentliches Mitglied der CDU zu sein.

Neben der politischen Richtungsbestimmung haben Wahlen eine weitere wichtige Funktion, die der Integrations- oder Filterwirkung. Die mit der Wahl vollzogene Zustimmung zu einem politischen Programm bedeutet eine subjektiv wie kollektiv vollzogene Kompromißfindung zwischen widerstreitenden Interessen.

Ob nun der in der Gesellschaft durch Partei- und Verbandsprogramme vorgebildete Mehrheitswille auch wirklich im Parlament als dem entscheidenden Repräsentationsorgan zum Ausdruck kommt, ist weitgehend eine Frage des Wahlrechts, das immer wieder bemüht wird, wenn es heißt, der Wählerwille sei verfälscht worden. Nun, der Wählerwille ist eine mythische Beschwörungsformel, der Mehrheitswille jedoch läßt sich zahlenmäßig erfassen, allerdings können Mehrheiten sehr unterschiedlich zustande kommen.

Das Wahlrecht der Bundesrepublik muß demokratischen

Grundsätzen genügen. Dafür verlangt das Grundgesetz folgende Kriterien:

1. Die Wahl muß *allgemein* sein. Niemand darf wegen seiner Zugehörigkeit etwa zu einer Rasse, einem Geschlecht oder einem bestimmten Beruf von der Wahl ausgeschlossen werden.

2. Die Wahl muß *gleich* sein, das heißt: auch wenn jedermann wählt, darf niemand wegen seiner Vermögens- oder Bildungsvorteile gleicher als gleich sein.

3. Die Wahl muß *geheim* sein, damit niemand bei seiner Stimmabgabe unter Druck gesetzt werden kann.

4. Die Wahl muß *unmittelbar* sein. Der Wähler gibt also nicht wie bei der Präsidentenwahl in den USA seine Stimme Wahlmännern, die dann ihrerseits einen oder eine Gruppe von Repräsentanten wählen.

5. Die Wahl muß *frei* sein. Niemand darf, wie schon der Gesichtspunkt der Geheimhaltung bekräftigt, in seiner Wahlentscheidung beeinflußt werden. Darüber hinaus muß aber auch den Parteien als den Konkurrenten um Wählerstimmen die Möglichkeit gegeben werden, sich mit ihren Programmen direkt an die Wähler zu wenden.

Diese allgemeinen Grundsätze bedeuten noch keine Vorentscheidung für ein bestimmtes Wahlsystem. 1938 gab es auf der Welt noch rund dreihundert verschiedene Wahlverfahren, die sich allerdings auf zwei Grundwahlsysteme zurückführen lassen: das Mehrheits- und das Verhältniswahlrecht.

Beim Mehrheitswahlrecht gewinnt der Bewerber, der die Mehrheit der abgegebenen Stimmen auf sich vereinigen kann. Zu unterscheiden ist zwischen dem relativen Mehrheitswahlrecht, bei dem der einfache Stimmenvorsprung genügt, und dem absoluten, das vom siegreichen Bewerber die Vereinigung von mehr als der Hälfte der abgegebenen Stimmen auf seine Person verlangt. Wird dieses Ziel im ersten Wahlgang nicht erreicht, findet eine Stichwahl statt, an der sich nur noch die beiden stimmstärksten Bewerber des ersten Wahlgangs beteiligen.

Bei der Verhältnis- oder Proportionalwahl werden die Abgeordnetensitze auf die einzelnen Parteien entsprechend den für sie abgegebenen Stimmen verteilt. Das erst 1918 in Deutschland eingeführte Verhältniswahlrecht hatte zur Folge, daß die Zahl der sich bewerbenden Parteien von 1918 bis 1930 von 18 auf 32, die der im Reichstag vertretenen von 10 auf 15 stieg. Die Regierungsbildung war unter diesen Umständen äußerst schwierig.

Vom Februar 1919 bis März 1930 erlebte die junge Republik 16 Reichsregierungen, nicht gerade ein Zeichen innerer Stabilität. In der Bundesrepublik wird seit den Bundestagswahlen von 1957 nach dem Bundeswahlgesetz von 1956 gewählt. Das hier zugrundegelegte Wahlrecht wird als personalisiertes Verhältniswahlrecht bezeichnet, weil es Elemente der relativen Mehrheitswahl enthält.

Jeder Wähler hat zwei Stimmen; die erste gilt dem Wahlkreiskandidaten einer Partei oder einem unabhängigen Bewerber, die zweite der Liste einer Partei. Der Wahlkreiskandidat wird nach den Grundsätzen der relativen Mehrheit gewählt, die Zweitstimmen werden den Parteien proportional zugerechnet. Entscheidend für den Ausgang der Wahl sind allein die Zweitstimmen, da von ihnen allein die Sitzverteilung im Bundestag abhängt, das heißt, die errungenen Wahlkreis- werden von den Listenmandaten abgezogen bzw. auf diese angerechnet, mit einer Ausnahme, den sogenannten Überhangmandaten, die immer dann auftreten, wenn eine Partei mehr Wahlkreis- als Listenmandate errungen hat. Um die Zahl der Überhangmandate vergrößert sich automatisch die Zahl der Bundestagsabgeordneten, die zur Zeit 496 beträgt.

Die Teilung in Erst- und Zweitstimmen erlaubt ein sogenanntes ticket-splitting, das heißt die Verteilung der beiden Stimmen auf verschiedene Parteien. Von dieser Möglichkeit wird Gebrauch gemacht, um Stimmen nicht zu »verschenken«. »Verschenkt« sind grundsätzlich alle Erststimmen an eine Partei, die im Wahlkreis nicht den Sieger stellt.

Wähler, die mit zwei Parteien sympathisieren, geben daher ihre Erststimme der Partei, von der sie annehmen, daß sie im Wahlkreis Erfolg hat. Aber auch Sympathien bzw. Antipathien für einen Wahlkreisbewerber können zum Stimmensplitting führen, als deutliches Barometer für die Parteien, wie hoch ihr Kandidat in der Gunst der Wähler steht.

Verschenkt sind schließlich Erst- und Zweitstimmen an Parteien, die die sogenannte Sperrklausel nicht überwinden. Diese Klausel ist seit der Wahl des ersten Bundestages ständig verschärft worden. Eine Partei, die nicht mindestens 5 Prozent aller abgegebenen Stimmen im Bundesgebiet oder aber drei Direktmandate gewinnt, gelangt seit Inkrafttreten des Bundeswahlgesetzes nicht in den Bundestag. Sperrklauseln greifen tief in die Entscheidungsgewalt des Wählers ein, der für eine Partei votiert, ohne Aussicht, daß seine Stimme Berücksichtigung findet. Sie behindern das Entstehen neuer und bedrohen die Existenz kleiner Parteien.

Die Frage, ob Sperrklauseln berechtigt oder sinnvoll sind, ist zugleich eine nach der Wahlgerechtigkeit. Grundsätzlich widerspiegelt das strenge Proportionalwahlsystem jede einzelne Wählerentscheidung. Dadurch wird theoretisch die beim Zustandekommen der volonté générale notwendige Kompromißschwelle soweit herabgedrückt, daß auch die partikularste Interessenvertretung denkbar ist. Ob allerdings für eine solche Kleingruppenrepräsentation sich auch eine Regierungsbasis findet, steht auf einem ganz anderen Blatt. Im Zuge der Koalitionsbildung wird eine neuerliche Kompromißfindung unabdingbar, auf die allerdings der einzelne Wähler keinen Einfluß mehr hat. Im übrigen kann man gemäß einer Faustformel sagen, daß mit der Zahl der parlamentarisch vertretenen Parteien die Instabilität der Regierungen zunimmt.

Während die Verhältniswahl also die Gleichheit der Stimmenbewertung garantiert, ermöglicht die Mehrheitswahl nur die Gleichheit des Zählwertes. Die Parteien sind gezwungen, sich schwerpunktmäßig zu differenzieren, die Kompromißfindung wird daher im Wahlakt selbst vorgenommen. Daher ist das Verhältniswahlrecht immer das numerisch gerechtere, das Mehrheitswahlrecht kann dagegen politisch gerechter sein, wenn es nur eine Möglichkeit der Regierungsbildung gibt und diese eine klare politische Alternative realisiert.

Geraten, wie es im Falle unseres personalisierten Verhältniswahlrechtes immer wieder geschehen ist, kleine Parteien über die Fünf-Prozent-Hürde, dann erschwert ihre parlamentarische Existenz die Regierungsbildung, und die kleine Partei spielt das »Zünglein an der Waage«, ein Umstand, der Wahlrechtsreformer immer wieder auf den Plan ruft. So hat die FDP bei den Landtagswahlen in Niedersachsen vom 19. 5. 1963 bei einem Stimmenanteil von 8,8 Prozent gegenüber 44,9 Prozent der SPD vier von acht Ministersesseln erhalten, weil die SPD allein zu schwach war.

Die Einführung des relativen Mehrheitswahlrechts würde zweifellos zur endgültigen Etablierung des Zwei-Parteien-Systems in der Bundesrepublik führen und damit leidige Koalitionszwänge beenden. Sicher ist, daß eine stabile Regierung mit starker Opposition gewährleistet würde. Keinesfalls sicher aber ist, ob die numerisch hergestellte Stabilität zugleich auch eine politische Profilierung der beiden verbleibenden großen Parteien mit herbeiführt. Voraussagen in diesem Zusammenhang sind schwierig, möglich aber ist:

1. die beiden Parteien konkurrieren ernsthaft mit deutlich differenzierten Programmen;

2. es tritt eine Reideologisierung ein, das heißt, der Integrationseffekt nimmt ab, und es kommt zu Verharschungen etwa konfessioneller Art (katholisch-protestantisch) oder geographisch (Stadt-Land);

3. die Parteien rücken zusammen wegen des starken Anwachsens außerparlamentarischer Kräfte von links und rechts;

4. es kommt zu einer Flügelbildung innerhalb der »Volksparteien« und damit zu heimlichen Koalitionen im Parlament (Arbeitnehmerflügel-Arbeitgeberflügel);

5. der Wahlkampf wird zu reiner Konsumentenwerbung. Er verliert an Spannung, da die meisten Wahlkreise »sicher« sind und daher der Wahlausgang praktisch im vorhinein feststeht.

Wahlrechtsänderungen berühren unmittelbar die Interessen der bestehenden Parteien. Von der Frage, ob ein neues Wahlrecht ihre Chancen erhöht, die Regierung bilden zu können, hängt die Stellungnahme der Parteien zu einer möglichen Wahlrechtsreform ab, aber auch davon, ob die Ankündigung einer Wahlrechtsreform potentielle Koalitionspartner verprellen könnte, die so lange gebraucht werden, wie nach dem alten Wahlrecht gewählt wird.

Sicher ist, daß die SPD unter dem geltenden Wahlrecht auch in Zukunft einen geringeren Stimmenzuwachs als bei relativem Mehrheitswahlrecht zu erwarten hätte. Gerade das geltende Wahlrecht hat ihr aber – bei knapper Mehrheit – die Regierungsführung in der Kleinen Koalition ermöglicht. Ob nach Einführung des Mehrheitswahlrechts und einer Wahlkreisänderung so viele FDP-Stimmen der SPD zuflössen, daß diese die absolute Mehrheit erhält, bleibt weiterhin ungewiß.

Die Nachteile der Mehrheitswahl unter den Verhältnissen der Bundesrepublik liegen vor allem darin, daß

1. von der absoluten zur verfassungsändernden Zweidrittel-Mehrheit nur ein kleiner Schritt ist. Unter diesen Umständen wären Verfassungsänderungen der Regierung ohne Rücksicht auf die Opposition möglich.

2. die relative Mehrheitswahl würde zu einer Regionalisierung mit entsprechender Ausbildung von Partei-Hochburgen führen.

Um diesen Mängeln zu begegnen, wurde von der SPD-Wahlrechtskommission die Verhältniswahl in Dreier-Wahlkreisen zur Einführung in der Bundestagswahl 1969 empfohlen. Nach diesem Plan wird die Bundesrepublik in etwa 166 Wahlkreise eingeteilt. In jedem Wahlkreis werden drei Abgeordnete gewählt, jeder Wähler hat eine Stimme. Die Zahl der im Wahlkreis errungenen Mandate wird nach dem d'Hondtschen Höchstzahlverfahren berechnet, so daß keine Gruppe ein Mandat erhält, solange nicht eine andere auf eine größere Stimmenziffer ein Mandat oder ein weiteres erhalten hat. Die Herausbildung eines Zweiparteiensystems wäre bei diesem Verfahren gesichert, wenn die jeweils stärkste Partei im Wahlkreis mehr als doppelt soviel Stimmen gewinnt als die drittstärkste. Da aber die zweitstärkste Partei immer dann ein Mandat erhält, wenn sie mehr als ein Drittel der auf die stärkste Partei abgegebenen Stimmen erhält, würde der Verteilungsschlüssel 2 : 1 lauten, damit also auch eine Regionalisierung der Parteien vermieden werden.

Allerdings begegnet das System der Verhältniswahl in Dreier- oder auch Viererwahlkreisen verfassungsrechtlichen Bedenken. So wird eingewandt, daß die Chancengleichheit der Parteien nicht gewahrt bleibe; denn auf der einen Seite handele es sich um eine Variante der Verhältniswahl, auf der anderen Seite seien aber Zähl- und Erfolgswert nicht identisch. Schließlich wird vorgebracht, die diesem Wahlrecht immanente Sperrklausel sei höher als die vom Bundesverfassungsgericht verbindlich erklärte Höchstgrenze. Das BVG wird, sollte es zur Einführung dieses Wahlrechtes kommen und seine Verfassungsmäßigkeit angefochten werden, zu entscheiden haben, wie stichhaltig die erwähnten Einwände sind. Die politische Kontroverse um die Wahlrechtsreform allerdings gehört nicht vor ein Gericht, sondern vor den Wähler, der bisher höchst eigenwilligen Interpretationen des sogenannten Wählerwillens sich ausgesetzt sah. Hinter der Wahlrechtsfrage, über die oft nur mit technischen Argumenten gestritten wird, steht die viel entscheidendere nach der Politisierung von Wählern und Parteien, innerparteilicher Demokratie und realem Einfluß des Bürgers auf die politische Programmatik der Parteien.

Eine Wahlrechtsreform kann die Voraussetzungen für eine Substantiierung unserer politischen Landschaft schaffen; verändert wird sie durch ein neues Wahlrecht zumindest nicht zwangsläufig. Wenn Wahlen kein formaler oder gar zeremonieller Akt sein sollen, müssen die Parteien die Wahlrechtsproblematik in den Zusammenhang rücken, in den sie gehört: Vorbedingungen zu schaffen für die Durchsetzung politischer Alternativen, für die der einzelne sich entscheiden muß, mit denen er sich identifizieren kann. Punktuelle Anstöße zu einer Politisierung unserer Gesellschaft hat es immer wieder gegeben. Politisierung bedeutet aber vor allem, die Zukunftsbewältigung ins Kalkül stellen; Konzeptionen für diesen Zweck glaubwürdig als realisierbare vorstellen. Wahlrechtsänderungen können Mehrheiten zum politischen Sieg verhelfen, mehr nicht; der Anspruch auf diesen Sieg aber ist und bleibt das entscheidende Politikum. Diesen Anspruch zu rechtfertigen bleiben die Parteien jenseits allen Wahlrechtshaders aufgerufen.

Weltorganisationen

Max Kohnstamm

Ich könnte eine Liste der bestehenden Weltorganisationen zusammenstellen – und käme doch nicht zum Ende. Denn es gibt ja nicht nur die Vereinten Nationen, eine ansehnliche, allmählich ausgewachsene Familie, zu der so große Kinder wie die Erziehungs-, Wissenschafts- und Kulturorganisation, die Organisation für Ernährung und Landwirtschaft, die Weltbank, der Internationale Währungsfonds, die Weltgesundheitsorganisation, die Internationalen Arbeitsorganisationen und noch manche kleinere Kinder gehören; es bestehen auch Tausende und Abertausende von weltumfassenden Organisationen auf allen vorstellbaren und nicht vorstellbaren Gebieten. Nicht nur die Parlamentarier, nicht nur politische Parteien wie die Christ-Demokraten, die Sozialdemokraten und Kommunisten, die Gewerkschaften und die Arbeitgeberverbände haben Weltorganisationen gegründet; man kennt kaum ein Gebiet des Handelns, des Denkens, des Glaubens, kaum eine Aktivität oder ein Interesse, das nicht in einer die nationalen, lokalen oder regionalen Gruppen zusammenfassenden Weltorganisation zusammengefaßt ist.

Aber auch wenn ich mich auf die erstgenannte Gruppe, auf die Vereinten Nationen und die zu ihnen gehörenden Organisationen, an die man bei dem Begriff »Weltorganisation« vor allem denkt, beschränken würde, um zu versuchen, über ihre Aktivitäten einen Überblick zu geben, würde dies für Sie wenig interessant sein. In diesem Falle wäre es besser, Sie würden ein Lexikon aus dem Bücherschrank holen und das Kapitel über die Vereinten Nationen lesen.

In meiner holländischen Muttersprache gibt es – ebenso wie bei Ihnen – das Sprichwort, in dem es heißt, daß man manchmal vor lauter Bäumen den Wald nicht mehr sieht; das heißt, daß man zu sehr auf die Details achtet und so das Bild des Ganzen aus den Augen verliert. Um diese Gefahr zu vermeiden, ist es vielleicht am besten, daß wir uns auf einige Themen beschränken, die uns helfen können, das Phänomen Weltorganisation selbst besser zu verstehen, sowie auch die Wichtigkeit dieses Phänomens für unser Leben und für unsere Zukunft.

Im erläuternden Wörterbuch lese ich: Organisation ist eine auf Zusammenarbeit der Unterteile gerichtete Regelung. Ich möchte nun folgende Fragen aufwerfen. Erstens: Warum gibt es heute so viele Organisationen? Zweitens: Warum sind so viele dieser Organisationen weltweit? Drittens: Kann man auch in der Einzahl über Weltorganisation sprechen? Viertens: Wenn das nicht so ist, welche Schwierigkeiten stehen dann einer solchen Weltorganisation im Wege? Fünftens und letztens: Wie kommt man weiter auf dem Weg zu einer echten Weltorganisation?

Also erstens: Warum gibt es heute so viele Organisationen, das heißt Regelungen, die auf die Zusammenarbeit vieler Abteilungen ausgerichtet sind? Die Geschichte des Menschen ist die Geschichte seiner zunehmenden Herrschaft über die Natur – es ist die Geschichte der Unterwerfung der Erde und letztlich auch des Weltraums durch den Menschen. Diese Naturbeherrschung wäre aber ohne geregelte Zusammenarbeit nie zustande gekommen, und sie hat außerdem zur Folge, daß mehr und mehr Regeln für die Zusammenarbeit notwendig werden. Organisation ist also sowohl Vorbedingung als auch Folge der immer wachsenden Naturbeherrschung. Der erste Mensch, der sich aufrichtete und zu Fuß durch Steppen und Wälder schlich, kannte keine Regeln für die Zusammenarbeit. Aber um Fußwege zu schaffen, die es leichter machen, durch die Wälder zu gehen, braucht man schon Organisation. Wer baut und wer unterhält die Wege? Heute gehen wir kaum noch zu Fuß, sondern wir fahren in unseren Autos. Jedes Auto aber ist an sich schon das Resultat geregelter Zusammenarbeit von Tausenden von Menschen. Und für die Autos braucht man ein Netz von Straßen und Autobahnen, das nur durch Organisation zustande kommen kann. Wenn die Straßen nur für mich da wären, könnte ich fahren, wie ich wollte. Wenn ich aber einer der sehr vielen Straßenbenutzer bin, dann sind Regelungen eine unbedingte Notwendigkeit für den Verkehr. Das Ausarbeiten und Überwachen dieser Regeln machen weitere Organisation notwendig. Und bald werden sich nun auch die Autofahrer organisieren, um auf all diese Organisationen – Organisationen für Autoproduktion, für Straßenbau, für Verkehrsregelungen usw. –, von denen ja die Möglichkeit des Autofahrens abhängt, Einfluß auszuüben. Dieses Beispiel kann man um Tausende vermehren: Zivilisation ist fortschreitende Beherrschung der Natur und deshalb immer wachsender Einfluß von geregelter Zusammenarbeit, das heißt von Organisation. Zu glauben, daß es einen Weg zurück gibt, ist eine romantische Illusion. Das Leben auf dieser Erde ist nicht möglich ohne immer größere Organisation – unsere Wahl besteht nur zwischen gut und schlecht geregelter Zusammenarbeit.

Unsere zweiter Frage war: Warum sind so viele Organisationen heute weltweit? Vor kurzem berichtete eine Kommission, die von einem der zur Familie der Vereinten Nationen gehörenden Mitglied, der Weltbank, eingesetzt wurde, über Zusammenarbeit in der Entwicklungsfrage. In diesem Bericht heißt es: »Interesse für die Nöte anderer und ärmerer Nationen ist der Ausdruck eines neuen und fundamentalen Aspektes des modernen Zeitalters – das Bewußtsein, daß wir in einer Dorfgemeinschaft leben, daß wir einer Weltgemeinschaft gehören.« Unsere Welt ist also ein Dorf geworden. Wodurch? Gerade durch Naturbeherrschung und Organisation, die dazu geführt haben, daß wir schnell zueinander kommen, in jedem Augenblick miteinander sprechen können, daß wir alle die Landung auf dem Mond in unserem Wohnzimmer miterlebt haben, alle dieselben Bücher lesen und sogar dieselben Musicals anhören und ansehen. Nichts von dieser enormen Vervielfältigung, Beschleunigung und Erleichterung der Kommunikation zwischen den Menschen wäre möglich ohne eine Vielzahl von Organisationen. Es ist die Naturbeherrschung durch geregelte Zusammenarbeit, das heißt durch Organisation, die unsere große Welt in ein Dorf verwandelt hat; dadurch sind nun immer umfassendere Organisationsformen notwendig geworden. Rundfunk, Fernsehen, Luftreisen sind nicht möglich ohne weltweite Regelungen, weltweite Zusammenarbeit. Der Rundfunk braucht eine Weltorganisation für die Verteilung der Wellen, das Fernsehen eine Organisation, um die Zusammenarbeit zwischen den verschiedenen Systemen zu regeln; auch die Fluggesellschaften brauchen weltweite Abmachungen aller Art. Damit das Autofahren möglich bleibt, muß man sich über Straßenbau und über Verkehrsregeln verständigen. Es sollte zum Beispiel nicht mehr möglich sein, daß man in einem Land rechts und in einem anderen links fährt. Freie Fahrt in die Welt gelingt nur durch Aufgabe einer gewissen Freiheit in jedem Land oder sogar in jeder Stadt. Daran liegt es also, daß die Zahl der Organisationen in unserem technischen Zeitalter immer größer wird und daß so viele Organisationen eine weltweite Form angenommen haben.

Kann man nun – das ist unsere dritte Frage – auch von Weltorganisationen, das bedeutet von einer auf internationale Zusammenarbeit ausgerichteten Regelung, in der Einzahl sprechen? Ein Streben nach solcher Weltorganisation gibt es zweifellos. Das Ziel der Vereinten Nationen ist ja gerade, geregelte weltweite Zusammenarbeit zu ermöglichen. Die Absicht besteht, aber die Wirklichkeit einer geregelten Zusammenarbeit besteht leider Gottes nicht. Beispiele braucht man hier kaum zu nennen: der Krieg in Vietnam, der Konflikt zwischen Israel und seinen arabischen Nachbarn, die Teilung Deutschlands. Jeder ist in der Lage, diese Aufzählung noch um weitere traurige Beispiele zu vervollständigen.

Die Welt, so sagt man mit Recht, ist ein Dorf geworden. Ich kann ja meinen Geschäftsfreund in Australien genauso schnell mit Hilfe des Telefons erreichen wie meinen Freund am anderen Ende des Dorfes. Und sogar ihn aufzusuchen ist nicht so viel schwieriger, als meinem Dorfnachbar einen Besuch abzustatten. Aber diese Welt ist doch wohl ein ganz anderes Dorf als der friedliche Ort, in dem wir als Kinder aufgewachsen sind und in dem wir unsere Sommerferien verbringen. Die Welt ist ein gefährliches Dorf, in dem an allen Ecken gekämpft wird, ein Dorf, in dem man sich kaum unbewaffnet auf die Straße begeben kann. Es gleicht den Dörfern, die wir aus Wild-West-Filmen kennen, nur daß in unserem Dorf die Tugend selten belohnt wird und Sheriff und Gerechtigkeit nur selten in einem Happy-End triumphieren. Unsere Welt ist also ein Dorf ohne geregelte Zusammenarbeit, das heißt ohne Organisation. Merkwürdig: Tausende und Abertausende von Weltorganisationen, aber das Wesentliche, Weltorganisation in der Einzahl, gibt es nicht.

So sind wir bei unserer vierten Frage angelangt: Welche Schwierigkeiten stehen denn dem Zustandekommen einer Weltorganisation im Wege? Daß eine Weltregelung, die die Zusammenarbeit der unterstellten Bereiche zur Folge haben würde, wünschenswert ist, darüber brauchen wir nicht lange zu reden. Wenn es in Vietnam, im Mittleren Osten, an der trennenden Mauer mitten durch Deutschland statt Tod und Verderben eine geregelte Zusammenarbeit gäbe, wäre das die Erfüllung eines uralten Traums des Menschen. Weltorganisation würde das Ende der Kriege bedeuten; ein »ewiger Friede« würde an die Stelle einer immer wieder unterbrochenen Reihe von Waffenstillständen treten. Friede durch Weltorganisation würde nicht bedeuten, daß es keine Gewalt und kein Verbrechen mehr gäbe, daß die Polizei nicht mehr notwendig wäre. Es würde aber bedeuten, daß ein Krieg zwischen Völkern ebenso unwahrscheinlich wäre wie ein Bürgerkrieg in einem gut organisierten Land. Denn auch in einem Land, in dem Friede herrscht, kann die Organisation, das heißt das geregelte Zusammenleben der Bürger, zusammenbrechen. Weltorganisation würde also – um das schöne Wort von C. F. von Weizsäcker zu gebrauchen – bedeuten, daß es eine wirkliche »Weltinnenpolitik« gäbe. Genau wie innerhalb unserer Staaten Innenpolitik politischen Kampf um die Macht nicht ausschließt, aber doch den Gebrauch von Gewalt zur Regelung von Fragen zwischen Bürgern. Wenn das innerhalb unserer Staaten möglich ist, warum können wir das nicht in unserer zum Dorf gewordenen Welt zustande bringen? Wie kommt es denn, daß wir allmählich innerhalb unserer Staaten zu einer den Burgfrieden garantierenden Organisation gekommen sind, nicht dagegen zwischen den Staaten? Wieso ist auch in unserer klein gewordenen Welt der Bereich der Innenpolitik so verschieden von dem Bereich der Außenpolitik? Neu ist dieser Unterschied allerdings nicht. Schon vor zweieinhalbtausend Jahren sagte ein großer griechischer Historiker, Thucydides, daß in der Außenpolitik die Großen tun, was sie können, und die Kleinen leiden, was sie müssen. Innerhalb eines Staatsgebildes war das am Anfang nicht anders. Aber allmählich und über Jahrhunderte hinweg hat sich in unseren Staaten ein Rechtszustand entwickelt, der es den Kleinen ermöglicht, zu den Großen zu sagen, wie der berühmte Müller zu Friedrich II.: Es gibt noch Richter in Berlin!

Ist vielleicht die Desorganisation der Welt, das Nichtvorhandensein einer geregelten Zusammenarbeit, die Schuld der Großen und Mächtigen, wie man es aus Thucydides' Worten folgern könnte? Aber die Kleinen untereinander betragen sich nicht besser als die Großen den Kleinen gegenüber. Die Machtunterschiede der Staaten in der Welt können das bestehende und uns alle bedrohende Durcheinander allein also nicht erklären. Keiner hat in einem Satz und einer Fußnote klarer aufgezeigt, wo der Schuh drückt, als Immanuel Kant in seinem kleinen, 1795 geschriebenen Büchlein ›Zum Ewigen Frieden‹. Satz und Fußnote sind nicht leicht, und doch müssen wir versuchen, beide zu verstehen, weil sie in einer fast mathematischen Formel beweisen, warum es eine Weltorganisation zur Erhaltung des Friedens geben muß und warum es so schwierig ist, zu ihr zu kommen. Der Satz und die Fußnote lauten: »Der Friedenszustand unter Menschen, die nebeneinander leben, ist kein Naturzustand, der vielmehr ein Zustand des Krieges ist, d. i. wenngleich nicht immer ein Ausbruch der Feindseligkeiten, doch immerwährende Bedrohung mit denselben. Er muß also gestiftet werden (heute würden wir sagen: organisiert werden); denn die Unterlassung der letzteren ist noch nicht Sicherheit dafür, und ohne daß sie einem Nachbarn von dem andern geleistet wird (welches aber nur in einem gesetzlichen Zustande geschehen kann), kann jener diesen, welchen er dazu aufgefordert hat, als einen Feind behandeln.« Und die Fußnote: »Gemeiniglich nimmt man an, daß man gegen niemand feindlich verfahren dürfe, als nur, wenn er mich schon tätig lädiert hat, und das ist auch ganz richtig, wenn beide im bürgerlich-gesetzlichen Zustande sind. Denn dadurch, daß dieser in denselben getreten ist, leistet er jenem (vermittels der Obrigkeit, welche über beide Gewalt hat) die erforderliche Sicherheit. – Der Mensch aber (oder das Volk) im bloßen Naturstande benimmt mir diese Sicherheit und lädiert mich schon durch eben diesen Zustand, indem er neben mir ist, obgleich nicht tätig, doch durch die Gesetzlosigkeit seines Zustandes, wodurch ich beständig von ihm bedroht werde, und ich kann ihn nötigen, entweder mit mir in einen gemeinschaftlich-gesetzlichen Zustand zu treten oder aus meiner Nachbarschaft zu weichen. – Das Postulat also, was allen folgenden Artikeln zugrunde liegt, ist: Alle Menschen, die aufeinander wechselseitig einfließen können, müssen zu irgendeiner bürgerlichen Verfassung gehören.«

Diese Sätze sind wie aus Stein gehauen, und dazu so perfekt, daß man Angst hat, daran herumzudeuteln. Dennoch, wesentlich scheint mir dieser Gedanke zu sein: Erstens: Friede ist nicht natürlich, sondern muß organisiert werden. Zweitens: Das kann nur durch die Schaffung eines gesetzlichen Zustandes geschehen. Drittens: Ohne diesen gesetzlichen Zustand der Friedensordnung beraubt jeder Mensch den anderen der Sicherheit; das gilt nicht minder für das Verhältnis der Völker.

Friede ist also eine Frage des Rechts. Nur eine Weltorganisation, die einen weltweiten Rechtszustand schafft, kann Friede herstellen und bewahren. Aber es gibt doch schon ein internationales Völkerrecht, und die Vereinten Nationen haben Rechtsregeln aufgestellt, zum Beispiel die Menschenrechte? Hier gibt es nun ein erstes Mißverständnis, an dem die Rechtsgelehrten nicht unschuldig sind. Denn Völkerrecht und das Recht, mit dem wir als Bürger innerhalb eines Staates zu tun haben, scheinen nur dasselbe zu sein, sind es aber nicht. Innerhalb eines Staates können wir uns auf das Recht verlassen. Denn wenn die Organisation unseres Staates nicht in einer Katastrophe zusammenbricht, gibt es in der Tat »Richter in Berlin«, so daß wir uns nicht selbst Recht verschaffen und zu Richtern in eigener Sache werden müssen, sondern auf ihre Rechtsprechung und auf die Aufrechterhaltung dieser Rechtsprechung bauen können. Im Völkerrecht gibt es aber keine »Richter in Berlin« – und auch dort, wo sie dem Schein nach da sind, gibt es keine Macht, die die Aufrechterhaltung ihrer Rechtsprechung verbürgt. Es wäre deshalb besser und klarer, wenn für diese Regeln des Völkerrechts, deren Aufrechterhaltung niemand verbürgt, das Wort »Recht« nicht benutzt würde. Man würde dann deutlicher sehen, daß es in Wirklichkeit keine Weltorganisation gibt, die einen echten Rechtszustand schafft, durch den die Welt zu einem Dorf gemacht würde, in dem man vor seinem Nachbarn keine Angst zu haben braucht, weil er, wie ich selbst, durch Rechtsregeln zu gleicher Zeit gebunden und geschützt ist. Nur dann wird Recht zu einer Wirklichkeit, wird es »operationell«, so würden wir heute sagen, würde es unser Leben wirklich beeinflussen, wenn es sich mit der Macht, die die Aufrechterhaltung des Rechtes garantiert, zusammenschließt.

Paul Tillich hat aufgezeigt, wie Recht, Macht und Liebe zusammengehören, sozusagen aus derselben Wurzel stammen, drei verschiedene Seiten derselben Sache sind. Ohne Macht ist Recht nur eine Idee, ein schöner Gedanke, eine Aspiration, aber keine Wirklichkeit. Ohne Recht wird Macht zu bloßer Erdrückung. Ohne Liebe wird Recht zur Ideologie, zum bloßen Herrschaftsmittel einer Gruppe. Ohne Recht und Macht wird Liebe zur Sentimentalität, zu einem Gefühlsstrom, den die Wirklichkeit unbeeinflußt läßt. Deshalb ist Innenpolitik, sei es in einem Land, sei es in der Welt, nur da möglich, wo Recht und Macht zusammen existieren und wo die Menschen durch Liebe von ihrem Verbundensein wissen, das heißt: wo es Gemeinschaft gibt.

Auf unsere vierte Frage – ob Weltorganisation wünschenswert ist, und was dem Zustandekommen einer Weltorganisation im Wege steht – finden wir also folgende Antwort: Weltorganisation ist nicht nur wünschenswert, sie ist im Hinblick auf die ungeheuren Zerstörungsmöglichkeiten, die uns auf

Grund der Beherrschung der Natur durch den Menschen in die Hände gegeben worden sind, sogar eine Notwendigkeit für das Fortdauern des Lebens auf Erden. Nur dann aber kann eine Weltorganisation und damit eine geregelte Zusamenarbeit innerhalb der fraglichen Bereiche zustande kommen, wenn es wirkliches operationelles Recht gibt, ein Recht, das zusammen mit Macht und Liebe besteht; wenn es also wirkliche Weltgemeinschaft gibt, in der Menschen sich ihrer Solidarität bewußt sind, ihrer Solidarität in durch Macht verbürgtem Recht Ausdruck gegeben und sie aufrechterhalten haben. So ist die Welt heute wohl zu einem Dorf geworden, aber zu einem organisierten Dorf, nicht zu einer Dorfgemeinschaft. Nichts ist indessen gefährlicher, bedrückender (dem Kampf des Urwaldes von allen gegen alle gleich) als ein Zusammenleben von Menschen auf engem Raum, zwischen denen es keine Gemeinschaft gibt, die durch Organisation ein geregeltes Zusammenleben ermöglicht. Wir würden den Ernst dieser Situation noch unterschätzen, wenn wir dabei nur an die Kriegsgefahr dächten. Denn da kann man noch hoffen, daß wenigstens für die industriellen Länder des Nordens unserer Weltkugel die Drohung der Atomwaffen so groß geworden ist, daß es vielleicht auch ohne Gemeinschaft, ohne Organisation nicht mehr zum Kriege kommen wird. Aber gerade weil die Welt ein Dorf geworden ist, berühren unsere Länder und Völker sich auf allen lebenswichtigen Gebieten, und so entstehen auf Grund der Nichtorganisation auf vielen Gebieten Gefahren für unser Dasein. Was auf wirtschaftlichem oder monetärem Gebiet in einem Lande geschieht, berührt ja auch das andere auf das tiefste. Geldrestriktionen, Maßnahmen zur Dämpfung der Konjunktur, wie zum Beispiel in den Vereinigten Staaten oder in Deutschland, können den Entwicklungsplan eines weit entfernten Entwicklungslandes völlig durcheinanderbringen. Eine europäische Agrarpolitik, die den Anbau von Zuckerrohr fördert, kann verhängnisvolle Folgen für ein Land auf der anderen Seite der Erde haben. Das friedliche Dorf, das wir in unseren Ferien besuchen, war bis tief in die Neuzeit hinein eine fast ganz in sich geschlossene Gemeinschaft, relativ unabhängig von dem, was außerhalb, im nächsten Dorf, in der fernen Stadt oder in weit entfernten Ländern geschah. Nun aber, wo die Welt zu einem Dorf zusammengeschrumpft ist, sind auf vielen Gebieten alle von allen abhängig geworden. So kann die Verunreinigung von Wasser oder Luft in einem Lande Mensch und Tier in einem weit entfernten Land bedrohen. In unserem Dorf, das heißt in unserer Welt, brauchen wir also Organisation nicht nur, um die Katastrophe eines Krieges unmöglich zu machen. Wir brauchen ein geregeltes Zusammenleben auf zahllosen Gebieten.

Deshalb ist in unserem Zeitalter unsere fünfte und letzte Frage so außerordentlich wichtig: Wie kommen wir denn auf dem Wege zu einer echten Weltorganisation weiter? Wie wir sahen, kann dauerhafter Friede und ein andauerndes geregeltes Zusammenleben auf allen Gebieten, auf denen wir in unserem Dorf voneinander abhängig geworden sind, nur dann an die Stelle des noch immer vorherrschenden »Jeder für sich und Gott für uns alle« treten, wenn es Recht gibt. Wir sahen aber auch, daß Recht nicht nur etwas Formales sein darf, sondern eine lebendige Wirklichkeit, durch Macht und Gemeinschaftsgefühl geschützt und erhalten und anpassungsfähig an sich immer ändernde Verhältnisse, die Rechtsänderung und neues Recht notwendig machen. Denn Recht, das statisch ist, sich nicht ändern und neuen Verhältnissen anpassen kann, gibt es nicht, oder besser gesagt: es bricht immer nach kurzer Zeit zusammen. Innerhalb unserer Länder wird der Rechtszustand nur deshalb erhalten, weil wir Institutionen – Regierung und Parlament – haben, die das Recht neuen Verhältnissen anpassen können. Denn Recht ist nicht etwas Abstraktes, Absolutes und ewig Unveränderliches, sondern etwas Lebendiges, das sich ändern muß.

Um wirklich zu funktionieren, wirklichen Frieden zu stiften und ein geregeltes Zusammenleben zu ermöglichen, muß eine Weltorganisation, genau wie es innerhalb unserer Staaten der Fall ist, über Macht verfügen, die die Vollziehung des Rechtes verbürgt, und über Institutionen, deren Aufgabe es ist, neues Recht zu schaffen und es an neue Verhältnisse anzupassen. Wenn es aber Gemeinschaft, ein geordnetes Zusammenleben, nicht ohne Recht, Recht aber nicht ohne Gemeinschaft geben kann, wie kommen wir dann aus diesem viziösen Zirkel heraus, in dem die Abwesenheit von Gemeinschaft echtes und wirksames Recht unmöglich macht und gerade diese Rechtlosigkeit das Zustandekommen von Gemeinschaftsgeist verhindert? Auf diese Frage gibt es leider keine einfache Antwort, keine einfache Formel, kein einfaches Rezept, das man, wenn man nur guten Willens ist oder wäre, anwenden könnte, um aus diesem Zirkel auszubrechen. Nur langsame, geduldige, manchmal langweilige und furchtbar technisch erscheinende Arbeit kann uns hier weiterhelfen. Gerade hier hat die Arbeit, die in den Europäischen Gemeinschaften geleistet wird, einen tiefen Sinn, nicht nur für die beteiligten Staaten, sondern auch für das Problem der Weltorganisation, das uns beschäftigt. Denn was geschieht nun in diesen endlosen Sitzungen in Brüssel, über die wir immer wieder in den Zeitungen lesen? Im Grunde nichts anderes, als daß – ausgehend von den konkreten, das heißt von den materiellen Interessen des Menschen – langsam, sehr langsam und mühsam die Rechtlosigkeit, durch die die Wirtschaftsbeziehungen zwischen den Staaten im allgemeinen gekennzeichnet sind, durch Rechtsregeln ersetzt werden – und so aus dem ungeregelten Durcheinander ein geregeltes Zusammenleben geschaffen wird. Das war die große Entdeckung, die hinter dem sogenannten Schuman-Plan und der daraus erwachsenen Europäischen Gemeinschaft steht: daß bei dem schwierigen Ausbruch aus dem viziösen Zirkel, Rechtlosigkeit durch Abwesenheit von Gemeinschaftsgefühl und Abwesenheit von Gemeinschaftsgefühl durch Rechtlosigkeit, von einer gemeinsamen Verwaltung von wirtschaftlichen und materiellen Interessen ausgegangen werden muß. Die Entwicklung unseres Zeitalters zwingt uns, in diese Richtung zu gehen. Denn wenn wir dies nicht tun, droht das Leben in unserer zum Dorf gewordenen Welt immer gefährdeter zu werden. Leicht entgeht uns der Zusammenhang zwischen den endlosen technischen und notwendigerweise meist kleinlich erscheinenden Debatten in Brüssel und dem wirklichen Ziel: zwischen diesen Staaten, zwischen denen es bisher nur Urwaldverhältnisse gab, einen Anfang zu machen mit dem Aufbau eines gesetzlichen Zustandes.

Aber – so werden manche fragen – was hilft das nun, wenn man in einem Teil Europas, in einer kleinen Ecke des Dorfes »Welt« einen Anfang mit wirklicher Solidarität, einen Anfang mit einem geregelten Zusammenleben macht? Es geht doch um das ganze Dorf – um diese ganze, klein gewordene Erde! Sicher, unser Ziel kann nicht nur europäische Innenpolitik, sondern muß Weltinnenpolitik, Weltorganisation sein. Dieses Ziel, diesen alten, heute zur Notwendigkeit gewordenen Traum müssen wir deshalb immer im Auge behalten. Und überall, wo wir einen kleinen Schritt weitergehen können, in den Vereinten Nationen zum Beispiel, vor allem in den vielen Organisationen zur wirtschaftlichen Zusammenarbeit, die seit dem letzten Weltkrieg entstanden sind, müssen wir es tun.

Romano Guardini hat gesagt: »...es gibt zwei Arten von Utopien. Die einen sind müßige Spiele der Phantasie; die anderen hingegen Vorentwürfe von Kommendem. Sie haben in der Geschichte große Bedeutung gehabt. Ein bloßes, aus reinem Nicht-Wissen und Nicht-Haben sich vollziehendes Suchen ist unmöglich; man kann nur suchen, was man in irgendeiner Weise vorwegnehmend schon hat. Utopien sind Anstrengungen, das, was noch verborgen aus dem geschichtlichen Werdebereich heraufdrängt, in Bildern und Plänen offen hinzustellen, damit es wirksam werden könne.« – Weltinnenpolitik ist eine solche zukunftschaffende Utopie. Keine Enttäuschung, kein Rückschlag darf uns davon abhalten, weiterzumachen. Aber ebensowenig dürfen wir die Schwierigkeiten dieser Aufgabe unterschätzen. Denn wenn wir der Wirklichkeit nicht ins Auge zu sehen wagen, werden wir sicher nicht durchhalten. Und nichts darf uns davon abhalten, hier, in der kleinen Ecke des Dorfes »Welt«, die unsere Ecke ist, immer wieder den Kreis der Solidarität und des Rechts auszudehnen, den Dschungel der zwischenstaatlichen Beziehungen zurückzudrängen, das Gegeneinander und die Desorganisation umzuformen zu Organisation und zu geregelter Zusammenarbeit. Nicht durch eine große, heroische Tat – nur durch die geduldige und mühselige Arbeit von Jahrzehnten kann das Netz der menschlichen Beziehungen allmählich zu von Recht geschützter, organisierter Solidarität der Weltbürger werden.

Eugen Kogon

Seit wann datiert, was wir Weltpolitik nennen?

Internationale Beziehungen unterhielten viele der Zivilisationen, die der unsrigen vorangegangen sind. Ja man kann sagen, daß nur wenige völlig in sich abgeschlossen bestanden – wie die der Maya, der Inka oder die Zivilisation Alt-Chinas. Für die anderen genügte indes nicht der Handel – die Phönizier etwa betrieben ihn bis nach Schottland und Skandinavien, die afrikanische Westküste entlang, ohne daß staatliche Politik daraus geworden wäre: nämlich ein System der Kooperation, der Interessenregelung, Konflikt, Eroberung und Abwehr; erst die Karthager haben dies gewollt und geleistet. Die vorderasiatischen Reiche der Antike griffen in der Welt, die ihnen zugänglich war, oft sehr weit politisch über sich hinaus, zeitweise auch das Ägypten der Pharaonen. Alexander von Makedonien ist bis an den Indus gelangt, er hat die Kulturen des Westens und des Ostens miteinander verbunden – Weltpolitik im kühnsten Horizont von damals. Die Ausbreitung und Aufrechterhaltung der Pax Romana sodann, im Kampf gegen Karthago begonnen, läßt sich nicht anders denn als Weltpolitik im Mittelmeerraum und seinem ganzen Umkreis bis tief nach Afrika hinein, nach Asien, nach Nordeuropa bezeichnen. Das setzte sich fort: Byzanz folgte, mit allen Künsten der Diplomatie, der Macht und des Rechtes; die mohammedanische Welt der Kalifen, ausgedehnt über die weitesten Territorien zwischen dem Pamirgebirge und den Pyrenäen; die karolingische und die ottonische Grundlegung des abendländischen Reiches mit seinen vielfältigen Absicherungen; die Kreuzzugsstrategien, endend in der umfassenden Friedensdiplomatie Friedrichs II. von Hohenstaufen. Die Mongolen-Khane, die China und Indien eroberten, ganz Vorderasien unterwarfen, nach Mitteleuropa vorstießen, empfanden sich als die Herren der Welt. Die italienischen Stadt- und Seerepubliken schufen sich an allen wichtigen Plätzen von Flandern bis in den Osten Stützpunkte; das Interesse Venedigs und seine Beteiligung war Jahrhunderte hindurch ein Faktor, der in den Zentren der Macht, soweit sie nur in Verbindung miteinander standen, berücksichtigt werden mußte. Der päpstliche Souveränitätsanspruch schließlich, der die Diplomatie der römischen Kurie hervorrief, gründete sich geradezu auf die Pflicht, »katholisch« wirksam zu werden: vom Mittelpunkt der »Ewigen Stadt« aus weltweit den ordo christianorum zu etablieren.

Weder war das Bewußtsein noch war die Praxis der Politik jener Zeiten provinziell. Sie bewegten sich in dem Erfahrungs- und Entwicklungsrahmen, den jeweils die gegebenen Zivilisationsmöglichkeiten boten. Blickt man zurück, so stellt sich die allmähliche Internationalisierung der menschheitlichen Beziehungen, die nunmehr, in unserem zwanzigsten Jahrhundert, global geworden ist, als ein in wechselnden Ausdehnungskreisen sich vollziehender Prozeß dar. Die industriewirtschaftliche Zivilisation, die von Europa ausging, hat ihn vereinheitlicht; alle Kulturen, soweit sie in ihren Eigenarten standhalten, werden zu Varianten der einen.

Der Unterschied zu vormals ist sowohl quantitativer als auch qualitativer Natur: Weltpolitik kann nicht mehr gekennzeichnet werden als die Aktivität, die von bestimmten Zentren ausgeht, um in die Beziehungen der sonst unabhängig voneinander bestehenden Völker und Staaten einzuwirken, sondern sie hat den Primat erlangt, sie ist im Feld der Faktoren, die unsere Existenz ausmachen, dominant geworden, sie gibt den Verhältnissen jetzt mehr und mehr die Signatur. Die weltweiten wechselseitigen Abhängigkeiten in den entstandenen, fortwährend enger werdenden Verflechtungen schaffen gemeinsame Erfordernisse, die zu sehen und zu erfüllen vordringlich geworden ist, die anderseits nicht zu sehen und nicht zu erfüllen zunehmend fatalere Folgen hat. Infolgedessen gehört es zu den zentralen Aufgaben der Weltpolitik heute, mit den bereits zustandegebrachten Methoden in geeigneten, das heißt wirksamen internationalen und übernationalen Einrichtungen der Zusammenarbeit systematisch vorauszuschauen und Vorsorgen zu treffen. Man kann den Lauf der Geschichte nicht mehr »sich selbst« überlassen oder, wie es die Altliberalen der Neuzeit euphemistisch genannt haben, dem »freien Spiel der Kräfte« – Rationalität ist zur Grundlage der Zivilisation geworden.

Es wird oft bestritten, daß es möglich sei, den Prozeß der geschichtlichen Entwicklung nach den Einsichten der Vernunft zu steuern, ja auch nur festzustellen, was jeweils in den konkreten gesellschaftlichen Entscheidungssituationen komplexerer Art überhaupt das Richtige sei. Wäre mit dem Einwand ein sicheres, jedes Risiko ausschließendes Verfahren gemeint, so träfe er natürlich zu – allzu vielfältig sind im menschlichen Bereich die Verursachungen. Es geht indes nicht um solche Perfektion, sondern darum, die Grundvorgänge zu durchleuchten, ihre Möglichkeiten aufzuhellen und in Hinsicht auf die elementarsten Zweckmäßigkeiten ein zureichendes Minimum an Übereinstimmungen zustande zu bringen; allenfalls darum, radikale Fehlentwicklungen zu vermeiden. Das ist schwierig genug, kein Zweifel, jedes der gegenwärtigen weltpolitischen Existenzprobleme beweist es, im besonderen die Bemühung um die Friedenssicherung durch Abrüstung, durch Waffenstillstände über Jahre und Jahre hin, durch Interessenausgleich, durch zumutbare Neuregelungen. Aber es ist auch sichtbar, daß auf vielen Gebieten höchst beachtliche Fortschritte darin erzielt sind und erzielt werden, in Kooperation, so mühselig sie sein mag, der Irrationalität des Gewaltaustrags von Interessengegensätzen und den folgenschwersten Nachlässigkeiten entgegenzuwirken.

Die einzelnen Abschnitte der Entwicklung, die vom Ausgang des europäischen Mittelalters bis zu den heutigen Verhältnissen geführt haben, zeigen, wiederum im Rückblick, von einer Wende zur jeweils nächsten immer deutlicher die Notwendigkeit der Rationalität. Sie ist das Spezifikum, das unsere Zivilisation als die moderne kennzeichnet. Durch alle Wirrnisse und Widerläufigkeiten hindurch, über die ärgsten Rückfälle hinweg strebt sie, in der bewußten Anstrengung aller derer, für die ständige Verbesserung der Bedingungen der Humanität der allein menschenwürdige Inhalt der Politik ist, ihrer allmählichen Souveränität zu.

Vier revolutionierende Vorgänge trafen, als dieser Prozeß begann, im fünfzehnten und sechzehnten Jahrhundert, gleichzeitig aufeinander und zwangen die gesellschaftlichen Kräfte Europas in die Bahnen der neuen weltpolitischen Qualität: die elementare Bedrohung durch die Türken; die unermeßliche Ausweitung der Horizonte in der Folge des Ausweges, den die Entdecker eröffneten; die Auflösung des alten Weltbildes durch die triumphierende Wissenschaft der Renaissance und die religiöse Individualisierung, die mittelbar so sehr zur säkularen Humanisierung und späteren Demokratisierung der Gesellschaft beigetragen hat. Die Vernunft war in solchem Umfang und solcher Radikalität herausgefordert wie niemals in der Geschichte vorher.

Es genügt der Hinweis auf den ersten dieser Vorgänge. Die Politik in Eurpoa war während zweier Jahrtausende, beginnend bei den Griechen über die Römer zu den germanischen Völkern bis ins fünfzehnte Jahrhundert, ein im Westen durch den Atlantik, der ins Nichts geführt hätte, begrenztes, stets kontinentales Unternehmen, das jedoch nach dem Osten offen war. Ohne Asien wäre das Abendland einschließlich seines Namens kein Zivilisationsbereich gewesen. Nun versperrten seit 1453, als sie Konstantinopel nahmen, die Türken die Wege und alle Beziehungen zum Orient, drangen bis 1526 und 1529 immer weiter vor: nach Rhodos, nach Ungarn, nach Dalmatien, nach Österreich. Die Republiken Venedig und Genua versuchten, Landmächte zu werden. Im Nordosten geriet die Hanse an das sich bildende Großrussische Reich, das ihr Einhalt gebot und begann, auch sie zurückzudrängen. In der kühnsten und überlegtesten Anstrengung brachen die Europäer da die Barriere nach der anderen Seite hin: die Portugiesen und die Spanier umschifften Afrika, erreichten Mittel- und Südamerika, Indien, China, Neuguinea, 1542 Japan, nachdem 1519 bis 1522 erstmals die Welt umsegelt, 1493 bereits durch Alexander VI. die Herrschaft »von Pol zu Pol« zwischen Portugal und Spanien aufgeteilt war. Die Voraussetzungen der neuen weltpolitischen Dimension waren geschaffen, ein Erdglobus hergestellt, die Navigation verbessert, die Mathematik vorangebracht, die Astronomie gefördert.

Die europäische Ausbreitung über die Erde erfolgte im schärfsten politischen und ökonomischen Wettbewerb – die entfesselten Kräfte instrumentalisierten jede für sich die neue, so wirksame Rationalität. Sie konzentrierte sich schließlich, gegen die Auflösung von innen und die Bedrohungen von außen, an den Territorialfürstenhöfen im Aufbau der Zentralverwaltungen, denen juristisch gebildete Fachleute vorstanden, an den königlichen Gerichtshöfen, die einheitliches Recht sprachen, in der Merkantilwirtschaft, in der sich mächtig das industrielle Gewerbe und der Privilegienkapitalismus entfalteten, in den stehenden Heeren, den Polizei-Ordnungen, den Pflichtschulen, damit die Intellektualtechniken gelehrt und gelernt wurden. Der dynastisch regierte moderne Machtstaat entstand.

Die nachfolgenden Etappen auf dem Entwicklungsweg zur Weltpolitik von heute brauchen nur angedeutet zu werden:

England errang die Herrschaft über die Weltmeere und verfocht, um sie rückenfrei ausüben zu können, erfolgreich die Politik des Machtgleichgewichts zwischen den europäischen Kontinentalstaaten Frankreich, Österreich-Ungarn, Preußen und Rußland. Zusammen mit Großbritannien anerkannten sie im neunzehnten Jahrhundert, als dasDeutsche Reich gegründet war, im Konzert der Mächte, wie es genannt wurde, die gegenseitigen Interessensphären, in die sie, mit gewaltigem Vorsprung Enlands und nachfolgend Frankreichs, die Welt imperialistisch aufgeteilt hatten. Die Kolonien dienten der nationalkapitalistischen Versorgung und Expansion als Gebiete des gesicherten Rohstoffbezugs und künftiger Absatzentwicklung, dem Schutz des errichteten Machtsystems sowie dem nationalen Ansehen.

In den Herrschaftsschichten der Mächte jedoch erwies sich die Rationalität der so engagierten Kollektiv- und Privatinteressen als unzureichend, zwei gesellschaftliche Zentralprobleme, die in dieser Entwicklung schon frühzeitig zutage traten, in ihrer Tragweite zu erkennen und ihnen durch Reform zu begegnen. Das eine war die »Soziale Frage«, das andere die internationale Konfliktverhütung. Die Krisen im Gefolge der beiden existentiellen Probleme haben die Welthegemonie der Europäer zuerst erschüttert, dann aufgelöst.

Die Proklamation der Menschen- und Bürgerrechte in der Glorreichen Englischen, in der Amerikanischen und in der Großen Französischen Revolution leitete jene demokratische Dynamik ein, die das Besitzbürgertum zwar formal auch jeder anderen Klasse einräumte, die es aber zur faktischen Entfaltung vor allem der eigenen frisch erworbenen Positionen in Anspruch nahm. Der Versuch, die Demokratie im wesentlichen auf die antifeudale Legitimierung der neuen ökonomischen und politischen Vorherrschaft einzuschränken, mußte über kurz oder lang im Zwiespalt des verkündeten Ideals und der harten ihm entgegenwirkenden Klassenpraxis scheitern. Unbestritten sollte das Prinzip der Freiheit, Gleichheit und Brüderlichkeit universell Geltung haben – folglich mobilisierte es revolutionäre Kraft, als in ganz Europa das Manchestertum die Lasten der notwendigen nationalen Kapitalakkumulation durch erzwungenen Konsumverzicht allein dem Proletariat auferlegte, das überdies die volle Härte der industriewirtschaftlichen Arbeitsdisziplinierung zu tragen hatte. Dagegen formierte sich sowohl die sozialdemokratische als auch die kommunistische Bewegung. Die restfeudal-bürgerlichen Staaten der kapitalistischen Demokratien vermochten sie nur teil- und zeitweise zu unterdrücken. In dem Maße, wie »soziale Gerechtigkeit« überall zum Inhalt der Demokratie-Forderung wurde, sei es evolutionär, sei es revolutionär, war es unausbleiblich, daß die Politik der Staaten national und international unter den Einfluß des Kampfes um den »System«-Charakter der gesellschaftlichen Verhältnisse geriet. Im Verlauf der ersten Hälfte unseres zwanzigsten Jahrhunderts wurde dies schließlich zur bestimmenden Komponente der Weltpolitik, als die Bedeutung der Nationalstaatlichkeit infolge der Nichtlösung auch des zweiten Zentralproblems: der internationalen Konfliktverhütung, zusammenbrach.

Spätestens gegen Ausgang des neunzehnten Jahrhunderts war es offensichtlich, daß einverständliche Koordination unter den imperialistisch rivalisierenden kapitalistischen Nationalstaaten auf die Dauer nicht genügen konnte und daß sie nicht zu leisten war. Zur rechtzeitigen und verbindlichen Regelung existenzbedrohender Konfliktsituationen mußte eine zumutbare und zureichend mit Macht ausgestattete Autorität jenseits der nationalstaatlichen Souveränitätsgrenzen geschaffen werden. Weder die Regierungen noch die Parlamente fanden sich zu dem Stück Supranationalität aller bereit, das der gemeinsamen Internationalität der Gegensätze entsprach. Die zwei Haager Friedenskonferenzen von 1899 und 1913, aus denen der Internationale Schiedsgerichtshof und die Landkriegsordnung hervorgingen, waren nur unzureichende Ansätze zur Anpassung an die historische Notwendigkeit.

Der Weltkrieg 1914–1918 verschlang einen Großteil der Machtsubstanz Europas, er minderte in der Welt nachhaltig das Ansehen der vormaligen Führungsstaaten, er brachte die USA in die weltpolitisch mitbestimmende, in einigem bereits den Ausschlag gebende Position, er beseitigte die alten Legitimitäten im zaristischen Rußland, in Österreich-Ungarn, in den deutschen Bundesstaaten sowie im Deutschen Reich, er förderte im Umschlag gegen den Autoritarismus die Ausbreitung des demokratischen Prinzips und verhalf den Kommunisten zur Errichtung des Sowjetsystems in einem riesigen Teil der Erde. Damit waren die Voraussetzungen für die nächste Phase der Weltpolitik gegeben – die Zwischenphase zur jetzigen. Die Bezeichnung scheint mir in jeder Hinsicht angebracht zu sein: Alle wesentlichen, das heißt die Entwicklung weitertreibenden und sie verändernden Vorgänge in den zwanziger und dreißiger Jahren haben ihrer Entstehung nach zwar noch mit den Verhältnissen von vorher zu tun und zeigen die Merkmale davon, aber das, was dann die zweite Hälfte des Jahrhunderts – unsere eigene Zeit – ausmachen wird, ist als zutagetretende Tendenz bereits kennzeichnend: die sich globalisierende Auseinandersetzung der gesellschaftlichen Systeme, das nunmehr damit zusammenhängende Ringen um übernationale Regelungen der Staaten untereinander, ebenso die gleichfalls, und zwar von beidem mitbedingte enorme Intensivierung der Industriewirtschaft. Unter Vorrangkämpfen wird der Zug zur hemisphärischen Zivilisation deutlich, die nicht mehr allein – oder auch nur vorwiegend – von Europa aus ihre Antriebe empfängt.

Die französisch-engliche Politik jener Jahre war symptomatisch. Auf das schwerste selber getroffen, nur knapp als Sieger aus dem Krieg hervorgegangen, setzte Frankreich, das die Führung in der Neuregelung der – nicht nur kontinentalen, sondern immer noch weltweiten – europäischen Verhältnisse übernahm, teils beeinträchtigend oder verhindernd, teils drängend, von Großbritannien unterstützt, vier halbe Lösungen durch: Es ließ nicht zu, daß der vom amerikanischen Präsidenten gewünschte und eingeleitete Verständigungsfriede geschlossen wurde, der die europäische Kooperation institutionell hätte begründen können; es organisierte den Völkerbund, der jetzt – unter Ausschluß Deutschlands und der Sowjetunion – zustande kam, ohne supranationale Entscheidungskompetenz; es schuf in den Pariser Vororte-Verträgen von der Ostsee bis an die Adria und zum Schwarzen Meer einen gegen Deutschland und gegen die Sowjetunion als »cordon sanitaire« gedachten Gürtel mehr der minder demokratischer Kleinstaaten, die in ihrem Bestand auf die Garantie Frankreichs und Großbritanniens angewiesen waren; und es beharrte auf einem System von Reparationen, das dem Wiederaufbau in Westeuropa zu Lasten des besiegten Deutschland und seiner künftigen wirtschaftlichen Entwicklung dienen sollte, das sich aber sehr bald als unvereinbar mit der kapitalistischen Marktwirtschaft erwies, die sodann eben dadurch in beiden Bereichen, dem der Sieger und dem der Besiegten, mit, wie sich später zeigte, weittragenden Folgen partiell blockiert wurde.

Möglicherweise hätten die Erfahrungen, die die begangenen Fehler und Halbheiten zur Folge hatten, wie im Fall der Reparationen allmählich zu Korrekturen und zu einer Politik aus besserer Einsicht geführt. Aber es blieb für eine so langwierige Entwicklung, von der einen Ausnahme abgesehen, keine Zeit dazu, weil sich mittlerweile der Faschismus jede der entstandenen Schwierigkeiten zunutze machte. Er breitete sich schon während des ersten Jahrzehnts, das dem Weltkrieg folgte, im Süden, Südosten und Osten Europas aus, erst recht von 1933 an, als er in Deutschland die Weimarer Republik überwältigte.

Es war ein Aufstand der Ungeduld und des totalen Mißtrauens gegen die Möglichkeiten souveräner Vernunft in der Geschichte – ein Aufstand irrationaler Inhumanität, die in radikalster Weise, unter konsequentester Anwendung aller technisch-zivilisatorischen Mittel, die extremste Form von Herrschaftsprivilegien für Vorzugsschichten anstrebte. Die moderne Entwicklung des Menschen zur Autonomie sollte aufgehoben, die erreichte Internationalität der Völker und Staaten ideologisch und gewaltsam in die nationalen Feind-Freund-Verhältnisse zurückverwandelt werden. Der Faschismus richtete sich als drittes Weltsystem zugleich gegen das kapitalistisch-demokratische und das kommunistisch-sowjetische.

Der Zweite Weltkrieg, der 1939 daraus entstand, vollendete nach der faschistischen Niederlage den von 1914/17 an in Gang gesetzten Prozeß: Die weltpolitische Entscheidungsmacht verlagerte sich, nunmehr zweigeteilt, in die USA und in die Sowjetunion. Jedes der beiden Systeme sollte gegen das andere in die Weltvormacht gelangen. Die Staaten Europas sanken zu Satelliten und Trabanten herab, wobei sich der osteuropäische »cordon sanitaire« der ersten Nachweltkriegszeit, das demokratische »Zwischeneuropa« lediglich zweier Jahrzehnte, auf Grund der in Jalta getroffenen Vereinbarungen in das Vorfeld der Sowjetunion verkehrte, die es durch raschen Regimewechsel in ihrem kommunistischen Sinn konsolidierte. Die Industriewirtschaft wurde diesseits wie jenseits der Demarkation unverzüglich wieder instandgesetzt und mit höchster Organisations- und Erfinderenergie ausgebaut.

Neben der weltpolitischen Machtkonzentration in die beiden Hegemonialsysteme bildete die Organisation der Vereinten Nationen das zweite Kennzeichen der geschichtlichen Weiterentwicklung. Die Charta von San Francisco rief den Weltsicherheitsrat ins Leben: die – wenn auch erst in den Anfängen – mit supranationaler Autorität ausgestattete Spitze des neuen politischen Weltverbandes. (Das Statut sieht, unter anderem, einen gemeinsamen Generalstab vor.) Zwar ist die Institution des

Weltsicherheitsrates durch das miteingeführte Vetorecht gleichermaßen zugunsten Washingtons und Moskaus – ihren Staatenanhang einbezogen – blockiert worden; aber prinzipiell ist der entscheidende Schritt über die seinerzeitige Genfer »Société des Nations« hinaus, auch durch Stärkung des Generalsekretariats, getan. In regionalen Sonderregelungen, so insbesondere innerhalb der integrativen, weiteren Beitritten prinzipiell offenen Staatengemeinschaften West- und Mitteleuropas, sind die Absicht und der Wille, supranational die geschichtlich angebrachten Formen von parlamentarischer Vertretung, wirksamer Regierung und Zuordnung der Macht zum Recht zustande zu bringen, teilweise bereits ein Stück weitergelangt.

Die zur Zeit erreichte Entwicklungsstufe der Weltpolitik läßt sich wie folgt charakterisieren:

Erstes Kennzeichen: Die Hegemoniesysteme, in der militärischen Superrüstung, im ökonomischen Potential, in den industriewirtschaftlichen Pionierleistungen – darunter der Kosmonautik – sowie in der Ideologie einander die Waage haltend, sind infolgedessen zu gewaltsamer Auseinandersetzung gegeneinander außerstande. Krieg zwischen ihnen, mit den Mitteln geführt, die zur Verfügung stehen, wäre der kollektive Selbstmord zumindest der weißen Menschheit. Man ist daher bemüht, ohne letzten Konflikt, ja soweit es möglich erscheint, in Kooperation nebeneinander zu bestehen. Unter solchen Umständen mußte der »Kalte Krieg«, in dem sich die Führungsmächte und ihre Verbündeten nach Beendigung der gegen den Faschismus geschlossenen Zweckallianz teils defensiv, teils offensiv engagiert hatten, gemäß der Erkenntnis »co-existence or no existence« dem Versuch zu allmählichen Übereinkünften weichen.

Zweitens: Keine der beiden Hegemonialmächte kann eine Verschiebung der eingetretenen Weltmachtbalance an irgendeiner Stelle der sie trennenden territorialen Demarkation zulassen. Sie intervenieren daher, sobald ihnen eine akute Bedrohung des bestehenden Zustandes gegeben zu sein scheint. Zumindest greifen sie, zum gleichen Zweck der Aufrechterhaltung des Status quo, indirekt überall dort ein, wo eine systemverändernde Auseinandersetzung stattfindet oder sich ernstlich anbahnt.

Die Folge dieser Unmöglichkeit, den Frieden als gesicherte gemeinsame Ordnung weltweit zustande zu bringen, solange der Gegensatz der Systeme das Kooperationserfordernis überlagert, ist die Methode, die noch nicht verhütbaren regionalen Gewaltkonflikte, wenn sie nicht beigelegt werden können, lediglich durch Waffenstillstände, die über Jahre hinweg periodisch verlängert werden, zu beenden, nicht aber durch reguläre Friedensverträge, da sich die inhaltliche Einigung, die die gesicherte Ordnung ausmachen würde, eben nicht erzielen läßt.

Eine weitere Folge der unerläßlich gewordenen Politik des Status quo an den territorialen Demarkationen ist der vorerst unlösbare Widerspruch, daß das Recht der Völker, das politische Regime, unter dem sie leben wollen, selbst zu bestimmen, zwar allgemein anerkannt ist, seine Anwendung in jedem konkreten Fall aber, der den Gleichgewichtszustand gefährden würde, verhindert werden muß. Das Recht auf die nationale Selbstbestimmung gibt es daher praktisch, bis die Weltfriedenspolitik ein ordnendes und sicherndes Stück weitergekommen sein wird, nur an den Stellen von minderer weltpolitischer Bedeutung.

Drittens: Der Wettbewerb der Hegemonialsysteme ist nicht nur gegeneinander auf die Höherentfaltung der Produktivkräfte im eigenen Bereich und somit auf die in aller Welt sichtbare, spürbare Vorsprungsleistung gerichtet, sondern er erstreckt sich gleichzeitig auf die Völker und Staaten der sogenannten Dritten Welt, deren Sympathie und womöglich Anhängerschaft gewonnen werden soll. Es handelt sich bei ihnen zumeist noch um ungefestigte Souveränitäten, hauptsächlich in Afrika und Asien, die im Zuge der dekolonisatorischen Emanzipation entstanden sind. Bei ihrem Eintritt in die Weltpolitik fehlten vielen von ihnen die drei wesentlichen Voraussetzungen, in heutiger Zeit Macht ausüben zu können, ja sie auch nur darzustellen: die zureichende industriewirtschaftliche Basis, eine genügend ausgebildete und erfahrene Verwaltungsbeamtenschaft und modernes Militär. Gleichwohl sind die allermeisten dieser Neustaaten nach der Deklaration ihrer Selbständigkeit alsbald Mitglieder der UNO geworden, in deren Vollversammlung sie neben den USA und der Sowjetunion gleichberechtigt auftreten und abstimmen. Eine erhebliche Anzahl von ihnen hat sich auf Grund der Bandung-Erklärung von 1954 in einer Politik der Blockfreiheit engagiert und sich dadurch zusätzliche Bedeutung verschafft, obgleich sie so gut wie alle Empfänger von Entwicklungshilfen der mannigfachsten Art sind – einige auf beiden Seiten.

Viertens: Die Volksrepublik China ist seit dem Schisma, das Peking und Moskau in den innerkommunistischen Gegensatz gebracht hat, die weltrevolutionäre Vormacht. Sie bekämpft grundsätzlich, und wo sie sich dazu in der Lage sieht, die Stabilisierung der System-Koexistenz. Ob die weltpolitische Vollentfaltung Rot-Chinas in Fortsetzung seiner Aufnahme in die Organisation der Vereinten Nationen verfriedlicht werden kann, ob das erneuerte China durch die rasch fortschreitende Industrialisierung sich unter Umständen sozusagen von selbst domestizieren wird, oder ob die Sowjetunion sich entschließt, dem verfeindeten kommunistischen Großreich, solange es noch nicht seine volle Stärke erlangt hat, durch einen Präventivkrieg Einhalt zu gebieten, ist in der gegenwärtigen Phase der politischen Weltentwicklung eines der schwierigsten offenen Probleme.

Fünftes Merkmal: Die Bemühung um globale und teilregionale Rationalisierung der Gesamtinteressen, möglichst in rechtlich gefestigten, finanziell ausreichend dotierten Einrichtungen, ist als Notwendigkeit unbestreitbar. Über die Möglichkeiten und konkreten Wege der Realisierung verhandeln sowohl die Hegemonialmächte mit mehr oder minder weitreichenden Vorstellungen und Vorschlägen als auch die staatlichen Gemeinschaften und, in unterschiedlichen Initiativen, ihre Mitglieder. Es versteht sich von selbst, daß der Organisation der Vereinten Nationen dabei eine mannigfach vermittelnde Rolle zukommt. So fragwürdig sie in einer Reihe ihrer Tätigkeitsgebiete noch ist, leistet sie doch den wertvollen Dienst weltpolitischer Wegbereitung in der Konfliktkontrolle. Darin ist insbesondere die erdumspannende, durch den Gegensatz der Systeme ihrerseits nicht elementar blockierte Aktivität der UN-Sonderorganisationen – der Ernährungs- und Landwirtschafts-Agentur, der Weltgesundheitsbehörde, der Kinderhilfe, der UNESCO, des Wirtschafts- und Sozialrates – von hohem Nutzen.

»One world or no world« – »Eine oder keine Welt«, das ist im letzten Drittel des zwanzigsten Jahrhunderts für das Zivilisationsstadium, in das die Menschheit gelangt ist, das kennzeichnende Losungswort.

Wiedervereinigung

Eberhard Schulz

»Wir werden siegen, weil wir siegen müssen«, sagte Hitlers Propagandaminister, als es keine vernünftige Siegeschance mehr gab. An diese Logik erinnern mich die Beschwörungen jener Leute, die die Notwendigkeit der Wiedervereinigung damit begründen, daß das Grundgesetz sie vorschreibe. Gesetze und Verfassungen sind Produkte eines bestimmten Zeitgeistes. Ihre Aufgabe ist es nicht, eine Entwicklung voranzutreiben, sondern einen Zustand zu fixieren. Je konkretere Vorstellungen sie ausdrücken, desto schneller werden sie von der Entwicklung überholt. Betrachten wir zunächst das Grundgesetz, das die Gedanken widerspiegelt, von denen die Schöpfer unseres Staates ausgegangen sind, um diese dann mit den heutigen Gegebenheiten und den in die Zukunft weisenden Entwicklungslinien zu konfrontieren.

Die Wiedervereinigung Deutschlands ist ein Gebot unserer Verfassung – daran besteht kein Zweifel; aber der Begriff »Wiedervereinigung« kommt in dieser Verfassung nicht vor. Die Väter des Grundgesetzes gingen davon aus, daß die Deutschen im rechtlichen Sinne gar nicht getrennt seien; sie nahmen an, daß das Deutsche Reich völkerrechtlich weiterbestehe und daß die Siegermächte es nur »zum Zwecke der Besetzung«, wie es im Londoner Protokoll vom 12. September 1944 heißt, in verschiedene Zonen eingeteilt hätten. Als über das Grundgesetz debattiert wurde, im Frühjahr 1949, gab es ja noch keine deutschen Nachfolgestaaten, die man hätte wiedervereinigen können. Es gab Besatzungszonen, die ihrer Natur nach provisorisch waren, und niemand konnte wissen, in welchen neuen Zustand dieses Provisorium münden würde. So endet die Präambel zum Grundgesetz mit den salomonischen Worten: »Das gesamte Deutsche Volk bleibt aufgefordert, in freier Selbstbestimmung die Einheit und Freiheit Deutschlands zu vollenden.« Jeder mag für sich entscheiden, ob er aus diesen Worten frischen Optimismus oder müde Resignation herauslesen möchte – Optimismus aus dem Wort »vollenden«, weil das

Grundgesetz und die vorgesehene Gründung der Bundesrepublik Deutschland schon einen Schritt auf dem Wege zu Einheit und Freiheit darstellen sollten, und Resignation vielleicht aus den Worten »bleibt aufgefordert«, weil sich das Ziel der vollendeten Einheit und Freiheit im dichten Nebel einer höchst ungewissen Zukunft verlor.

Mehr als zwanzig Jahre lang sind wir nun auf dieses Ziel zumarschiert. Der Nebel hat sich nach und nach gelichtet, die Realität immer schärfere Konturen angenommen – von dem Ziel der Wiedervereinigung aber, das uns unsere politischen Führer immer wieder in glühenden Farben ausmalten, scheinen wir weiter denn je entfernt zu sein. So ist es kein Wunder, wenn mehr und mehr Menschen dieses Ziel für eine Fata Morgana halten oder sich fragen, ob es sich denn lohnt, ein so ungewisses Ziel anzustreben, ob wir auf diesem Wege nicht Gefahr laufen, andere, realere und vielleicht wichtigere Ziele zu verfehlen, oder ob wir uns schließlich nicht mit dem bescheiden sollten, was wir haben: nämlich Sicherheit, Wohlstand und ein respektables Maß an Freiheit wenigstens innerhalb der Grenzen der Bundesrepublik.

Nach zwanzig Jahren desillusionierenden Mißerfolgs unserer Wiedervereinigungspolitik erscheint dem kritischen Beobachter die Präambel des Grundgesetzes in einem etwas anderen Licht. Da heißt es, das deutsche Volk sei von dem Willen beseelt, seine nationale und staatliche Einheit zu wahren und als gleichberechtigtes Glied in einem vereinten Europa dem Frieden der Welt zu dienen. Das kann doch wohl nur bedeuten, daß die deutsche Nation in einem eigenen Staat leben will, auch wenn ein vereintes Europa geschaffen wird, das dann allenfalls den Charakter eines Staatenbundes haben könnte. Wenige Jahre später orientierte sich die Bonner Politik auf das ganz andere Nahziel eines westeuropäischen Bundesstaates und fand dabei offenkundig die Unterstützung einer breiten Mehrheit der Bevölkerung in der Bundesrepublik, obwohl gänzlich unklar blieb, wie und wann die andere Hälfte Deutschlands in diese Gemeinschaft gelangen könnte, und obwohl die Deutschen in diesem europäischen Bundesstaat jedenfalls keinen eigenen souveränen Staat mehr gehabt hätten. Das Beispiel zeigt, wie schnell feierliche Proklamationen in einer Phase des politischen Übergangs ihren Wert verlieren, und man mag sich überhaupt fragen, ob solche großen Worte in einem Grundgesetz angebracht waren, das nach dem Willen seiner Schöpfer nur dazu dienen sollte, »dem staatlichen Leben für eine Übergangszeit eine neue Ordnung zu geben«.

In Wirklichkeit waren sich die Mitglieder des Parlamentarischen Rates gar nicht so sicher, was denn das deutsche Volk wohl wolle. Sie arbeiteten in der Zeit der Berliner Luftbrücke, in einer Krisensituation also, und hatten wohl noch die innere Zerrissenheit der Weimarer Republik vor Augen, als sie die Grundsätze für den neuen Staat formulierten. Daß das deutsche Volk dieses Grundgesetz beschlossen habe ist eine fromme Lüge. Das deutsche Volk erhielt gar keine, Gelegenheit, sich direkt zu dem Entwurf zu äußern, dessen Verfasser es auch nicht direkt gewählt hatte. Die demokratische Staatsform dieser Republik enstand eben nicht aus einer Revolution des Volkes, sondern aus einer Verordnung der Obrigkeit, die noch mit Schrecken daran zurückdachte, wie wenig dieses Volk nach 1918 mit seiner Revolution hatte anfangen können.

Natürlich war sich schon 1949 jedermann der Fiktion bewußt, die besagte, das deutsche Volk habe dieses Grundgesetz »kraft seiner verfassunggebenden Gewalt« beschlossen. Die wirkliche Gewalt hatten ja damals noch die Besatzungsmächte, die allerdings nach vier Jahren wechselnder Straf- und Umerziehungsarbeit in der Phase des heraufziehenden Ost-West-Konfliktes nicht mehr recht wußten, was sie mit den Deutschen anfangen sollten, die sich gar nicht mehr als verstockte Sünder betrugen und in ihrer neuen Verfassung ehrlichen Herzens versprachen, mit ihrem Staat »dem Frieden der Welt zu dienen«. Einen Staat mit allmählich wachsender Selbständigkeit konnten die Westmächte offerieren – dessen Räson zu finden mußten sie den Deutschen überlassen. Die aber waren noch halb betäubt von ihrer nationalen Katastrophe und unfähig, sich auf die Zukunft hin zu orientieren. So griffen sie auf ihre Geschichte zurück und suchten die Restauration eines nationalen Status, den man sie in ihrer Jugend als Verwirklichung uralten deutschen Sehnens zu begreifen gelehrt hatte, eines Status freilich, der Macht und Ruhm nicht mehr mit Gewalttat und Überheblichkeit verbinden, sondern jenseits von Gut und Böse stehen sollte – mit einem Wort: eines Status freundlicher Senilität, der jeder politischen Realität Hohn sprach.

Der Widerspruch zwischen weltfremdem Pathos und tiefer Skepsis gegenüber der menschlichen Natur spiegelt sich in dem Gegensatz zwischen der Präambel und den materiellen Artikeln des Grundgesetzes wider. Denn im materiellen Teil verwendet das Grundgesetz beinahe übertriebene Sorgfalt darauf, jede Machtkonzentration im Innern zu verhindern, womit bewiesen wird, daß sich die Schöpfer des Grundgesetzes des gefährlichen Charakters der Macht durchaus bewußt waren. Daß das Deutsche Reich nach außen jemals wieder gefährlich werden könnte, mag ihre Vorstellungskraft im Jahre 1949 überfordert haben – nur: Die Deutschen sind nun einmal die stärkste Potenz in Mitteleuropa, und eine Wiederherstellung des Reiches schüfe hier ein Machtzentrum, das potentiell auch dann noch gefährlich wäre, wenn es in ein kollektives Sicherheitssystem eingebettet wäre, wie es der Artikel 24 des Grundgesetzes ins Auge faßt. Im wirtschaftlichen Bereich tritt das Problem noch deutlicher zutage: Das Grundgesetz sieht ausdrücklich vor, daß bestimmte Wirtschaftsgüter in der Bundesrepublik, die ihrem Eigentümer eine gefährliche Macht verleihen, vergesellschaftet werden können. Der Gedanke, daß das zusammengefaßte wirtschaftliche Potential eines wiederhergestellten Deutschen Reiches unseren Nachbarn unheimlich werden könnte, kam den Verfassern des Grundgesetzes in der damaligen Situation verständlicherweise nicht. Heute wissen wir, daß die Wirtschaftskraft allein der Bundesrepublik, die sich in der starken Stellung der Deutschen Mark manifestiert, anderen Völkern schon als Alptraum erscheint.

Der Ost-West-Konflikt hat uns Deutsche zwanzig Jahre lang in einer Übergangszeit leben lassen, die uns die Möglichkeit gab, materiell nicht nur wieder auf die Beine zu kommen, sondern auch einen Wohlstand zu erreichen, wie ihn das deutsche Volk in seiner Gesamtheit noch nie besessen hat. Wohlleben macht träge; wir können uns nicht rühmen, während dieser zwanzig Jahre in unserem nationalen Problem viel Phantasie entwickelt zu haben. Erst die zunehmende Unruhe in einem Teil der jungen Generation und in ihrem Gefolge der Machtwechsel in Bonn zwangen dazu, die Ziele der Regierung neu zu durchdenken: Hat die Wiedervereinigung überhaupt noch einen Sinn? Entspricht sie noch den wirklichen Wünschen des deutschen Volkes in beiden Teilstaaten? Sieht es nicht so aus, als sei das Schlagwort »Wiedervereinigung Deutschlands« von dem Slogan »Anerkennung der Realitäten« abgelöst worden? Und wie steht es mit der europäischen Einigungsbewegung, die in den fünfziger Jahren gerade bei den Deutschen so starke Resonanz gefunden hatte?

»Wiedervereinigung« bedeutet doch die Wiederherstellung

eines Zustandes, der früher einmal bestanden hat. Welcher Stichtag aber soll für diesen Zustand maßgebend sein? Die früheren Bundesregierungen sagten: der 31. Dezember 1937. Das war das letzte Jahresende, bevor Hitler über die Grenzen hinausgriff, die dem Deutschen Reich nach dem Vertrag von Versailles auferlegt worden waren. Warum aber die Grenzen von Versailles? Waren sie die Grenzen eines echten deutschen Nationalstaates? Offensichtlich nicht. Die Österreicher waren damals – obwohl ethnisch ein Teil des deutschen Volkes – durch ein besonderes »Anschlußverbot« vom Reichsverband ferngehalten worden, und in keiner der vier Himmelsrichtungen entsprach die Grenze exakt den ethnischen Siedlungsgrenzen, sosehr man sich darum bemüht hatte. Beruhten jene Grenzen dann auf der freien Selbstbestimmung der Völker? Auch das kann man höchstens mit Einschränkungen bejahen. Jedenfalls glaubte wohl eine Mehrheit des deutschen Volkes damals, sich mit den Grenzen nach dem Ersten Weltkrieg nicht abfinden zu können. Die Nachbarvölker nahmen diese Haltung ohne sonderliches Erstaunen zur Kenntnis, etwa als Gustav Stresemann im Vertrag von Locarno zwar die deutschen Westgrenzen garantierte, sich in bezug auf die Ostgrenzen jedoch nur zu einem recht dubiosen Gewaltverzicht bereit fand. Kurz: Die Grenzen von 1937 waren kein idealer Rahmen für den deutschen Nationalstaat, und die früheren Bundesregierungen beriefen sich auf diese Grenzen eigentlich auch nur, um eine Rechtsgrundlage für künftige Verhandlungen zu besitzen.

Nun ist es gewiß unrealistisch, nach den idealen Grenzen eines Staates zu suchen, doch mag es für die Erfassung der Realität nützlich sein, die historischen Alternativen zu erörtern. Der deutsche Nationalstaat ist sehr jungen Datums. Er entstand aus einer merkwürdigen Verbindung einer in ganz Europa modischen Strömung der öffentlichen Meinung, die nationale Freiheit mit dem Bestehen eines Nationalstaates identifizierte, und preußischem Machtstreben. Zu einer Staatsgründung konnten diese Faktoren erst führen, als die großdeutsche Variante an partikularen Interessen gescheitert und Österreich geschlagen war. Von Anfang an widersetzte sich Frankreich dieser Staatsgründung, die schon mit der Bezeichnung »Deutsches Reich« erkennen ließ, daß außer den im strengen Sinn nationalstaatlichen noch andere Gedanken mitschwangen. Eigentlich war ja das Reich der genaue Gegensatz zum Nationalstaat, ein übernationaler Verband – entweder in

Form einer lockeren Konföderation oder als imperialer und damit in der Tendenz imperialistischer Machtblock. In seiner Doppeldeutigkeit unterschied sich das neugegründete Deutsche Reich Bismarcks in keiner Weise von den anderen Nationalstaaten Europas, die gleichfalls imperialistische Ziele verfolgten. Dieser allgemeine Imperialismus mußte zum Interessenkonflikt und zum Kriege führen, der um so mörderischer wurde, als er nicht mehr lediglich zur Erweiterung des Besitzes von Fürstenhäusern, sondern um die Existenz von Nationen geführt wurde. Die Proklamation des Deutschen Reiches war zwangsläufig der Auftakt zu dem mörderischen Konzert, mit dem sich die europäischen Großmächte von ihrer Vormachtstellung auf der Weltbühne verabschiedeten.

Sehr spät und noch recht unvollkommen haben die Europäer aus dieser Entwicklung die Lehre gezogen, daß eine am Prinzip der Nationalstaaten ausgerichtete Struktur Europas zur Selbstvernichtung der europäischen Staaten führen muß. Übrigens beruht diese Tendenz nicht allein auf den Auswirkungen imperialistischer Machtentfaltung, sondern auch auf den nicht einwandfrei zu bestimmenden ethnischen Siedlungsgrenzen. Es ist ja nicht wahr, daß die Nationen über die Wechselfälle der Geschichte hinweg stets die Grundeinheiten des politischen Lebens dargestellt und die geschichtliche Entwicklung getragen hätten. Wir sollten uns von den Mythen nicht verwirren lassen, die namentlich autoritäre Regime aus historischen Sonderfällen oder aus Halbwahrheiten produzieren. In Wirklichkeit haben sich die Völker Europas meist ganz unnational verhalten. Nicht nur in der großen Völkerwanderung, sondern auch die folgenden Jahrhunderte hindurch haben sich Teile abgesondert und sind in fremde Territorien gezogen. Manche haben sich assimilieren lassen, andere haben typische Wesensmerkmale wie Sprache, Bräuche, Religion und sozialen Habitus in der neuen Umwelt beibehalten, gehören aber trotzdem nicht mehr zur »Nation« ihres Ursprungsvolks, weil sie eine besondere Geschichte und auch eine gesonderte Heimat haben. Im Zeitalter der Nationalstaaten haben die meisten Regierungen große Anstrengungen unternommen, die Minderheiten in ihrem Hoheitsgebiet aufzusaugen, und doch kann, wer sich heute eine einigermaßen zuverlässige Karte der ethnischen Gruppen in Europa ansieht, nur zu dem Ergebnis kommen, daß die Festsetzung von Staatsgrenzen nach dem Prinzip der ethnischen Zugehörigkeit unmöglich ist.

Diese Feststellung gilt in hohem Maße gerade für uns Deutsche, deren ausgewanderte Volkssplitter im Verlauf des Zweiten Weltkrieges bis nach Kasachstan verstreut wurden. Auch die Ausweisung von Millionen Deutschen aus Osteuropa hat keineswegs klare Verhältnisse geschaffen. Etwa eine Million Deutsche sei heute noch in Polen ansässig, wird immer wieder gesagt. Aber sind es wirklich Deutsche? Haben sie ganz überwiegend deutsche Vorfahren? Haben sie Deutsche geheiratet? Sprechen sie zu Hause noch oder wieder deutsch? Niemand kann diese Fragen eindeutig beantworten. Nimmt man aber das Prinzip der Selbstbestimmung für die nationale Zugehörigkeit zum Maßstab, was der Freiheit des einzelnen eher gerecht würde, so würden sich vielleicht viele von ihnen heute als Polen bezeichnen. Schließlich haben die wechselnden Repressalien gegen Minderheiten im Zeitalter der Nationalstaaten viele Menschen dazu gebracht, wieder und wieder die Seiten zu wechseln – sei es aus Gewissensnot, aus Angst um Leben und Eigentum oder aus Opportunismus. Wie man die Sache auch wendet: mit dem unseligen Prinzip der Volkslisten kommen wir nicht weiter, wenn wir Kriterien dafür suchen, welche Gebiete oder welche Menschengruppen in einem deutschen Nationalstaat wiedervereinigt werden müßten. Genaugenommen läßt sich der deutsche Nationalstaat nicht verwirklichen.

Aber wollen denn die Deutschen überhaupt einen Nationalstaat? Die Deutsch-Schweizer zweifellos nicht; sie haben seit Jahrhunderten ihren eigenen Staat und wünschen keine staatliche Gemeinschaft mit den übrigen Deutschen. Die Österreicher lehnten sich noch vor fünfzig Jahren leidenschaftlich gegen das Anschlußverbot auf. Heute sind sie in ihren Staat hineingewachsen und verspüren kein Bedürfnis mehr, in ein Deutsches Reich zurückzukehren. Nun bilden Deutsch-Schweizer und Österreicher seit undenklicher Zeit eigene Gemeinschaften – im Gegensatz zu den Deutschen in der DDR; aber sind wir ganz sicher, daß wir nicht eher ruhen wollen, als bis wir die Bundesrepublik und die DDR miteinander vereinigt haben, und sind wir sicher, daß die Bürger der DDR unbedingt das gleiche wollen, auch wenn die Teilung noch einige Jahrzehnte fortdauert? Seien wir ehrlich: Wir sind uns dessen gar nicht sicher. In Wirklichkeit denken wir nicht mehr in der nationalen Dimension.

Was ist die Konsequenz solcher Überlegungen? Verzicht auf die Wiedervereinigung? Anerkennung des Status quo?

Finden wir uns damit ab, daß die Restdeutschen einander in zwei Staaten gegenüberstehen, durch Mauer und Stacheldraht getrennt und in zwei Blöcken jeweils dem anderen in feindseliger Haltung konfrontiert? Es ist wahr, die beiden Blöcke bestehen, und wir können, ja wollen sie nicht abschaffen, denn unsere Sicherheit beruht weitgehend auf dem Patt der Supermächte, das einen geplanten Überfall der einen Seite auf die andere unwahrscheinlich macht – ein Faktum übrigens, an dem weder die moderne Rüstungstechnologie noch das Aufkommen Chinas wesentliches ändert. Trotzdem würden wir uns selbst betrügen, nähmen wir an, die »Anerkennung der Realitäten« würde uns unsere Ruhe verschaffen. Resignierende Verzichtpolitik ist keine Politik, sondern das Gegenteil davon, ist Verzicht auf Politik, der von den anderen Ländern – im eigenen und im anderen Lager – nicht honoriert würde. Auch im Innern würde ein Verzicht auf Politik gefährliche Folgen haben. Die Unzufriedenheit in der jungen Generation beruht nicht zuletzt darauf, daß sich die Staatsführung lange Zeit auf Konsumdenken und den Slogan »Keine Experimente« beschränkte. Die Menschen wollen mehr als »Ruhe und Ordnung«, sie brauchen auch ideelle Richtpunkte, nach denen sie sich orientieren. Das Ziel der Wiedervereinigung und das der europäischen Integration waren solche Richtpunkte. Beide sind unglaubwürdig geworden, weil die früheren Regierungen es nicht verstanden haben, gangbare Wege zu ihrer Realisierung aufzuzeigen.

Die Politik der Wiedervereinigung scheiterte aber nicht nur daran, daß sie auf die augenblickliche Realität keine Rücksicht nahm – sie war in ihrem tiefsten Grunde reaktionär. Sie war nicht darauf gerichtet, zu neuen Ufern vorzudringen, sondern sie wollte einen unbestimmten vergangenen Zustand wiederherstellen, und sie wußte dafür keinen besseren Grund zu nennen als einen angeblich natürlichen Rechtsanspruch, obwohl wir die Einheit unseres Landes gerade dadurch verspielt hatten, daß wir unsere Ansprüche weit über vernünftige Grenzen hinaus verfolgt hatten. Diese Politik war verfehlt, weil sie – ähnlich wie die französische unter Charles de Gaulle – dem Denken der Jahrhundertwende verhaftet geblieben war, anstatt das Jahr 2000 ins Visier zu nehmen.

Die Regierung Brandt/Scheel hat sich von den überkommenen Vorstellungen gelöst und ist in ihrer Ostpolitik von der gegebenen Realität mit den ihr innewohnenden Entwicklungstendenzen ausgegangen. Seit den Verträgen von Moskau

(12. August 1970) und Warschau (7. Dezember 1970) bestreitet auch die Bundesrepublik nicht mehr, daß es künftig allenfalls noch eine Vereinigung der beiden deutschen Staaten in gegenseitigem Einvernehmen und in einem neuen Zusammenhang europäischer Politik, nicht aber mehr die rückwärts gerichtete Wieder-Vereinigung geben wird. Die freiwillige Selbstbeschränkung, die sich die Bundesrepublik Deutschland in diesen Verträgen auferlegt hat und die sich in den beiden Hauptkomponenten der Verträge, dem Ausgehen von der in Europa wirklich bestehenden Lage und dem umfassenden Gewaltverzicht, ausdrückt, konzentriert die künftige »gesamtdeutsche« Politik auf Erleichterungen für die Menschen in den beiden Teilen Deutschlands und auf die Wiederbelebung ihrer weitgehend abgestorbenen persönlichen Kontakte. Das Berlin-Abkommen der Vier Mächte vom 3. September 1971 und der Verkehrsvertrag mit der DDR vom 26. Mai 1972 sind die ersten völkerrechtlichen Früchte dieser Politik, neben denen aber die rein faktischen Verbesserungen, insbesondere in der Familienzusammenführung und in den Reisemöglichkeiten, nicht übersehen werden sollten. Die Wiedervereinigung der Menschen hat Vorrang vor der Wiederherstellung des einheitlichen Staatskörpers gewonnen.

Diese Politik ist umso mehr gerechtfertigt, als die Nationalstaaten, ja die souveränen mittleren Mächte überhaupt, technisch und wirtschaftlich überholt sind – technisch, weil die moderne Rüstung die Kräfte eines mittelgroßen Staates weit überfordert, und wirtschaftlich, weil die industriell hochentwickelten Staaten Europas ohne eine intensive Welthandelsverflechtung mit entsprechender Einschränkung ihrer souveränen Handlungsfreiheit nicht mehr existieren können. Der Begriff der staatlichen Souveränität entsprach der Epoche, in der die Physiker das Atom als die kleinste Einheit betrachteten. Sowenig die Physiker daran festhalten konnten, das Atom als letztes Grundpartikel anzusehen, sowenig können die Völkerrechtler weiterhin darauf bestehen, den souveränen Staat als einziges Subjekt im Völkerrecht anzuerkennen. Aus dem vagen ius gentium des Mittelalters entwickeln sich allmählich feste Strukturen oberhalb der Staaten, die es zu verstärken gilt, wenn die Völker trotz der modernen Massenvernichtungsmittel überleben wollen. Die Staaten werden dabei wahrscheinlich als Strukturelemente bestehen bleiben, doch wird sich ihre Bedeutung relativieren. In der täglichen politischen Praxis können wir beobachten, wie kompliziert dieser Prozeß ist, weil ja auch die künftigen Strukturen die menschliche Aggressivität nicht beseitigen, sondern allenfalls eindämmen oder ausbalancieren können.

Nicht in einer unrealistischen und reaktionären Wiedervereinigung – das ist der Schluß aus diesen Überlegungen –, sondern in dem Prozeß der supranationalen Einigung Europas liegt für uns Deutsche die Chance, den unbefriedigenden Status quo zu überwinden. Wenn die einzelnen Staaten mit der Verfestigung der supranationalen Struktur ihre übermäßige Machtfülle verlieren, verringert sich auch ihr Sicherheitsinteresse an der Befestigung ihrer Grenzen und an der Abschirmung gegen die anderen Staaten, wie die Entwicklung in der westeuropäischen Staatengemeinschaft beweist. Damit erweitern sich die Kommunikationsmöglichkeiten der Menschen über die fortbestehenden Staatsgrenzen hinweg, und es wird für den einzelnen schließlich kaum noch von Belang sein, ob es in Deutschland einen Staat oder zwei Staaten gibt. Im Gegensatz zu den früher verfolgten Konzepten der nationalstaatlichen Wiedervereinigung und der machtpolitisch orientierten Integration Westeuropas führt dieser Weg, wenn wir ihn entschlossen und mit Fortune beschreiten, nach vorn, zu einer neuen Form der deutschen und der europäischen Einheit, die den Gegebenheiten des nächsten Jahrhunderts angemessen ist.

Wirtschaft

Kurt Rothschild

Die Tatsache, daß ein Beitrag zu dieser Reihe »Wirtschaft« betitelt ist, dürfte eine Erklärung benötigen. So mancher Leser wird der Ansicht sein, daß es bereits genügend Vorträge und Schriften über Wirtschaftsprobleme gibt und daß doch kein Grund bestehe, nun dieses Thema auch in ein Symposium über politische Fragen hineinzuschmuggeln. Er wird in dieser Ansicht durch zahlreiche Äußerungen von sogenannten Wirtschaftsführern und Praktikern bestärkt werden, die etwa lauten, daß Wirtschaft und Politik nichts miteinander zu tun haben, daß die Politik sich nicht in die Wirtschaft einmengen solle. Ist jedoch tatsächlich eine reinliche Trennung »hie Politik – hie Wirtschaft« möglich und angezeigt, eine Trennung, die auch durch die relativ scharfe Grenzziehung im wissenschaftlichen Bereich zwischen Wirtschaftstheorie einerseits und den anderen Sozialwissenschaften wie Soziologie und Politologie andererseits bestätigt zu sein scheint? Oder bestehen zwischen Wirtschaft und Politik engste Wechselbeziehungen, welche ein Verständnis des einen Bereichs ohne Kenntnis der Vorgänge im anderen unmöglich machen? In diesem Beitrag wird die letztere These vertreten werden, also die Ansicht, daß Wirtschaft und Politik untrennbar miteinander verknüpft sind und stets in ihrer gegenseitigen Beziehung gesehen und studiert werden sollten. Bevor jedoch einige dieser Wechselbeziehungen und ihre Folgen dargelegt werden, soll kurz untersucht werden, wieso eine scharfe Trennung zwischen Wirtschaft und Politik so häufig vertreten wird.

Der Hauptgrund liegt wohl in folgendem: Beim Studium und bei der Diskussion von politischen Fragen ist es nahezu unvermeidlich, früher oder später auf das Phänomen verschiedener Gruppen und Interessen und damit letzten Endes auf das Problem der Macht und Machtverteilung zu stoßen. Ob es um den Staat oder andere gesellschaftliche Institutionen geht, auf jeden Fall stehen Herrschaftsstrukturen und deren Veränderung zur Debatte. Im Leben des einzelnen gibt es hierzu keine

Parallelen. Politik und politische Probleme treten deutlich als Ergebnis gesellschaftlicher Auseinandersetzungen um Macht und Einfluß auf.

Ganz anders scheint es im wirtschaftlichen Bereich zu sein. Hier geht es um Aktivitäten, welche auf die Befriedigung notwendiger oder auch nicht so notwendiger Bedürfnisse hinzielen. Aktivitäten dieser Art treten in jedem einzelnen Haushalt auf und sind nicht unmittelbar mit Gruppen- oder Machtproblemen verknüpft. Die Warenerzeugung wirft technische Probleme auf, mit denen sich schon der einfachste Bauer herumschlagen muß, ohne daß Politik notwendigerweise ins Spiel käme. Die klassische und auch die spätere nicht-marxistische Nationalökonomie hat stets diese vertraute und familiäre Note der Arbeit für das tägliche Brot in den Mittelpunkt ihrer Betrachtungen gestellt. Die Robinson-Wirtschaft auf einsamer Insel diente als gedanklicher Ausgangspunkt.

Freilich erkannte man, daß mit wachsender Arbeitsteilung, Industrialisierung und technischem Fortschritt die Probleme der Erzeugung und des Austausches von Waren immer komplizierter wurden, und die Wirtschaftstheorie hat ihre Methoden außerordentlich verfeinert, um die schwer durchschaubaren Mechanismen des Wirtschaftsablaufs in den Griff zu bekommen. Aber trotz all dieser Fortschritte wurde die Blickrichtung der Wirtschaftstheorie und auch der wirtschaftspolitischen Diskussion weiterhin durch die Traditionen früheren Denkens geprägt. Die Wirtschaft wurde und wird hauptsächlich als ein großer Betrieb gesehen, der – analog zum kleinen Einzelbetrieb oder Haushalt – gewisse Leistungen erbringt und sie möglichst effizient erbringen soll. Unter diesem Blickwinkel scheint es in der Wirtschaft vor allem darum zu gehen, möglichst »sachgerechte« Lösungen zu finden, die den technischen und ökonomischen Gegebenheiten entsprechen und nicht durch politische Überlegungen »verzerrt« werden sollten.

Eine solche einseitig orientierte Betrachtungsweise der Wirtschaft als Mechanismus zur Sicherung und Steigerung der Warenproduktion vernachlässigt in gefährlicher Weise die gesellschaftlichen Aspekte der modernen Wirtschaft, die in der Robinsonwirtschaft oder im Einzelbetrieb keine Entsprechung finden. Im Laufe der Geschichte und insbesondere im Laufe der kapitalistischen Entwicklung hat sich eine sehr ungleiche Verteilung der Vermögen ergeben. Auf die Gründe brauchen wir hier nicht näher einzugehen: Fleiß und Tüchtigkeit, Raub und Intrigen trugen zur ursprünglichen Vermögensakkumulation bei; später wirkte sich die Spruchweisheit aus, daß Tauben zufliegen, wo bereits Tauben sind, und schließlich begünstigten technischer Fortschritt und Massenproduktion die Formierung gigantischer Monopolkonzerne.

Tatsache ist jedenfalls, daß die heutige Wirtschaftslandschaft durch eine sehr ungleiche Vermögensverteilung und enorme private Vermögensballungen gekennzeichnet ist. Verfügungsgewalt über große Vermögen – Geld und Produktionsmittel – verleiht jedoch direkt und indirekt Macht. Direkt im Betrieb, wo aus dem Eigentumstitel autoritäre Herrschaft abgeleitet wird, die man entweder selbst ausübt oder an Manager delegieren kann; indirekt durch den enormen Einfluß, den die Vermögenselite kraft ihrer finanziellen Mittel, ihres gesellschaftlichen Prestiges und ihrer Entscheidungsgewalt im Produktionsbereich auf die Regierung und Massenmedien ausüben kann.

Aus den angedeuteten Zusammenhängen läßt sich erkennen, daß eine strenge Trennung des gesellschaftlichen Geschehens in wirtschaftliche und politische Aktionsbereiche unzulässig und irreführend ist. Zwar fällt dem wirtschaftlichen Bereich zweifellos die spezielle Funktion zu, die Produktion von Waren und Dienstleistungen zu gewährleisten und damit auch die Befriedigung der materiellen Bedürfnisse der Bevölkerung zu sichern. Insofern kann von einer spezifischen wirtschaftlichen Aufgabe gesprochen werden. Aber die Akteure, die an den entscheidenden Hebeln der Wirtschaft sitzen, sind nicht direkt an der Erfüllung dieser Funktion, nämlich die Bedürfnisse zu befriedigen, interessiert. Interesse der Eigentümer und Aufgabe der Manager ist es, Gewinne zu erzielen und Vermögenspositionen auszubauen. Damit geht es aber auch im Wirtschaftsleben um Machtpositionen und um die Art und Weise, wie Macht eingesetzt und kontrolliert wird. Hier fallen die Grenzen zwischen Wirtschaft und Politik. In beiden Bereichen zirkuliert das Geschehen um Macht und Einfluß, um wirtschaftliche und politische Macht. Politische und wirtschaftliche Handlungen bedingen und beeinflussen einander. Politische Zusammenhänge können ohne Berücksichtigung der Wirtschaftsstruktur nicht voll verstanden werden. Die Forderung nach einer Tabuisierung der Wirtschaft gegen politische Eingriffe ist im Grunde genommen eine hochpolitische Forderung nach unveränderter Aufrechterhaltung einer wirtschaftlichen Machtstruktur, wie sie sich aus einem (durch den Staat geschützten und gestützten) Marktprozeß ergibt.

Hier sei eine kurze historische Abschweifung gestattet. Die Forderung nach Trennung von Wirtschaft und Politik, wie sie von den Klassikern der Wirtschaftstheorie um die Wende des achtzehnten Jahrhunderts aufgestellt und dann vom Liberalismus als Dogma übernommen wurde, hatte in der damaligen gesellschaftlichen Konstellation eine ganz andere Bedeutung als heute. In jenen Tagen lag eine noch weitgehend feudalistisch ausgerichtete Politik wie eine Fessel auf der jungen kapitalistischen Industrie, die mit den technischen Fortschritten der industriellen Revolution stürmisch nach vorne drängte. Die Forderung, daß der Staat die Finger aus der Wirtschaft lassen und sich auf »Nachtwächterfunktionen« beschränken solle, entsprang damals dem Wunsch, eine überholte politische Hierarchie aus dem Wirtschaftsleben auszuschalten, damit sich die neuen wirtschaftlichen Tendenzen ungestört durchsetzen könnten.

Dazu kam noch, daß sich die Väter des Liberalismus die weitere Entwicklung als eine Entwicklung zu einem reinen Konkurrenzkapitalismus vorstellten, in dem typischerweise unzählige, relativ kleine Unternehmungen vorherrschen würden, deren wirtschaftliche Macht eng begrenzt wäre und kaum über den Betrieb hinausreichen würde. Es sollte also nicht nur die Politik die Wirtschaft unbehelligt lassen, es wäre auch umgekehrt kaum ein Einfluß der Wirtschaft auf das politische Leben zu befürchten.

Heute stellt sich die Welt ganz anders dar als zu jener Zeit, da man Wirtschaft und Politik theoretisch und praktisch trennen zu können glaubte. Der Staat, der die Interessen der feudalen Aristokratie vertrat, ist längst dem kapitalistischen, industriell orientierten Staat gewichen, der in die moderne Produktion regulierend eingreift, nicht zuletzt im direkten Interesse einflußreicher Sektoren des Wirtschaftslebens. Und der Konkurrenzkapitalismus hat den Großbetrieben und Monopolkonzernen Platz gemacht, die einen tiefgreifenden Einfluß auf das politische Geschehen ausüben können. Die enge Verflechtung von Wirtschaft und Politik ist ein Faktum geworden.

Das Hauptproblem der Wechselbeziehungen zwischen Wirtschaft und Politik besteht offensichtlich darin, wie weit durch sie die Erreichung bestimmter politischer oder wirtschaftlicher Zielsetzungen eingeschränkt oder gefährdet wird. Denn politische und wirtschaftliche Ziele werden zum Teil unabhängig voneinander aufgestellt, während – wie wir sahen – politische und wirtschaftliche Aktionen sehr stark aufeinander einwirken.

Vom Standpunkt demokratischer Zielsetzungen steht das Problem der politischen Macht und ihrer Kontrolle im Zentrum der Aufmerksamkeit. Die Berührungspunkte von politischer und wirtschaftlicher Macht sind daher von besonderem Interesse.

Macht bedeutet, daß man verfügen und disponieren kann. Gesellschaftlich bedeutsam ist vor allem überdurchschnittliche Macht, die sich auf die Lebensbedingungen ganzer Bevölkerungsgruppen auswirkt. Ein weiteres Merkmal der Macht ist, daß sie kaum einen Sättigungspunkt kennt. Das heißt, wer Macht ausübt – sei es im eigenen, sei es in fremdem Interesse, sei es zur Durchsetzung eines Ideals –, ist meist an einer Ausdehnung seines Einflusses interessiert, um seine Ziele effizienter durchsetzen zu können.

Diese kurze Charakterisierung des allgemeinen Machtproblems führt unmittelbar zum Kernproblem der politisch-ökonomischen Wechselbeziehung. Politische Macht kann ausgenützt werden, um wirtschaftliche Machtstellungen zu erringen – sei es wegen der wirtschaftlichen Vorteile als solcher, sei es, um die politische Macht abzusichern –, oder wirtschaftliche Macht kann eingesetzt werden, um den politischen Prozeß in Bahnen zu lenken, die eine Festigung der eigenen Vormachtstellung fördern.

Der Weg von politischer Macht zu wirtschaftlichen Kommandohöhen spielt in entwickelten kapitalistischen Staaten eine geringe Rolle. Dieses Problem ist in manchen Entwicklungsländern akut, wo sich neue Industrien unter staatlichem Schutz entwickeln und wo man sich den Zutritt zur privilegierten Schicht des neuen Reichtums über den politischen Apparat verschaffen kann. In der Form von Protektion und Nepotismus tritt das auch in entwickelten Staaten auf, aber in weit geringerem Umfang.

Das Problem des politischen Zugangs zur Wirtschaft ist auch in sozialistischen Ländern bedeutsam. Durch die Verstaatlichung der wichtigsten Produktionsstätten ist dort zwar das Problem privater Wirtschaftsmacht beseitigt. Hingegen besteht die Gefahr, daß die politische Kontrolle über die Wirtschaft für politische Machtbestrebungen mißbraucht wird und zu einem übermäßigen Bürokratismus führt. Bekanntlich wird diesem Problem und seiner Überwindung vor allem in Jugoslawien, aber auch in Kuba viel Aufmerksamkeit gewidmet.

In den entwickelten kapitalistischen Industriestaaten liegt der Schwerpunkt des politisch-ökonomischen Problemkomplexes bei dem Einfluß privatwirtschaftlicher Machtzentren auf das politische Geschehen. Vieles, was sich auf diesem Gebiet abspielt, ist der Natur der Sache nach »streng geheim«; nur ein Bruchteil der relevanten Aktionen kann erahnt oder nachgewiesen werden. Aber selbst das bruchstückartige und unvollkommene Material, das im Laufe der Zeit sichtbar wurde, läßt so vielfältige Formen und Methoden der Intervention erkennen, daß eine ausführliche Behandlung dieses Themas den Rahmen einer knappen Darstellung sprengen würde. Einige kurze, beispielhafte Hinweise müssen genügen, um die Tatbestände zu charakterisieren, um die es hier geht.

Eine erste Stufe des Einflusses ergibt sich schon daraus, daß Personen, die über große Produktions- und Vermögenskomplexe verfügen, allein durch die gesamtwirtschaftlichen Konsequenzen ihrer privaten Entscheidungen einen beachtlichen Druck auf die politische Willensbildung ausüben können. Durch massierte Zurückhaltung von Investitionen oder verstärkten Kapitalexport können Regierungen, die den erklärten Willen des Parlaments oder der Mehrheit des Volkes durchsetzen wollen, in Schwierigkeiten gebracht und zu einer Änderung ihrer Politik gezwungen werden. Die Ereignisse, die sich in den USA zur Zeit von Roosevelts New Deal abspielten, liefern eindringliche Illustrationen zu diesem Thema. Bezeichnend war auch der massive Kapitalexport, der in Italien einsetzte, als vor einigen Jahren die Regierung einige bescheidene Verstaatlichungsschritte im Bereich der Elektrizitätswirtschaft unternahm. Diese Fähigkeit privater Konzerne, gesamtwirtschaftlich bedeutsame Handlungen zu setzen, führt häufig dazu, daß Regierungen permanent davor zurückscheuen, Maßnahmen durchzuführen, die das »Vertrauen« der »Wirtschaft« – sprich: der entscheidenden Wirtschaftsmagnaten – erschüttern könnten.

So erhält eine relativ kleine, aber wirtschaftlich bedeutsame Gruppe indirekt einen großen Einfluß auf das politische Geschehen. Das steht sicherlich in Widerspruch zum demokratischen Prinzip, um so mehr als dieser Einfluß anonym ist und sich nicht im Lichte der Öffentlichkeit vollzieht. Aber die Beeinflussung der Politik beschränkt sich nicht auf solche indirekte Methoden; Kapital- und Vermögenskonzentration ermöglicht es einigen wenigen, in einer Weise in den politischen Prozeß einzugreifen, wie sie der großen Mehrheit der Staatsbürger versagt bleibt.

Das beginnt einmal mit den mannigfachen Möglichkeiten, mit Hilfe finanzieller Mittel die öffentliche Meinung zu beeinflussen, sei es durch die direkte Kontrolle über Zeitungen, Zeitschriften, Film usw., sei es durch indirekte Maßnahmen wie personelle Verknüpfungen, Inseratenpolitik, Bestechung und dergleichen mehr. Neben der Manipulation der öffentlichen Meinung wird auch der unmittelbarere Weg des direkten Drucks auf Politiker beschritten. Die Summen, die von den großen Konzernen und Monopolen für ihre Lobbies und Pressure-Politik ausgegeben werden, sind unbekannt, dürften aber große Ausmaße annehmen.

Darüber hinaus verhilft wirtschaftliche Macht den Wirtschaftsführern und ihren Vertretern auch im unmittelbaren politischen Leben zu einem weit größeren Gewicht, als es die sogenannten »einfachen Leute«, oder aber auch hervorragende Vertreter anderer Lebensbereiche wie etwa der Wissenschaft und Kunst besitzen. In vielen öffentlichen und halböffentlichen Ausschüssen ist »die Wirtschaft«, das heißt die großen Eigentumsinteressen, ebenso stark vertreten wie die weit größere Zahl der Arbeitnehmer oder Konsumenten. Aber auch in den Regierungen selbst und im Beamtenapparat kann »die Wirtschaft« häufig eine verhältnismäßig hohe Zahl ihrer Interessenvertreter placieren.

Diese zahlreichen Möglichkeiten, wirtschaftliche Macht in politischen Einfluß umzumünzen, verfälschen den Prozeß der demokratischen Willensbildung und sichern den Interessen der großen Monopole ungebührliches Gewicht. Der berüchtigte Ausspruch des früheren amerikanischen Verteidigungsministers und Managers der General Motors Company, Charles Wilson: »Was den General Motors nützt, liegt auch im Interesse der USA«, mag als überspitzte Entgleisung angesehen werden, aber die darin repräsentierte Geisteshaltung ist nicht untypisch. Dieser einseitige Einfluß der Wirtschaftselite kann von der Durchsetzung relativ kleiner wirtschaftlicher Vorteile über die Einführung ungerechtfertigter Zoll- und Steuersysteme bis zu ausgedehnten politischen Eingriffen und imperialistischen Rüstungs- und Kriegsabenteuern reichen.

Der Verzahnung von wirtschaftlicher Macht und politischer

Willensbildung wurde breiterer Raum gewidmet, weil sie in unserer Gesellschaft zweifellos das Hauptproblem im Fragenkomplex Wirtschaft-Politik darstellt. Aber sie ist nicht das einzige Problem. Weitere Probleme ergeben sich vor allem dadurch, daß die moderne Wirtschaft mit ihrer extremen Spezialisierung ein sehr komplizierter Mechanismus geworden ist. Dieser Mechanismus kann nicht – das wurde bereits angedeutet – sich selbst überlassen bleiben und gegen politische Eingriffe immunisiert werden. Wenn das demokratische Prinzip ernst genommen wird, muß die wachsende Macht der Monopole auf staatlicher und Betriebsebene eingedämmt werden. Eingriffe in die Wirtschaft müssen aber so angesetzt und durchgeführt werden, daß ihr diffiziler Mechanismus nicht auf Dauer gestört wird. Das politische Problem der Wirtschaftsgestaltung kann daher nur mit großem wirtschaftlichen Fachwissen angegangen werden.

Das gleiche gilt für die laufende Wirtschaftspolitik, die für Vollbeschäftigung, Wachstum und Zahlungsbilanzgleichgewicht zu sorgen hat. Sie ist notwendig, da die unregulierte Marktwirtschaft leicht in Depressionen hineinschlittern kann, die zu sozialem Elend und politischen Erschütterungen führen. Aber auch diese laufende Wirtschaftspolitik wird angesichts der vielfältigen Zusammenhänge immer komplizierter und undurchschaubarer. Hier erhebt sich die Gefahr, daß wichtige Entscheidungen, die eminente Interessen verschiedener Bevölkerungsgruppen berühren, immer mehr in die Hände einer Expertokratie verlagert werden, die durch Parlament, Organisationen und Öffentlichkeit nur schwer kontrollierbar ist. Auch von dieser Seite könnte das demokratische Prinzip unterhöhlt werden. Dieser Gefahr müßte man durch eine bessere politische und ökonomische Schulung der Öffentlichkeit, vor allem aber dadurch entgegentreten, daß der wirtschaftspolitische Entscheidungsprozeß und die dahinter verborgenen Probleme und Kräfte weit transparenter gemacht werden, als dies heute der Fall ist.

Die engen Wechselbeziehungen zwischen Wirtschaft und Politik lassen die Forderung nach interdisziplinärer Betrachtungsweise als besonders dringlich erscheinen. Heute sehen wir vielfach einseitig ausgebildete Wirtschaftswissenschaftler, die mit den Details des Wirtschaftsmechanismus gut vertraut sind, aber nur wenig Verständnis für die politischen Implikationen ökonomischer Maßnahmen aufbringen. Auf der anderen

Seite findet man politisch orientierte Kritiker der herrschenden Wirtschaftsstruktur, die sich nicht immer der vollen Auswirkungen ihrer Reformvorschläge auf den Wirtschaftsmechanismus bewußt sind. Für eine kritische und effiziente Gestaltung unserer wirtschaftlichen und politischen Zukunft wird es notwendig sein, die Themen »Wirtschaft« und »Politik« nie isoliert, sondern stets in ihrer gegenseitigen Bedingtheit zu betrachten.

Wissenschaft

Georg Picht

Wissenschaft und Politik gelten in der Tradition, aus der die Wissenschaft der Neuzeit hervorgegangen ist, als zwei Bereiche, die streng unterschieden werden müssen. Wissenschaft wird als eine Sphäre der reinen, zweckfreien und durch keine Interessen getrübten Theorie betrachtet. Den geschichtlichen Hintergrund für diese Ideologie, die vor allem in Deutschland die Universitäten geprägt hat, bildet die weltentrückte »vita contemplativa« des mittelalterlichen Mönchtums. Die »vita activa« der Politik hingegen gilt als der Bereich einer instinktsicher zu beherrschenden Praxis, in der es darauf ankommt, die Tatkraft einer »gesunden« Realpolitik nicht durch des Gedankens Blässe ankränkeln zu lassen. Die Wissenschaft soll, nach Max Weber, von einer »Gesinnungsethik« getragen sein, die in der Unbedingtheit ihrer asketischen Haltung darauf verzichtet, nach ihrem eigenen Sinn und nach den Folgen ihres Handelns zu fragen. Der entgegengesetzte Typus der »Verantwortungsethik« wird von Max Weber ausschließlich der Politik zugeordnet. Die Kluft zwischen diesen beiden Typen der Ethik ist unüberbrückbar; die Lebensformen von Wissenschaft und Politik werden einander so schroff gegenübergestellt, daß nach einer Basis des gemeinsamen Handelns nicht einmal gesucht werden kann. Die Politisierung der Wissenschaft ist ebenso verpönt wie die Verwissenschaftlichung der Politik. Die Nationalsozialisten hatten die Politisierung der wissenschaftlichen Institutionen in einer pervertierten Form erzwungen. Eine verständliche Gegenreaktion gegen diese Erfahrung hat an den deutschen Universitäten die traditionelle Tendenz zur Isolierung von der Politik verschärft. Das ist eine der wichtigsten Ursachen für die heutige Krise der Universität. Die Politik wurde durch diese Einstellung der überwiegenden Mehrzahl der Wissenschaftler in ihrer althergebrachten Theoriefeindlichkeit bestätigt. Deshalb hat man für eine wissenschaftliche Beratung der Politik in der Bundesrepublik noch nicht die rechten Formen gefunden; sie ist weniger ausgebildet als in anderen führenden Industrienationen. Zwar ist eine Neuordnung des Verhältnisses von Wissenschaft und Politik in unserer Welt ein internationales Strukturproblem, das bisher nirgends angemessen gelöst werden konnte; aber in Deutschland stellt sich dieses Problem mit besonderer Schärfe, weil hier schon die einfachsten Forderungen des gesunden Menschenverstandes mit tief eingewurzelten Traditionen in Konflikt geraten.

Bemühen wir uns, die Realitäten der modernen Welt so zu erfassen, wie sie wirklich sind, dann stoßen wir auf drei fundamentale Sachverhalte:

Erstens: Mit Hilfe der Wissenschaft verfügen Menschen über die Energien der Natur. Deshalb ist der Gesamtkomplex der Wissenschaften das größte Machtpotential der technischen Welt. Wissenschaft ist zu einem politischen Faktor ersten Ranges geworden.

Die Politiker aber haben weder die Übersicht noch die Macht, um den Prozeß der Veränderung zu steuern, dem die Welt durch die Auswirkungen der Wissenschaft unterworfen ist. Niemand ist mehr in der Lage, für die Folgen und Nebenerscheinungen wissenschaftlicher Forschung die Verantwortung zu tragen. Das größte Machtpotential der Welt wird nicht verwaltet. Jedenfalls läßt sich aber heute schon mit Sicherheit sagen, daß die wissenschaftlichen Leistungen, die erforderlich sind, um die aus allen Fugen geratene Welt zu stabilisieren, quantitativ wie qualitativ das Volumen der bisherigen wissenschaftlichen Forschung um ein Vielfaches übersteigen müssen. Nachdem sich die Menschheit auf das lebensgefährliche Abenteuer der wissenschaftlich-technischen Revolution einmal eingelassen hat, kann sie sich nur durch eine weitere gigantische Steigerung der wissenschaftlich-technischen Anstrengungen vor dem Untergang retten.

Moderne wissenschaftliche Forschung und Lehre wird immer schwieriger und komplizierter. Da aber wissenschaftliche Methoden in wachsendem Maße die meisten Arbeitsprozesse bis hin zur landwirtschaftlichen Produktion bestimmen, wird die gesamte Gesellschaft dem Gesetz der wachsenden wissenschaftlichen Anforderungen unterworfen. Gesellschaftliche Praxis wird angewandte Wissenschaft. Deshalb muß das Ausbildungswesen der technischen Welt auf allen Ebenen, von der Hauptschule bis hin zur Universität und zur Erwachsenenbildung, eine durch Wissenschaft bestimmte und auf Wissenschaft ausgerichtete Bildung vermitteln. Auf der Infrastruktur des wissenschaftlichen Ausbildungswesens beruht die Kapazität jenes Machtpotentials, als das wir die Wissenschaft des zwanzigsten Jahrhunderts begreifen müssen. Da man dies nicht rechtzeitig erkannt hat, ist in allen Ländern der Ausbau und die Reform der Bildungssysteme hinter der Expansion von Wissenschaft und Technologie weit zurückgeblieben. Der babylonische Turm der technischen Welt könnte zusammenstürzen, weil man versäumt hat, rechtzeitig seine Fundamente zu verbreitern. Die Größe der Gefahr wird aber erst sichtbar, wenn man das Problem im Weltzusammenhang analysiert. Es ist technisch nicht möglich, die Bildungssysteme mit der gleichen Geschwindigkeit auszubauen, mit der sich die Weltbevölkerung vermehrt. Die Industrienationen sind wegen der Vernachlässigung ihrer eigenen Schulen und Hochschulen nicht in der Lage, die weitaus wichtigste Form von Entwicklungshilfe, nämlich die Bildungshilfe, wirksam zu leisten. Der Fortschritt von Wissenschaft und Technik wird durch das Wachstum der Zahl von Analphabeten überholt. Die Erhaltung und Erweiterung des wissenschaftlich-technischen Potentials wird deshalb in den nächsten Jahrzehnten außerordentliche Anstrengungen im Ausbau der Infrastruktur der technischen Welt, vor allem aber des Bildungswesens, erfordern.

Zweitens: Die politischen Aufgaben dieser Welt sind ohne die Hilfe der Wissenschaft nicht zu lösen; die Politik ist, ob uns das gefällt oder nicht, zu einer Aufgabe der Wissenschaft geworden.

Drittens: Es gilt aber auch der umgekehrte Satz, daß die Wissenschaft im zwanzigsten Jahrhundert zu einer zentralen Aufgabe der Politik geworden ist. Die Zahl und das Niveau der wissenschaftlich ausgebildeten Kräfte und die Größe der Forschungskapazitäten entscheiden nämlich über die Leistungsfähigkeit einer modernen Wirtschaft und die Funktionsfähigkeit einer modernen Gesellschaft. Deshalb konstituieren sich die politisch handlungsfähigen Subjekte unserer zukünftigen Geschichte durch ihre Wissenschaftspolitik.

Die erste These hieß: Die moderne Wissenschaft ist in ihrer Gesamtheit das größte Machtpotential der technischen Welt. Schon im vorigen Jahrhundert haben die Entdeckungen der klassischen Physik jene epochale Wendung herbeigeführt, mit der nach Goethe das Maschinenzeitalter beginnt. Seither hat die Expansion der Wissenschaft und ihre Übersetzung in Technik die Welt tiefgreifender umgestaltet als alle Kriege und Revolutionen der bisherigen Geschichte. Die natürliche Umwelt, in der die Menschen lebten, ist durch den Eingriff der Wissenschaft unwiderruflich zerstört. In Zukunft wird die Menschheit nur noch existieren können, wenn sie die Bedingungen, unter denen menschliches Leben möglich ist, künstlich, das heißt mit Hilfe von Wissenschaft und Technik, herstellt. Wissenschaft hat den Menschen die Macht gegeben, Kriege zu führen, die alles Leben auf der Erde vernichten würden. Nur mit Hilfe der Wissenschaft lassen sich diese Kriege verhindern. Die neu zur Ausbildung gelangten abstrakten Grundwissenschaften der technischen Welt wie zum Beispiel Kybernetik und Informationstheorie sind im Begriff, eine Umgestaltung der Verwaltungsformen herbeizuführen, wie sie keine politische Revolution je vollbracht hat. Ökonomie und Sozialwissenschaften entwickeln die Steuerungsmechanismen, mit deren Hilfe man Wirtschaft und Gesellschaft lenkt. Durch wissenschaftliche Forschung wurden jene Verkehrs- und Nachrichtensysteme geschaffen, die heute auf dem gesamten Planeten ein gemeinsames Weltbewußtsein erzeugen. Durch die Erfindung synthetischer Stoffe und die Erschließung neuer Energiequellen wurden die alten geopolitischen Vorstellungen außer Kraft gesetzt. Durch medizinische Forschung wurde die durchschnittliche Lebenserwartung fast verdoppelt. Die Bevölkerungsexplosion ist nur eine der Folgen dieses, alle gewohnten Lebensverhältnisse erschütternden Wandels. Mißbrauch von Wissenschaft und Technik verursachte eine sich rapide steigernde Vergiftung von Luft, Wasser und Pflanzen; sie bedroht die biologische Existenz des Menschen nicht weniger als Atomwaffen.

Die Entwicklung der Bildungssysteme und die Forschung verschlingen riesige Summen. Ein großer Teil der Mittel, die bisher für Konsum, Sozialleistungen und militärische Zwecke aufgebracht wurden, müssen in Zukunft für die Infrastruktur der technischen Welt abgezweigt werden. Das ist die wichtigste Voraussetzung für soziale Sicherheit und Frieden.

Demnach ist unser erstes Ergebnis: Als größtes Machtpotential der technischen Welt ist die Wissenschaft ein Politikum erster Ordnung. Aber bisher fehlt diesem Machtpotential eine vernunftgemäße Organisation und Verwaltung. Es fehlt ihm der unentbehrliche Unterbau, und die zu seiner Erhaltung erforderlichen Mittel werden nicht aufgebracht. Durch diese Versäumnisse ist der Frieden der Welt nicht weniger bedroht als durch Atombomben und Raketen.

Die zweite These hieß: Politik ist in unserer Zivilisation zu einer Aufgabe der Wissenschaft geworden. Mit dieser These soll nicht etwa behauptet werden, daß die politische Führung der heutigen Welt abtreten und die Regierungsgeschäfte an Wissenschaftler übertragen sollte. Den Anforderungen der politischen Praxis sind Wissenschaftler nur selten gewachsen. Aber gerade, wenn die Politiker nicht abdanken sollen, sind sie auf die Unterstützung der Wissenschaft angewiesen, denn wissenschaftliche Analyse ist in der technischen Welt das wichtigste Instrument der politischen Praxis.

Kein Minister, kein Ministerialbeamter und kein Abgeordneter ist heute mehr in der Lage, allein mit Hilfe der so viel berufenen Erfahrung den immer komplizierter werdenden Mechanismus der modernen Industriegesellschaft zu überblicken. Ohne wissenschaftliche Analysen kann kein Politiker das undurchsichtige Spiel der wechselseitigen Abhängigkeiten durchschauen, die heute Außenpolitik, Landwirtschaft, Raumplanung, Bildungspolitik, Militärpolitik und Finanzpolitik ineinander verflechten. Keine Erfahrung kann uns darüber belehren, wie sich die weltwirtschaftlichen und weltpolitischen Tendenzen auf die Berufsstruktur und das Sozialgefüge in unserem Lande übersetzen und welche Auswirkungen die Entdeckungen, die heute in amerikanischen Laboratorien gemacht werden, auf unsere Städteplanung, unsere Lebensgewohnheiten oder unsere Gesundheit haben werden. Die Industrie in den USA investierte schon 1965 über 25 Milliarden DM oder rund 3 Prozent ihres Umsatzes in Forschung, weil man erwartet, daß in den siebziger Jahren über 40 Prozent des Umsatzes amerikanischer Unternehmen aus Produkten stammen werden, die danach noch nicht auf dem Markt bzw. noch gar nicht bekannt waren. Von der Industrie der Bundesrepublik hingegen wurden im gleichen Jahr nur 0,9 Prozent des Umsatzes für Forschung und Entwicklung ausgegeben. Welcher Finanzminister, welcher Wirtschaftsminister und welcher Abgeordnete verfügt über die Kenntnisse, die nötig sind, um zu beurteilen, an welchen Stellen heute welche Investitionen gemacht werden müssen, um die Konkurrenzfähigkeit unserer Wirtschaft in der Zukunft zu erhalten? Die Politik wird so lange im Dunkeln tappen, als sie sich nicht auf exakte wissenschaftliche Analysen und Planungsmodelle stützen kann. Der erste Politiker, der die neue Funktion der Wissenschaft für die Politik begriffen hatte, war John F. Kennedy. Er hatte erkannt, daß sich moderne Politik als Therapie der Gesellschaft und der internationalen Beziehungen genauso auf wissenschaftliche Untersuchungen stützen muß wie die Therapie des Körpers und der Seele in der Medizin. Er hatte damit begonnen, für seine Regierung das wissenschaftliche Instrumentarium aufzubauen, das dazu erforderlich ist. Vor seinem tragischen Tode sah es so aus, als wäre er dazu berufen, den gesamten Stil der internationalen Politik durch die Einführung wissenschaftlicher Methoden zu verwandeln. Man begann zu hoffen, die Menschheit würde lernen, nicht nur die Physik der Natur, sondern auch die Physik der Gesellschaft wissenschaftlich zu beherrschen. Nach seiner Ermordung haben sich die blinden Formen des Machtkampfes und der Interessenpolitik wieder durchgesetzt. Das hatte die Folgen, die uns allen bekannt sind. In der Bundesrepublik ist bisher fast jeder Versuch, politisches Handeln mit wissenschaftlicher Analyse und Planung zu koordinieren, daran gescheitert, daß die Politiker ihre eigene Regierungspraxis nicht wissenschaftlich durchleuchten lassen wollen.

Aber auch die Wissenschaft ist bei uns noch nicht in der Lage, die Verantwortung, die ihr zufiele, zu übernehmen. Die Zahl der Institute, die einer solchen Aufgabe gewachsen wären, reicht nicht aus. Die Methoden interdisziplinärer Forschung, die man zu einer wissenschaftlichen Analyse politischer Sachverhalte braucht, wurden noch nicht entwickelt; es fehlen dazu weithin die theoretischen Integrationsmodelle. Die unpolitische Tradition der deutschen Forschung, ihre Zersplitterung in Spezialwissenschaften, ihre Desorganisation und ihre Abhängigkeit von partikulären Interessen haben, im Zusammenwirken mit der Krise der Universitäten, einen Zustand herbeigeführt, in dem die Wissenschaft ihren großen politischen Aufgaben nicht gewachsen ist. Die Politik ist in der technischen Welt zu einer zentralen Aufgabe der Wissenschaft geworden, und dem Mann auf der Straße ist das auch bewußt. Aber weder die Wissenschaftler noch die Politiker sind bisher bereit, aus einer so einfachen Erkenntnis jene Konsequenzen zu ziehen, die der gesunde Menschenverstand fordert.

Die dritte These ergibt sich aus der Erläuterung der beiden ersten: sind unsere bisherigen Überlegungen richtig, dann ist die Wissenschaft im zwanzigsten Jahrhundert zu einer zentralen Aufgabe der Politik geworden. Man pflegt das Kultursystem, in dem wir leben, als »wissenschaftlich-technische Zivilisation« zu bezeichnen, weil Gesellschaft, Wirtschaft und Politik in ihrer Gesamtheit vom Bestand und von der Fortentwicklung der Wissenschaft abhängig geworden sind. Daraus folgt eine große und krisenhafte Verlagerung der Faktoren, auf denen die Selbstbehauptung eines Staates und einer Gesellschaft ruht. Die wissenschaftlichen Institutionen und die Bildungssysteme haben unvorbereitet, und ohne daß die Beteiligten davon etwas ahnten, in unserer Gesellschaft jene Schlüsselstellung erlangt, die frühere Zeiten der Armee oder der Schwerindustrie zugebilligt haben. Der Fortschritt von Wissenschaft und Technologie hält den gesamten Prozeß der Gesellschaft in Gang, und der Staat ist nur funktionsfähig, wenn Regierung und Verwaltung in ihren Entscheidungen und ihren Methoden der Entwicklung von Wissenschaft und Technologie zu folgen vermögen. Soll das geleistet werden, so muß die gesamte Gesellschaft, vor allem aber die politische Führung, jenen schwierigen Lernprozeß durchlaufen, der uns vielleicht noch den Anschluß an die Weltentwicklung ermöglichen könnte. Aus allen diesen Gründen ist die Sorge für Wissenschaft und Bildung unter den Pflichten des Staates an die erste Stelle gerückt. Die öffentliche Meinung hat in den vergangenen Jahren begonnen, das zu begreifen. Deshalb bekennen sich auch in der Bundesrepublik sämtliche Parteien in ihren Programmen zur Priorität von Wissenschaft und Bildung. Aber der Weg von den programmatischen Erklärungen zur politischen Realisierung ist weit. Der einzige zuverlässige Maßstab für den Wahrheitsgehalt der Regierungserklärungen und der Parteiprogramme sind die öffentlichen Haushalte. Überprüft man, welcher Prozentsatz des Brutto-Sozialproduktes für Wissenschaft und Bildung ausgegeben wird, und nimmt man internationale Statistiken zum Vergleich, so stellt sich heraus, daß die Politik der westeuropäischen Staaten den Übertritt ins wissenschaftlich-technische Zeitalter noch nicht zu vollziehen vermochte und daß sich die Bundesrepublik in einem schwer aufzuholenden Rückstand befindet.

Die westeuropäischen Nationen sind nicht in der Lage, nach ihrem eigenen Ermessen darüber zu entscheiden, wieviel sie für Wissenschaft und Bildung aufwenden wollen und zu welchen Anstrengungen sie auf diesem Gebiete bereit sind. Das Weltniveau und das Tempo der Entwicklung wird durch die Vereinigten Staaten und die Sowjetunion bestimmt. Wenn die europäischen Länder konkurrenzfähig bleiben wollen, sind sie genötigt, mit den Supermächten Schritt zu halten und die entsprechenden Investitionen aufzubringen. Japan hat das durch eine außerordentliche Anstrengung geleistet. Hingegen haben die Länder Westeuropas, vor allem aber die Bundesrepublik, vor der Herausforderung bisher versagt.

Die Politik muß aber Wissenschaft und Bildung nicht nur fördern, sie muß sie auch organisieren; sie muß jene Schwerpunkte und Prioritäten setzen, die für die Gesamtheit der Forschung die Richtung festlegen, und sie muß Fehlentwicklungen verhüten. Sie muß das Machtpotential moderner Wissenschaft nicht nur aufbauen, sondern auch steuern, ja sie muß darüber hinaus neue Methoden zur Kontrolle wissenschaftlicher Forschung ausbilden. Da Politik und Verwaltung immer noch in den Traditionen des vorwissenschaftlichen Zeitalters befangen sind, konnten sich weder die Regierungen noch die Parlamente, weder die Bürokratie noch gar der Rechnungshof auf diese Aufgaben vorbereiten. Man hat noch immer nicht begriffen, daß wissenschaftliche Institutionen nicht nach den altväterischen Methoden eines kameralistischen Obrigkeitsstaates verwaltet werden können, und daß Regierungsräte und Finanzinspektoren mit ihrem Amt nicht automatisch schon den Sachverstand besitzen, der zur Verwaltung oder Überprüfung eines Forschungsetats erforderlich ist. Nicht weniger bedenklich ist es um jene strategischen Entscheidungen bestellt, in denen durch die Festsetzung der Prioritäten der Forschung über unsere gesellschaftliche und politische Zukunft weit wirkungsvoller entschieden wird als durch die Alltagsbeschlüsse der Außen- und Sozialpolitik. Wegen des Mangels an Sachverstand in den Regierungen und Parlamenten haben die Vertreter partikularer Interessen in den Entscheidungsgremien ein leichtes Spiel. Aus dem gleichen Grunde ist dieser zentrale politische Verantwortungsbereich der öffentlichen Diskussion weithin entzogen. Es kann nicht nachdrücklich genug darauf hingewiesen werden, daß mit der Ausbildung der modernen Großforschung Konzentrationen von politisch-wissenschaftlich-industrieller Macht entstehen, wie es sie in der bisherigen Geschichte noch nicht gegeben hat, und daß wir über Kontrollinstitutionen für diese Machtballungen nicht verfügen.

Eine Kontrolle wissenschaftlich-technischer Macht ist nur möglich, wenn die Rationalität der kontrollierenden Institutionen hinter der Rationalität der kontrollierten Systeme nicht zurücksteht. Es liegt im Wesen von Wissenschaft und Technologie, daß sie nur durch Wissenschaft kontrolliert werden können. Wissenschaftliche Macht kann prinzipiell nicht durch Bürokratie, sondern nur durch offene wissenschaftliche Diskussion unter Kontrolle gehalten werden. Daraus ergeben sich zwei fundamentale politische Forderungen: die Forderung nach voller Publizität aller wissenschaftlichen Forschung und nach Abbau der bisherigen Geheimhaltungspraxis sowie die nicht weniger wichtige Forderung, daß wissenschaftliche Monopolbildungen verhindert werden müssen. Das Machtpotential der Wissenschaft ist nur zu kontrollieren, wenn es gelingt, die Freiheit wissenschaftlicher Forschung und damit ihre Möglichkeiten zur Selbstkontrolle stärker zu entfalten. Deshalb ist Freiheit im Zeitalter der Wissenschaft die Grundbedingung sachgemäßer Politik.

Ziele

Wolf Häfele

Es soll, am Schluß dieses politischen Lexikons, über Ziele gesprochen werden. Dabei handelt es sich wohl um die umfassendste heute aktuelle Themenstellung, die überhaupt gegeben werden kann. Die Kräfte reichen nicht aus, solche Themenstellung frontal und umfassend zu behandeln. Deshalb sei es erlaubt, von einer speziellen Seite her, die der Situation des Autors entspricht, die Themenstellung anzugehen. Der Autor ist Naturwissenschaftler und Techniker, der sich mit einem großen Reaktorprojekt beschäftigt, und von daher soll also vorgegangen werden. Vielleicht werden wir am Ende unserer Überlegungen sehen, daß man auch wirklich so vorgehen darf.

Naturwissenschaft im weitesten Sinne des Wortes arbeitet nach dem Wenn-dann-Schema. Wenn bestimmte Bedingungen vorliegen und ich als Experimentator das und das tue, dann ergibt sich der und der Ablauf. Besonders gut kann man das an dem Beispiel erläutern, wo ein Naturgesetz als Differentialgleichung formuliert ist. Die Differentialgleichung stellt dann einen sehr allgemeinen und abstrakten naturgesetzlichen Zusammenhang dar. Will man aus diesem Zusammenhang heraus einen konkreten Fall behandeln, das heißt ein wirklich vorliegendes Problem, eine Aufgabe lösen, so müssen zu der Differentialgleichung Anfangs- bzw. Randbedingungen dazukommen. Diese muß man sich, wie es so schön in der Mathematik-Vorlesung heißt, irgendwie beschaffen. Wenn zum Beispiel zu einem bestimmten Zeitpunkt ein mechanischer Körper – etwa eine Rakete – einen bestimmten Ort und eine bestimmte Geschwindigkeit als irgendwie ermittelte Anfangsbedingungen hat, dann verfolgt er die und die Bahn. Anfangs- und Randbedingungen müssen, wie gesagt, irgendwie beschafft werden. Diese Ermittlung der Anfangsbedingungen gehört zur Ermöglichung der Anwendung eines Naturgesetzes und ist selbst nicht Gegenstand des Naturgesetzes. Man sagt, solche Anfangsbedingungen seien kontingent, das heißt, man findet sie unableitbar je und je vor.

Bezeichnenderweise wird beim Studium der Physik nur die geringste Aufmerksamkeit auf das Ermitteln der Anfangs- bzw. Randbedingungen gelegt, alles Interesse wendet sich der mathematischen Form des Naturgesetzes als solcher zu. Allein von daher ist zu verstehen, warum das Bild eines totalen Determinismus entstehen konnte. Die Sache mit dem Laplaceschen Dämon der Physik-Vorlesung war doch wohl die, daß man alles zukünftige Geschehen der Welt wissen könne, wenn man zu einem Zeitpunkt den Zustand der Welt kennt. Um das aber zu können, so stellt es das Bild es Laplaceschen Dämons dar, muß man ein Dämon sein. Weil man nun aber das Ermitteln des Zustandes der Welt – um im hier benutzten Schema zu bleiben – allzu häufig als relativ einfach bzw. eher als eine nicht wesentliche Nebenbedingung ansah, blieb dann von der Laplaceschen Aussage oft nur das übrig, daß man als Naturwissenschaftler den Lauf der Welt vorausberechnen könne. Solches deterministische Denken hat sich auch im zur Naturwissenschaft angrenzenden Bereich breit gemacht. So glaube ich, daß gewisse Unbehagen einer Planung gegenüber von solchen deterministischen Ängsten herkommen. Und von daher wohnt vielleicht manchmal dem naturwissenschaftlich gehandhabten Begriff Ziel etwas Negatives bei. Hier aber wollen wir daran festhalten, daß wirkliches naturwissenschaftliches Arbeiten und Argumentieren immer dem Wenn-dann-Schema gefolgt ist und noch folgt, auch wenn es wohl wahr ist, daß die Naturwissenschaftler heute manchmal dem Ermitteln und Handhaben des »Wenn« größere Aufmerksamkeit schenken als früher.

Naturwissenschaftliche Forschung erweitert nun den Raum möglichen menschlichen Handelns, indem immer mehr Möglichkeiten nach dem Wenn-dann-Schema erschlossen werden. Der Aktionsraum wird weiter, vielfältiger und folgenreicher. Das war bisher nicht so der Fall, vielmehr wurde jede durch die Naturwissenschaft neu eröffnete Handlungsmöglichkeit stürmisch begrüßt; denn so groß war der Handlungsspielraum eben doch noch nicht, und so wurde jede neue Möglichkeit auch unmittelbar als Aufforderung zum Handeln verstanden. Nur einige Beispiele seien dafür gegeben: Als es technisch möglich war, in großem Umfang und hinreichend billig fernzusehen, wurde das Fernsehen auch prompt eingeführt. Mit dieser Feststellung will ich nicht auf die Frage hinaus, ob man Fernsehen haben sollte oder nicht (das gehört an eine ganz andere Stelle); vielmehr will ich lediglich auf das Phänomen hinweisen, daß das Fernsehen eingeführt wurde, als es möglich war. Aber es gibt noch viele andere Beispiele. So hat man zum Beispiel den Eindruck, daß viele medizinische Operationen durchgeführt werden, nur weil sie bei einem bestimmten Stand der Operationstechnik auch wirklich durchgeführt werden können. Ganz deutlich wird der Punkt, auf den es hier ankommt, wenn man auf einen noch ganz anderen Bereich, nämlich die Waffenentwicklung, sieht. Von der Vermeidung des Gaskrieges im Zweiten Weltkrieg einmal abgesehen, wurden bisher so ziemlich alle Waffen entwickelt und auch eingesetzt, die man entwickeln konnte.

Kommen wir auf den gedanklichen Faden unserer Überlegungen zurück. Solange die von der Naturwissenschaft aufgezeigten Wenn-dann-Schemata, das heißt Handlungsmöglichkeiten, nach Anzahl und Reichweite noch begrenzt waren, solange jedes neue Wenn-dann-Schema ein großes Ereignis war, das man fast wie ein Verdurstender ergriff, weil es die Handlungsmöglichkeiten und damit den Bereich zunächst äußerer Lebenserfahrung erweiterte, weil es zum Beispiel die Bindung an Ort und Zeit und die damit verbundene Bindung von Lebensvollzug an diesen Ort und diese Zeit Stück um Stück aufzuheben in der Lage war, so lange ließ Lebensdurst sofort alle solche von der Naturwissenschaft und Technik neu gebotenen Möglichkeiten auch wirklich wahrnehmen.

Möglichkeiten wurden so zu Zielen. Wenn Möglichkeiten automatisch als Ziele verstanden werden, dann gibt es einen von der Naturwissenschaft ausgehenden ungesunden Fortschrittsglauben, dann gibt es Erfindungen, die gleich epochemachend sind, dann umgreift Naturwissenschaft, die ja die neuen Möglichkeiten jeweils eröffnet, mehr und mehr unser ganzes Leben, und ich kann es dann verstehen, wenn man in Antirationalismus flüchten will, um solcher scheinbaren Rationalität zu entgehen. Scheinbare Rationalität deshalb, weil das automatische Gleichsetzen von Möglichkeiten und Zielen kindlich irrational ist. Beläßt man es aber bei solcher Polarisierung, so ist solche Flucht ins Antirationale vergeblich. In der Zwischenzeit hat nämlich die Naturwissenschaft noch mehr Wenn-dann-Schemata erarbeitet, die unter solcher Polarisierung auf der gegenüberliegenden Seite noch mehr Ziele setzen – ein Zug fährt und fährt immer schneller, und alle werden mitgefahren, ohne anhalten zu können.

Möglichkeiten sind nicht Ziele, sie sind Wenn-dann-Schemata. Das haben wir uns auf allen Ebenen unseres Bewußtseins und Lebens klarzumachen und wirklich zu begreifen.

Eben war davon die Rede, daß das besinnungslose Gleichsetzen von Zielen und Möglichkeiten vielleicht einem Lebenshunger entspricht, weil das Ausschöpfen solcher von der Naturwissenschaft gegebener Möglichkeiten den Bereich äußerer Lebenserfahrung eventuell so stark erweitert. Ich kann eben heute in acht Stunden nach New York fliegen, wenn ich das will und wenn ich dazu das erforderliche Geld habe. Weiter sei gesagt, daß der Erweiterung äußerer Lebenserfahrung eine entsprechende Erweiterung innerer Lebenserfahrung folgen muß, wenn der erfahrende Mensch glücklich bleiben soll. Ein Stück weit nun kann solche Erweiterung äußerer Lebenserfahrung die entsprechende Erweiterung innerer Lebenserfahrung ja durchaus mit sich bringen. So können beispielsweise heute mehr Menschen weiter und öfter reisen als früher, und so können mehr Menschen mehr Bildung und Entspannung erfahren als früher. Aber meistens folgt der äußeren Erfahrung eben nicht die innere Erfahrung, und das, so meine ich, ist ein erster, gewichtiger Grund, nicht alle Möglichkeiten auszuschöpfen, die sich bieten. Zeichnet nicht eben das auch den erwachsenen Menschen vor dem erst heranwachsenden, spielenden Kinde aus, daß der mündige Erwachsene eben nicht alles tut, was er tun könnte, daß der mündige Erwachsene auswählt? Ich glaube, daß die zu wünschende Parallelität von innerer und äußerer Erfahrung des Lebensvollzuges bei stark steigendem Angebot an äußerer Lebenserfahrung ein weitreichendes Thema ist, das von berufener Seite behandelt werden muß. Hier wollen wir jedoch von der Position des Naturwissenschaftlers her unseren Gedankengang weiter verfolgen, indem wir vorschlagen, auch aus noch einem zweiten Grunde nicht jede neue Möglichkeit als Ziel zu verstehen: Eine methodisch sich vervollkommnende moderne Naturwissenschaft bietet zu viele Möglichkeiten. Die Zahl der sich neu auftuenden Möglichkeiten, die etwa in einem Jahrzehnt zufolge naturwissenschaftlichen Arbeitens zustande kommen, wird mit der Zeit immer größer. Die Zahl der vollziehbaren Wenn-dann-Schemata wird so groß, daß ein quasiunendliches Feld von Möglichkeiten entsteht. Der Flug zum Mond, die Transplantation von Herzen und Organen und womöglich Köpfen, die operative Isolierung von Gehirnen von Säugetieren, zum Beispiel Affen, die Gewinnung quasi-unendlicher Energiemengen, die Bereitstellung unendlicher Zerstörungsgewalten, die Gewinnung von sehr großen Mengen an neuartigen Nahrungsmitteln, alles das zu Begrüßende und zu Verabscheuende ist möglich. Oft wird darauf hingewiesen, daß die Erde einerseits klein und begrenzt geworden ist. Es scheint aber so, daß die geographische Weite und Unendlichkeit der Welt, die so lange Art und Weise äußeren Lebensvollzuges und damit schließlich oft auch inneren Lebensvollzuges bestimmt haben, heute andererseits in die Weite und Unendlichkeit des Feldes von Möglichkeiten übergehen, die eine reife Naturwissenschaft jetzt bereitstellt.

Ich schlage die folgende Arbeitsthese vor, die wohl weder eine absolute Wahrheit ist noch sonst irgendwie überbeansprucht werden darf, die aber doch eine gute näherungsweise Hilfe darstellt bei der uns heute bei der Bewältigung unserer Zukunft so stark bedrängenden Sorge nach den Zielen:

Von der Naturwissenschaft her ist beim äußeren Lebensvollzug ungefähr alles möglich, wenn dafür hinreichend viel Mittel, das heißt Personen, Geld und Zeit bereitgestellt werden. Nur kurz sei bemerkt, daß man auch die Zeit hier getrost unter die Mittel rechnen sollte; denn in einer vorgegebenen Menge an Zeit kann ich dies oder das ja wirklich erreichen, aber eben nur dies oder das und nicht alles, das heißt, ich bin von daher begrenzt, wie das für einzusetzende Mittel der Fall zu sein pflegt.

Diese Arbeitsthese extrapoliert natürlich auf eine Art Endzustand der Naturwissenschaften, die das Feld der Möglichkeiten ins Quasi-Unendliche ausgedehnt haben. Dann aber wird es ganz klar, daß Möglichkeiten, so wie sie jeweils anfallen, nicht die jeweils zu setzenden Ziele bedeuten. Naturwissenschaft wird damit zur Methode der jeweiligen, abrufbaren Bereitstellung von Handlungsformen zum Erreichen von Zielen. Dann aber ist festzustellen, daß auf dieser Stufe unserer Betrachtungen die Naturwissenschaftler bei der Frage nach den Zielen noch nicht angesprochen werden können. Ich habe weiter als Naturwissenschaftler die starke Vermutung, daß die hier gemachten Aussagen nicht für den engeren Bereich der Naturwissenschaften gelten, sondern für alle exakten Wissenschaften, die unter Verwendung von quantitativen und formalisierten Methoden nach dem Kausalschema arbeiten. Und die Wissenschaftsbereiche, bei denen das nicht der Fall ist, haben sich einer vielleicht noch strengeren Kritik zu stellen.

Wenn das alles aber zutrifft, so müssen wir feststellen, daß wir nach einer zweiten Stufe von Wissenschaft zu fragen haben, wenn wir von wissenschaftlicher Seite her ein Wort zur Frage nach den Zielen zu sagen versuchen. Bei dieser zweiten Stufe ist nicht ein Objekt Gegenstand wissenschaftlichen Arbeitens, sondern das wissenschaftliche Arbeiten selbst. Das heißt aber, daß der Wissenschaftler, allgemeiner der in einem Vollzug befindliche Mensch, selber zum Gegenstand dieser zweiten Stufe von Wissenschaft wird. Hier drängen sich Begriffe wie Vernunft, Sinn, Zweck und andere auf. Dabei hat man dann als Naturwissenschaftler sofort Reaktionen:

Einmal zuckt man sofort zurück, denn nach Vernunft, Sinn und Zweck ist gefragt worden, solange man menschliches Handeln zurückverfolgen kann, und spezieller versucht die Philosophie von jeher, in direktem Angriff etwa die Sinnfrage zu bewältigen, und man muß feststellen: ohne direkten Erfolg. Andererseits ist man als Naturwissenschaftler jedoch davon überzeugt, daß naturwissenschaftliche Arbeitserfahrung indirekt aber doch etwas zur Zielfrage beitragen kann, gerade weil sie die Fragen nach Vernunft, Sinn und Zweck nicht frontal stellt. Und die zweite Reaktion ist die, daß man als Naturwissenschaftler Philosophen und, allgemeiner, Geisteswissenschaftler auffordern möchte, den Weg naturwissenschaftlicher Reflexion mit dem Naturwissenschaftler zusammen noch einmal abzulaufen, weil ganz stark zu vermuten ist, daß sich dann neue Fragen und schließlich neue Teilantworten von der Methodik gerade ihres Arbeitens her ergeben.

Bei der Frage nach der zweiten Stufe der Wissenschaft, von der hier allein etwas zu Zielen gesagt werden kann, wollen wir aber noch etwas anderes tun: Wir wollen uns genauer im Bereich naturwissenschaftlichen Handelns umsehen. Bisher war von Naturwissenschaft als Grundlagenwissenschaft die Rede, denn Grundlagenwissenschaften sind ja eben mit der Erforschung von Wenn-dann-Schemata befaßt. Seit einiger Zeit, etwa seit dreißig Jahren, gibt es aber eine Weise naturwissenschaftlichen Handelns, bei der es auf das Erreichen eines gesetzten Zieles ankommt. Ich meine die Projektwissenschaften. Geht man dem Phänomen der Projektwissenschaften genauer nach, so sieht man, daß es solche Weise wissenschaftlichen Handelns vor allem im Bereich der Technik schon immer gegeben hat, jedoch ist wohl vom Umfang wie von der Bedeutung her erst seit etwa dreißig Jahren projektwissenschaftliches Handeln zu der ihm eigentlich zustehenden Bedeutung gekommen und dann auch als solches zum Thema erhoben worden.

Projektwissenschaften sind die wissenschaftlichen Tätigkeiten, die von der Verfolgung eines bestimmten Zieles her bestimmt sind. Das Ganze solchen Handelns ist dann ein Projekt. Das größte und wohl auch spektakulärste Projekt, das heute verfolgt wird, ist das Projekt der Monderoberung. Präsident Kennedy hatte das Ziel gesetzt, vor 1970 einen Menschen auf den Mond und zurück zu bringen, und von diesem Ziel her war alle Projektarbeit einschließlich der dazu zu gebrauchenden Management-Methoden zu bestimmen. Aber weiter: Der Entwurf und Bau großer Meerwasserentsalzungsanlagen zur Fruchtbarmachung wüster Landstriche ist ein anderes Projekt. Auch der Entwurf und Bau großer moderner Kernreaktoren wie zum Beispiel des Schnellen Brüters, der vor 1980 kommerziell verfügbar sein soll, ist ein großes Projekt. Es gibt viele andere. Wie gesagt ist es vor allem die Zielsetzung einschließlich der zeitlichen Zielsetzung, die ein Projekt umreißt, definiert und ausmacht. Das führt dann zum zweiten Kennzeichen: dem Ausmaß an Integration der verschiedenen Disziplinen von Wissenschaft und auch Technik. Hand in Hand damit geht jedenfalls sehr häufig die Größe solcher Vorhaben als weiteres Kennzeichen. Bei dem Projekt der Eroberung des Mondes, an dem zeitweilig bis zu sechshunderttausend Menschen mitarbeiteten, ist das ganz deutlich. In der letzten Zeit sind häufiger solche Projekte und das Besondere der Projektwissenschaften im Vergleich zu den Grundlagenwissenschaften beschrieben worden. Daß wir jetzt hier auf die Projektwissenschaften zu sprechen kommen, hat seinen Grund darin, daß für sie, wie gesagt, ein Ziel konstitutiv ist. Von der Methode projektwissenschaftlichen Arbeitens her kommt also, ganz im Gegensatz zur Grundlagenwissenschaft, der Begriff Ziel wirklich vor, und sogar in ganz entscheidender, konstitutiver Weise. So mag es sich lohnen, dem noch einmal näher nachzugehen, und wir stellen die Frage: Wie kommt es zu den Zielen, die projektartig verfolgt werden sollen?

Wenn man dem an Hand von konkreten Fällen nachgeht, sieht man, daß die Ziele in ihrer letztlich gültigen Form keineswegs von Anfang an in vollgültiger Form da waren. Vielmehr sind sie erst im Vollzug immer deutlicher entstanden!

Im speziellen Fall der Entwicklung Schneller Brutreaktoren, den ich genauer übersehe und der hier als Beispiel dienen soll, war das die Phase, in der die physikalischen Einzelheiten des Erbrütens von spaltbarem Material, insbesondere von Plutonium, näher untersucht wurden. Erste Entwürfe für die technische Verwirklichung eines solchen Schnellen Brutreaktors brachten dann ingenieurtechnische Züge und Schwierigkeiten ins Bild, man hatte zwischen einigen sich abzeichnenden konkreten Möglichkeiten zu wählen. Gleichzeitig wurden der eventuell mögliche Aufwand und die eventuellen Entwicklungszeiten zum ersten Mal überblickbar. Hier mußte dann gefragt werden, ob sich eine solche Entwicklung lohnt, welche Rolle sie in einer Elektrizitätswirtschaft spielt und ob ein hinreichend großes Interesse der Allgemeinheit an solcher Entwicklung wirklich vorliegt. Das Studium dieser mehr externen Bedingungen ist dann selbst ein Stück des Projektvollzuges. Es wird das Gesamtsystem, in dem später die Stromerzeugung durch Schnelle Brutreaktoren zu sehen ist, analysiert. Solche Systemanalyse liefert quantitative Bedingungen, die erfüllt sein müssen, damit das Projekt sinnvoll und erfolgreich wird. Daraufhin läßt sich dann das Projektziel genauer, spezifischer angeben. Die quantitative Untersuchung und umfassende Diskussion des von außen herkommenden Erforderlichen in Abstimmung mit dem von der Technik her Möglichen läßt dann Zug um Zug, das heißt iterativ, das endgültige Ziel entstehen. Ziele wachsen also im vorhin bezeichneten Felde der Möglichkeiten durch einen fortgesetzten Kommunikationsprozeß aller zu einem Ganzen gehörenden Gruppen.

Durch unsere Überlegungen sind wir also zum Kommunikationsbegriff gekommen. Kommunikation erlaubt einerseits die dynamische, das heißt sich entwickelnde Zielbestimmung für ein Projekt, und andererseits ermöglicht sie die Integration der an einem Projekt beteiligten Gruppen, hat also eine doppelte Funktion. Durch Kommunikation entsteht dann letzten Endes ein Projekt nicht nur bezüglich seiner naturwissenschaftlich-technischen Elemente, sondern auch bezüglich seiner menschlichen Teile. Müssen doch in einem Projekt wesentlich Entscheidungen vorbereitet und gefällt werden, und zwar ständig. Dabei ist es wichtig, daß bei den anstehenden Einzelentscheidungen eine kleine Anzahl von Alternativen – oder, wie man heute sagt, Optionen – formuliert wird. Die Art der Formulierung und die Weise der Vorbereitung enthalten menschliche Komponenten, ebenso wie die äußeren von der Umwelt kommenden Randbedingungen, von denen eben die Rede war. Schließlich enthalten die Einzelentscheidungen und die größeren Entscheidungen natürlich menschliche Komponenten. In einem Projekt kommt es also zur Wechselwirkung von naturwissenschaftlichen Sachverhalten, soziologisch-gesellschaftlichen Sachverhalten und Menschen, das heißt, es kommt zur Kommunikation in ganz allgemeiner Form. Deshalb ist der Begriff der Kommunikation hier allgemeiner und umfassender als beispielsweise der Begriff der Information; denn Information kann ich losgelöst vom Empfänger und vom Geber, also voll objektiviert vorstellen und behandeln, und in der sogenannten Informationstheorie, etwa bei Shannon, geschieht das auch. Kommunikation dagegen schließt wesentlich den Empfänger und den Geber mit ein, denn beide gehören mit zum Projekt, sie sind Mitarbeiter. Von daher ist Kommunikation umfassender, und sie ist deswegen auch nicht objektivierbar. Trotzdem geschehen Beratung, Entscheidungsvorbereitung und das Fällen der Entscheidung in bestimmten Formen, die aus der Erfahrung der Kommunikation gewonnen sind. In den neueren Wissenschaftszweigen, etwa der Systemtheorie und der Systemtechnik oder auch im Bereich des Operations Research, werden diese Formen der Kommunikation selbst wieder zum Gegenstand der wissenschaftlichen Untersuchung. Im Bereich der Naturwissenschaften gehören also diese eben genannten modernen Wissenschaftsdisziplinen grundsätzlich gesprochen zu jener zweiten Stufe von Wissenschaft, von der weiter oben die Rede war.

Das alles ist ziemlich neu und bedarf der weiteren Erfahrung und Einübung. Bei wirklich großen Projekten – und in Deutschland stellt im Augenblick wohl nur die Entwicklung der friedlichen Nutzung der Kernenergie ein solches wirklich großes Projekt dar – zeigt es sich nun, daß mit dem Verfolg solchen Projektes ein doppelter Effekt erreicht wird, und das ist schließlich für unsere Überlegungen entscheidend: Es wird zunächst das Projekt selber betrieben, das heißt, es wird auf das sich selbst weiter entwickelnde konkrete Ziel hin gearbeitet; zum anderen aber werden Kommunikation und Formen der Kommunikation eingeübt. Die Entwicklung der friedlichen Nutzung der Kernenergie in Deutschland ist so ein Exerzierfall für das Verfolgen eines großen technologischen Projektziels, ohne daß diese Entwicklung eine militärische Bedeutung hätte. Ein Nichtkernwaffenstaat übt somit moderne Formen der Kommunikation ein, während diese Formen in den Kernwaffenstaaten überwiegend an Hand militärischer Fragestellungen, etwa im Bereich der Rand Corporation, behandelt und eingeübt worden sind. Bei der Entwicklung der friedlichen Nutzung der Kernenergie müssen nun viele, große und bisher auch weitgehend unabhängige Partner miteinander kommunizieren: die Hochschulen, die eigens zu solchen Zwekken ins Leben gerufenen neuartigen Kernforschungszentren wie Karlsruhe und Jülich, die Entwicklungsgruppen der Industrie, die Energieversorgungsunternehmungen, das Ministerium für Bildung und Wissenschaft, das Finanzministerium und nun eben auch das Bundeskanzleramt und das Auswärtige Amt. Und das alles galt nur im nationalen Bereich; es ist bekannt, daß große technologische Projekte oft weit über den nationalen Rahmen hinausgehen. Sie stellen deshalb ein Exerzierfeld für das Einüben internationaler und supranationaler Projekte dar. Am konkreten Fall, am konkreten Projekt allein kann zum Beispiel EURATOM aufgebaut werden bzw. gesunden.

Kommen wir zum Schluß. Solange nicht von Zielen in größerer Allgemeinheit und deshalb auch Verschwommenheit die Rede ist, sondern solange hart von konkreten Zielen die Rede ist, sollte man sich mit einer Vorform von Zielen heute zufriedengeben und demgemäß stufenmäßig vorgehen. Dann müssen diese vorläufigen Ziele vor allem auf die Einübung von Kommunikation ausgerichtet sein und dabei selbst ein nützliches, vielleicht nur partiell nützliches Ziel im engeren Sinne des Wortes darstellen. Ich glaube, daß die drei Großprojekte

1. friedliche Nutzung der Kernenergie
2. elektronische Datenverarbeitung
3. ein modernes, sehr schnelles Transportsystem für mittlere Entfernungen

solche vorläufigen Ziele darstellen. Welche Rolle die friedliche Nutzung der Kernenergie spielt, haben wir eben gesehen. Die anderen beiden Projekte erlauben schließlich selbst eine stark intensivierte Kommunikation, so daß bei ihnen die Ermöglichung von Kommunikation sogar als eigentliches Projektziel erscheint.

Nach dem Gesagten ist es jetzt vielleicht deutlich, warum eben diese drei Projekte als technologische Großprojekte und damit als Vorform von Zielen im Bereich von Naturwissenschaft und Technik genannt worden sind. Mit ähnlichen Methoden und in ähnlichem Horizont, wie sie hier entwickelt und gebraucht wurden, und bei erhöhter Kommunikation lassen sich vielleicht die wirklich großen, ganz konkreten Ziele schließlich entwickeln.

Einige Zusammenfassungen und Gegenfragen

Den Vorträgen der Sendereihe »Politik für Nichtpolitiker« folgte jeweils ein Nachwort, das neben einer kurzen Zusammenfassung Gegenfragen enthielt, um zur Diskussion anzuregen. Wir drucken hier einige Beispiele ab. Verfasser dieser Texte ist Alfred Rottmann. (Vgl. Band 1, Seite 12f.)

Zu Nation

Die Auseinandersetzung mit dem Begriff Nation kann am Phänomen des Nationalismus nicht vorüber. Die Überschätzung der eigenen Nation, der Hang zur Abwertung anderer Völker und Volksgruppen ist meist verbunden mit der Neigung, eigene Ziele rücksichtslos gegenüber anderen Nationen durchzusetzen. Dagegen ist für Hans Rothfels der Nationalgedanke erst dadurch diskreditiert worden, daß sich an ihn zufällig bestimmte gesellschaftliche Kräfte anhängten, etwa der »Expansionsdrang sozialer Eliten«, wie er sagt. Läßt sich aber nicht der Geschichte entnehmen, daß der Nationalgedanke mit geradezu zwangsläufiger Eigengesetzlichkeit zur Absolutsetzung der eigenen Art, zur Vergewaltigung von Minderheiten und zur Verletzung sittlicher Normen führt? Die radikale Opposition der Jugend gegen den Nationalgedanken nennt Rothfels die »Spätzündung« einer Generation, die »nicht durch den Feuerofen gegangen ist und nicht zwischen Echtem und Unechtem unterscheiden gelernt hat«. Sind diese antinationalen Kräfte wirklich durchweg »eine ernste Bedrohung der freiheitlich demokratischen wie auch der internationalen Ordnung«? Hat nicht die wachsende Welle des radikalen Nationalismus dem Ansehen der Bundesrepublik im Ausland weit mehr geschadet als die Studentenrevolten, die sich kaum in Wählerstimmen niederschlagen?

Wenn der Autor schließlich die nationale Verpflichtung betont, die Verbindung mit Ostdeutschland nicht abreißen zu lassen, und im gleichen Atemzug den Abbau der ideologischen Kriegsführung fordert, so wäre wohl die Frage angebracht, warum gerade die nationalen und nationalistischen Kräfte der Bundesrepublik stets und allerorten jeden realistischen Wiedervereinigungs- und Entspannungsvorschlag als Verzichtpolitik verleumdeten und zur Rückkehr zum Kalten Krieg bliesen. Sind bei uns nationale Verpflichtung und nationale Politik zweierlei?

Zu Ost-West-Konflikt

Der Ost-West-Konflikt, so führt Waldemar Besson aus, hat eine einigermaßen stabile, kalkulierbare Weltlage geschaffen. Diese ist allerdings – so muß man hinzufügen – mit Opfern erkauft worden, mit Sachzwängen, denen sich beide Supermächte unterwerfen müssen, und mit einem beträchtlichen Souveränitätsverlust. Kann Amerika, abgesehen vom alleräußersten Fall, seine stärksten Waffen wirklich souverän einsetzen? Ist dieses Land nicht trotz seiner gigantischen Atomrüstung in einen subversiven Krieg hineingerissen worden, in dem es seinen moralischen Kredit innerhalb der westlichen Welt zu verspielen droht?

Die beiden Supermächte, die mit dem Leben ihrer Bevölkerung für die Stabilität bürgen, nehmen das Recht für sich in Anspruch, jeder Vergrößerung des Klubs der Kernwaffenbesitzer entgegenzutreten. Erleben wir aber nicht gerade durch den Atomsperrvertrag eine Zementierung des Ost-West-Konfliktes? Und ist andererseits nicht die Gegnerschaft mancher Staaten gegen das Vertragswerk ein letztes Aufbäumen gegen eine zweitrangige Rolle in der Weltpolitik?

Es muß angezweifelt werden, ob der Ost-West-Konflikt tatsächlich auch in Zukunft eine gewisse Stabilität der Weltlage garantieren kann. Die Entwicklung der neuen Raketenabwehrsysteme in den Vereinigten Staaten und der Sowjetunion hat erneut eine hohe Prämie auf den atomaren Überraschungsangriff gesetzt. Wer ein Raketenabwehrsystem besitzt und den ersten Schlag führt, hat beträchtliche Chancen. Wenn militärische Überlegungen versagen, müssen andere Wege der Friedenssicherung erkundet werden. Haben wir aber ernsthafte politische Lösungen für das Weltfriedensproblem?

Der Ost-West-Konflikt hat, besonders in der Bundesrepublik, dazu geführt, unter Politik schlechthin Außenpolitik zu verstehen. Erst als sich die Schleier des Kalten Krieges zu lüften begannen, wurde der Ruf nach inneren Reformen unüberhörbar. Die gegenwärtige Bildungskatastrophe hat sich unter der deckenden Hülle des Ost-West-Konfliktes angebahnt. Wäre jetzt nicht endlich ein Zeitalter der nachzuholenden Reformen oder zumindest eine Ära der Innenpolitik an der Reihe?

Zeichnet sich wirklich, wie Besson meint, keine neue Konstellation am Horizont ab? Wird der Ost-West-Konflikt nicht schon längst vom Nord-Süd-Konflikt überschattet? Erscheint die Ost-West-Achse nicht zunehmend als Verschwörung des Fortschritts gegen die Armut, als Verschwörung der Welt der Stadt gegen die Welt des Dorfes? Könnte nicht die drohende Welthungerkatastrophe einen Weltbürgerkrieg zur Folge haben? Wäre nicht die richtige Einstellung auf eine solche Konstellation eine neue Sehweise, eine Sehweise, die man mit »Welt-Innenpolitik« zu beschreiben versucht hat?

Zu Parteien

Die Rolle der Parteien in der modernen Demokratie, so lesen wir im Beitrag von Wilhelm Hennis, läßt sich nicht hoch genug veranschlagen. Ob in einem Staat die Freiheit der Parteigründung bestehe oder nicht, das mache den Unterschied zwischen dem demokratischen und dem diktatorischen System aus. Kann man in der Bundesrepublik einer neuen Partei tatsächlich Chancen einräumen? Ist die Frage der Wahlkampffinanzierung und die Drohung der Fünf-Prozent-Klausel nicht ein Damoklesschwert für jeden Versuch einer Neugründung? Wäre eine neugegründete Partei, die – wie es bisher Brauch war – kaum Zugang zu den Massenmedien hat, politisch lebensfähig? Welcher neuen Partei ist es denn seit 1949 gelungen, in den Bundestag einzuziehen und sich zu etablieren? Ist die grundgesetzlich garantierte Freiheit der Parteigründung nicht ein sehr vordergründiges und formelles Merkmal unserer freiheitlichen Demokratie?

Der Autor nennt die Parteien »Einbahnstraßen« zu den politischen Führungspositionen in Staat und Gesellschaft. Dieses Phänomen färbt auf die Qualität der Politiker ab. Die Eigenschaften, die für die Aufstellung in einem Wahlkreis und für einen erfolgreichen Wahlkampf nötig sind, decken sich nicht mit denen, die die spätere Parlamentsarbeit erfordert. Prestige, Beliebtheit und Anziehungskraft auf die Wähler ist entscheidender als fachliche Qualifikation. Wäre es unter solchen Auswahlmethoden nicht besser, bei der Kandidatenaufstellung im Wahlkreis den Bundes- und Landesvorständen der Parteien größeren Einfluß einzuräumen?

Hennis schildert den Wandel der Parteien von weltanschaulichen zu pragmatischen, auf Machterwerb gerichteten Gruppen. An diesem Wandel hat sich das Unbehagen der sogenannten außerparlamentarischen Opposition entzündet. Wenn diese außerparlamentarischen Gruppen der SPD etwa Verrat am Marxismus vorwerfen, fordern sie praktisch eine Rückkehr zur reinen Weltanschauungspartei. Will also die APO das Rad der Parteiengeschichte zurückdrehen? Ist sie in ihrem politischen outlook etwa altmodischer, als ihre Beschäftigung mit avantgardistischer Philosophie vermuten läßt?

Unsere Parlamente bestehen zum großen Teil aus Beamten. Wilhelm Hennis möchte diesen Mißstand abstellen. Wer aber könnte die Verwaltung gründlicher kontrollieren, wer die Gesetzesmaterien besser durchschauen als jene, deren beruflicher Umgang die Ausführung von Gesetzen und die Verwaltung ist? Der Weg ins Parlament und in die Parteien steht formal allen Bürgern offen. Aber wer von den gut verdienenden Ärzten, Apothekern oder Unternehmern ist heute noch bereit, für den Landtag oder den Bundestag zu kandidieren? Will Hennis etwa zurück zum unpolitischen Beamten, also zu jenem, der dem Dritten Reich gerade durch sein mangelndes Engagement Vorschub geleistet hat?

Wenn schließlich eine Teilung, Umgrenzung und Kritik der Parteiherrschaft gefordert wird, so hieße das zum Beispiel auch, daß die Bürger von der Presse mehr über parteiinterne Vorgänge selbst auf unterster Ebene unterrichtet werden müssen. Es hieße auch, daß die Parteien endlich klare Rechenschaft über die Herkunft ihrer Finanzmittel geben sollten. Und es hieße auch, daß jeder einzelne Bürger aufgefordert ist, an dieser Kontrolle der Parteien mitzuarbeiten. Nicht jeder Parteibeitritt muß Baustein einer persönlichen Karriere sein. Gerade für unabhängige und kritische Köpfe ist weniger eine Karriere als vielmehr ein dornenreicher Weg in der Partei zu erwarten. Für unsere Parteien und damit für unsere Demokratie wären aber gerade solche Bürger am wichtigsten, die ihre freiheitlich-demokratischen Maßstäbe auch einer Partei zuliebe nicht opfern.

Zu Planung

Die Welt von morgen ist eine geplante, oder sie ist nicht. Über die Wahrheit dieses Kernsatzes von Nicolaus Sombart besteht kein Anlaß zur Formulierung von Gegenthesen. Die Grundlegung der zeitgenössischen Planungstheorie, wie Sombart sie vorführt, läßt jedoch Raum für eine stoffliche Auffüllung, Konkretisierung und Aktualisierung des Stichworts »Planung«. Planen ist auch ein praktisches Problem, das zu tun hat mit praktischer Vernunft, mit der Lösung von Rechenaufgaben. »Unglück stammt von mangelhaften Berechnungen«, hatte Brecht einmal ganz einfach geschrieben.

Schon die simple Übertragung wissenschaftlicher Methoden auf den Bereich der politischen Gesamtleitung wurde in der Bundesrepublik als Ketzerei an einer kanonisierten Marktwirtschaft aufgefaßt und ging fast in einer Märtyrerhistorie aus. Der wissenschaftliche Eingriff in die Politik hatte seine Generalprobe im Jahre 1957, als Professor Hahn der Presse einen Appell der achtzehn führenden deutschen Atomwissenschaftler übergab und die Bundesregierung aufforderte, auf ihre atomaren Ambitionen zu verzichten. Die Fortsetzung bildete das im Herbst 1961 überreichte ›Tübinger Memorandum‹, das, grundsätzliche Zielvorstellungen umreißend, der Vernunft eine Gasse zwischen den massiven Gruppeninteressen bahnen wollte. »Die Herren können das ja unter sich diskutieren«, lautete wörtlich der Kommentar des damaligen Bundespressechefs auf diese Demarche. Die Politiker waren kaum bereit, Sachkenntnis und wissenschaftliche Autorität als Grundlage politischer Einsichten zu akzeptieren.

Heute, nach einem Jahrzehnt politischer Aufklärung, steht der Politiker mit der Planung scheinbar auf vertrautem Fuß. Regionalpläne, Strukturprogramme, Landesentwicklungspläne, Planungsausschüsse und Hochschulgesamtpläne werden inflationär. Jede größere Kreisstadt beschäftigt einen Planungsstab und erwirkt sich damit den Ablaß vor der Zukunft. Daß bei uns etwa Kernenergie staatlich gefördert, der unrentable Kohlenbergbau gleichzeitig auch subventioniert wird, erscheint angesichts des verantwortungsbewußten Planungseifers eher ein aus Sachzwängen geborener Kunstfehler, denn als ein Einwand gegen die stimmende Richtung des Ganzen. Der Leberplan ist in der Tat – selbst in seiner gegenwärtigen, recht verwässerten Form – ein Fortschritt, um den uns andere Staaten beneiden. Durch die Besteuerung des Straßengüterverkehrs hat er eine teilweise Verlagerung schwerer Gütertransporte von der Straße auf die Schiene erreicht, und die Bundesbahn kann sich erstmals wieder eines guten Wirtschaftsergebnisses rühmen. Warum sollte der deutsche Bürger nicht hoffnungsvoll in die Zukunft schauen?

Es gibt ausgeklügelte Methoden, um Informationen über die Zukunft zu erhalten. Sie gehen davon aus, daß Veränderungen technischer und gesellschaftlicher Situationen nicht irgendwie vorgegeben sind, sondern – mindestens teilweise – Fortsetzungen früher beobachtbarer Entwicklungen sind. In sogenannten »Projektionen« können mehrere Alternativen zukünftiger Entwicklungen in Abhängigkeit von angegebenen Voraussetzungen dargestellt und in »Prognosen« die wahrscheinlichsten Voraussetzungen und damit die wahrscheinlichste Alternative ausgewiesen werden. In sogenannten »Extrapolationen« wird der bisherige Verlauf einer Zeitfunktion durch das Verlängern mit dem Kurvenlineal in die Zukunft erweitert und ablesbar gemacht. So erzielte Voraussagen haben oft glänzende Bestätigungen erfahren. Im Jahre 1961 sagte die Deutsche Shell AG nach sorgfältiger Marktbeobachtung für das Jahr 1965 einen Kraftfahrzeugbestand von 8,1 bis 8,6 Millionen voraus. Der westdeutsche Bestand Anfang 1965 betrug tatsächlich 8,6 Millionen Fahrzeuge. 1960 schätzte die Firma Philips, es werde Ende 1965 in der Bundesrepublik 11,3 Millionen Fernsehteilnehmer geben. Die Zahl betrug 1965 tatsächlich 11,37 Millionen. Solchen Prunkstücken aus dem deutschen Planungskabinett stehen die Ruinen gigantischer Fehlkalkulationen gegenüber: etwa jene folgenreiche Fehleinschätzung des Steinkohlenbedarfs der Zukunft, die das schwere Heizöl außer acht ließ. Oder die verständnislose Haltung der früheren Bundesregierung gegenüber der Luftfahrtindustrie, die als lohnender Zukunftsmarkt nicht erkannt wurde. Oder die Hilflosigkeit der Kulturpolitiker gegenüber den Pichtschen Prognosen, die besagen, daß die in den nächsten zehn Jahren zu erwartenden 300000 Hochschulabsolventen alle den Lehrerberuf ergreifen müßten, um den Lehrerbedarf zu decken. Vor unseren Augen vollziehen sich Tag für Tag Fehleinschätzungen und schwerwiegende Versäumnisse. Bis zum Jahre 1970 wurden zum Beispiel rund 300 Millionen DM für die Entwicklung der Datenverarbeitung ausgegeben – eine stolze Summe. Aber allein das neue Computersystem 360 der Firma IBM hat bisher schon zwanzig Milliarden gekostet: siebzigmal mehr als der Gesamtaufwand der Bundesrepublik.

Die Forderung wird immer dringlicher, daß auch die Planung geplant werden müsse, daß neben den rund 150 Institutionen, die sich mit der Analyse der Vergangenheit beschäftigen, mindestens ebenso viele Institute stehen müßten, die die wissenschaftliche Analyse der Zukunft betreiben. Sehr viele, zum Teil grundlegende Fragen wären noch zu lösen: Sind – um nur einige Beispiele herauszugreifen – veröffentlichte

Prognosen nicht schon in sich falsch? Tritt nicht der gleiche Effekt auf wie bei Wahlvoraussagen, die ja auch das Wählerverhalten beeinflussen? – Prognosen können bisher nur die denkbaren Veränderungen berücksichtigen. Wie steht es aber mit unerwarteten Veränderungen in der Zukunft? Ist die mangelnde menschliche Vorstellungskraft tatsächlich die Grenze der Zukunftsforschung?

Die Zukunft hat auch eine psychopathologische Komponente. Mit hochkomplizierten Satelliten werden lebende Bilder über den Atlantik gesendet. Aber was auf den Fernsehschirmen erscheint, ist Bonanza, ist Wildwestromantik des vorigen Jahrhunderts. Hochgezüchtete Großrechenanlagen und empfindliche Steuersysteme werden für denselben Zweck eingesetzt wie der Faustkeil vom Urmenschen: zur Vernichtung des Gegners. Neue Tatbestände der Technik erzeugen und perpetuieren menschliche Fehlanpassungen. Fehlanpassungen werden stärker, je rascher sich die Umwelt ändert. Muß letzten Endes nicht auch die Persönlichkeit des Menschen planvoll verändert werden?

Im Jahre 2005 werden in der Bundesrepublik wahrscheinlich 40 Millionen Kraftfahrzeuge in Betrieb sein. Schon heute hat die Motorisierung zur Verstopfung der Städte, zur Verschmutzung der Luft, zu extremen Zeitverlusten geführt. Die Quote der Unfalltoten nähert sich der Zahl der Weltkriegsopfer. Höchste Ausgaben für den Straßenbau können die Kraftfahrzeugvermehrung nicht einholen. Hängt wirklich das Wohl und Wehe der deutschen Wirtschaft vom Wohlergehen unserer Autofabriken ab? Gelingt es nicht, menschliche und politische Gewohnheiten so zu verändern, daß auch noch bei den modernen und zukünftigen technischen Gegebenheiten die menschliche Existenz gefördert wird? Verhalten wir uns – so hat Professor Steinbuch einmal gesagt – vor den Automobilen etwa anders als die Inder vor den heiligen Kühen? Sachzwänge werden vorgeschoben, um eine Planung zu verhindern, die den höchsten Wert im Wohl des Menschen sieht. Zu diesen scheinbaren Sachzwängen gehört die Vorstellung vom Primat des Wirtschaftswachstums gegenüber der gerechten Einkommensverteilung oder die Auffassung, daß der gegenwärtige katastrophale Lehrermangel keine pädagogischen Experimente zulasse – was nebenbei dazu geführt hat, daß im großen und ganzen immer noch die Schulformen des neunzehnten Jahrhunderts bei uns dominieren. Gegenüber den Handelsbilanzen,

Aktienkursen und Haushaltsausgleichen wäre es an der Zeit, den Menschen als Ziel aller Planung zu proklamieren.

Was mit einiger Sicherheit für die Zukunft vorausgesagt werden kann, ist ein Zeitalter der perfekten Technik. Wie wird aber in diesem Zustand die wenige noch vom Menschen zu leistende Arbeit sinnvoll verteilt, und vor allem: wie wird der entstehende Nutzen sinnvoll verteilt? Es scheint ziemlich sicher, daß in dieser Zukunft die Grundstoffe, Energiequellen und Kommunikationsmittel unter gesellschaftlicher Kontrolle verwaltet werden müssen. Entscheidungen darüber, wohin der Weg führt, können nicht das Privileg weniger sein. Auch nicht das Privileg einzelner Planungskommissionen. Wo alle unter den falschen Entscheidungen zu leiden haben, haben alle das Recht darauf, an den Entscheidungen mitzuwirken.

Zu Pluralismus

Unter Pluralismus versteht man das gleichberechtigte, durch grundrechtliche Garantien geschützte Nebeneinanderexistieren und -wirken einer Mehrzahl sozialer Gruppen innerhalb der staatlichen Gemeinschaft. Der Staat selbst ist pluralistisch organisiert, da die Parteien, die ihn tragen, starke Interessengruppierungen in sich repräsentieren. Anzeichen einer grundlegenden Veränderung des herkömmlichen Pluralismus-Modells mehren sich in der Gegenwart: im wirtschaftlichen Bereich gibt es bereits eine Globalsteuerung, im Schulwesen wird sichtbar, daß Probleme zur Lösung anstehen, vor denen die pluralistische Gesellschaft versagt hat. Wissenschaftlich-technischer Fortschritt und Planung führen in der Politik zu sachlich orientierten Entscheidungen, auf die das Gruppeninteresse kaum noch Einfluß hat.

Verbände und Gruppen ändern zugleich ihren Charakter: das einzelne Mitglied verliert an Bedeutung gegenüber einer verselbständigten Verbandsbürokratie, die sich zunehmend auf Machtfragen auswirkt und mit anderen staatlichen und gesellschaftlichen Organisationen zusammenarbeitet. Der Bauernverband – einer der erfolgreichsten Verbände der Gegenwart überhaupt – vertritt längst nicht mehr die Interessen der Kleinlandwirte, das heißt die Interessen jener, die heute am meisten des organisierten Schutzes bedürfen. Der neue Pluralismus, der in diesem Prozeß sichtbar wird, besteht in der permanenten Machtverflechtung zwischen staatlichen und gesellschaftlichen Organisationen. Diese Verquickung hat nach Heinz Theo Risse zur Folge, daß die bestehenden Machtverhältnisse zementiert werden und Reformen kaum zustande kommen.

Die Beobachtung neuer Formen spontaner Gruppenbildung bei wilden Streiks und Studentendemonstrationen führt zur Schlußfrage: Wie kann eine den modernen Erfordernissen entsprechende Planung und Lenkung des Staatsganzen mit der fundamentalen Demokratisierung der Gesellschaft in Einklang gebracht werden?

Wenden wir uns nach dieser Zusammenfassung einigen weiterführenden Gedankengängen zu. C. Wright Mills hat in seiner Analyse der amerikanischen Elite (›Die amerikanische Elite‹, Hamburg 1962) nachgewiesen, daß der politische Pluralismus eine bloße Fassade sei. Hinter ihr stehe das unsichtbare Monopol des mächtigen Dreiecks von politischen, wirtschaftlichen und militärischen Drahtziehern. Lassen sich solche Erkenntnisse auf die Bundesrepublik übertragen? Stimmt das vertraute und abgegriffene Bild von der pluralistischen Gesellschaft tatsächlich? Und wenn nicht: wer sind bei uns die eigentlich Mächtigen?

Gemäß dem pluralistischen Modell steht der Staat keineswegs über den Gruppen, sondern stellt höchstens eine spezifische Gruppe neben anderen dar. Ein besonderes Souveränitätsrecht ist ihm nach dieser Auffassung kaum noch zuzuerkennen. Was geschieht beim Loyalitätskonflikt des Bürgers etwa zwischen seiner Gewerkschaft und seinem Staat? Gebührt dann der Verpflichtung gegenüber der Gewerkschaft der Vorrang vor der Verpflichtung gegenüber dem Staat?

Zu Rechtsstaat

In der politischen Praxis der Bundesrepublik wird die Gewaltenteilung immer weiter ausgehohlt. Bekanntlich sind in den deutschen Länderparlamenten Bürgermeister und Beamte besonders zahlreich vertreten. Ein Bürgermeister leitet die Verwaltung einer Gemeinde, das heißt, er wendet Gesetze und Verwaltungsvorschriften an, setzt Erlasse und Gesetzesprogramme in die Praxis um und gehört somit der Exekutive an. Als Landtagsabgeordneter hingegen zählt er zur Legislative und ist an der Formulierung eben jener Gesetze beteiligt, die er als Bürgermeister anwenden und durchführen soll. Steht ein solcher Landtagsabgeordneter nicht ständig vor der Verlokkung, ad-hoc-Gesetze zu machen, Gesetze, die seinen spezifischen Verwaltungsinteressen dienen? Und hat der Bürgermeister, der zugleich Landtagsabgeordneter ist, nicht schon lange vor den anderen Bürgermeistern Kenntnis von Gesetzesvorhaben, so daß er in der Finanzplanung seiner Gemeinde wirkungsvoller arbeiten kann als andere Kollegen, denen diese Informationen nicht zuteil werden?

Ähnlich ist die Situation der Vielzahl von Beamten, die ein Landtags- oder Bundestagsmandat ausüben. Wenn sie beispielsweise Beamte eines Ministeriums sind, haben sie als Abgeordnete die Aufgabe, ihre eigenen Dienstvorgesetzten zu kontrollieren. Kann man von einem Schulrektor, um nur ein Beispiel zu nennen, erwarten, daß er als Mitglied des kulturpolitischen Ausschusses im Landtag jenen Behörden unvoreingenommen gegenübersteht, von denen seine Beförderung und Karriere im Schuldienst abhängt? Die Gewaltentrennung war ursprünglich entwickelt worden als eine Schutzvorrichtung des Staatsbürgers gegenüber dem staatlichen Machtmißbrauch. Wenn diese Schutzvorrichtung durchbrochen wird, wie können dann die Grundrechte geschützt werden?

Helmut Simon hat am Ende seines Beitrags die Ergänzung der politischen Freiheitsrechte durch wirtschaftliche Existenzsicherung und Daseinsvorsorge gefordert. Zur Verdeutlichung dieses Anliegens möchten wir ein Beispiel aufgreifen, das den meisten von uns recht geläufig ist: die Lage der Mieter in der Bundesrepublik. Rund siebzig Prozent der Bevölkerung wohnen in Miete und sind dadurch mehr oder weniger starkem wirtschaftlichem Druck ausgesetzt, besonders seit durch den Lückeplan Mietpreisbindung und Kündigungsschutz in Altbauwohnungen Schritt für Schritt abgebaut worden sind. Nach dem amtlichen Mietenindex sind die Altbaumieten von 1962 bis 1969 um fast siebzig Prozent gestiegen, während sich die allgemeinen Lebenshaltungskosten nur um zwanzig Prozent erhöht haben. Wer heute eine Wohnung mietet, muß meist einen vom Hausbesitzerverein entworfenen Mietvertrag unterschreiben, der mit höchster juristischer Sorgfalt Risiken, Verpflichtungen, Haftungen und eventuell anfallende Kosten einseitig dem Mieter zuschiebt. Was hilft das grundgesetzlich verankerte Recht auf Unverletzlichkeit der Wohnung, wenn in einigen dieser Mustermietverträge der Mieter beurkunden muß, daß sein Hausherr täglich das Recht habe, seine Wohnung zu betreten? Was nützt dem Mieter die persönliche Freiheit und Menschenwürde, wenn ihm der Vermieter jederzeit ohne Angabe von Gründen kündigen und ihn durch eine Räumungsklage innerhalb bestimmter Frist vor die Tür setzen kann, unabhängig davon, ob eine Ersatzwohnung vorhanden ist oder nicht? Was helfen Menschenrechte, wenn Spekulanten Wohnblöcke aufkaufen und den Bewohnern kündigen, um überhöhte Mietforderungen zu stellen? Und was hilft das neue Mieterschutzgesetz der Regierung Brandt/Scheel, wenn die Mieter selbst über seinen Inhalt nicht genügend informiert sind und die Vermieter mit der herkömmlichen Praxis ungestört fortfahren können? Und wenn ein Vermieter, der zehn Mark Monatsmiete pro Quadratmeter für eine minderwertige Wohnung verlangt, ungestraft bleibt, weil es dem Gericht nicht gelingt, die subjektiven Gründe für den Mietwucher nachzuweisen!

Zu Sozialismus
Karl Marx war davon ausgegangen, daß der abhängige Lohnarbeiter entfremdet sei, weil er an fremden Maschinen Produkte herstelle, die ihm nicht gehören und von deren Verkauf hauptsächlich der Unternehmer profitiert. Die Arbeit gewähre keine innere Befriedigung. Durch die fortschreitende Industrialisierung ergebe sich jedoch die Chance, die Entfremdung des Arbeiters zu überwinden. Da die Güterknappheit den Arbeiter zum Verkauf seiner Arbeitskraft gezwungen hatte, kann der Entfremdung durch Warenüberfluß begegnet werden. Der werde, so meinte Marx, durch die zunehmende Industrialisierung ermöglicht. Im sozialistischen Stadium schließlich würden die Güter nicht mehr nach dem Preis, sondern nach den Bedürfnissen der Menschen verteilt werden.

Angesichts der ausgebliebenen sozialistischen Revolution in Westeuropa wurde die Marxsche Lehre abgewandelt. Lenin erkannte, daß die Profitrate der Unternehmer innerhalb eines geschlossenen Wirtschaftssystems immer geringer werde und die Krise des Kapitalismus notgedrungen in die Kolonialsphäre ausweiche. Aus diesem Grundgedanken Lenins zog dann Mao-Tse-tung die Folgerung, es müsse zwischen den Industrie- und Entwicklungsländern zum Klassenkampf kommen, von den Revolutionen in den Entwicklungsländern werde der Funke auf die kapitalistischen Länder überspringen.

Aus der Sicht dieser Lehre war es eigentlich eine einzige Tatsache, die das Proletariat vor der vorausgesagten Verelendung und den Kapitalismus vor dem Zusammenbruch bewahrt hat: nämlich die Entdeckung der Kapitalisten, daß die Proletarier auch Konsumenten seien. Diese Erkenntnis und ihre Folgen wurden zur schärfsten Waffe gegen den Kommunismus und zur Quelle eines unaufhaltsamen Wirtschaftswachstums bei den Industrieländern. Führen nicht Lohnsteigerungen in unserem System automatisch zu Konsumsteigerungen? Gibt es bei einer Lohnerhöhung nicht zwei große Gewinner: den Staat und die Unternehmer? Den Staat, der infolge der Progression immer höhere Lohnsteuern abschöpft, und den Unternehmer, der mit höheren Umsätzen rechnen kann.

Ist damit die kommunistische Imperialismus-These widerlegt? Liefert nicht die Wohlstandspolitik im Inneren viel zuverlässigere und reichere Absatzmärkte, als die ohnehin armen Entwicklungsländer je bieten können? Ist der Vietnam-Krieg denn ein Krieg um Warenmärkte? Und hat nicht aus demselben Grund der Kommunismus seine Kritik am Kapitalismus ändern müssen? Nicht die Verelendung der Arbeitermassen, sondern ihre Verführung durch den Konsum wird angeprangert. Das Schlagwort »Lohnsklave« ist durch das Schlagwort »Konsumsklave« ersetzt worden. Sind aber solche taktischen Manöver eine Widerlegung des ganzen kommunistischen Ansatzes?

Marx hatte geglaubt, die Konsumbedürfnisse der Menschen seien konstant. Die kommunistischen Staaten des Ostblocks mußten inzwischen einsehen, daß die Bedürfnisse wachsen können und es darauf ankommt, sie zu regulieren. Auch in Moskau mußte man sich mit der empirischen Sozialforschung anfreunden. Die Angleichung zwischen dem östlichen und westlichen System wird immer deutlicher. Wird die Zukunft einem linken Kapitalismus gehören – mit strengen Steuergesetzen für die Reichen und Eigentum für die vielen Wohlhabenden? Verlagert sich der eigentliche Klassengegensatz auf die Spannungen zwischen den Industrienationen auf der nördlichen und den Entwicklungsländern auf der südlichen Halbkugel?

Jedermann weiß, daß der Lebensstandard in den kapitalistischen Ländern höher und schneller steigt als in allen vergleichbaren Staaten mit anderer Wirtschaftsordnung. Lassen sich aber aus dieser Tatsache Argumente ableiten? Müßte man den Kommunisten gegenüber nicht fairerweise zugeben, daß der Kapitalismus in Europa Jahrhunderte Zeit hatte, um seine gegenwärtige Blüte zu erreichen? Und muß man nicht auch die Tatsache in diese Rechnung einbringen, daß es bestimmte Aufgaben gibt, die im kommunistischen System schon heute besser gelöst sind als bei uns: etwa das Schul- und Gesundheitswesen? Und daß gerade diese Aufgaben – und nicht die Erfolge in der Raumfahrt – zum Prüfstein moderner Politik geworden sind? Andererseits wird man bei allen Vorbehalten gegenüber dem kapitalistischen System auch die Gegenargumente berücksichtigen müssen: alle zwanzig Jahre verdoppelt sich in den westlichen Ländern der Anteil an Gütern und Dienstleistungen pro Person, also der Lebensstandard. Nie zuvor ist das Maß an Freiheit für alle so groß gewesen, noch nie die Bereitschaft, die Todfeinde der führenden Klasse zu dulden, ja zu finanzieren, so ausgeprägt, noch nie ist das tätige Mitgefühl mit dem Leiden und die Bereitschaft, Lasten auf sich zu nehmen, so deutlich geworden wie heute in diesem System. Haben wir mit kapitalistischen Mitteln die alten Ziele der Kommunisten vor ihnen selbst erreicht? Oder anders gefragt: Hätten wir ohne Marx und seine Nachfolger diese Ziele überhaupt erkannt?

Eines der spannendsten Zukunftsprobleme des Sozialismus zeichnet sich in Rotchina ab. Nach Ansicht einiger Experten wird dort der Versuch unternommen, das bäuerliche China unversehens in die technologische Gesellschaft zu überführen, die nackteste Armut mit dem größten industriellen Fortschritt zu vereinigen. China hat die Atombombe und ist noch Entwicklungsland, es hat eine moderne, schnell wachsende Industrie, und doch besitzen die meisten Chinesen an persönlichem Eigentum kaum mehr als ein Fahrrad. Bisher hatte der Satz gegolten, der technologische Fortschritt führe unweigerlich zu höherem Konsum. Kann China diesem Zwang entgehen? Marx verstand unter Sozialismus eine durch den Überfluß an Gütern gekennzeichnete Gesellschaft. Mao-Tse-tung versucht, im Sozialismus die persönliche Armut zu verewigen. Welches ist der wahre, der bessere Sozialismus?

Zu Systemzwang

Hat man sich entschieden, ein bestimmtes Ziel mit bestimmten Mitteln erreichen zu wollen, dann ist man in den Folgehandlungen auf unabdingbare Voraussetzungen und Maßnahmen angewiesen, die untereinander zusammenhängen und nicht willkürlich ausgetauscht werden können. Diese Erscheinung nennt man Systemzwang. Wer in ihm steckt, stellt die Voraussetzungen des Systems nicht mehr in Frage und vergißt leicht, daß jedes System eben nur einen Teil der möglichen Wirklichkeiten darstellt.

Aus einem Systemzwang herauszukommen ist nur möglich, wenn man ihn als solchen erkennt. Systemübersteigendes Denken rührt meist an Tabus. Nehmen wir als Beispiel unser Gesundheitswesen. Es beruht auf der Voraussetzung, daß Ärzte als Privatunternehmer gegen Rechnung oder Krankenschein Patienten behandeln. Dieses System hat bekanntlich Mängel: gegenüber den Kassenpatienten sind die Privatpatienten meist ziemlich privilegiert; verglichen mit den Krankenhauspatienten dritter Klasse erhalten die Patienten erster Klasse besseres Essen und unter Umständen sorgfältigere Pflege und teurere Medikamente. Während viele Chefärzte von Kreiskrankenhäusern jährlich sechsstellige Summen verdienen, reicht der Platz an den Universitätskliniken kaum aus. Nach Zeitungsberichten wurden manchmal sogar Sterbende in Waschräume abgeschoben. Kein Gesundheitsamt würde es wagen, einen Arzt zwangsweise auf einen Fortbildungskurs zu schicken, auch wenn dieser seine Universitätsausbildung bereits vor vierzig Jahren abgeschlossen hat und in vielem vielleicht nicht mehr auf dem laufenden ist. Ärzte werden bei uns kaum kontrolliert.

Sobald man die entscheidende Voraussetzung dieses Systems, nämlich die privatunternehmerische Organisation des Gesundheitswesens, in Frage stellt und sich dabei klarmacht, daß die Priorität eindeutig bei der bestmöglichen und sozial gerechten Behandlung des Patienten liegen muß, dann ergibt sich plötzlich eine Fülle von sehr interessanten und zukunftsreichen Reformvorschlägen. Solche Diskussionen stoßen bei uns allerdings noch auf vehementen Widerstand. Wenn da Denken die Praxis verändern soll, muß es Systeme in Frage stellen – auch wenn es schmerzhaft ist.